O descontentamento da democracia

Michael J. Sandel

O descontentamento da democracia
Uma nova abordagem para tempos periculosos

Tradução de
Livia Almeida

Revisão técnica de
Antenor Savoldi Jr.

1ª edição

Rio de Janeiro
2023

Copyright © 1996, 2022 by Michael J. Sandel
Publicado mediante acordo com a Harvard University Press.

Título original: *Democracy's Discontent: A New Edition for Our Perilous Times*

Todos os direitos reservados. É proibido reproduzir, armazenar ou transmitir partes deste livro, através de quaisquer meios, sem prévia autorização por escrito.

Texto revisado segundo o Acordo Ortográfico da Língua Portuguesa de 1990.

Direitos desta tradução adquiridos pela
EDITORA CIVILIZAÇÃO BRASILEIRA
um selo da
EDITORA JOSÉ OLYMPIO LTDA.
Rua Argentina, 171 — Rio de Janeiro, RJ — 20921-380 — Tel.: (21) 2585-2000.

Seja um leitor preferencial Record.
Cadastre-se no site www.record.com.br
e receba informações sobre nossos lançamentos e nossas promoções.

Atendimento e venda direta ao leitor:
sac@record.com.br

CIP-BRASIL. CATALOGAÇÃO NA PUBLICAÇÃO
SINDICATO NACIONAL DOS EDITORES DE LIVROS, RJ

S198d   Sandel, Michael J.
       O descontentamento da democracia : uma nova abordagem para tempos periculosos / Michael J. Sandel ; tradução Livia Almeida ; revisão técnica Antenor Savoldi Jr. - 1. ed. - Rio de Janeiro : Civilização Brasileira, 2023.

       Tradução de: Democracy's discontent : a new edition for our perilous times
       ISBN 978-65-5802-097-4

       1. Ciência política. 2. Democracia - Estados Unidos. 3. Liberalismo - Estados Unidos. 4. Direitos sociais - Estados Unidos. 5. Cidadania - Estados Unidos. I. Almeida, Livia. II. Savoldi Jr., Antenor. III. Título.

                              CDD: 320.973
23-83963   CDU: 32(73)

Meri Gleice Rodrigues de Souza – Bibliotecária – CRB-7/6439

Impresso no Brasil
2023

Para Kiku

Sumário

PREFÁCIO À NOVA EDIÇÃO   9

PREFÁCIO À PRIMEIRA EDIÇÃO   11

INTRODUÇÃO À NOVA EDIÇÃO: A DEMOCRACIA EM RISCO   15

CAPÍTULO 1
A economia política da cidadania   27

CAPÍTULO 2
Economia e virtude no começo da República   39

CAPÍTULO 3
Trabalho livre *versus* trabalho assalariado   93

CAPÍTULO 4
Comunidade, autogoverno e reforma progressista   143

CAPÍTULO 5
Liberalismo e a revolução keynesiana   213

CAPÍTULO 6
O triunfo e as agruras da república procedimental   249

CONCLUSÃO: EM BUSCA DE UMA FILOSOFIA PÚBLICA   309

EPÍLOGO: O QUE DEU ERRADO: O CAPITALISMO E A DEMOCRACIA DESDE
OS ANOS 1990   347

ÍNDICE REMISSIVO   421

Prefácio à nova edição

Nos anos que se passaram desde a publicação da primeira edição deste livro, o descontentamento com a democracia se aprofundou, intensificando-se a ponto de criar dúvidas sobre o futuro da democracia nos Estados Unidos. Nesta nova edição, que atravessa os anos Clinton-Bush-Obama até a presidência de Donald Trump e a pandemia de covid-19, tento explicar o porquê. A primeira edição consistia em duas partes — uma sobre a tradição constitucional americana* e a outra dedicada ao discurso público sobre a economia — e mostrava como a filosofia pública do liberalismo contemporâneo se desenrolava nesses dois domínios. Para a nova edição, cortei a abordagem constitucional e me concentro nos debates sobre a economia. Observar a evolução dessas discussões durante a era da globalização pode nos ajudar a compreender como chegamos a um momento político tão delicado. Desde que a primeira versão do livro foi lançada em 1996, acumulei uma montanha de dívidas com aqueles que a receberam tão bem. Devo agradecimentos especiais a Anita L. Allen e Milton C. Regan, que organizaram um memorável simpósio no Centro de Direito da Universidade de Georgetown. O evento, apresentado por Dean Judith Arens, reuniu grandes nomes da teoria jurídica e política, que ofereceram comentários críticos relevantes sobre o livro. Allen e Regan editaram uma seleção

---

* Sendo a formação política dos Estados Unidos o objeto central de seu livro, o autor usa os termos América e americano/americana como referência direta àquele país (por exemplo: democracia americana, cidadão americano, cultura americana) – exceto quando indicado de outra forma. Tal uso também é consolidado no Brasil, apesar da existência do debate quanto à alternativa "estadunidense". [N. do R. T.]

desses e de outros comentários e ensaios em um volume intitulado *Debating Democracy's Discontent* [Debatendo o Descontentamento da Democracia], publicado em 1998. Aprendi muito com esses ensaios críticos e sinto-me profundamente grato aos colaboradores: Christopher Beem, Ronald S. Beiner, William E. Connolly, Jean Bethke Elshtain, Amitai Etzioni, James E. Fleming, Bruce Frohnen, William A. Galston, Will Kymlicka, Linda C. McClain, Clifford Orwin, Thomas L. Pangle, Philip Pettit, Milton C. Regan, Richard Rorty, Nancy L. Rosenblum, Richard Sennett, Mary Lyndon Shanley, Andrew W. Siegel, Charles Taylor, Mark Tushnet, Jeremy Waldron, Michael Walzer, Robin West e Joan C. Williams.

Sou grato a Kiku Adatto, George Andreou e David M. Kennedy pelos comentários úteis sobre o epílogo da nova edição. Katrina Vassalo fez a revisão do manuscrito com profissionalismo e cuidado. Devo um agradecimento especial a Ian Malcolm, meu editor na Harvard University Press, que, no decorrer de muitos anos, ajudou a desenvolver a ideia central desta nova edição. Além do fato de seu trabalho editorial beirar a perfeição, Ian tem uma habilidade singular para fornecer o equilíbrio justo entre orientação e paciência. Meus filhos, Adam e Aaron, presenças alegres na primeira edição, serviram de caixas de ressonância e se mostraram críticos perspicazes desta vez. Tenho uma dívida para com eles e acima de tudo para com Kiku. Este livro continua a ser dedicado a ela.

Prefácio à primeira edição

A filosofia política, com frequência, parece residir a certa distância do mundo. Os princípios são uma coisa, a política é outra, e nem nossos melhores esforços para fazer jus aos nossos ideais costumam ter sucesso completo. A filosofia pode satisfazer nossas aspirações morais, mas a política lida com fatos recalcitrantes. E, ainda assim, alguns diriam que o problema com a democracia americana é que levamos a sério demais nossos ideais, que nosso apreço por reformas supera nosso respeito pelo vão existente entre teoria e prática.

A filosofia política pode ser inatingível, em certo sentido, mas também é inevitável, pois habita o mundo desde o início. Nossas práticas e nossas instituições são materializações da teoria. Seria difícil descrever a vida política, muito menos participar dela, sem recorrer a uma linguagem carregada de teoria — dos direitos e obrigações, da cidadania e liberdade, da democracia e do direito. As instituições políticas não são simplesmente instrumentos que implementam ideias concebidas com independência. Elas são a encarnação dessas ideias. Por mais que resistamos a grandes perguntas como o significado da justiça e a natureza de uma boa vida, não podemos ignorar que vivemos alguma espécie de resposta a essas questões — vivemos alguma *teoria* — o tempo todo.

Neste livro, exploro a teoria que vivemos neste momento, nos Estados Unidos contemporâneos. Meu objetivo é identificar a filosofia pública implícita em nossas práticas e instituições e demonstrar como suas tensões intrínsecas se manifestam na prática. Se a teoria nunca está distante e habita o mundo desde sempre, podemos encontrar uma pista para compreender nossa condição na teoria que vivemos. Atentar para a teoria implícita em nossa vida pública pode nos ajudar a diagnosticar nossa condição política. Pode também revelar que os apuros sofridos pela democracia americana residem não apenas na lacuna existente entre nossos ideais e nossas instituições, mas também nesses próprios ideais e na autoimagem refletida por nossa vida pública.

A primeira parte deste livro tomou forma nas palestras da Fundação Julius Rosenthal, na Escola de Direito da Universidade Northwestern, em 1989. Agradeço ao reitor Robert W. Bennett e ao corpo docente a calorosa acolhida, as perguntas estimulantes e a permissão para incorporar as palestras a um projeto mais amplo. Fui também beneficiado pelas oportunidades de apresentar trechos deste livro para os professores e alunos das universidades de Brown, da Califórnia em Berkeley, de Indiana, de Nova York, de Oxford, de Princeton, de Utah, da Virgínia, além do Instituto de Ciências Humanas em Viena e em encontros da American Political Science Association [Associação Americana de Ciência Política], da Association of American Law Schools [Associação Americana das Escolas de Direito], da Society for Ethical and Legal Philosophy [Sociedade para a Filosofia Ética e Legal] e na oficina para o corpo docente da Harvard Law School [Escola de Direito da Universidade de Harvard]. Trechos dos capítulos 3 e 4 apareceram, em versões anteriores, no *Utah Law Review* 1989, número 3 (1989, p. 597-615); e no *California Law Review* 77, número 3 (1989, p. 521-538).

Pelo apoio generoso na pesquisa e na escrita deste livro, agradeço à Fundação Ford, ao American Council of Learned Societies [Conselho Americano de Sociedades Eruditas], ao National Endowment for the Humanities [Fundo Nacional para as Humanidades], ao Programa de Pesquisas de verão da Escola de Direito de Harvard. Colegas no Departamento de Governo e na escola de direito em Harvard foram uma fonte constante de conversas estimulantes sobre os temas deste livro. Em especial, tenho uma imensa dívida para com os estudantes de direito e pós-graduandos de Harvard que participaram do meu curso: "A lei e a teoria política: as tradições liberais e republicanas". Eles

PREFÁCIO À PRIMEIRA EDIÇÃO

submeteram meus argumentos a um vigoroso escrutínio crítico. Devo agradecimentos especiais a amigos que, em variadas fases do projeto, beneficiaram-me com extensos comentários por escrito sobre trechos ou mesmo sobre o original inteiro: Alan Brinkley, Richard Fallon, Bonnie Honig, George Kateb, Stephen Macedo, Jane Mansbridge, Quentin Skinner e Judith Jarvis Thomson. John Bauer e Russ Muirhead forneceram uma assistência de pesquisa que foi bem mais longe do que a simples coleta de informações, contribuindo em muito para a base do meu raciocínio. Na Harvard University Press, fui afortunado por trabalhar com Aida Donald, editora exemplar e paciente, e com Ann Hawthorne, que acompanhou as etapas finais do livro com habilidade e cuidado. Minha grande tristeza em relação a este livro é que minha amiga e colega Judith N. Shklar não está viva para vê-lo concluído. Dita discordava de boa parte do que eu dizia, no entanto, desde meus primeiros dias em Harvard, ela sempre foi uma fonte de encorajamento e bons conselhos, de uma camaradagem intelectual alegre e estimulante.

Enquanto eu trabalhava neste livro, meus filhos, Adam e Aaron, deixaram de ser bebês e se transformaram em meninos. Fizeram com que esses anos de escrita fossem uma temporada de alegria. Por fim, este trabalho reflete muito do que aprendi com minha esposa, Kiku Adatto, escritora talentosa que se debruça sobre a cultura americana. Ela contribuiu mais do que ninguém para aprimorar este livro, que é dedicado a ela com amor.

Introdução à nova edição **Democracia em risco**

Nossa vida cívica não vai muito bem. Um presidente derrotado incita uma multidão raivosa a invadir o Capitólio, numa tentativa violenta de impedir o Congresso de certificar os resultados da eleição. Mais de um ano depois do início do governo Joe Biden, a maioria dos republicanos continua a acreditar que só perderam a eleição porque Donald Trump foi roubado. Enquanto a pandemia destrói quase um milhão de vidas nos Estados Unidos, brigas inflamadas em torno de máscaras e vacinas revelam a polarização existente no país. O ultraje público diante dos assassinatos de homens negros desarmados, cometidos por policiais, provocou uma reação nacional à injustiça social, mas estados por todo o território implementam leis que criam maiores dificuldades para o exercício do voto.

O governo Trump e seu desfecho rancoroso lançaram uma sombra sobre o futuro da democracia americana. Mas nossos problemas cívicos não começaram com Trump nem terminaram com sua derrota. Sua eleição foi um sintoma do desgaste dos laços sociais e de uma condição democrática fragilizada.

Há décadas que a divisão entre vencedores e perdedores vem se aprofundando, envenenando a política, afastando-nos um dos outros. Desde os anos 1980 e 1990, as elites políticas levaram adiante um projeto neoliberal de globalização que trouxe ganhos colossais para quem estava no topo e desemprego e salários estagnados para a maioria dos trabalhadores. Seus defensores argumentavam que os ganhos dos vencedores poderiam ser usados para compensar a situação dos perdedores. Mas essa compensação nunca chegou. Os vencedores usaram suas conquistas para garantir influência em altos postos e consolidar seus ganhos. Os governos deixaram de se contrapor ao poder econômico concentrado. Democratas e republicanos se uniram para desregulamentar Wall Street, colhendo generosas contribuições de campanha. Quando a crise financeira de 2008 levou o sistema financeiro para a beira do abismo, bilhões foram gastos para salvar os bancos, enquanto as pessoas comuns, proprietárias de imóveis, tiveram que se defender sozinhas.

A raiva diante do resgate dos bancos e a terceirização dos empregos para países de baixos salários alimentaram protestos populistas que mobilizaram todo o espectro político: à esquerda, o movimento Occupy e a forte oposição de Bernie Sanders a Hillary Clinton no pleito de 2016; à direita, o movimento Tea Party e a eleição de Trump.

Alguns apoiadores de Trump foram atraídos por seus apelos racistas. Mas ele também explorava a raiva originada por sofrimentos legítimos. Quatro décadas de governança neoliberal causaram desigualdade de renda e riqueza nunca vista desde os anos 1920. A mobilidade social foi paralisada. Sob a pressão implacável de corporações e de seus aliados políticos, os sindicatos entraram em decadência. A produtividade aumentou, mas os trabalhadores passaram a ganhar uma participação cada vez menor sobre o que produziam. O setor financeiro reivindicou uma parcela crescente dos lucros corporativos, mas investiu menos em novos empreendimentos produtivos e mais em atividades especulativas, que pouco contribuíram para ajudar a economia real. Em vez de lidar diretamente com a desigualdade e os salários estagnados, os principais partidos afirmaram que os trabalhadores deveriam se aperfeiçoar e conquistar um diploma universitário.

As políticas econômicas de Trump pouco fizeram pelos trabalhadores que o apoiavam, mas sua disposição contra as elites e contra o projeto de globalização teve repercussões. A promessa de construir um muro ao longo da fronteira ao sul e fazer o México pagar por sua construção é um bom exemplo. Seus apoiadores se empolgaram com a proposta não apenas por acreditar que ela diminuiria o número de imigrantes competindo no mercado de trabalho. O muro representava algo maior: a reafirmação da soberania nacional, do poder e do orgulho. Numa época em que as forças econômicas globais restringiam as afirmações do poder e da vontade dos Estados Unidos, quando identidades multiculturais e cosmopolitas complicavam as noções tradicionais de patriotismo e pertencimento, o muro faria "a América voltar a ser grande". Reafirmaria as certezas questionadas pelas fronteiras porosas e pelas identidades fluidas da era global.

Em 1996, quando foi lançada a primeira edição de *O descontentamento da democracia*, a Guerra Fria havia acabado e a versão americana do capitalismo liberal parecia triunfante, representando o último sistema a sobreviver. O fim da história e da ideologia se aproximava. Um presidente democrata reduziu o déficit federal para ganhar a confiança do mercado de títulos. O crescimento econômico estava em alta; o desemprego estava em baixa. No entanto, em meio à paz e prosperidade, sob a superfície, vislumbravam-se incertezas sobre o projeto de autogoverno.

> Na medida em que a política contemporânea questiona Estados soberanos e identidades soberanas, é provável que provoque fortes reações daqueles que baniriam a ambiguidade, reforçariam fronteiras, endureceriam a distinção entre quem é de dentro e quem é de fora, e prometeriam uma política para "recobrar nossa cultura e nosso país", para "restaurar nossa soberania" com uma forte reação.[1]

A forte reação veio duas décadas mais tarde. Mas o ressentimento que elegeu Trump não foi resolvido pelo seu governo nem pela sua derrota depois de um único mandato. O descontentamento da democracia persiste. Amplificado pela pandemia, pela polarização política exacerbada, a injustiça racial recalcitrante e redes sociais tóxicas, ele se tornou mais agudo do que há um quarto de século — mais rancoroso, até mesmo letal.

O DESCONTENTAMENTO DA DEMOCRACIA

Na década de 1990, o descontentamento assumiu o contorno de uma aflição ainda indefinida — uma sensação crescente de que estávamos perdendo o controle das forças que governam nossa vida e de que o tecido moral da comunidade vinha se desfazendo. À medida que a economia global passou a importar mais, o Estado-nação, tradicionalmente o local do autogoverno, importava menos. A escala da vida econômica excedia o alcance do controle democrático.

À medida que o projeto de autogoverno se tornou mais fraco, o mesmo ocorreu com os vínculos entre os cidadãos. As instituições de governança global não estavam dispostas a cultivar os entendimentos compartilhados e as obrigações mútuas exigidas pela cidadania democrática. As lealdades e alianças nacionais se erodiram com o declínio da importância econômica das fronteiras nacionais. A elite credenciada que prosperava na nova economia descobria que tinha mais em comum com seus colegas empreendedores, inovadores e profissionais pelo mundo afora do que com seus conterrâneos. Enquanto era possível encontrar trabalhadores — e consumidores — a meio mundo de distância, as empresas se tornavam menos dependentes daqueles que estavam mais próximos.

Os trabalhadores cujo sustento se ligava a determinadas localidades e regiões vizinhas perceberam o que se passava. O novo modo de organizar a atividade econômica acentuava a desigualdade, erodia a dignidade do trabalho e desvalorizava a identidade e a lealdade nacionais. Para os vencedores, a oposição política que importava não era mais esquerda contra direita, mas sim aberto contra fechado. Aqueles que questionavam os acordos de livre comércio, a transferência dos empregos para países com baixos salários e a circulação irrestrita de capital cruzando fronteiras foram acusados de terem mentes fechadas, como se a oposição à globalização neoliberal fosse o mesmo que intolerância. Por essa lógica, o patriotismo parecia atávico, uma recusa do mundo aberto e sem atritos que acenava logo adiante, um consolo àqueles que ficaram para trás.

Na época, preocupava-me que importantes projetos transnacionais — acordos ambientais, convenções de direitos humanos, a União

DEMOCRACIA EM RISCO

Europeia — sucumbissem em consequência do fracasso no cultivo de identidades compartilhadas e do engajamento cívico necessário à sua sustentação. "As pessoas não se comprometerão com entidades vastas e distantes, independentemente de sua importância, a não ser que tais instituições tenham algum tipo de ligação com os arranjos políticos que reflitam a identidade dos participantes."[2] Mesmo a União Europeia, "um dos experimentos mais bem-sucedidos de governança supranacional, fracassou até agora em cultivar uma identidade comum europeia que seja suficiente para apoiar seus mecanismos de integração política e econômica".[3]

Em 2016, a decisão do Reino Unido de deixar a União Europeia chocou as influentes elites metropolitanas, assim como a eleição de Trump, meses depois. O Brexit e o muro na fronteira com o México simbolizavam uma reação contra um modo tecnocrático de governo, conduzido pelo mercado, que produzira desemprego, salários estagnados, aumento na desigualdade e, entre os trabalhadores, a sensação perturbadora de que eram desprezados pelas elites. Os votos dados ao Brexit e a Trump foram tentativas atormentadas de restabelecer o orgulho e a soberania nacional.

O descontentamento que se agitava sob a superfície nos anos 1990, no auge do Consenso de Washington,* passou a assumir um tom mais cortante e virou de cabeça para baixo a política vigente. Insinuações sobre os efeitos debilitantes do capitalismo global deram lugar ao reconhecimento contundente de que o sistema tinha sido armado para favorecer a grandes corporações e aos ricos. O medo da perda da comunidade deu lugar à polarização e à desconfiança.

O autogoverno exige que as instituições políticas mantenham o poder econômico sob o escrutínio democrático. Exige também que

---

* Consenso de Washington, como ficou conhecido, foi o conjunto de medidas macroeconômicas indicadas pelo Fundo Monetário Internacional e pelo Banco Mundial para o enfrentamento à crise nos chamados países em desenvolvimento a partir do final dos anos 1980. Baseadas inicialmente em um conjunto de dez recomendações definidas em 1989 pelo economista John Williamson, essas políticas incentivavam o livre comércio, a redução do papel do Estado na economia, as privatizações e a desregulamentação dos mercados. [N. do R. T.]

os cidadãos se identifiquem suficientemente uns com os outros para considerar que estão envolvidos num projeto em comum. Hoje, essas duas condições foram colocadas em questão.

Muitos americanos, de todos os matizes do espectro político, consideram que o governo foi capturado por interesses poderosos, deixando ao cidadão comum uma influência reduzida na determinação do modo como somos governados. Contribuições de campanha e de batalhões de lobistas permitem que as corporações e os ricos alterem as regras a seu favor. Um punhado de megaempresas domina a área tecnológica, as mídias sociais, a busca na internet, as vendas on-line, as telecomunicações, o sistema bancário, o setor farmacêutico, bem como outros importantes setores — destruindo a competição, aumentando os preços, ampliando a desigualdade e desafiando o controle democrático.

Ao mesmo tempo, os americanos se encontram profundamente divididos. Guerras culturais disputam como lidar com as injustiças raciais, o que ensinar às crianças sobre o passado do país, o que fazer em relação à imigração, à violência com armas de fogo, às mudanças climáticas, à rejeição da vacina contra a covid-19 e a enchente de desinformações que, amplificada pelas mídias sociais, polui a esfera pública. Moradores de estados democratas e republicanos, de centros metropolitanos e comunidades rurais, com ou sem diplomas universitários, levam vidas cada vez mais distintas. Obtemos nossas notícias de fontes diferentes. Acreditamos em fatos diferentes e encontramos poucas pessoas de contextos sociais ou opiniões diferentes dos nossos.

Esses dois aspectos de nosso problema — poder econômico incompreensível e a polarização arraigada — estão ligados. Ambos enfraquecem a política democrática.

As guerras culturais são tão belicosas e tão irresistíveis que nos impedem de trabalhar juntos para recuperar o sistema. Aqueles que fomentam e inflamam essas guerras ajudam a isolar os arranjos econômicos, afastando-os de movimentos amplos de reforma.

Não é de admirar que o discurso público pareça vazio. O que passa por discurso político consiste em falas estreitas, tecnocráticas, que não inspiram ninguém. Ou então são disputas feitas aos gritos, em que apoiadores fazem denúncias e declarações sem realmente escutar ninguém. O tom febril, estridente do noticiário dos canais de televisão a cabo — para não falar das mídias sociais — representa bem essa situação.

Para revitalizar a democracia americana precisamos debater duas questões obscurecidas pela política tecnocrata das últimas décadas: como reconfigurar a economia para torná-la suscetível ao controle democrático? E como podemos reconstruir nossa vida social de modo a amenizar a polarização e permitir que os americanos se tornem efetivamente cidadãos democráticos?

Cobrar responsabilidades do poder econômico e revigorar a cidadania podem parecer propostas de projetos políticos diferentes. O primeiro ponto trata do poder e das instituições. O segundo relaciona-se com a identidade e os ideais. Um tema central em *O descontentamento da democracia* é a interligação desses dois projetos. Desfazer a captura oligárquica das instituições democráticas depende de cidadãos habilitados a pensarem em si mesmos como participantes de uma vida pública compartilhada.

É uma forma de pensar que contraria o senso comum. Na maior parte do tempo, pensamos em nós mesmos mais como consumidores do que como cidadãos. Quando nos preocupamos com a concentração de poder nas grandes corporações, nos preocupamos principalmente com o aumento de preços provocado pelos monopólios. Depender de grandes conglomerados farmacêuticos significa pagar mais por medicamentos que salvam vidas. Menos competição no setor bancário acarreta tarifas mais altas para os cartões de crédito e contas-correntes. A existência de poucas companhias aéreas faz com que a passagem de avião para Cincinnatti fique mais cara.

Mas "a maldição da grandeza", como foi chamada por Louis D. Brandeis, não é um problema apenas para os consumidores. É também um problema para o autogoverno. Se o setor farmacêutico for poderoso demais, vai obstruir reformas na saúde e insistir em proteções de patente de longo prazo que impedirão a produção de medicamentos genéricos e de vacinas, mesmo durante uma pandemia. Se os bancos forem grandes demais para quebrar, vão se envolver em especulações arriscadas sabendo que os contribuintes cobrirão o prejuízo caso as apostas deem errado, e vão derrubar qualquer tentativa externa de regular seu comportamento irresponsável.

Durante toda a história americana, políticos, ativistas e reformadores debateram as consequências cívicas do poder corporativo. Em suas origens, por exemplo, o movimento antitruste tinha como objetivo conter o poder político dos grandes negócios. Evitar a alta dos preços não era a preocupação principal. Depois da Segunda Guerra Mundial, a lógica cívica se esvaiu, dando espaço à lógica do consumidor.

Mas hoje em dia, a ascensão de grandes empresas de tecnologia e das redes sociais nos faz lembrar que a maldição da grandeza não consiste apenas em preços mais elevados para o consumidor. O Facebook é gratuito. E inflige danos à democracia. Seu vasto poder, livre de regulamentações, permite uma interferência externa nas nossas eleições e a disseminação livre, numa escala sem precedentes, de fomentadores do ódio, de teorias da conspiração, notícias falsas e desinformação. Essas perniciosas consequências cívicas são reconhecidas atualmente. Menos óbvio é o efeito corrosivo em nossa capacidade de concentração. Sequestrar nossa atenção, colher nossas informações pessoais e vendê-las para empresas que nos empurram anúncios alinhados a nossos gostos não é apenas uma ameaça à nossa privacidade. É também algo que mina a postura paciente e atenta em relação ao mundo, necessária à deliberação democrática.

Não estamos acostumados a lidar com as consequências cívicas do poder econômico. Na maior parte do tempo, nossos debates sobre política econômica versam sobre o crescimento e, em menor grau, em torno da justiça distributiva. Discutimos como aumentar o tamanho do bolo e como distribuir as fatias, o que também é uma forma muito limitada de pensar a economia. Essa ideia presume erradamente que o objetivo de uma economia é maximizar o bem-estar dos consumidores. Mas não somos apenas consumidores. Somos também cidadãos democráticos.

Enquanto cidadãos e cidadãs, temos interesse na criação de uma economia acolhedora ao projeto de autogoverno. Isso significa que o poder econômico deve estar sujeito ao controle democrático. Exige também que todos sejam capazes de ganhar a vida decentemente, sob condições dignas, tendo voz no local de trabalho e nos assuntos públicos, e acesso a uma educação cívica amplamente difundida que prepare cada pessoa para deliberar sobre o bem comum.

Discernir quais arranjos econômicos são mais adequados para o autogoverno é uma questão discutível. Em comparação com os debates habituais sobre o modo de melhorar o PIB, aumentar o emprego e evitar a inflação, as discussões relativas às consequências cívicas das diretrizes econômicas são menos técnicas e mais políticas. A essa tradição mais ampla e cívica de argumentação econômica dou o nome de "economia política da cidadania".

Essa tradição, embora eclipsada nas últimas décadas, moldou os termos do discurso público durante boa parte da história americana. Invocada algumas vezes na defesa de causas odiosas, ela também inspirou movimentos radicais, democráticos, em prol de reformas. Um dos objetivos de *O descontentamento da democracia*, na antiga e na nova edição, é indagar se a vertente empoderadora e democrática de nossa tradição cívica poderia nos ajudar a imaginar uma alternativa para o modo neoliberal e tecnocrático da discussão econômica habitual em nosso tempo.

Notas

1. Michael J. Sandel, *Democracy's Discontent: America in Search of a Public Philosophy* (Cambridge: Harvard University Press, 1996), p. 350.
2. Ibid., p. 346.
3. Ibid., p. 339.

Capítulo 1 A economia política da cidadania

Tempos turbulentos nos motivam a lembrar os ideais pelos quais vivemos. Nos Estados Unidos dos dias de hoje, porém, essa não é uma tarefa fácil. Num momento em que os ideais democráticos vacilam no exterior, existe razão para se questionar se os perdemos em nosso lar. A vida pública está repleta de descontentamento. Os americanos não acreditam ter muita influência na forma como são governados e não confiam que o governo vá fazer a coisa certa.[1] A confiança em nossos conterrâneos está em abrupto declínio.[2]

Enquanto isso, os partidos políticos são incapazes de interpretar nossa condição. Os principais tópicos do debate nacional — o escopo apropriado para o Estado de bem-estar social, a extensão dos direitos e prerrogativas, o grau devido de regulamentação governamental — são moldados a partir de argumentos de outros tempos. Não se trata de assuntos sem importância. No entanto, essas questões não atingem as duas preocupações que residem no centro do descontentamento da democracia. Uma delas é o medo de que, individualmente ou coletivamente, estejamos perdendo o controle das forças que governam nossas vidas. A segunda é a sensação de que o tecido moral da comunidade se desfaz diante de nossos olhos, desde a família até a vizinhança e a nação. Esses dois medos — da perda do autogoverno e da erosão da comunidade — definem juntos a angústia da nossa era. Uma ansiedade que a agenda política predominante fracassou em responder, ou mesmo em abordar.

Por que a política americana está tão mal preparada para aliviar o descontentamento que a engolfa no momento? A resposta jaz além dos argumentos políticos de nosso tempo, na filosofia pública que os anima. Por filosofia pública eu me refiro à teoria política implícita em nossa prática, os pressupostos sobre cidadania e liberdade que fundamentam nossa vida pública. A incapacidade da política contemporânea americana de falar de forma convincente sobre autogoverno e comunidade tem alguma relação com a filosofia pública junto da qual vivemos.

Uma filosofia pública é algo difícil de captar, justamente por estar diante de nossos olhos a todo tempo. Forma o pano de fundo muitas vezes irrefletido para nosso discurso e nossas atividades políticas. Em tempos normais, a filosofia pública pode facilmente passar despercebida daqueles que vivem segundo seus princípios. Tempos de ansiedade, porém, provocam certa clareza. Eles obrigam que os princípios aflorem, e oferecem uma oportunidade para o desenvolvimento de uma reflexão crítica.

LIBERDADE NO LIBERALISMO E NO REPUBLICANISMO

A filosofia política pela qual vivemos é uma determinada versão da teoria política liberal. Sua ideia central é que o governo deve ser neutro em relação à moral e às visões religiosas adotadas pelos cidadãos. Como as pessoas discordam em relação à melhor forma de viver, o governo não deve firmar em lei qualquer visão particular de uma boa vida. Em vez disso, deve fornecer uma estrutura de direitos que respeite as pessoas como seres livres e independentes, capazes de escolher seus próprios valores e objetivos.[3] Como esse liberalismo afirma a prioridade de procedimentos justos sobre fins particulares, a vida pública que fundamenta pode ser chamada de república procedimental.[4]

Ao descrever a filosofia política predominante como uma versão da teoria política liberal, é importante distinguir dois diferentes significados de liberalismo. Na linguagem corrente da política americana, o liberalismo é o oposto ao conservadorismo. Posicionam-se como liberais aqueles que defendem um Estado de bem-estar social mais generoso

A ECONOMIA POLÍTICA DA CIDADANIA

e uma maior medida de igualdade social e econômica.[5] Na história da teoria política, porém, o termo tem um significado diferente, mais amplo. No sentido histórico, descreve uma tradição de pensamento que enfatiza a tolerância e o respeito pelos direitos individuais e que vai de John Locke, Immanuel Kant e John Stuart Mill até John Rawls. A filosofia pública da política americana contemporânea é uma versão dessa tradição liberal de pensamento, e a maioria de nossos debates se desenrola nesses termos.

A ideia de que a liberdade consiste em nossa capacidade de escolher quais são nossos objetivos encontra expressão proeminente nas leis e na política. Seus domínios não se limitam àqueles conhecidos como liberais, e não conservadores, na política americana de hoje. Tal princípio está presente em todo o espectro político. Por exemplo, os republicanos por vezes argumentam que cobrar impostos dos ricos para arcar com os custos de programas sociais é uma forma de caridade obrigatória que viola a liberdade do indivíduo de escolher o que vai fazer com o próprio dinheiro. Os democratas por vezes argumentam que o governo deve garantir a todos os cidadãos um nível de renda decente, habitação e saúde, defendendo que aqueles que estão esmagados pelas necessidades econômicas não se encontram verdadeiramente livres para exercitar a escolha em outras áreas. Embora os dois lados discordem sobre o modo como o governo deve agir para respeitar a escolha individual, ambos presumem que a liberdade consiste na capacidade dos indivíduos de escolherem seus valores e objetivos.

Tão familiar é essa visão de liberdade que ela parece ser uma característica permanente da política americana e da tradição constitucional. Mas os americanos nem sempre entenderam a liberdade desse modo. Como filosofia pública reinante, a versão do liberalismo que fundamenta nossos debates atuais se estabeleceu recentemente, um desdobramento da última metade do século XX. Seu caráter distinto pode ser mais bem percebido ao ser contrastada com uma filosofia pública rival, gradualmente substituída. Esta filosofia pública rival é uma versão da teoria política republicana.

O DESCONTENTAMENTO DA DEMOCRACIA

Fundamental para a teoria republicana é a ideia de que a liberdade depende do compartilhamento do autogoverno. A ideia, em si, não é inconsistente com a liberdade liberal. A participação na política pode ser uma das formas pelas quais as pessoas escolhem buscar seus objetivos. De acordo com a teoria política republicana, no entanto, o compartilhamento da administração implica algo mais. Significa deliberar sobre o bem comum com os concidadãos e ajudar a dar forma ao destino da comunidade política. Mas para bem deliberar sobre o bem comum, é preciso mais do que a capacidade de escolher os próprios objetivos e de respeitar os direitos dos outros de fazer o mesmo. É preciso um conhecimento dos assuntos públicos, além de uma sensação de pertencimento, uma preocupação com o todo, um vínculo moral com a comunidade cujo destino está em jogo. Compartilhar a administração, portanto, exige que os cidadãos possuam, ou venham a adquirir, determinadas qualidades de caráter ou virtudes cívicas. Mas isso significa que os políticos republicanos não conseguem ser neutros em relação aos valores e aos objetivos adotados por seus cidadãos. A concepção republicana de liberdade, ao contrário da concepção liberal, requer uma política formativa, uma política que cultive nos cidadãos as qualidades de caráter exigidas pelo autogoverno.

PARA QUE *SERVE* UMA ECONOMIA?

O contraste entre as concepções liberais e republicanas de liberdade sugere duas formas diferentes de pensamento em relação à economia, duas respostas diferentes para a pergunta: "Para que *serve* uma economia?". A resposta liberal para esta questão foi oferecida por Adam Smith em *A riqueza das nações* (1776), em que ele escreveu que "o consumo é a única finalidade e o único propósito de toda produção".[6] John Maynard Keynes reiterou essa resposta no século XX: "O consumo — para repetir o óbvio — é a única finalidade e o objeto de toda atividade econômica."[7] A maioria dos economistas contemporâneos concordaria.

A ECONOMIA POLÍTICA DA CIDADANIA

Mas o que parecia óbvio para Keynes não é a única forma de conceber o propósito da economia. De acordo com a tradição do republicanismo, uma economia não existe simplesmente em função do consumo, mas também para o bem do autogoverno. Se a liberdade depende de nossa capacidade de compartilhar uma administração conjunta, a economia deve nos equipar para sermos cidadãos e não apenas consumidores. Isso importa para o modo como debatemos políticas e arranjos econômicos. Como consumidores, nosso interesse primário reside no que a economia *produz*: que nível de bem-estar social torna-se possível, e como o produto nacional é distribuído? Enquanto cidadãos e cidadãs, temos também interesse na *estrutura* da economia: que condições de trabalho se tornam possíveis na economia e de que modo ela organiza a atividade produtiva?

Do ponto de vista da liberdade segundo os liberais, a principal questão econômica se refere ao tamanho e à distribuição do produto nacional. Essa abordagem reflete a determinação liberal de governar de um modo que seja neutro em relação a seus fins. Em sociedades pluralistas, as pessoas têm preferências e desejos díspares. A maximização do PIB e sua distribuição de forma justa não trazem consigo um julgamento sobre o valor dessas preferências e desejos; simplesmente habilitam as pessoas a satisfazerem-nos da forma mais completa que as circunstâncias permitirem.

Do ponto de vista da liberdade cívica, uma economia não pode ser neutra desse modo. A organização do trabalho molda a forma como nos encaramos mutuamente, como atribuímos reconhecimento social e estima. A organização da produção e dos investimentos determina se os cidadãos exercem uma influência significativa na moldagem das forças que governam suas vidas, no trabalho e na política. Nesse sentido, a concepção republicana de liberdade é mais exigente do que a liberal. Uma economia rica e próspera permitiria que os consumidores realizassem suas preferências individuais de forma mais ampla do que uma economia com PIB menor. Mas se as condições de trabalho em tal economia fossem embrutecedoras ou degradantes, ou se a estrutura

O DESCONTENTAMENTO DA DEMOCRACIA

da economia desafiasse o controle democrático, ela falharia em atender à aspiração ao autogoverno que é central para a liberdade no sentido republicano.

As duas concepções de liberdade — a liberal e a republicana — estão presentes ao longo de toda a nossa tradição política, mas em medida e importância variáveis. Em linhas gerais, o republicanismo predominou no começo da história dos Estados Unidos; o liberalismo firmou-se mais tarde. Desde meados do século XX, o aspecto cívico ou formativo de nossa política deu lugar em grande medida ao liberalismo que insiste na neutralidade em relação às diferentes concepções de uma boa vida.

Essa mudança lança luz sobre nossa atual situação política. Pois, apesar de seu apelo, a visão liberal de liberdade carece de recursos cívicos para sustentar o autogoverno. Esse defeito a deixa despreparada para lidar com a sensação de impotência que aflige nossa vida pública. A filosofia pública sob a qual vivemos não consegue garantir a liberdade prometida, pois não consegue inspirar o senso de comunidade e de envolvimento cívico exigidos para tal.

A história da forma como a concepção liberal ofuscou gradualmente a concepção republicana de liberdade é longa e sinuosa. Começa com debates entre Jefferson e Hamilton sobre o papel das finanças na vida americana e sobre se os Estados Unidos deveriam ser uma nação manufatureira. Inclui debates da era Jackson sobre bancos e melhorias internas financiadas pelo governo ("infraestrutura", no jargão de hoje), seguidos por discussões explosivas, antes da Guerra Civil, sobre a moralidade da escravidão e do trabalho assalariado. À medida que a era industrial forjava uma economia nacional, temas liberais e republicanos puderam ser vislumbrados nos debates da Era Progressista sobre a forma de lidar com trustes e grandes negócios. Tentativas de manter o poder econômico sob escrutínio democrático fundamentaram o início do New Deal, mas logo perderam lugar para um foco crescente na gestão da demanda macroeconômica. Após a Segunda Guerra Mundial, a economia política da cidadania deu lugar a uma economia política do crescimento. Durante a era da globalização, uma fé cada vez mais intensa nos mercados e um papel crescente das finanças praticamente extinguiram a vertente cívica dos debates relativos à economia. E, no entanto, a frustração pública com os termos tecnocráticos vazios do discurso público sugere que a aspiração ao autogoverno resiste.

A interpretação da tradição política americana a seguir é uma tentativa de diagnosticar nossa atual condição política. É também uma tentativa de recobrar determinados ideais cívicos e outras possibilidades — não em um espírito de nostalgia, mas sim na esperança de pensar para além de nosso momento político privatizado, polarizado. O relato histórico que ofereço não revela uma era dourada quando tudo ia bem com a democracia americana. A tradição do republicanismo coexistiu com a escravidão, com a exclusão das mulheres da vida pública, com o acesso ao voto somente para aqueles com títulos de propriedades, e com uma hostilidade nativista em relação aos imigrantes. De fato, às vezes a tradição republicana fornecia os termos para as defesas de tais práticas.

No entanto, apesar de todos os episódios de trevas, a tradição republicana, com sua ênfase na comunidade e no autogoverno, pode oferecer um corretivo para nossa vida cívica empobrecida. Recordar a concepção republicana de liberdade como autoadministração pode nos levar a formular perguntas que esquecemos de fazer: que arranjos econômicos são receptivos ao autogoverno? Como nosso discurso político poderia envolver e não evitar as convicções morais e religiosas que os indivíduos trazem para a vida pública? E como a vida pública de uma sociedade pluralista poderia cultivar nos cidadãos a profunda autocompreensão que o engajamento cívico requer? Se a filosofia pública de nossos dias deixa pouco espaço para considerações cívicas, pode ser útil lembrar como gerações anteriores debateram tais questões, antes que a república procedimental se estabelecesse.

Notas

1. Na década de 1990, apenas 20% dos americanos acreditavam que podiam confiar no governo de Washington para fazer o que é certo na maioria das vezes; *Gallup Poll Monthly*, fevereiro de 1994, p. 12. Três quartos disseram estar insatisfeitos com o funcionamento do processo político; *Gallup Poll Monthly*, setembro de 1992. Uma porcentagem semelhante acreditava que o governo é dirigido por alguns grandes interesses e não para o benefício de todos; Alan F. Kay et al., "Steps for Democracy", *Americans Talk Issues*, 25 de março de 1994, p. 9. A confiança no governo aumentou após os ataques de 11 de setembro de 2001, mas na década de 2010 voltou aos valores mínimos históricos; Pew Research Center, 17 de maio de 2021: www.pewresearch.org/politics/2021/05/17/public-trust-in-government-1958-2021/.

2. Ainda em 1997, a maioria dos americanos (64%) expressava confiança na sabedoria do povo na tomada de decisões políticas. Em 2019, era apenas 34%. Michael Dimock, "How Americans View Trust, Facts, and Democracy Today", Pew Research Center, 19 de fevereiro de 2020: www.pewtrusts.org/en/trust/archive/winter-2020/how-americans-view-trust-facts-and-democracy-today. A pesquisa Gallup, com uma pergunta ligeiramente diferente, constatou um declínio constante desde a década de 1970. Em 1976, 86% dos americanos confiavam em seus concidadãos quando se tratava de fazer julgamentos, sob nosso sistema democrático, sobre os problemas enfrentados pelo país; em 2021, apenas 55% o fizeram. Justin McCarthy, "In U.S., Trust in Poticians, Voters Continues to Ebb", Gallup, 7 de outubro de 2021: www.news.gallup.com/poll/355430/trust-politicians-voters-continues-ebb.aspx.

3. Ver John Rawls, *Uma teoria da justiça*. São Paulo: Martins Fontes, 1997; Ronald Dworkin, "Liberalism", in: Stuart Hampshire (org.), *Public and Private Morality* (Cambridge: Cambridge University Press, 1978), p. 114-143; idem, *Taking rights seriously* (Cambridge, Mass.: Harvard University Press, 1977); Robert Nozick, *Anarchy, State, and Utopia* (Nova York: Basic Books, 1977); Bruce Ackerman, *Social Justice in the Liberal State* (New Haven: Yale University Press, 1980). Para uma crítica filosófica desta versão do liberalismo, ver Michael J. Sandel, *Liberalism and the Limits of Justice* (Cambridge: Cambridge University Press, 1982).

4. O termo "república procedimental" me foi sugerido por Judith N. Shklar.

5. Sobre o significado de "liberal" como usado na política americana contemporânea, ver Ronald D. Rotunda, *The Politics of Language* (Iowa: Iowa University Press, 1986).

A ECONOMIA POLÍTICA DA CIDADANIA

6. Adam Smith, *The Wealth of Nations*, Livro IV, Capítulo 8 (1776) (Nova York: Modern Library, 1994), p. 715. Tradução livre. [Ed. bras.: *A riqueza das nações*, Livro IV, Capítulo 8. São Paulo: Martins Fontes, 2016.]
7. John Maynard Keynes, *The General Theory of Employment, Interest, and Money* (1936) (Londres: Macmillan, St. Martin's Press, 1973), p. 104. Tradução livre. [Ed. bras.: *A teoria geral do emprego, dos juros e do dinheiro*. São Paulo: Nova Cultural, 1996.]

Capítulo 2 Economia e virtude no começo da República

Considere a maneira como pensamos e discutimos economia nos dias de hoje, em comparação com aquela com que os americanos debatiam a política econômica durante boa parte de nossa história. Na política americana contemporânea, boa parte de nossas discussões gira em torno de dois pontos: prosperidade e justiça. Sejam lá quais forem as políticas fiscais, propostas orçamentárias ou esquemas regulatórios que cada pessoa defenda, o que se pressupõe é que serão meios de promover o crescimento econômico ou um aprimoramento da distribuição de renda. Diz-se que certo conjunto de políticas aumentará o bolo da economia, ou que distribuirá as fatias de uma forma mais justa, ou as duas coisas.

Essas formas de justificar políticas econômicas são tão familiares que parecem exaurir todas as possibilidades. Mas nossos debates sobre o tema nem sempre se concentraram unicamente no tamanho e na distribuição do produto nacional. Durante boa parte da história dos Estados Unidos, uma questão diferente também foi considerada, a saber: que arranjos econômicos são mais acolhedores ao autogoverno? Junto com a prosperidade e a justiça, as consequências cívicas das políticas econômicas costumam assumir grande destaque no discurso político americano.

Thomas Jefferson deu uma expressão clássica à vertente cívica da argumentação econômica. Em suas *Notes on the State of Virginia* [Notas sobre o estado da Virgínia], de 1787, ele combateu o desenvolvimento de manufaturas de grande escala no país com o argumento de que o modo de vida agrário forma cidadãos virtuosos, bem adequados ao autogoverno. "Aqueles que trabalham a terra são o povo escolhido por

Deus", a encarnação da "virtude genuína". Os economistas políticos da Europa podem alegar que todas as nações devem se encarregar de suas próprias manufaturas, mas se adotadas em grande escala, corroem a independência exigida pela cidadania republicana. "A dependência gera a subserviência e a venalidade sufoca o germe da virtude além de preparar ferramentas adequadas aos desígnios da ambição." Jefferson achava melhor "deixar que nossas fábricas (manufaturas) permaneçam na Europa" e evitar a corrupção moral que gerariam. É melhor importar bens manufaturados do que os comportamentos e hábitos que acompanham sua produção.[1]

Essa celebração "daqueles que trabalham a terra" enquanto virtuosos cidadãos republicanos estava em total contradição com o sistema de trabalho que sustentava a plantação de Jefferson em Monticello. Embora deplorasse a escravidão por princípio, chamando-a de "o mais implacável dos despotismos",[2] ao longo de sua vida Jefferson teve mais de seiscentos afro-americanos escravizados. Eles cultivavam as terras dele, faziam os serviços domésticos e produziam pregos na fábrica dele. O trabalho que eram obrigados a realizar, especializado ou não, dificilmente poderia prepará-los para a cidadania, dado que o sistema de subordinação racial os excluía da vida pública. Assim como as palavras vibrantes que Jefferson usou na Declaração de Independência, sua noção da economia política cidadã articulava um ideal muito distante da vida que ele levava.[3] Mas o ideal expressava uma atraente aspiração cívica: que os arranjos econômicos deveriam ser julgados, pelo menos em parte, pelo tipo de cidadão que produzem.

No final das contas, a visão agrária de Jefferson não prevaleceu. Mas a noção de que a economia deveria cultivar as qualidades de caráter exigidas pelo autogoverno encontrara apoio mais amplo e uma carreira mais longa. Desde a Revolução Americana até a Guerra Civil, a economia política da cidadania desempenhou um papel de destaque no debate nacional dos Estados Unidos.

O argumento de Jefferson contra as manufaturas em grande escala refletia um modo de pensar a política que teve suas raízes na tradição republicana clássica. É fundamental para a teoria republicana clássica a noção de que a liberdade exige autogoverno, que por sua vez depende da virtude cívica. Essa noção figurou de modo proeminente na perspectiva política da geração dos fundadores. "A virtude pública é a única base das repúblicas", escreveu John Adams às vésperas da independência. "É preciso que haja uma paixão positiva pelo bem público, o interesse público, a honra, o poder e a glória, estabelecida nas mentes do povo, caso contrário não é possível haver um governo republicano nem nenhuma liberdade real."[4] Benjamin Franklin concordava: "Apenas um povo virtuoso tem capacidade de viver a liberdade. À medida que as nações se tornam corruptas e perversas, maior é a necessidade de haver senhores."[5] Com a tradição do republicanismo, os fundadores também aprenderam que não poderiam partir do pressuposto da existência da virtude cívica. Pelo contrário, o espírito público era algo frágil, suscetível à erosão por forças corruptoras como o luxo, a riqueza e o poder. A ansiedade em relação à perda da virtude pública foi um tema republicano recorrente. "A virtude e a simplicidade dos modos são indispensáveis, necessárias a uma república, entre todas as ordens e graus de homens", escreveu John Adams. "Mas existe tanta patifaria, tanta venalidade e corrupção, tanta avareza e ambição, tamanha é a fúria em busca de ganhos e de comércio entre homens de todas as categorias, mesmo na América, que às vezes duvido que exista virtude pública suficiente para sustentar uma república."[6]

Se a liberdade não pode sobreviver sem a virtude, se a virtude tende sempre a ser corrompida, então o desafio para os políticos republicanos é a formação ou a reforma do caráter moral dos cidadãos, com o objetivo de fortalecer seu vínculo com o bem comum. A vida pública de uma república deve exercer um papel formativo, com o objetivo de cultivar cidadãos de determinado tipo. "É o papel de um grande político formar o caráter de seu povo", declarou Adams, "para extinguir a insensatez e os vícios que nele vê e criar as virtudes e habilidades que nele percebe faltar."[7] O governo republicano não pode ser neutro em relação ao caráter moral de seus cidadãos ou aos objetivos que

O DESCONTENTAMENTO DA DEMOCRACIA

perseguem. Deve se encarregar de formar seu caráter e seus objetivos para fomentar as preocupações públicas das quais depende a liberdade.

A Revolução Americana em si nasceu da angústia em relação à perda da virtude cívica, como uma tentativa desesperada de afastar a corrupção e realizar ideais republicanos.[8] Nos anos 1760 e 1770, os colonos americanos encaravam seu conflito com a Inglaterra em termos republicanos. A Constituição inglesa estava ameaçada pela manipulação ministerial do Parlamento e, pior, o povo inglês tinha se tornado "corrupto demais, enfraquecido demais para restaurar os princípios iniciais da Constituição e rejuvenescer o país".[9] Na década seguinte à Lei do Selo,* as tentativas do Parlamento de exercer a soberania sobre a América pareceram aos colonos "uma conspiração do poder contra a liberdade", uma pequena parcela de um ataque maior feito contra a própria Constituição inglesa. Foi essa crença que "acima de tudo impeliu [os colonos] à Revolução".[10]

Os pressupostos republicanos fizeram mais do que dar vida aos medos coloniais. Eles também definiram os objetivos da Revolução Americana. "O sacrifício dos interesses individuais em nome do bem comum formou a essência do republicanismo e abrangia o objetivo idealista da sua Revolução. (...) Nenhuma outra expressão, à exceção de 'liberdade', foi invocada com tanta frequência pelos revolucionários como 'o bem público'", que para eles significava mais do que a soma dos interesses individuais. O objetivo da política não era intermediar interesses concorrentes, mas transcendê-los, buscar o bem da comunidade como um todo. Mais do que um rompimento com a Inglaterra, a independência seria uma fonte de regeneração moral. Afastaria a corrupção e renovaria o espírito moral que adequava os americanos ao governo republicano.[11]

---

* A Lei do Selo (Stamp Act) foi imposta pelo parlamento da Grã-Bretanha (então formado pela união dos parlamentos de Inglaterra e Escócia) em 1765, obrigando que materiais impressos nas colônias britânicas na América, como livros, jornais e outros documentos, fossem pagos em moeda britânica, recebendo um selo tarifado pela metrópole – medida que ampliava a taxação de impostos sobre os colonos. A lei foi revogada no ano seguinte. [N. do R. T.]

ECONOMIA E VIRTUDE NO COMEÇO DA REPÚBLICA

Esperanças tão ambiciosas estavam sujeitas a dar lugar à decepção, como aconteceu nos anos que se seguiram imediatamente à independência. Quando a Revolução Americana fracassou em produzir a reforma moral esperada por seus líderes, novos temores em relação ao destino do governo republicano vieram à tona. Durante o "período crítico" dos anos 1780, políticos e escritores proeminentes se preocupavam com o fato de que o espírito público inspirado pela luta contra a Grã-Bretanha tivesse dado lugar à busca desenfreada pelo luxo e o interesse próprio. "Quão estarrecedoras mudanças puderam ser produzidas em apenas alguns anos", disse George Washington em 1786. "Das alturas em que nos encontrávamos, do caminho plano que convidava nossos passos, até tamanha queda, tamanho desencontro! É realmente mortificante."[12]

A VIRTUDE CÍVICA E A CONSTITUIÇÃO

Dúvidas crescentes sobre a perspectiva da virtude cívica nos anos 1780 provocaram dois tipos de reação — uma delas formativa, a outra procedimental. A primeira buscava, pela educação e outros meios, inculcar a virtude de forma mais enérgica. A segunda procurava, pela mudança constitucional, tornar a virtude menos necessária.

Benjamin Rush expressou de forma contundente o impulso formativo em sua proposta para escolas públicas da Pensilvânia. Em um escrito de sua lavra, em 1786, ele declarou que o modo de educação adequado a uma república era aquele que inculcava a primazia do compromisso com o bem comum. "Que nosso discípulo aprenda que não pertence a si mesmo, que ele é propriedade pública. Que aprenda a amar sua família, mas ao mesmo tempo que deve abandoná-la ou mesmo esquecê-la quando o bem-estar de seu país assim o exige." Com um sistema de educação pública adequado, defendia Rush, seria possível "converter homens em máquinas republicanas. É o que deve ser feito se esperamos que eles desempenhem seus papéis devidamente na grande máquina do governo do Estado".[13]

O DESCONTENTAMENTO DA DEMOCRACIA

A Constituição de 1787 foi a resposta procedimental mais influente às preocupações republicanas com a escassez da virtude cívica. Mais do que uma simples solução para os defeitos dos Artigos da Confederação,* a Constituição tinha como ambição maior "salvar o republicanismo americano dos efeitos mortais da busca individual da felicidade", defendendo-o das preocupações sobre a ganância que tanto absorviam os americanos e os desviavam do bem público.[14]

Ao ser motivada pelo medo da perda da virtude cívica, a Constituição não procurava elevar o caráter moral do povo, pelo menos não diretamente. Em vez disso, procurava mecanismos institucionais que salvariam o governo republicano ao torná-lo menos dependente da virtude do povo.

Quando se reuniram na Filadélfia, os *framers*** tinham concluído que era demais esperar a virtude cívica da maioria das pessoas, na maioria do tempo. Anos antes, Alexander Hamilton tinha ridicularizado a esperança republicana de que a virtude poderia prevalecer sobre o interesse individual dos cidadãos comuns: "Podemos pregar a necessidade do desprendimento republicano até ficarmos exaustos sem conseguir converter um único indivíduo. O virtuoso orador não vai persuadir a si mesmo nem a qualquer outra pessoa a se contentar com uma porção dupla de mingau, em vez de uma remuneração razoável por seus serviços. Antes, devemos nos reconciliar com a comunidade espartana de bens e esposas, com sua moeda de ferro, suas longas barbas ou sua sopa negra." Hamilton considerava que os modelos republicanos de Grécia e de Roma eram tão apropriados para os Estados Unidos quanto

---

* "Os Artigos da Confederação e União Perpétua" foi o primeiro documento acordado entre as então Treze Colônias que deram origem aos Estados Unidos da América. Aprovado no Segundo Congresso Continental em novembro de 1777, foi ratificado pelos estados em 1781, até sua substituição pela Constituição adotada em 1789. [N. do R. T.]

** A Convenção da Filadélfia de 1787 foi originalmente pensada para reformar os Artigos da Confederação. No entanto, em lugar de uma revisão do documento anterior, prevaleceu a proposta que definiu os parâmetros para uma nova constituição para o país – que seria ratificada na Convenção Federal da Virgínia, em 1788. Os delegados participantes da Convenção Constitucional da Filadélfia são reconhecidos como os *framers* da Constituição. [N. do R. T.]

ECONOMIA E VIRTUDE NO COMEÇO DA REPÚBLICA

os exemplos dos hotentotes ou dos lapões. Noah Webster, um destacado defensor da Constituição, concordava: "A virtude, o patriotismo ou o amor a um país nunca foram nem nunca serão um princípio ou suporte fixo e permanente do governo, até que a natureza dos homens seja modificada."[15]

No *Federalist*, número 51, Madison explicou como, ao contrário dos ensinamentos clássicos, o governo republicano poderia, afinal de contas, se conciliar entre os interesses e as ambições. A liberdade não dependeria da virtude cívica, mas sim de um conjunto de mecanismos e procedimentos pelos quais interesses concorrentes se fiscalizariam mutuamente: "A ambição deve existir para contrabalançar a ambição. Os interesses do homem devem estar ligados aos direitos constitucionais do lugar. Pode ser um reflexo da natureza humana que tais dispositivos sejam necessários para controlar os abusos do governo. Mas o que é o governo senão o maior de todos os reflexos da natureza humana? Se os homens fossem anjos, não seria necessário nenhum governo."[16] De acordo com Madison, a Constituição compensaria "a falha das melhores motivações" com dispositivos institucionais que fariam a contraposição de "interesses opostos e rivais". A separação dos poderes entre o Executivo, o Legislativo e o Judiciário, a divisão de poder entre governo federal e estaduais, a divisão do Congresso em dois órgãos com mandatos e circunscrições diferentes, e a eleição indireta do Senado constavam entre "as invenções da prudência", projetadas para garantir a liberdade sem se fiar excessivamente na virtude dos cidadãos. "O principal controle sobre o governo depende, sem dúvida, do povo", admitia Madison, "mas a experiência ensinou a humanidade sobre a necessidade de ter precauções auxiliares."[17]

Apesar da revisão dos pressupostos republicanos clássicos, os *framers* da Constituição aderiram aos ideais republicanos em dois aspectos importantes. Primeiro, eles continuaram a crer que os virtuosos deveriam governar e que o governo deveria ter como objetivo atender ao bem público, acima da soma de interesses particulares. Em segundo lugar, eles não abandonaram a ambição formativa da política do republicanismo, a noção de que o governo tem interesse em cultivar determinado tipo de cidadão.

Mesmo Madison, principal arquiteto dos mecanismos criados para "refinar e ampliar as perspectivas públicas",[18] afirmava que a virtude das pessoas era indispensável ao autogoverno. Na convenção ratificadora da Virgínia, ele disse que, no mínimo, o povo necessitava de virtude e inteligência para eleger representantes virtuosos. "Não há virtude entre nós? Se não há, estamos numa situação desgraçada. Nenhuma verificação teórica, nenhuma forma de governo pode nos deixar seguros. É uma quimera supor que alguma forma de governo seria capaz de garantir liberdade e felicidade sem que haja virtude no povo."[19] Em seu discurso de despedida, George Washington fez eco à familiar visão republicana: "Virtude ou moralidade são bases necessárias para o governo popular."[20]

Hamilton também designava ao governo um papel formativo, embora a qualidade que ele esperava cultivar não fosse a virtude cívica tradicional, mas sim um vínculo com a nação. No número 27 do *Federalist*, ele defendeu que o novo governo nacional deveria estabelecer sua autoridade apenas se viesse a infundir-se às vidas e aos sentimentos do povo: "Quanto mais os cidadãos se acostumam a encontrá-lo nas ocorrências ordinárias da vida política, quanto mais se torna familiar a seus olhos e a seus sentimentos, quanto mais penetra naqueles objetos que tocam os acordes mais sensíveis e que põem em movimento os mecanismos mais ativos do coração humano, maior será a possibilidade de despertar o respeito e o vínculo da comunidade." Para Hamilton, o governo nacional dependia, para seu sucesso, da própria capacidade de moldar os hábitos das pessoas, de interessar suas sensações, de ganhar seu afeto para "[circular] por aqueles canais e correntezas em que as paixões da humanidade naturalmente fluem".[21]

Embora os *framers* acreditassem que o governo republicano exigia determinado tipo de cidadão, eles não encaravam a Constituição como o principal instrumento de aprimoramento moral e cívico. Eles procuravam a dimensão formativa da vida pública em outro lugar — na educação, na religião, e de forma mais ampla, nos arranjos sociais e econômicos que definiriam o caráter da nova nação.

FEDERALISTAS *VERSUS* JEFFERSONIANOS

Depois da ratificação, o debate político americano deixou as questões constitucionais e se voltou para as econômicas. Mas o debate econômico que se seguiu não tratou apenas da riqueza nacional e da justiça distributiva. Versava também sobre as consequências cívicas dos arranjos econômicos — sobre o tipo de sociedade que os Estados Unidos deveriam se tornar e sobre o tipo de cidadão que deveria ser cultivado.[22]

Duas questões importantes ilustram a proeminência das considerações cívicas no discurso político dos primeiros anos da república. A primeira delas foi o debate, levantado por Hamilton, sobre o sistema do Tesouro, uma questão que deu origem à divisão entre federalistas e republicanos.[*] A segunda foi o debate sobre a necessidade de se incentivar ou não as manufaturas no país, discussão que atravessou as linhas partidárias.

O *Tesouro segundo Hamilton*

Como primeiro secretário do Tesouro, Hamilton apresentou ao Congresso propostas relativas à instituição de crédito público, um banco nacional, uma casa da moeda e um sistema de manufaturas. Embora todas, exceto a última, tenham sido adotadas, as propostas despertaram muita polêmica, e em seu conjunto levavam os opositores a concluir que Hamilton procurava enfraquecer o governo republicano. Seu programa

---

* O Partido Federalista, originalmente liderado por Alexander Hamilton e ativo entre 1789 e 1835, é considerado o primeiro partido político dos Estados Unidos. Dominou o governo entre 1789 e 1801, quando foi derrotado pelo Partido Democrata-Republicano – então conhecido como Partido Republicano –, fundado por Thomas Jefferson e James Madison e ativo entre 1792 e 1834. Não se trata do atual Partido Republicano, fundado em 1854. [*N. do R. T.*]

para as finanças governamentais se mostrou especialmente controverso e gerou o medo de que Hamilton planejasse criar nos Estados Unidos uma política econômica semelhante à britânica, baseada em apadrinhamento, influência e relacionamentos. Em seu *Report on Public Credit* [Relatório sobre crédito público], de 1790, ele propôs que o governo federal arcasse com as dívidas que os estados haviam assumido na Revolução Americana, combinando-as com dívidas federais existentes. Em vez de liquidar a dívida consolidada, Hamilton propunha financiá-la por meio da venda de títulos para os investidores, utilizando as receitas de tarifas e impostos para o pagamento de juros regulares.[23]

Hamilton ofereceu diversos argumentos econômicos para fundamentar seu plano de financiamento — dizendo que ele estabeleceria o crédito nacional, criaria uma oferta de dinheiro circulante, forneceria uma fonte de investimento e assim estabeleceria a base para a prosperidade e a riqueza. Mas, além de tais considerações econômicas, Hamilton mirava um objetivo político igualmente importante — construir apoio para o novo governo nacional fornecendo uma participação financeira a uma classe de investidores ricos e influentes.

Temeroso de que sentimentos locais erodissem a autoridade nacional e duvidando que a virtude desinteressada pudesse inspirar lealdade, Hamilton viu nas finanças públicas um instrumento para a construção da nação. "Se todos os credores públicos receberem o que lhes é devido da mesma fonte, seus interesses serão idênticos. E ao manter os mesmos interesses, eles se unirão em apoio aos arranjos fiscais do governo." Se as dívidas federais e estaduais fossem financiadas separadamente, argumentava, "haverá interesses distintos, levando a direções diferentes. A união e o consenso de visões, entre os credores (...) provavelmente darão lugar a ciúme e oposição mútuos".[24]

Com pagamentos regulares da dívida nacional, o governo nacional "entrelaçaria-se no interesse financeiro de todos os estados" e "se insinuaria em todos os ramos da indústria", conquistando assim o apoio de uma importante classe da sociedade.[25] O propósito político do plano de financiamento de Hamilton não era uma agenda oculta, mas

ECONOMIA E VIRTUDE NO COMEÇO DA REPÚBLICA

uma fundamentação explícita para aquela política. Como comentou na época um jornal que tinha simpatia por ele, "uma dívida nacional vincula ao governo muitos cidadãos que, por seus números, riqueza e influência, talvez contribuam mais para a sua preservação do que um batalhão de soldados".[26]

Foi a ambição política de Hamilton que despertou as controvérsias mais acirradas. O que Hamilton considerava como construção da nação, outros consideravam como uma espécie de suborno e corrupção. Para uma geração de americanos fortemente desconfiados do poder executivo, o plano de sustentação financeira de Hamilton parecia um ataque ao governo republicano. Lembrava as práticas de Robert Walpole, primeiro-ministro britânico no século XVIII que colocava agentes pagos no Parlamento para apoiar políticas governamentais. Embora Hamilton não propusesse contratar membros do Congresso, parecia igualmente corrupto a seus opositores o fato de haver entre eles credores do governo e apoiadores do programa financeiro do Tesouro. Tais credores não seriam agentes desinteressados do bem comum, mas partes interessadas na administração e na política que garantia seus investimentos.[27]

Temores republicanos de uma conspiração do poder contra a liberdade haviam alimentado a Revolução Americana. E aí Hamilton parecia estar recriando nos Estados Unidos o sistema inglês de finanças do governo tão desprezado pelos republicanos por sua dependência de apadrinhamentos, relacionamentos e especulação. Hamilton reconhecia o que seus adversários temiam, que seu modelo era britânico. Em conversas depois de jantares com Adams e Jefferson, ele chegou a defender o apadrinhamento e a corrupção como suas bases. Adams observou que, purgada da corrupção, a Constituição britânica seria a mais perfeita concebida pela inteligência do homem. Hamilton replicou que "ao purgá-la de sua corrupção, dar igualdade de representação ao seu ramo popular, o governo se tornaria *impraticável*. Como se encontra no momento, com todos os seus supostos defeitos, é o governo mais perfeito que jamais existiu". Jefferson, horrorizado, concluiu que

O DESCONTENTAMENTO DA DEMOCRACIA

"Hamilton não era apenas um monarquista, mas um monarquista afundado na corrupção".[28]

Os opositores de Hamilton apresentaram dois argumentos contra sua proposta. Um deles dizia respeito às consequências distributivas. O outro, às consequências cívicas. O argumento distributivo se opunha ao fato de que, sob o plano de Hamilton, os ricos teriam ganhos às custas dos americanos comuns. Os especuladores que haviam comprado títulos, de seus donos originais, do governo revolucionário, a uma fração do valor, colheriam imensos lucros, com os juros a serem pagos a partir de taxas de consumo arcadas pelos cidadãos.

Porém, da forma como se apresentava no debate político dos anos 1790, essa preocupação distributiva era secundária diante de uma objeção política mais ampla. O argumento que deu origem ao Partido Republicano era que a política econômica de Hamilton corromperia a moral dos cidadãos e enfraqueceria as condições sociais essenciais ao governo da república. Quando os partidários republicanos argumentaram que o sistema de Hamilton aprofundaria a desigualdade na sociedade americana, eles estavam menos preocupados com a justiça distributiva, e mais com a necessidade de evitar a imensa disparidade de riqueza que ameaçaria o governo da nova república. A virtude cívica exigia a capacidade de julgamento independente e desinteressado. Mas a pobreza gerava dependência e a grande riqueza tradicionalmente gerava o luxo e a distração em relação às preocupações públicas.[29]

Ao escrever para o presidente Washington, em 1792, Jefferson enfatizou essas considerações morais e cívicas. Queixou-se de que o sistema financeiro de Hamilton encorajava a especulação com papéis e "alimenta em nossos cidadãos os hábitos do vício e do ócio, em vez da diligência e da moralidade". Criava um "esquadrão corrupto" na legislatura, com objetivo supremo de "preparar o caminho para a mudança da atual forma de governo republicano para uma monarquia cuja Constituição inglesa serviria de modelo".[30]

Em meados dos anos 1790, articulistas favoráveis ao Partido Republicano endossaram o ataque. O programa de Hamilton criava uma

ECONOMIA E VIRTUDE NO COMEÇO DA REPÚBLICA

aristocracia endinheirada, corrompia a legislatura e "promovia uma depravação geral da moral e um grande declínio da virtude republicana".[31] Congressistas que possuíam títulos públicos eram subservientes ao Tesouro, e formariam "um corpo vasto e formidável, unido fortemente numa falange pelo laço do interesse mútuo distinto do interesse geral".[32] O articulista republicano John Taylor resumiria mais tarde a crítica moral e cívica às finanças federalistas: "Os modos e princípios do governo são objetos de imitação e influenciam o caráter nacional (...) mas que virtudes para imitação aparecem na aristocracia na era atual? A avareza e a ambição sendo toda a sua alma, que morais privadas ela infundirá, e que caráter nacional ela criará?"[33]

Os partidários republicanos no Congresso se opunham ao "sistema de Tesouro" de Hamilton e à corrupção que lhe era associada. Sugeriram medidas para dividir o Departamento de Tesouro, abolir o banco nacional, repelir o imposto sobre consumo e excluir do Congresso os credores de títulos públicos.[34] Mas não eram desprovidos de uma visão afirmativa própria. Mesmo antes da primeira divisão do partido vir à tona, Jefferson, Madison e outros republicanos haviam procurado "formar uma política econômica nacional capaz de permitir e encorajar os americanos a se envolver com diligência em ocupações que sustentem a virtude".[35] Se a liberdade dependia de cidadãos virtuosos, independentes e proprietários, que, por sua vez, dependiam de uma economia predominantemente agrícola, a questão era como preservar o caráter agrário da sociedade americana.

Política econômica republicana

Nos anos 1780, Madison e outros se preocupavam que o caráter republicano do povo americano estivesse sob o risco de declinar. O estilo de vida agrário que consideravam indispensável para a virtude estava ameaçado pelas restrições ao livre comércio impostas pelo sistema mercantil britânico e pelo crescimento de uma classe sem propriedades em

O DESCONTENTAMENTO DA DEMOCRACIA

centros urbanos populosos. Afastar a corrupção que eles temiam estar associada a uma sociedade comercial e manufatureira avançada exigiria políticas de dois tipos: mercados abertos no exterior para o excedente da agricultura americana e expansão para o oeste, para preservar o acesso às terras.[36]

Os estados, porém, não teriam condições de implementar essas políticas por conta própria. Apenas um governo nacional forte teria poder suficiente para desmantelar o sistema mercantil e confrontar potências estrangeiras como a Espanha, que ofereciam obstáculos à expansão para o oeste. Madison esperava que a nova Constituição criasse um governo nacional capaz de implementar as diretrizes que ele considerava necessárias para garantir uma economia política republicana.

Para Madison, então, a nova Constituição prometia mais do que uma resposta procedimental à erosão da virtude cívica. Apesar de todos os mecanismos de filtragens, pesos, contrapesos e "precauções auxiliares", ela não abandonava a ambição formativa do governo republicano afinal de contas. Na visão de Madison, a Constituição daria sua contribuição para o aprimoramento moral e cívico de uma forma indireta, ao deixar para o governo nacional o poder de moldar uma economia política acolhedora para a virtude republicana.

As visões contrastantes de Madison e Hamilton em relação à virtude cívica explicam por que esses aliados na defesa da Constituição se afastavam em questões de economia política. Como logo se tornou evidente, os dois tinham em mente diferentes finalidades para o governo nacional que ajudaram a criar e em relação ao tipo de cidadão que esperavam cultivar. Madison procurava o poder nacional para preservar o modo de vida agrário que ele acreditava ser necessário ao governo republicano. Hamilton rejeitava a ideia de uma república agrária virtuosa. Ele buscava o poder nacional para criar as condições para a economia comercial e manufatureira avançada que Jefferson e Madison consideravam antagônica ao governo republicano. Hamilton não se desesperava diante da perspectiva de uma sociedade comercial moderna com suas desigualdades sociais e a busca desenfreada pela satisfação dos interesses individuais. Pelo contrário, ele encarava esses desdobramentos como condições inevitáveis para a nação próspera e poderosa que esperava construir.[37]

Do ponto de vista da política contemporânea, a questão entre Hamilton e seus opositores republicanos poderia parecer com a conhecida disputa entre o crescimento econômico, por um lado, e a justiça, pelo outro. Mas esses não eram os principais termos do debate. Os argumentos pró e contra a visão financeira de Hamilton tinham menos relação com a prosperidade e a justiça do que com o significado de um governo republicano e o tipo de cidadão que o novo sistema exigia.

Hamilton acreditava que seu plano estabeleceria a base para o crescimento econômico, mas seu principal propósito não era maximizar o produto nacional bruto. Para Hamilton, como para Jefferson e Madison, a economia era uma serva da política, e não o contrário. A visão política que animava a economia de Hamilton era uma visão da glória e da grandeza republicanas. No mundo moderno, tal grandeza dependia, acreditava ele, numa economia avançada de comércio, manufaturas, moeda forte e finanças públicas.

Cético em relação à capacidade de inspirar a virtude e o patriotismo desinteressado, Hamilton buscou tornar o interesse próprio um bem público além de meros interesses, para construir o que ele chamava de "futura grandeza e glória da América".[38] Na sua visão, o ideal clássico de glória republicana agora só poderia ser atingido com expedientes modernos: "Nossas paixões predominantes são a ambição e o interesse; e será sempre dever de um governo sábio valer-se dessas paixões, para torná-las subservientes ao bem público."[39] Dada a prevalência da avareza e do interesse, o desafio para o fundador de uma grande república seria usar essas paixões para coisas mais elevadas. "A paixão dominante das mentes mais nobres" não seria nem o interesse próprio, nem mesmo a busca pelo poder, mas sim "o amor pela fama".[40]

De sua parte, os oponentes de Hamilton reclamavam que suas políticas favoreciam os ricos. Mas essa preocupação distributiva era secundária à objeção mais fundamental de que a "visão de uma grande república — um país comercial e manufatureiro dependente de crédito público, do investimento britânico e de um sólido sistema de finanças públicas — ameaçava necessariamente seu ideal contrastante de um Estado americano virtuoso".[41]

Essas economias políticas rivais encontraram expressão nos primeiros debates entre federalistas e republicanos. Para conquistar o livre comércio na agricultura americana, Madison defendia a "discriminação comercial", uma política de taxações retaliatórias destinada a coagir a Grã-Bretanha a remover as restrições ao comércio americano. Hamilton se opôs, alegando que a coerção não funcionaria e que os Estados Unidos precisavam do comércio, crédito e capital britânicos para financiar a dívida pública e alimentar o desenvolvimento econômico, mesmo ao preço de se submeter à dominação britânica.[42] Os federalistas eram a favor de uma lei nacional de falência para promover uma economia comercial avançada. Os jeffersonianos se opunham, alegando que ela promoveria um espírito de especulação imprudente e corroeria o caráter moral do povo.[43]

Quando Jefferson foi eleito presidente em 1800, o seu objetivo era inverter a "anglicização" do governo e da sociedade americana. A fim de purgar o governo nacional da corrupção do sistema de Hamilton, ele procurou reformar a dívida nacional, reduzir as despesas governamentais e revogar os impostos internos. Além de restaurar a simplicidade e a virtude republicanas ao governo, ao longo dos dezesseis anos das suas presidências, Jefferson e Madison procuraram assegurar as duas condições necessárias para uma economia política republicana — a expansão para o oeste e o livre comércio. A compra da Louisiana em 1803 concretizou a primeira condição. O embargo que restringia o comério com países estrangeiros entre 1807-1809 tentou, sem sucesso, assegurar a segunda. As duas políticas suscitaram debates que ilustravam a vertente cívica da argumentação econômica nos primeiros anos da república.[44]

A compra da Louisiana serviu a determinados fins econômicos sobre os quais havia consenso entre republicanos e federalistas, tais como o acesso ao rio Mississippi e o controle de Nova Orleans. A divergência

ECONOMIA E VIRTUDE NO COMEÇO DA REPÚBLICA

entre os dois grupos dizia respeito ao vasto território a oeste do Mississippi, e às consequências cívicas da sua colonização.[45]

Para os republicanos, a expansão para oeste prometia, por um lado, preservar o modo de vida agrícola que criava cidadãos virtuosos, e, por outro, adiar o dia em que os Estados Unidos se tornariam uma sociedade populosa, dependente, desigual, inconsistente com o ideal de governo republicano. "Ao alargar o império da liberdade", observou Jefferson, "multiplicamos os seus auxiliares, e fornecemos novas fontes de renovação, caso seus princípios, a qualquer momento, degenerem, naquelas porções do nosso país que lhes deram origem."[46] John Taylor elogiou a compra da Louisiana por suas consequências morais e cívicas. O novo território, escreveu ele, encorajaria "modos simples e regulares", um "amor à virtude e à independência", e preservaria a "igualdade de posses" que o republicanismo exige.[47] Para os entusiastas do Partido Republicano receosos da tendência centralizadora dos estabelecimentos militares, retirar os franceses da Louisiana trazia a vantagem adicional de afastar a América das guerras e intrigas da Europa, evitando assim a necessidade dos exércitos, marinhas, impostos e dívidas que concentram o poder e ameaçam a liberdade da república.[48]

Para os federalistas, por outro lado, a vastidão selvagem "revelar-se-ia pior do que inútil".[49] A colonização do novo território dispersaria a população, aumentaria o flagelo do localismo e minaria a tentativa federalista de consolidar o poder nacional e afirmar a sua influência e controle. A rápida emigração para o oeste, temia Hamilton, "deve apressar o desmembramento de uma grande parte do nosso país, ou a dissolução do Governo".[50]

Os republicanos tiveram menos sucesso na tentativa de assegurar a segunda condição para o estabelecimento de uma economia política republicana: a eliminação das restrições ao comércio externo. Quando, em 1807, o Reino Unido proibiu todo comércio americano com a Europa que não passasse primeiro pela Inglaterra, Jefferson impôs um embargo ao comércio estrangeiro que durou catorze meses. Ele esperava que, através de "coerção pacífica", as potências europeias fossem obrigadas

O DESCONTENTAMENTO DA DEMOCRACIA

a permitir a livre circulação para o comércio americano. Para além de buscar a independência para o comércio americano, o embargo procurava afirmar e encorajar a virtude superior da vida republicana americana. As sociedades corruptas da Europa não sobreviveriam sem os produtos americanos, enquanto os americanos poderiam muito bem prescindir dos luxos e refinamentos do Velho Mundo decadente. Os críticos federalistas, cujas economias mercantis da Nova Inglaterra mais sofreram com o embargo, acusaram Jefferson de ter como verdadeiro objetivo a destruição do comércio americano e a imposição de uma ordem social primitiva e pré-comercial. Alguns acrescentaram que a antiga república de Esparta, o suposto ideal de Jefferson, dependia dos escravos.[51] No final, o embargo não teve sucesso em liberar o comércio americano, e "os jeffersonianos tiveram de aceitar a guerra como o meio perigoso mas necessário para promover a visão revolucionária do livre comércio."[52]

Com a Guerra de 1812 (Guerra Anglo-Americana de 1812),[*] os republicanos venceram a sua aversão à guerra para justificar a independência econômica dos Estados Unidos em relação à Europa. Alguns deles ofereceram mais uma consideração cívica em apoio à Guerra de 1812: em vez de minar a liberdade da república, os rigores da guerra poderiam revitalizar a virtude cívica em declínio dos americanos e fazer com que se lembrassem de um bem comum que uma sociedade comercial em rápido avanço ameaçava obscurecer.[53]

Por seu lado, os federalistas, agora relegados à oposição, expressaram as suas próprias ansiedades relativas ao carácter moral e cívico do povo. O que prezavam eram as virtudes conservadoras da ordem, a deferência e a contenção. Na América de Jefferson, eles viam tais virtudes escapulindo.[54]

---

* A Guerra de 1812 foi um conflito entre os Estados Unidos e o Reino Unido que se estendeu até 1815. Além da relação comercial dos Estados Unidos com a França de Napoleão, rival dos britânicos, a disputa envolvia a expansão territorial dos Estados Unidos em áreas colonizadas pelo Reino Unido no atual Canadá e pelo Reino da Espanha na atual Flórida. [N. do R. T.]

ECONOMIA E VIRTUDE NO COMEÇO DA REPÚBLICA

O DEBATE SOBRE AS MANUFATURAS DOMÉSTICAS

A história às vezes resolve uma questão de um modo tão integral que é difícil lembrar quais eram as posições defendidas. É o que ocorre com a discussão sobre se os Estados Unidos deveriam ou não se tornar uma nação manufatureira. Nas primeiras décadas da república, muitos americanos achavam que não. Os argumentos que eles apresentavam na defesa da permanência da nação agrícola fazem pouco sentido dentro dos termos agora familiares de prosperidade e justiça distributiva. Jefferson e seus seguidores se opunham às manufaturas em grande escala principalmente por motivos morais e cívicos; seria mais provável que o estilo de vida agrário produzisse o tipo de cidadãos que o autogoverno exige. Assim como o debate sobre o sistema de Tesouro de Hamilton, a discussão sobre o incentivo às manufaturas no país ilustra a proeminência de considerações cívicas no discurso político do início da república.

Os primeiros defensores das manufaturas americanas, assim como seus primeiros oponentes, defendiam sua posição em nome da liberdade e da virtude, não em nome do crescimento econômico. Quando a Grã-Bretanha tentou tributar as colônias durante as décadas de 1760 e 1770, os colonos reagiram recusando-se a importar ou consumir produtos britânicos. Com boicotes, esperavam não apenas retaliar a Grã-Bretanha, mas também afirmar a virtude republicana, estabelecer a independência econômica e salvar-se da corrupção dos luxos importados. Os movimentos de não importação e de não consumo, com seu apelo à simplicidade e à frugalidade republicanas, deram o primeiro impulso às manufaturas locais. "Se ainda queremos ser livres", exortou um jornal em 1767, "deixemos unanimemente de lado os supérfluos estrangeiros e encorajemos nossa própria manufatura."[55]

As manufaturas inspiradas pelo movimento de não importação eram, em sua maior parte, de artigos domésticos grosseiros, como o tecido caseiro, produzido para suprir necessidades básicas. A fabricação de produtos domésticos simples não representava ameaça à cidadania republicana, e poucos americanos questionavam isso. Essa produção

O DESCONTENTAMENTO DA DEMOCRACIA

em pequena escala acontecia em casa ou nas oficinas. Ao contrário dos operários europeus, esses artesãos controlavam suas habilidades, o próprio trabalho e suas ferramentas. "Como os *yeoman* do campo [pequenos agricultores ingleses], eles tinham acesso direto aos meios de produção, o que lhes conferia a independência que sustentava a virtude republicana." Além disso, aqueles que produziam as necessidades básicas não dependiam dos caprichos da moda, ao contrário do que acontecia com os trabalhadores europeus nos negócios de luxo.[56]

Mesmo aqueles que defendiam a fabricação em maior escala elaboravam seus argumentos em termos republicanos. Benjamin Rush foi presidente da United Company of Philadelphia for Promoting American Manufactures [Companhias Unidas da Filadélfia para a Promoção de Manufaturas Americanas], a primeira tentativa em larga escala de produção têxtil nas colônias, cuja duração foi curta. Ao discursar na sede de sua fundação, em 1775, Rush argumentou que as manufaturas domésticas promoveriam a prosperidade, empregariam os pobres e também "erigiriam uma barreira adicional contra as ingerências da tirania" ao reduzir a dependência dos Estados Unidos em relação aos estrangeiros para a circulação de itens como alimentos e roupas. Uma dependência contínua de bens manufaturados britânicos promoveria luxo e vícios, e induziria uma dependência econômica equivalente à escravidão. "Ao nos tornarmos escravos, perderemos todo princípio de virtude. Transferiremos a obediência ilimitada a nosso Mestre para uma maioria corrompida na Câmara dos Comuns britânica, e consideraremos seus crimes como certificados de sua comissão divina para nos governar."[57]

A década de 1780 trouxe o primeiro debate sustentado sobre manufaturas domésticas. Depois da Revolução, os americanos descobriram, para sua angústia, que a independência política não trazia necessariamente a independência econômica. A Grã-Bretanha retomou seu domínio do comércio americano e os mercados estrangeiros, que poderiam absorver o excedente agrícola dos Estados Unidos, permaneceram restritos. Com a crise comercial veio a depressão econômica e novos apelos por manufaturas nacionais.[58]

Muitos americanos se opuseram, argumentando que encorajar manufaturas em larga escala geraria uma economia política inóspita para a cidadania republicana. Temiam que manufaturas em escala maior do que a caseira ou da pequena fábrica criassem uma classe de trabalhadores empobrecidos, sem propriedades, aglomerados nas cidades, incapazes de exercer o julgamento independente que a cidadania exige. Como Jefferson escreveu em suas *Notes on the State of Virginia*: "A dependência gera a subserviência e a venalidade sufoca o germe da virtude além de preparar ferramentas adequadas aos desígnios da ambição." A vida fabril gera uma "corrupção da moral" não encontrada entre os agricultores. "Enquanto tivermos terra para trabalhar, não desejemos nunca ver nossos cidadãos ocupados em uma bancada de trabalho ou girando um fuso."[59]

Em uma carta a John Jay, o argumento cívico de Jefferson foi ainda mais explícito. "Os cultivadores da terra são os mais valiosos cidadãos. São os mais vigorosos, os mais independentes, os mais virtuosos, e estão ligados ao seu país, unidos à sua liberdade e a seus interesses, pelos laços mais duradouros." Se chegasse o dia em que houvesse fazendeiros demais, Jefferson preferiria que os americanos se tornassem marinheiros antes de se dedicarem à manufatura. "Considero a classe dos artífices como os alcoviteiros do vício e os instrumentos pelos quais as liberdades de um país são geralmente derrubadas."[60]

A objeção de Jefferson não era às manufaturas em si, mas a empreendimentos que concentrariam homens e máquinas nas cidades e corroeriam a economia política da cidadania. Ele traçou uma nítida distinção entre manufaturas caseiras, defendidas por ele, e manufaturas extensivas, às quais ele se opunha. As manufaturas caseiras não representavam uma ameaça à economia política da cidadania por dois motivos. Primeiro, dispersas no país, não criavam a riqueza e o poder concentrados da produção fabril altamente capitalizada nas grandes cidades comerciais. Em segundo lugar, as manufaturas caseiras, em sua maioria, não se baseavam na mão de obra dos cidadãos, mas no trabalho de mulheres e crianças. Isso permitia que os lavradores sãos

O DESCONTENTAMENTO DA DEMOCRACIA

trabalhassem a terra, mantendo intacta sua independência. A própria manufatura caseira de Jefferson em Monticello refletia essa distinção gritante entre cidadãos e aqueles consignados ao status de dependentes. Sua fábrica de pregos era operada por meninos escravizados, a manufatura têxtil, por mulheres e meninas.[61]

Para os opositores das manufaturas domésticas, a importância da vida agrária para o governo republicano não estava simplesmente na capacidade de evitar a degradação das cidades populosas. Como observou Noah Webster, havia também o efeito positivo de gerar habilidades cívicas distintivas: "Onde as pessoas vivem principalmente da agricultura, como na América, todo homem é em alguma medida um artista, com a habilidade de fazer uma variedade de utensílios, grosseiros, é verdade, mas capazes de servirem a seu propósito... Cada homem é um lavrador no verão e um mecânico no inverno... Viaja pelo território... Conversa com uma variedade de profissionais... Lê os jornais públicos... Tem acesso a uma biblioteca da paróquia e assim se torna familiarizado com a história e a política. (...) O conhecimento se difunde e a genialidade é provocada pela própria situação da América."[62]

Nem todos os americanos da década de 1780 compartilhavam da hostilidade de Jefferson às manufaturas domésticas. Tamanha era a proeminência dos pressupostos republicanos, entretanto, que mesmo seus defensores discordassem quanto aos termos de sua implementação. Aqueles que eram favoráveis a tarifas e outras medidas para encorajar uma fabricação doméstica mais ampla defendiam seus argumentos por motivos cívicos, não apenas econômicos. Eles argumentavam que uma economia equilibrada com agricultura e manufaturas seria melhor para a formação de cidadãos virtuosos e independentes do que uma economia agrária ligada ao comércio exterior.

Como os partidários republicanos agrários, os defensores das manufaturas domésticas se preocupavam com as consequências do luxo e da dependência para o autogoverno. Mas eles acreditavam que a maior fonte desses perigos era o comércio exterior, e não as manufaturas domésticas. Depender inteiramente do comércio exterior para obter

ECONOMIA E VIRTUDE NO COMEÇO DA REPÚBLICA

produtos manufaturados, argumentavam eles, corroeria a virtude republicana em dois aspectos. Primeiro, tal dependência diminuía a independência dos Estados Unidos, deixando a economia refém das restrições de potências estrangeiras. Em segundo lugar, a enxurrada de artigos de luxo britânicos corrompia o caráter moral dos americanos, corroendo o espírito de diligência, frugalidade e abnegação que havia sustentado os colonos em sua luta pela independência. Como um orador do Quatro de Julho proclamou em 1787, o comércio exterior dos Estados Unidos "é em sua própria natureza subversivo do espírito de pura liberdade e independência, pois destrói aquela simplicidade de modos, a virilidade nativa de alma e a igualdade de posição, que é a mola e a excelência peculiar de um governo livre".[63]

No mesmo ano, Tench Coxe, um jovem empresário da Filadélfia e principal defensor das manufaturas domésticas, fez o discurso inaugural na Pennsylvania's Society for the Encouragement of Manufactures and the Useful Arts [Sociedade da Pensilvânia para o Incentivo à Manufatura e às Artes Úteis]. Uma razão que ele elencou para encorajar as manufaturas domésticas era econômica, pela promoção de "riqueza privada e prosperidade nacional". Outra era cívica, defendendo que o governo republicano empregaria os ociosos e afastaria a dependência corrupta dos luxos europeus. Coxe se preocupava com a pobreza menos pela injustiça e mais por causa de sua tendência a minar a virtude cívica: "A extrema pobreza e o ócio nos cidadãos de um governo livre produzirão sempre hábitos viciosos e desobediência às leis, tornando o povo um instrumento adequado para os perigosos propósitos de homens ambiciosos. Sob esta luz, o emprego de nossos pobres em manufaturas, aqueles que não podem encontrar outros meios honestos de subsistência, é de extrema importância".[64]

Além de cultivar hábitos de obediência e diligência entre os pobres, Coxe reivindicava para as manufaturas domésticas o efeito salutar de reduzir o consumo desenfreado de bens estrangeiros pelos americanos: "Cabe a nós considerar nossa paixão inoportuna pelos luxos europeus como um sintoma maligno e alarmante, ameaçando convulsões e a dis-

O DESCONTENTAMENTO DA DEMOCRACIA

solução do corpo político." A fabricação nacional de roupas, móveis e similares simplificaria os hábitos dos americanos e reduziria a influência corruptora da moda e do luxo estrangeiros. O benefício final das manufaturas domésticas, concluía Coxe, não era apenas econômico, mas também político. Elas "nos conduziriam mais uma vez aos caminhos da virtude, restaurando a frugalidade e a laboriosidade, esses potentes antídotos para os vícios da humanidade, e nos dariam uma verdadeira independência ao nos resgatar da tirania das modas estrangeiras e da torrente destrutiva do luxo".[65]

O *Report on Manufactures* [Relatório sobre as manufaturas] de Hamilton, apresentado ao Congresso em 1791, dava menos atenção às sensibilidades republicanas. Começava por admitir que "o cultivo da terra" fornecia um "Estado mais favorável à liberdade e à independência da mente humana" e, portanto, tinha pretensão de preeminência sobre outros tipos de ocupação.[66] Mas ele prosseguia propondo, em nome da prosperidade e da independência nacional, um ambicioso programa de desenvolvimento industrial americano. Diferenciando-se dos republicanos, Hamilton defendia manufaturas públicas, em vez das domésticas, a serem impulsionadas por recompensas ou subsídios do governo. Como Hamilton previa a produção tanto para exportação quanto para uso doméstico, seu programa sugeria a produção de manufaturas avançadas, de luxo, em vez dos artigos de primeira necessidade, simples e grosseiros, preferidos dos republicanos.

Junto com suas propostas para as finanças públicas, o *Report on Manufactures* de Hamilton pareceu aos seus oponentes mais um ataque às condições sociais exigidas pelo governo republicano. A noção de subsídios governamentais para a indústria invocou o espectro de privilégios, conexões e corrupção ao qual os americanos haviam renunciado ao romper com a Grã-Bretanha.

Em um artigo de jornal publicado após o *Report* de Hamilton, Madison reafirmou o argumento cívico contra as manufaturas em grande escala: "A classe de cidadãos capazes de se suprir de alimentos e vestimentas pode ser considerada aquela que é mais independente e

ECONOMIA E VIRTUDE NO COMEÇO DA REPÚBLICA

feliz. Esses cidadãos são mais. Eles são a melhor base da liberdade pública e o mais forte baluarte da segurança pública. O que segue é que quanto maior a proporção dessa classe na sociedade, mais livre, mais independente e mais feliz deve ser a própria sociedade."[67]

O *Report on Manufactures* de Hamilton nunca foi adotado, em parte devido ao aumento da demanda europeia por produtos americanos na década de 1790. À medida que o comércio americano prosperava, adiava-se o debate sobre manufaturas, a ser retomado durante os governos de Jefferson e Madison.

Nas primeiras décadas do século XIX, muitos jeffersonianos abandonaram a oposição às manufaturas domésticas. Mas mesmo ao revisar sua política econômica, eles mantiveram a ambição formativa da tradição do republicanismo e continuaram a argumentar dentro de seus termos. A crescente simpatia dos jeffersonianos pelas manufaturas no início de 1800 foi motivada pela frustração com os obstáculos estrangeiros ao comércio americano e pela preocupação com o espírito de avareza e especulação que eles associavam à classe mercantil do Nordeste do país. Essas tendências ameaçavam minar as condições que adequavam os americanos ao autogoverno e levaram muitos republicanos a concluir que as manufaturas domésticas e os mercados internos serviriam melhor à economia política da cidadania.

George Logan, amigo e aliado de Jefferson, insistia na promoção das manufaturas americanas na esperança de reduzir a importação de artigos de luxo e de aprimorar o caráter dos cidadãos. Diferentemente dos artigos estrangeiros, as manufaturas nacionais mais simples promoveriam "esses comportamentos simples e caseiros, e esse modo de vida frugal (...) mais adequado à nossa forma republicana de governo".[68]

O próprio Jefferson, escrevendo em 1805, justificou sua oposição às manufaturas de duas décadas antes. Sua posição havia sido formada tendo em mente as grandes cidades manufatureiras da Europa, temendo a "depravação da moral, [a] dependência e corrupção" que fomentavam. Felizmente, os americanos que trabalhavam nas manufaturas ainda não haviam se aproximado de tal degradação. "Por enquanto nossos manufatureiros permanecem tão à vontade, tão independentes e dignos quanto nossos habitantes agricultores, e continuarão assim enquanto houver terras vagas a que possam recorrer." A abundância de terras tinha preservado a independência dos trabalhadores, dando-lhes a opção de deixar a fábrica e cultivar a terra.[69]

Em 1810, Henry Clay, na época um jovem senador de Kentucky, fez uma defesa característica da emergente visão dos partidários republicanos sobre as manufaturas domésticas. Um sistema fabril limitado a suprir as necessidades domésticas não acarretaria os males de Manchester e Birmingham. Pelo contrário, teria efeitos favoráveis sobre o caráter moral dos americanos. Forneceria emprego àqueles que de outra forma "seriam improdutivos ou ficariam expostos à indolência e à imoralidade". Salvaria os americanos de serem corrompidos pela influência dos luxos estrangeiros. "A dama do comércio", Clay declarou, "é uma sirigaita inconstante, irreverente e barulhenta, e, se formos governados por suas fantasias, nunca deixaremos de lado as musselinas da Índia e os panos da Europa." Finalmente, traria independência econômica e orgulho nacional. "A nação que importa suas roupas do exterior é apenas um pouco menos dependente do que se importasse seu pão." A manufatura doméstica, se apoiada por recompensas e tarifas de proteção, poderia fornecer todos os artigos de vestuário necessários e redimir os Estados Unidos da dependência de países estrangeiros.[70]

No final da vida, depois que o embargo fracassado e a Guerra de 1812 convenceram-no da dificuldade de alcançar o livre comércio, Jefferson admitiu que a manufatura se tornara necessária para a independência nacional. "Devemos agora colocar o fabricante ao lado do agricultor", concluiu ele em 1816. Dadas as persistentes restrições ao comércio americano, aqueles que se opunham às manufaturas domésticas seriam "favoráveis, ou a nos reduzirmos à dependência daquela nação estrangeira, ou a nos vestirmos de peles e vivermos como animais selvagens em covas e cavernas. Não sou um deles; a experiência me ensinou que as manufaturas são agora tão necessárias para nossa independência quanto para nosso conforto."[71]

ECONOMIA E VIRTUDE NO COMEÇO DA REPÚBLICA

O início dos anos 1800 trouxe, assim, uma mudança na economia política jeffersoniana, de uma economia agrária vinculada ao comércio exterior em direção ao desenvolvimento das manufaturas domésticas e um mercado interno. Essa transformação foi inspirada em parte pela frustração com obstáculos persistentes ao comércio exterior e em parte pelo medo de que as importações estrangeiras excessivas estivessem corrompendo a virtude republicana, tornando os americanos dependentes de luxos e da moda estrangeiros. Essa mudança na perspectiva econômica foi adotada com mais entusiasmo por uma geração de republicanos mais jovem e mais empreendedora.

Mesmo enquanto a economia política republicana relaxava e depois abandonava sua oposição às manufaturas domésticas, ela ainda mantinha suas preocupações cívicas. O debate sobre a indústria local no início do século XIX não era apenas relativo à prosperidade, mas também aos arranjos econômicos mais adequados ao autogoverno. No início dos anos 1800, os defensores republicanos das manufaturas não renunciavam à economia política da cidadania que fundamentara a visão agrária de Jefferson. Eles argumentavam que a cidadania republicana seria mais bem promovida por uma economia política na qual as manufaturas domésticas libertariam a nação da dependência excessiva dos artigos de luxo estrangeiros e promoveriam a operosidade, a frugalidade e a independência que o autogoverno exige.

Os próprios eventos que motivaram o apoio crescente dos republicanos às manufaturas domésticas — notadamente o embargo de 1807-1809 e a Guerra de 1812 — levaram alguns federalistas a temer a destruição do comércio americano e a denunciar a perspectiva da manufatura em grande escala. Eles também empregavam a linguagem da virtude cívica. Alguns, paradoxalmente, acusavam Jefferson e Madison de promover uma sociedade manufatureira avançada à qual os republicanos havia muito se opunham. Um federalista de Connecticut reclamou que as políticas de Jefferson trocariam uma sociedade simples, baseada na agricultura e no comércio, "pelos modos e hábitos dissipados e efeminados que o amplo estabelecimento de manufaturas

O DESCONTENTAMENTO DA DEMOCRACIA

nunca deixa de trazer em seu rastro".[72] Um articulista de Boston indagou: "Seria a existência de nossa forma atual de governo compatível com uma população como aquela existente em Lyon, Manchester ou Birmingham?"[73] Philip Barton Key, federalista de Maryland, elogiou a virtude cívica superior que a vida agrária promovia: "Nunca se procuraria entre homens e meninos das oficinas aquela virtude e o espírito de defesa que se espera com justiça dos lavradores do país."[74]

Em 1814, Daniel Webster, um congressista de New Hampshire que depois se mudaria para Boston e se tornaria um dos principais defensores da manufatura, argumentou em termos morais e cívicos contra as tarifas que estimulavam as manufaturas extensivas: "Hábitos favoráveis à boa moral e aos governos livres não são geralmente cultivados com sucesso em cidades fabris populosas." A extensa divisão do trabalho imposta pelas grandes fábricas "torna o trabalhador totalmente dependente de seu empregador". Em um fervoroso hino à vida pastoral, o jovem Webster alertou para o dia em que a maioria dos americanos teria que "se enterrar em galpões fechados e insalubres; quando eles seriam obrigados a fechar os ouvidos aos balidos de seus próprios rebanhos, em suas próprias colinas, e à voz da cotovia que os anima no eito, para abri-los em meio ao pó, à fumaça e ao vapor, ao turbilhão perpétuo de carretéis e fusos, e ao ranger de limas e serras".[75]

OS ARGUMENTOS DO DEBATE ECONÔMICO NA ERA JACKSON

Vistas pelas lentes dos argumentos utilizados nos debates políticos atuais, as preocupações subjacentes da política da era Jackson parecem semelhantes às nossas. Em seus debates rancorosos sobre bancos, tarifas e desenvolvimento econômico, os democratas e os *whigs** das

---

* Os *whigs* formavam um partido de viés conservador fundado por Henry Clay, cuja origem está ligada ao declínio do Partido Federalista, e à incorporação de membros do Partido Nacional Republicano e do Partido Antimaçônico. Ativo entre 1833 e 1856, fazia oposição ao Partido Democrata – este fundado em 1828 por Andrew Jackson e Martin Van Buren, e atualmente

ECONOMIA E VIRTUDE NO COMEÇO DA REPÚBLICA

décadas de 1830 e 1840 fizeram apelos frequentes a argumentos relativos ao crescimento econômico e à justiça distributiva. *Whigs* como Henry Clay e Daniel Webster argumentavam que a riqueza nacional aumentaria com seu programa de implementação de um banco nacional, tarifa protecionista e melhorias internas patrocinadas pelo governo. Os democratas liderados por Jackson contra-argumentavam que tais políticas enriqueceriam os poderosos às custas do cidadão comum e levariam a uma distribuição injusta da riqueza. Em um padrão de argumentação familiar em nosso tempo, os *whigs* responderam que o crescimento econômico beneficiaria agricultores e trabalhadores, bem como empresários e banqueiros, e que uma maré alta levantaria todos os barcos.[76]

Os jacksonianos preocupavam-se sobretudo com a distribuição desigual da riqueza entre produtores e aqueles que consideravam como não produtores, a exemplo de comerciantes, capitalistas e banqueiros. Queixavam-se de que a sociedade de mercado que surgia ao seu redor dava as maiores recompensas àqueles que menos contribuíam. "O trabalhador está pobre e deprimido", escreveu o democrata radical Orestes Brownson, "enquanto grande parte dos não trabalhadores, no sentido em que usamos o termo, são ricos. Pode ser estabelecido como regra geral, com poucas exceções, que os homens são recompensados em uma proporção inversa à quantidade de serviço real que realizam."[77] O *New York Evening Post* expressou o mesmo protesto de forma mais vívida: "Quem é que desfila em sua carruagem com arreios dourados, que se deleita com todo o luxo terreno, que constrói palácios e supera os príncipes em seus entretenimentos? É o homem que labuta o dia inteiro, todo dia? É o proprietário de casas e terras ou de algo real? Não... é o vassalo do papel-moeda."[78]

Os principais líderes *whigs* e seus apoiadores respondiam que a riqueza acumulada e o sistema de crédito trabalhavam em benefício

---

um dos dois grandes partidos do país, ao lado do partido Republicano (fundado em 1854). [*N. do R. T.*]

O DESCONTENTAMENTO DA DEMOCRACIA

dos americanos comuns, aumentando a riqueza nacional. Eles discutiam que o crescimento econômico faria mais pelos pobres do que as tentativas de distribuir a riqueza existente de forma mais igualitária. Richard Hildreth, jornalista e eventual *whig*, escreveu:

> Quaisquer que sejam as objeções que possam ser feitas à distribuição existente de riquezas, pelo menos nisso deve haver uma concessão, que nenhuma mera redistribuição da massa existente de riqueza poderia efetivamente responder ao propósito de elevar o povo. Qualquer redistribuição (...) ainda deixaria todo mundo pobre, ao mesmo tempo que cortaria pela raiz uma grande massa de ocupações laboriosas. (...) Acima e além de qualquer um desses esquemas de redistribuição, para redimir a massa do povo da pobreza e de seus incidentes, é absolutamente essencial um grande aumento na quantidade da riqueza acumulada, bem como de produtos anuais.[79]

O deputado *whig* Edward Everett, ao elogiar a "acumulação, a propriedade, o capital [e] o crédito", argumentou que a vasta fortuna de um líder capitalista servia bem à comunidade: "Que melhor uso poderia ter sido feito dela? Diriam: divida-a igualmente com a comunidade. Dar a cada indivíduo nos Estados Unidos uma parte? Caberia meio dólar para cada homem, mulher e criança; e, claro, poderia muito bem ter sido afundada no meio do mar. Tal distribuição teria sido outro nome para aniquilação. Quantos navios teriam recolhido suas velas, quantos armazéns teriam fechado as portas, quantas rodas, pesadamente carregadas com os produtos da indústria, teriam parado, quantas famílias teriam sido reduzidas à miséria, e sem nenhuma vantagem resultante da distribuição?"[80]

Apesar dessa semelhança superficial, no entanto, os termos do debate na era Jackson remetem aos nossos de forma desconfortável. Nas últimas décadas, aqueles mais preocupados com a justiça distributiva têm defendido um governo mais ativista — um sistema tributário progressivo, programas de bem-estar social, leis que regulam a saúde e a segurança dos trabalhadores; aqueles mais preocupados com o crescimento econômico normalmente defendem uma menor intervenção: impostos mais baixos, menos regulamentação governamental. Na era Jackson, os lados estavam invertidos. Naquela época, foram os democratas, do partido dos agricultores, mecânicos e trabalhadores, que defendiam um governo de atuação mais limitada, enquanto os *whigs*, do partido dos negócios, dos bancos e da indústria, defendiam um governo mais ativista, incluindo até mesmo uma política industrial para orientar o desenvolvimento econômico nacional.

Economia política jacksoniana

Os democratas jacksonianos favoreciam uma filosofia *laissez-faire* de governo que encontra sua expressão atual em políticos "antigoverno" como Ronald Reagan e economistas libertários como Milton Friedman. "O melhor governo é aquele que menos governa", proclamou a *Democratic Review*, de orientação jacksoniana. "Um governo democrático forte e ativo, no sentido comum do termo, é um mal, diferindo apenas em grau e modo de funcionamento, e não em natureza, de um forte despotismo. (...) O governo deve ter o mínimo a ver com os negócios e os interesses gerais do povo. (...) Sua ação doméstica deve ser confinada à administração da justiça, à proteção dos direitos naturais iguais do cidadão e à preservação da ordem social."[81] O editorialista jacksoniano William Leggett condenou até funções governamentais mínimas, como a administração dos correios, a manutenção de um manicômio para os pobres, ou a inspeção de padarias e açougues.[82]

Ao contrário dos democratas desde a época do New Deal, Andrew Jackson considerava o governo como inimigo, não como instrumento de justiça para o homem comum. Essa convicção derivava em parte de sua visão de governo e em parte de sua concepção de justiça. Ao intervir na economia, sustentava Jackson, o governo estava propenso a favorecer os ricos e os poderosos. De qualquer forma, a justiça não exigia que o governo corrigisse os talentos e as habilidades desiguais pelos quais alguns obtêm mais, e outros, menos. "Distinções na sociedade sempre existirão sob todo governo justo. A igualdade de talentos, de educação ou de riqueza não pode ser produzida por instituições humanas. No pleno gozo das dádivas do Céu e dos frutos da operosidade, da economia e da virtude superiores, todo homem tem igual direito à proteção da lei."[83]

De acordo com Jackson, o problema não era como usar o governo para promover a igualdade de condições, mas como impedir que ricos e poderosos se utilizassem dele para garantir privilégios, subsídios e vantagens especiais. "É de lamentar que os ricos e poderosos muitas vezes façam os atos do governo curvarem-se a seus propósitos egoístas. (...) Se [o governo] se limitasse à igual proteção e, como o céu faz com a chuva, derramasse seus favores igualmente acima e abaixo, sobre o rico e o pobre, esta seria uma bênção incondicional."[84]

Os debates econômicos da era Jackson diferem dos nossos de maneiras que vão além da posição dos partidos em relação ao governo, e mostram a persistência de temas republicanos nas décadas de 1830 e 1840. Embora jacksonianos e *whigs* invocassem argumentos de crescimento econômico e de justiça distributiva, essas considerações figuravam menos como fins do que como meios para visões concorrentes de uma república capaz de se autogovernar. A objeção jacksoniana à crescente desigualdade de riqueza tinha menos a ver com justiça do que com a ameaça que grandes concentrações de riqueza e poder representavam ao autogoverno. O argumento dos partidários *whigs* para promover o desenvolvimento econômico tinha menos a ver com melhorias no padrão de vida ou com a maximização do consumo do que com o cultivo da comunidade nacional e o fortalecimento dos laços da união. Subjacentes aos debates entre democratas e *whigs* estavam visões concorrentes de uma economia política da cidadania.

De modos diferentes, os dois partidos compartilhavam a convicção de Jefferson de que a vida econômica da nação deveria ser julgada por

ECONOMIA E VIRTUDE NO COMEÇO DA REPÚBLICA

sua capacidade de cultivar nos cidadãos as qualidades de caráter exigidas pelo autogoverno. Na década de 1830, poucos presumiam, como Jefferson no passado, que a vida agrária era o único caminho para a competência cívica.[85] Porém, mesmo quando os partidos voltavam suas atenções para o banco nacional, as tarifas protecionistas, políticas de terras e melhorias internas, tanto democratas quanto *whigs* mantinham contato com a ambição formativa da tradição do republicanismo.

As políticas e a retórica de Jackson refletiam as esperanças e os medos republicanos em dois aspectos. Em primeiro lugar, sua posição contrária ao Banco dos Estados Unidos e ao apoio federal ao comércio e à indústria refletia o tradicional medo republicano de que forças poderosas e interessadas em benefícios próprios dominassem o governo, garantindo para si privilégios especiais e privando o povo de seu direito de governar. Em segundo lugar, a hostilidade a grandes negócios, bancos e especulação surgia da convicção de que apenas produtores laboriosos, como fazendeiros, mecânicos e trabalhadores, possuíam a virtude e a independência necessárias ao autogoverno. A concentração de poder representada por um banco nacional e uma moeda corromperia diretamente o governo republicano, ao dar subsídios e privilégios a uns poucos favorecidos. Ao mesmo tempo, o espírito de especulação que essas instituições encorajavam corromperia indiretamente o governo, ao minar as qualidades morais exigidas pela cidadania republicana.[86]

De acordo com seus defensores, o Banco dos Estados Unidos promovia a estabilidade econômica, regulando a oferta de dinheiro por meio do controle de suas notas amplamente aceitas. Segundo seus oponentes, esse poder sobre a moeda nacional rivalizava com o poder do próprio governo e enriquecia injustamente os investidores privados do banco. Para Jackson, o banco era um "monstro", uma "hidra da corrupção", e ele estava determinado a destruí-lo. Sua guerra contra o banco definiria sua presidência e ilustrava os dois aspectos da economia política jacksoniana da cidadania.

Em um nível, a luta em torno do banco demonstrava o perigo da concentração de poder. "O resultado da legislação imprudente que estabeleceu este grande monopólio", declarou Jackson, "foi concentrar todo o poder endinheirado da União, com seus ilimitados meios de corrupção e seus numerosos dependentes, sob a direção e o comando de uma cabeça reconhecida, (...) permitindo-lhe apresentar em qualquer ocasião sua força total e indivisa para apoiar ou derrotar qualquer medida do governo." Se o banco não tivesse sido destruído, "o governo teria passado das mãos de muitos para as de poucos, e esse poder monetário organizado de seu conclave secreto teria ditado a escolha de suas maiores autoridades, compelindo-as a fazer a paz ou a guerra, de acordo com desejos dele. As formas de seu governo podem ter permanecido por um tempo, mas seu espírito vivo teria partido dele."[87]

Em outro nível, além dos males do poder concentrado, uma economia dominada por comércio, bancos e negócios ameaçava corromper o governo republicano pela corrosão dos hábitos morais que o sustentavam. As flutuações do papel-moeda "geram um espírito de especulação prejudicial aos hábitos e ao caráter do povo". A especulação desenfreada de terras e ações "ameaçava permear todas as classes da sociedade e desviar a atenção das atividades sóbrias do labor honesto. Não é encorajando esse espírito que preservaremos melhor a virtude pública". O papel-moeda fomentava um "desejo febril pela acumulação de riqueza sem trabalho" que "inevitavelmente levaria à corrupção" e destruiria o governo republicano.[88]

Em seus momentos libertários, a política jacksoniana acenava para a república procedimental e para a noção de que o governo não deveria desempenhar nenhum papel na formação do caráter ou no cultivo da virtude de seus cidadãos. Por exemplo, Orestes Brownson afirmou, contrariamente à tradição do republicanismo, que a liberdade "não é o poder de escolher nossa própria forma de governo, de eleger nossos próprios governantes e, por meio deles, fazer e administrar nossas próprias leis", mas simplesmente a capacidade de exercer direitos individuais sem interferência do governo. "Enquanto o indivíduo não violar nenhum dos direitos dos outros, ou não colocar nenhum obstáculo no caminho de seu livre e pleno exercício, o governo, a lei, mesmo a opinião pública, devem deixá-lo livre para seguir seu próprio caminho."[89]

ECONOMIA E VIRTUDE NO COMEÇO DA REPÚBLICA

Mas, ao contrário dos libertários modernos, que defendem os direitos individuais enquanto insistem na neutralidade do governo diante de concepções concorrentes de uma boa vida, os jacksonianos afirmavam explicitamente um certo modo de vida e procuravam cultivar determinado tipo de cidadão. Como Jefferson e Madison, Jackson frequentemente justificava suas políticas econômicas com bases formativas, citando como influenciariam no caráter moral dos cidadãos. A remoção de depósitos públicos do Banco dos Estados Unidos era "necessária para preservar a moral do povo".[90] Restaurar o ouro e a prata como meio de troca reviveria e perpetuaria "aqueles hábitos de economia e de simplicidade que são tão agradáveis ao caráter dos republicanos".[91] Recusar o apoio federal para melhorias internas e mercados de massa preservaria uma economia de produtores independentes e tornaria o mundo seguro para as ocupações que sustentavam a virtude e que adequavam os americanos ao autogoverno. "O lavrador, o fazendeiro, o mecânico e o trabalhador sabem que o sucesso depende de sua própria diligência e economia, e que não devem esperar ficar ricos de repente pelos frutos de seu trabalho." Tais cidadãos eram "os ossos e tendões do país, homens que amam a liberdade e não desejam nada além de direitos iguais e leis iguais".[92]

No século XX, as doutrinas do *laissez-faire* celebrariam a economia de mercado e a liberdade de escolha que o mercado supostamente assegurava. Na era Jackson, no entanto, as noções de *laissez-faire* desempenharam um papel diferente, estavam inseridas em uma visão da "boa vida republicana". Essa era a visão, como descreve Marvin Meyers, "dos produtores independentes, seguros em sua modesta competência, orgulhosos de sua dignidade natural, firmes em seu caráter de pequenos proprietários, senhores de seu destino — a ordem da Velha República". Os jacksonianos supunham que "quando o governo menos governasse, a sociedade — feita dos materiais republicanos certos — realizaria sua própria disciplina moral natural".[93]

Longe de ser um defensor do empreendimento capitalista, Jackson procurou limitar o governo não para dar maior alcance às relações de mercado, mas para retardar seu avanço. Sem o apoio "artificial" de subsídios governamentais e tarifas protecionistas, Jackson acreditava que a manufatura em larga escala, os bancos e as empresas capitalistas não invadiriam tão cedo a economia formada por pequenos produtores independentes. Isso explica a estranha coexistência, em uma mesma perspectiva política, do individualismo *laissez-faire* e da preocupação republicana com o caráter moral do povo. "Os americanos da inclinação jacksoniana adotaram suas doutrinas de liberdade e *laissez-faire* (...) não como estímulo a empreender, mas como purgativo para trazer a República Velha (...) de volta à saúde moral."[94] O governo promoveria a virtude não diretamente, por meio da legislação, mas indiretamente, afastando as forças econômicas que ameaçavam solapá-la.

Política econômica whig

Embora os *whigs* tenham acolhido as mudanças econômicas às quais os apoiadores de Jackson se opunham, eles também promoviam uma economia política de cidadania e atentavam às consequências morais dos arranjos econômicos. "A partir do mesmo corpo de tradição republicana dos democratas, os *whigs* optaram por enfatizar diferentes temas e ofereceram uma avaliação dramaticamente diferente das mudanças econômicas prometidas pela Revolução do Mercado."[95] Jacksonianos e *whigs* compartilhavam as noções republicanas de que o poder centralizado é o inimigo da liberdade e que o governo deve se preocupar com o caráter moral dos cidadãos. Mas eles aplicavam esses ensinamentos de maneira diferente às circunstâncias da vida americana do século XIX.

Enquanto os jacksonianos temiam o poder econômico centralizado, os *whigs* temiam o poder Executivo centralizado. Pela perspectiva dos *whigs*, a ameaça que o poder representava para a liberdade não se encontrava nas forças da indústria, dos bancos e do comércio, mas sim na concepção de presidência defendida por Jackson. Quando Jackson vetou a renovação da carta do Banco dos Estados Unidos, removeu seus depósitos públicos e os transferiu para bancos estaduais, os opositores o

ECONOMIA E VIRTUDE NO COMEÇO DA REPÚBLICA

acusaram de "cesarismo", "usurpação executiva" e desígnios ditatoriais. Os presidentes anteriores usaram o poder de veto com pouca frequência, aplicando-o apenas a leis que consideravam inconstitucionais, e não a leis com as quais simplesmente discordavam.[96] Confrontado com o "Monstro", Jackson não manifestou tal contenção. "Estamos no meio de uma revolução", declarou Henry Clay, "até agora sem derramamento de sangue, mas nos inclinando depressa para uma mudança total do caráter puramente republicano do governo e para a concentração de todo o poder nas mãos de um homem."[97]

Em 1834, Clay e seus seguidores adeptos do Partido Nacional Republicano* adotaram o nome *"whig"*, em homenagem ao partido de oposição inglês que havia se inspirado em temas republicanos para resistir ao poder arbitrário da Coroa. Como seus homônimos ingleses, Clay e os *whigs* americanos viam a maior ameaça ao governo republicano no abuso do poder Executivo. Invocando a memória da Revolução Americana, Clay saudou os *whigs* britânicos como defensores da liberdade e opositores ao poder executivo da realeza. "E o que é o presente a não ser a mesma disputa sob outra forma? (...) Os *whigs* dos dias atuais estão se opondo à invasão executiva e a uma extensão mais alarmante do poder Executivo e suas prerrogativas. Eles estão descobrindo os abusos e corrupções de uma administração, sob um magistrado-chefe que se esforça para concentrar em sua própria pessoa todos os poderes do governo."[98] As charges políticas dos *whigs* retratavam Jackson como "Rei Andrew I". O primeiro candidato presidencial *whig* bem-sucedido, William Henry Harrison, ganhou a Casa Branca em 1840 com uma plataforma de contenção executiva, prometendo usar o veto com moderação, votar suas decisões com seus ministros e não buscar um segundo mandato.[99]

---

* O Partido Nacional Republicano foi criado em 1824 por apoiadores de John Quincy Addams em aliança com antigos federalistas, até sua dissolução em 1834 e incorporação pelos *whigs*. Foi um dos novos partidos resultantes da divisão do Partido Democrata-Republicano original entre apoiadores de Addams em oposição aos partidários de Andrew Jackson, que deram origem ao atual Partido Democrata em 1828. [N. do R. T.]

A ênfase dos *whigs* no governo equilibrado e o medo da tirania do Executivo se encaixavam com firmeza na tradição do republicanismo que ecoava desde o pensamento clássico e renascentista até a oposição feita como "partido do campo" da política inglesa do século XVIII. Seu entusiasmo pelo comércio, a indústria e o desenvolvimento econômico, no entanto, os diferenciava. A tradição republicana clássica vira o comércio como antitético à virtude, uma fonte de luxo e de corrupção que desviava os cidadãos do bem público. Desde a época da Revolução Americana, os republicanos preocupavam-se com as consequências cívicas dos grandes empreendimentos comerciais e manufatureiros. O Jefferson dos primeiros tempos vira a virtude cívica como dependente de uma economia agrária simples. E embora os jacksonianos tivessem ampliado a gama de ocupações capazes de sustentar a virtude de modo a incluir trabalhadores independentes e mecânicos, bem como agricultores, eles temiam que a revolução do mercado que se desenrolava naquela época pudesse corroer as qualidades morais que o autogoverno exigia.[100]

Mesmo enquanto os *whigs* defendiam o desenvolvimento econômico, no entanto, eles mantinham a ambição formativa da tradição do republicanismo: aceitavam os pressupostos republicanos de que o autogoverno requeria certas qualidades morais e cívicas entre os cidadãos, e de que os arranjos econômicos deviam ser avaliados por sua tendência a promover essas qualidades. A discussão deles com os jacksonianos era sobre quais virtudes caras ao autogoverno seriam exigidas aos americanos do século XIX e qual a melhor forma de promovê-las.

O projeto formativo dos *whigs* tinha dois aspectos. O primeiro era aprofundar os laços de união e cultivar uma identidade nacional compartilhada. O segundo era elevar a moralidade do povo, fortalecer seu respeito pela ordem e sua capacidade de autocontrole. Os *whigs* procuravam cumprir esses objetivos por meio tanto de uma política de desenvolvimento econômico nacional quanto de diversas instituições públicas, desde escolas a reformatórios e sanatórios, destinadas a melhorar o caráter moral do povo.

A peça central da política econômica *whig* era o "Sistema Americano" de Henry Clay. Ao contrário do sistema britânico de desenvolvimento econômico *laissez-faire*, a proposta de Clay buscava promover o desenvolvimento econômico por meio de incentivos governamentais explícitos ao crescimento nacional. Altas tarifas encorajariam a manufatura americana, protegendo-a da concorrência estrangeira. Os preços elevados das terras federais retardariam a expansão para o oeste e gerariam receitas para apoiar um ambicioso programa de melhorias internas, como a construção de estradas, canais e ferrovias. E um banco nacional facilitaria a arrecadação de impostos, as transações comerciais e os gastos públicos ao estabelecer uma moeda forte.[101]

Os *whigs* justificavam seu programa de desenvolvimento econômico com base na prosperidade, mas também na integração nacional. As "melhorias" internas que eles buscavam promover eram tanto morais quanto materiais. A "ideia de progresso" era "valorizar os recursos materiais da América" e também "melhorar a mente e o coração da América".[102] O transporte nacional e redes de comunicação promoveriam a harmonia tanto quanto o comércio, e elevariam moralmente as regiões remotas do país. Uma ferrovia da Nova Inglaterra à Geórgia "harmonizaria os sentimentos de todo o país".[103] A ligação entre o Oeste não civilizado e o Leste, de acordo com um periódico cristão dos *whigs*, promoveria a moralidade e a salvação: "Quanto antes tivermos estradas de ferro e telégrafos girando no deserto, e estabelecendo conexão e proximidade entre o Leste e as aldeias mais remotas, mais certo é que a luz, as boas maneiras e o refinamento cristão se tornarão universalmente difundidos."[104] Um jornal de Richmond concluiu: "Verdadeiramente, as ferrovias são laços de união, de união social e nacional."[105]

Clay propunha financiar melhorias internas distribuindo aos estados as receitas provenientes da venda de terras públicas. Tal política faria mais do que fornecer recursos para importantes projetos públicos. Criaria também "um novo e poderoso vínculo de afeto e interesse" entre os estados e o governo federal. Os estados ficariam gratos pela generosidade federal, enquanto o governo federal gozaria "dos benefícios do aperfeiçoamento moral e intelectual do povo, da grande facilidade nas relações sociais e comerciais e da purificação da população de nosso país, que são as melhores fontes parentais do caráter nacional, da união nacional e da grandeza nacional."[106]

Dada a sua ambição de aprofundar os laços de união, os *whigs* não tinham o apetite jacksoniano pela expansão territorial. Ao se opor à anexação do Texas, Daniel Webster fez reviver o argumento clássico de que uma república não pode se estender por um espaço ilimitado. Um regime arbitrário poderia ser tão vasto quanto o alcance de seu exército, mas as repúblicas devem se manter coerentes "pela assimilação de interesses e sentimentos; por um senso de país em comum, de família política em comum, de caráter em comum, fortuna e destino". Seria difícil cultivar esses pontos em comum se a nação se expandisse muito rapidamente: "deve haver alguma fronteira, ou alguns limites para uma república para que ela possa ter um centro comum (...) a atração política, como outras atrações, é cada vez menos poderosa à medida que as partes se tornam cada vez mais distantes".[107]

Foi com base nisso que Webster se opôs à Guerra do México e à subsequente aquisição do Novo México e da Califórnia. Sua vida pública tinha sido dedicada a tornar os americanos "um único povo, com um interesse único, um caráter e um sentimento político únicos", declarou Webster em 1848. Mas "que simpatia poderia haver entre o povo do México e da Califórnia" e o resto dos Estados Unidos? Nenhuma, concluía. "Governos arbitrários podem ter territórios e domínios distantes, porque governos arbitrários podem governá-los por leis e sistemas diferentes (...). Não podemos fazer tal coisa. Eles devem ser nossos, *parte de nós*, ou então estrangeiros."[108]

Além de uma economia política de integração nacional e aprimoramento moral, os *whigs* perseguiam seus objetivos formativos por meio de uma série de instituições públicas e sociedades beneficentes projetadas para desenvolver o caráter e inculcar o autocontrole. Esses esforços incluíam manicômios, penitenciárias, asilos, reformatórios juvenis, escolas dominicais, o movimento de temperança e comunidades fabris como a de Lowell. Os *whigs* tinham destaque entre os fundadores e líderes dessas instituições e movimentos, que refletiam os impulsos religiosos do protestantismo evangélico e o aspecto reformista e paternalista do pensamento político *whig*. Embora os *whigs* saudassem as mudanças econômicas de sua época, eles se preocupavam com as mudanças sociais, como o declínio da deferência, o aumento da imigração e o colapso geral da ordem moral da vida rural típica de cidades pequenas.[109]

De todos os projetos *whig* de aprimoramento moral e cívico, o instrumento mais ambicioso para a formação da alma republicana foi a escola pública. Como explicou Horace Mann, o primeiro secretário do Conselho de Educação de Massachusetts, para que compartilhassem o governo, segundo a tradição republicana, todos teriam que estar equipados com os recursos morais e intelectuais necessários: "com o sufrágio universal, deve haver elevação universal do caráter, intelectual e moral, ou haverá má administração e calamidade universais". A questão de saber se os seres humanos são capazes de autogoverno admite apenas uma resposta condicional; eles são capazes na medida em que possuem inteligência, bondade e amplitude de visão para governar em nome do bem público. "Mas os homens não *nascem* em plena posse de tal habilidade", nem necessariamente a desenvolvem à medida que alcançam a idade adulta.[110]

O papel das escolas públicas, portanto, é cultivar nos cidadãos as qualidades de caráter exigidas pelo governo republicano: "Como cada cidadão deve participar do poder de governar os outros, é uma preliminar essencial estar imbuído com uma sensibilidade para as necessidades, uma noção dos direitos, daqueles a quem ele vai governar. Pois o poder de governar os outros, se guiado por nenhum motivo maior do que nossa própria gratificação, é o atributo particular da opressão; um atributo cuja natureza e cuja perversidade são idênticas, seja exercido por alguém que se intitula republicano, seja por um déspota nato irresponsável."[111]

O DESCONTENTAMENTO DA DEMOCRACIA

O currículo das escolas deve refletir seu propósito, dizia Mann, e dar ampla atenção à educação moral e cívica: "os princípios da moralidade devem [ser] copiosamente entremeados com os princípios da ciência"; a Regra de Ouro deveria se tornar tão familiar quanto a tabuada de multiplicação. Quanto à controvérsia que inevitavelmente acompanha a instrução em política, moral e religião, Mann insistia que as escolas públicas visassem a um amplo meio-termo. Na política, deveriam ensinar "aqueles artigos do credo do republicanismo que são aceitos por todos", mas evitar disputas partidárias. Na moral e na religião, elas deveriam transmitir os ensinamentos do protestantismo não denominacional, incluindo "todas as partes práticas e preceituais do Evangelho", mas excluindo "toda teologia dogmática e o sectarismo". Se tais ensinamentos pudessem ser amplamente difundidos, Mann tinha esperanças ilimitadas nas possibilidades redentoras: "Se todas as crianças da comunidade, dos quatro aos dezesseis anos, pudessem ser submetidas às influências reformatórias e elevadas das boas escolas, então uma horda sombria de vícios privados e de crimes públicos que hoje amargam a paz doméstica e mancham a civilização de nosso tempo poderia ser, em 99 casos em cada cem, banida do mundo."[112]

O bem público

Além de compartilhar a ambição formativa da política republicana, jacksonianos e *whigs* mantiveram a suposição de que o bem público é mais do que a soma de preferências ou de interesses individuais. Madison havia buscado esse bem na deliberação de um grupo de elite formado por estadistas esclarecidos, mantido a alguma distância das paixões populares, "um corpo seleto de cidadãos cuja sabedoria pode discernir melhor o verdadeiro interesse do país".[113] Os partidos na era Jackson não achavam que a democracia pudesse passar por um filtro tão fino. Eles procuravam um bem público além do jogo de interesses em termos consistentes com as elevadas expectativas democráticas de sua época.

ECONOMIA E VIRTUDE NO COMEÇO DA REPÚBLICA

"Nenhum governo livre pode permanecer sem a virtude no povo e sem um elevado espírito de patriotismo", declarou Jackson, repetindo uma visão republicana tradicional. "Se os sórdidos sentimentos de mero egoísmo usurparem o lugar que deveria ser preenchido pelo espírito público, a legislação do Congresso logo se converterá em uma disputa por vantagens pessoais e seccionais." Mas para Jackson, governar de acordo com o bem público não exigia uma elite esclarecida de estadistas desinteressados; exigia apenas impedir que alguns poderosos dominassem o governo e o direcionassem para seus fins egoístas. A ameaça da política dos interesses vinha inteiramente do interesse monetário. Aqueles engajados no trabalho produtivo, "o grande corpo do povo", não tinham a inclinação nem a capacidade de formar facções para buscar favores especiais do governo. "A partir de seus hábitos e da natureza de suas atividades, eles são incapazes de formar combinações extensas para agir em conjunto com força unida." Eles "não desejam nada além de direitos iguais e leis iguais" e são, portanto, por definição, "incorruptos e incorruptíveis".[114]

Os *whigs* não eram menos hostis a uma política de interesse próprio, mas duvidavam que qualquer classe de pessoas possuísse, por natureza, sabedoria ou virtude para identificar o bem público. Os republicanos eram criados, não nasciam assim, e embora "possa ser uma coisa fácil fazer uma república (...) é muito trabalhoso fazer republicanos". Em condições de sufrágio universal, a laboriosa tarefa da educação moral e política deveria ser estendida a todos.[115]

Em uma passagem que se destaca, apesar da hipérbole, como uma reprovação permanente às teorias da democracia baseadas em interesses, Horace Mann advertia sobre as consequências que recairiam sobre o bem público se os cidadãos votassem por motivos vis ou egoístas: "Num governo republicano a urna onde se depositam os votos é a urna do destino. Contudo, nenhum deus a sacode ou comanda cada cédula. Se a urna está aberta à sabedoria, ao patriotismo e à humanidade, está igualmente aberta à ignorância e à traição, ao orgulho e à inveja, ao desprezo pelos pobres ou à hostilidade com os ricos. É o filtro mais

O DESCONTENTAMENTO DA DEMOCRACIA

fraco jamais concebido para filtrar as impurezas. (...) Os critérios do direito ao voto respeitam cidadania, idade, residência, imposto e, em alguns casos, a propriedade; mas não se pode perguntar se o requerente é Catão ou Catilina (...) se os votos, que caem tão copiosamente nas urnas em nossos dias de eleição, emanam de sábios conselhos e fidelidade à verdade, descerão, como bênçãos do céu, para abençoar a terra e enchê-la de cânticos e alegria (...) mas se, por outro lado, esses votos vierem da ignorância e do crime, o fogo e o enxofre que choveram em Sodoma e Gomorra seriam mais toleráveis."[116]

Notas

1. Thomas Jefferson, *Notes on the State of Virginia* (1787), in: Merril D. Peterson (org.), *Jefferson Writings* (Nova York: Library of America, 1984), p. 290-291.
2. Jefferson, *Notes on the State of Virginia*.
3. Para um relato esclarecedor das contradições e complexidades morais de Jefferson, ver Annette Gordon-Reed e Peter S. Onuf, *"Most Blessed of the Patriarchs": Thomas Jefferson and the Empire of the Imagination* (Nova York: Liveright Publishing, 2016).
4. John Adams para Mercy Warren, 16 de abril de 1776, em Worthigton C. Ford (org.), *Warren-Adams Letters*, vol. 1 (Boston: Massachusetts Historical Society, 1917), p. 222.
5. Benjamin Franklin aos srs. The Abbés Chalut e Arnaud, 17 de abril de 1787, citado em Drew R. McCoy, *The Elusive Republic: Political Economy in Jeffersonian America* (Chapel Hill: University of North Carolina Press, 1980), p. 80.
6. Adams para Mercy Warren, 8 de janeiro de 1776, em Ford, *Warren-Adams Letters*, vol. 1, p. 202.
7. Ibid.
8. Ver Gordon S. Wood, *The Creation of the American Republic, 1776-1787* (Chapel Hill: University of North Carolina Press, 1969), p. 46-124.
9. Ibid., p. 36.
10. Bernard Bailyn, *The Ideological Origins of the American Revolution* (Cambridge, Mass.: Harvard University Press, 1967), p. 94-95.

ECONOMIA E VIRTUDE NO COMEÇO DA REPÚBLICA

11. Wood, *The Creation of the American Republic*, p. 53, 55, 58, 91-124.
12. Ibid., p. 393-429; George Washington citado por Gordon S. Wood, "Interests and Disinterestedness in the Making of the Constitution", in: Richard Beeman, Stephen Botein e Edward C. Carter II (orgs.). *Beyond Confederation: Origins of the Constitution and American National Identity*. (Chapel Hill: University of North Carolina Press, 1987), p. 71.
13. Benjamin Rush, "Plan for the Establishment of Public Schools" (1786), in: Frederick Rudolph (org.), *Essays on Education in the Early Republic* (Cambridge, Mass.: Harvard University Press, 1965), p. 14, 17.
14. Wood, "Interests and Disinterestedness", p. 80-81.
15. Alexander Hamilton, "The Continentalist" (1782), citado em Gerald Stourzh, *Alexander Hamilton and the Idea of Republican Government*. (Stanford: Stanford University Press, 1970), p. 70; Noah Webster, "An Examination into the Leading Principles of the Federal Constitution" (1787), citado em ibid., p. 230, n. 104. Ver também Wood, *The Creation of the American Republic*, p. 610.
16. Madison, James, "Federalist, nº 51" (1788), em Jacob E. Cooke (org.), *The Federalist* (Middletown, Conn.: Wesleyan University Press, 1961), p. 349. [Ed. bras.: *Os artigos federalistas: 1787-1788*. Rio de Janeiro: Nova Fronteira, 1993.]
17. Ibid.
18. Madison, "Federalist nº 10", p. 62.
19. Madison, in: Jonathan Elliot (org.), *The Debates in the Several State Conventions on the Adoption of the Federal Constitution*, vol. 3 (Nova York: Burt Franklin, 1888), p. 536-537.
20. Washington, "Farewell Address", 19 de setembro de 1796, in: Noble E. Cunningham Jr. (org.). *The Early Republic, 1789-1828* (Columbia: University of South Carolina Press, 1968), p. 53.
21. Hamilton, "Federalist nº 27", p. 173-174.
22. Sou muito grato a dois excelentes estudos sobre o papel dos temas republicanos nos debates econômicos do início da república: Lance Banning, *The Jeffersonian Persuasion* (Ithaca: Cornell University Press, 1978). E McCoy, *Elusive Republic*. Outras discussões valiosas sobre republicanismo e política econômica nesse período podem ser encontradas em Steven Watts, *The Republic Reborn: War and the Making of Liberal America, 1790-1820* (Baltimore: Johns Hopkins University Press, 1987); John R. Nelson, Jr., *Liberty and Property: Political Economy and Policymaking in the New Nation, 1789-1812* (Cambridge, Mass.: Harvard University Press, 1987); Joyce Appleby, *Capitalism and a New Social Order: The Republican Vision of the 1790s* (Nova York: New York University Press, 1984); Richard Buel, Jr., *Securing the Revolution: Ideology*

in American Politics, 1789-1815 (Ithaca: Cornell University Press, 1972); e Rowland Berthoff, "Independence and Attachment, Virtue and Interest: From Republican Citizen to Free Enterpriser, 1787-1837", in: Richard L. Bushman et al. (orgs.), *Uprooted Americans: Essays to Honor Oscar Handlin* (Boston: Little, Brown, 1979), p. 97-124. Uma vez que meu objetivo é simplesmente mostrar como certos temas cívicos — especialmente a ambição formativa da tradição do republicanismo — figuraram nos debates econômicos do início da república, deixo de lado a questão, muito discutida entre historiadores intelectuais, sobre a influência que teve sobre a economia americana a política dos debates "corte vs. campo" da Inglaterra do século XVIII, ou a relativa influência de Locke *versus* Maquiavel, James Harrington e Visconde Bolingbroke. Ver J. G. A. Pocock, *The Machiavellian Moment: Florentine Political Thought and the Atlantic Republicanan Tradition* (Princeton: Princeton University Press, 1975); idem, "Virtue and Commerce in the Eighteenth Century", *Journal of Interdisciplinary History*, 3 (1972), p. 119-134; Isaac Kramnick, *Republicanism and Bourgeois Radicalism: Political Ideology in Late Eighteenth-Century England and America* (Ithaca: Cornell University Press, 1990); John Patrick Diggins, *The Lost Soul of American Politics: Virtue, Self-Interest, and the Foundation of Liberalism* (Nova York: Basic Books, 1984); Thomas L. Pangle, *The Spirit of Modern Republicanism: The Moral Vision of the American Founders and the Philosophy of Locke* (Chicago: University of Chicago Press, 1988); Lance Banning, "Jeffersonian Ideology Revisited: Liberal and Classical Ideas in the New American Republic", *William e Mary Quarterly*, 43 (janeiro de 1986), 3-19; Joyce Appleby, "Republicanism in Old and New Contexts", ibid., p. 20-34.

23. Alexander Hamilton, "Report Relative to a Provision for the Support of Public Credit" (1790), in: Jacob E. Cooke (org.), *The Reports of Alexander Hamilton* (Nova York: Harper and Row, 1964), p. 1-45.

24. Ibid., p. 14. Ver também Banning, *Jeffersonian Persuasion*, p. 134-140.

25. Hamilton, "Notes on the Advantages of a National Bank", citado em Banning, *Jeffersonian Persuasion*, p. 136-137.

26. "The Tablet", *Gazette of the United States*, 24 de abril de 1790, citado em ibid., p. 137.

27. Ver Banning, *Jeffersonian Persuasion*, p. 126-160.

28. A história é contada por Jefferson em *The Anas* (1791-1806), em *Jefferson Writings*, p. 670-671.

29. Ver Banning, *Jeffersonian Persuasion*, p. 204.

30. Jefferson para Washington, 23 de maio de 1792, in: *Jefferson Writings*, p. 986-987.

ECONOMIA E VIRTUDE NO COMEÇO DA REPÚBLICA

31. Panfleto anônimo, "A Review of the Revenue System" (1794), citado em Banning, *Jeffersonian Persuasion*, p. 227.
32. "For the General Advertiser" (1794) citado em ibid., p. 230.
33. John Taylor, *An Inquiry into the Principles and Policy of the Government of the United States (1814)*, Loren Baritz (org.) (Indianapolis: Bobbs-Merrill, 1969), p. 48-49.
34. Banning, *Jeffersonian Persuasion*, p. 181.
35. McCoy, *Elusive Republic*, p. 126.
36. Ibid., p. 120-132.
37. Ibid., p. 120-184.
38. Hamilton (dezembro de 1774) citado em Stourzh, *Hamilton and the Idea of Republican Government*, p. 195.
39. Hamilton na Convenção Federal (22 de junho de 1787), in: Max Farrand (org.), *The Records of the Federal Convention of 1787*, vol. 1 (New Haven: Yale University Press, 1966), p. 381. Ver também Stourzh, *Hamilton and the Idea of Republican Government*, p. 79.
40. Hamilton, "Federalist nº 72" (1788), p. 488. Ver também Stourzh, *Hamilton and the Idea of Republican Government*, p. 102.
41. Banning, *Jeffersonian Persuasion*, p. 140.
42. McCoy, *Elusive Republic*, p. 137-147.
43. Ibid., p. 182-183.
44. Ibid., p. 185-187.
45. Ibid., p. 199-203.
46. Jefferson citado em ibid., p. 203.
47. John Taylor, *A Defense of the Measures of the Administration of Thomas Jefferson* (1804), citado em Watts, *Republic Reborn*, p. 26-27.
48. Ver McCoy, *Elusive Republic*, p. 204; e Stourzh, *Hamilton and the Idea of Republican Government*, p. 191-192.
49. Ver McCoy, *Elusive Republic*, p. 199.
50. Hamilton (1803) citado em ibid., p. 200, e em Stourzh, *Hamilton and the Idea of Republican Government*, p. 193. Ver também Appleby, *Capitalism and a New Social Order*, p. 94.
51. Ver McCoy, *Elusive Republic*, p. 216-221.
52. Ibid., p. 210.
53. Ver Watts, *Republic Reborn*, p. 83-84, 90-91, 101-103, 151-160, 240-249, 260, 269, 284.
54. Ver Linda K. Kerber, *Federalists in Dissent: Imagery and Ideology in Jeffersonian America* (Ithaca: Cornell University Press, 1980), p. 173-215.

O DESCONTENTAMENTO DA DEMOCRACIA

55. *Pennsylvania Journal* (Filadélfia), 10 de dezembro de 1767, citado em Edmund S. Morgan, "The Puritan Ethic and the American Revolution", *William and Mary Quarterly*, 24 (outubro de 1967), 10. Ver o artigo completo de Morgan, p. 3-43; John F. Kasson, *Civilizing the Machine: Technology and Republican Values in America, 1776-1900* (Harmondsworth: Penguin Books, 1976), p. 9; e McCoy, *Elusive Republic*, p. 64-66.

56. McCoy, *Elusive Republic*, p. 65, 107-109.

57. Benjamin Rush, "Speech to the United Company of Philadelphia for Promoting American Manufactures" (1775), in: Michael Brewster Folsom e Steven D. Lubar (orgs.). *The Philosophy of Manufactures: Early Debates over Industrialization in the United States* (Cambridge, Mass.: MIT Press, 1982), p. 6-7. Ver também Kasson, *Civilizing the Machine*, p. 9-10.

58. Ver McCoy, *Elusive Republic*, p. 104-119; e Kasson, *Civilizing the Machine*, p. 14-21.

59. Jefferson, *Notes on the State of Virginia*, p. 290-291.

60. Jefferson para John Jay, 23 de agosto de 1785, ibid., p. 818.

61. Ver Kasson, *Civilizing the Machine*, p. 24-25; e Thomas Bender, *Toward an Urban Vision: Ideas and Institutions in Nineteenth-Century America* (Baltimore: Johns Hopkins University Press, 1975), p. 22-23.

62. Noah Webster, *Sketches of American Policy* (1785), citado em McCoy, *Elusive Republic*, p. 111-112.

63. "Uma Oração proferida em Petersburgh...", *American Museum*, 2 (novembro de 1787), citado em Kasson, *Civilizing the Machine*, p. 18. Ver também ibid., p. 17-19.

64. Tench Coxe, "Address to an Assembly Convened to Establish a Society for the Encouragement of Manufactures and the Useful Arts" (Filadélfia, 1787), in Folsom e Lubar, *Philosophy of Manufactures*, p. 45, 55. Ver também Kasson, *Civilizing the Machine*, p. 28-32.

65. Coxe, "Address", p. 55-57, 61-62.

66. Hamilton, "Report on Manufactures" (5 de dezembro de 1791), em Cooke, *Reports of Alexander Hamilton*, p. 118.

67. James Madison, "Republican Distribution of Citizens", *National Gazette*, 5 de março de 1792, em Meyers, *Mind of the Founder*, p. 185.

68. George Logan, "A Letter to the Citizens of Pennsylvania..." (Filadélfia, 1800), citado em McCoy, *Elusive Republic*, p. 223.

69. Jefferson ao sr. Lithson, 4 de janeiro de 1805, em Folsom e Lubar, *Philosophy of Manufactures*, p. 26.

ECONOMIA E VIRTUDE NO COMEÇO DA REPÚBLICA

70. Henry Clay, "Speech on Domestic Manufactures", 26 de março de 1810, em Folsom e Lubar, *Philosophy of Manufactures*, p. 168-170. Ver também McCoy, *Elusive Republic*, p. 231-232; e Watts, *Republic Reborn*, p. 88-90.

71. Jefferson para Benjamin Austin, 9 de janeiro de 1816, em *Jefferson Writings*, p. 1.371.

72. *Connecticut Courant* (Hartford), 6 de abril de 1808, citado em McCoy, *Elusive Republic*, p. 220.

73. *Monthly Anthology* e *Boston Review* (1809), citado em ibid.

74. Philip Barton Key, *Annals of Congress*, 11º Cong., 2ª Sessão, House, p. 1906 (18 de abril de 1810), citado em Kerber, *Federalists in Dissent*, p. 186.

75. Daniel Webster (1814), in: Folsom e Lubar, *Philosophy of Manufactures*, p. 196-197.

76. Para as opiniões de democratas e *whigs* sobre riqueza, distribuição e desigualdade econômica, ver Lawrence Frederick Kohl, *The Politics of Individualism: Parties and the American Character in the Jacksonian Era* (Nova York: Oxford University Press, 1989), p. 186-227.

77. Orestes Augustus Brownson, "The Laboring Classes" (1840), in: em Joseph L. Blau (org.). *Social Theories of Jacksonian Democracy* (Indianapolis: Bobbs-Merrill, 1954), p. 306.

78. *New York Evening Post*, 21 de outubro de 1834, citado em Kohl, *Politics of Individualism*, p. 202-203.

79. Richard Hildreth, "Theory of Politics" (Nova York, 1853), em Blau, *Social Theories of Jacksonian Democracy*, p. 367.

80. Edward Everett, "Accumulation, Property, Capital, Credit" (1838), em Everett, *Orations and Speeches*, vol. 2 (Boston: Little, Brown, 1850), p. 301-302.

81. "Introduction", *United States Magazine and Democratic Review*, outubro de 1837, in: Blau, *Social Theories of Jacksonian Democracy*, p. 26-28.

82. Ver Marvin Meyers, *The Jacksonian Persuasion* (Stanford: Stanford University Press, 1957), p. 186-188.

83. Andrew Jackson, "Veto Message", 10 de julho de 1832, in: James D. Richardson (org.), *Messages and Papers of the Presidents*, vol. 2 (Washington, D.C.: U.S. Government Printing Office, 1896), p. 590.

84. Ibid.

85. Ao exortar o rápido assentamento de terras públicas, no entanto, Jackson invocou o tradicional ideal agrário jeffersoniano: "A riqueza e a força de um país são sua população, e a melhor parte dessa população são os cultivadores do solo. Os agricultores independentes são por toda parte a base da sociedade e os verdadeiros amigos da liberdade"; "Fourth Annual Message", 4 de dezembro de 1832, ibid., p. 600.

O DESCONTENTAMENTO DA DEMOCRACIA

86. Para relatos da guerra de Jackson contra o Banco dos Estados Unidos no contexto de temas republicanos, ver Harry L. Watson, *Liberty and Power: The Politics of Jacksonian America* (Nova York: Hill and Wang, 1990), p. 133-148; e Meyers, *Jacksonian Persuasion*, p. 10-17, 101-120.

87. Jackson, "Farewell Address", 4 de março de 1837, in James D. Richardson, (org.), *Messages and Papers of the Presidents*, vol. 3 (Washington, D.C.: U.S. Government Printing Office, 1899), p. 303-304.

88. Ibid., p. 302.

89. Orestes Brownson (1838) citado em Kohl, *Politics of Individualism*, p. 109.

90. Jackson, "Removal of the Public Deposits", 18 de setembro de 1833, em Richardson, *Messages and Papers of the Presidents*, vol. 3, p. 19.

91. Jackson, "Seventh Annual Message", 7 de dezembro de 1835, em ibid., p. 166.

92. Jackson, "Farewell Address", em ibid., p. 305.

93. Meyers, *Jacksonian Persuasion*, p. 31-32. Ver também Watson, *Liberty and Power*, p. 237-241; e Kohl, *Politics of Individualism*, p. 60-62.

94. Meyers, *Jacksonian Persuasion*, p. 233.

95. Watson, *Liberty and Power*, p. 243.

96. Ibid., p. 149.

97. Henry Clay. "On the Removal of the Public Deposits", 26 de dezembro de 1833, in: Daniel Mallory (org.). *The Life and Speeches of Henry Clay*, vol. 2 (Nova York: Van Amringe e Bixby, 1844), p. 145. Ver também Watson, *Liberty and Power*, p. 156; e Daniel Walker Howe, *The Political Culture of the American Whigs* (Chicago: University of Chicago Press, 1979), p. 87.

98. Clay, "On the State of the Country from the Effects of the Removal of the Deposits", 14 de março de 1834, em Mallory, *Life and Speeches*, vol. 2, p. 199.

99. Watson, *Liberty and Power*, p. 158-159; e Howe, *Political Culture of American Whigs*, p. 87-91.

100. A relação dos *whigs* americanos com a tradição ligada ao campo da política inglesa é elaborada em Howe, *Political Culture of American Whigs*, p. 77-80. Para uma contestação dessa visão, ver John Diggins, *The Lost Soul of American Politics: Virtue, Self-Interest, and the Foundations of Liberalism* (Nova York: Basic Books, 1984), p. 105-118.

101. Ver Watson, *Liberty and Power*, p. 59-60, 76-77, 113-114; e Howe, *Political Culture of American Whigs*, p. 137-138.

102. Rufus Choate citado em Howe, *Political Culture of American Whigs*, p. 101.

103. Abbot Lawrence para Henry Clay citado em Kohl, *Politics of Individualism*, p. 139.

104. Citado em Howe, *Political Culture of American Whigs*, p. 101.

ECONOMIA E VIRTUDE NO COMEÇO DA REPÚBLICA

105. Citado em Kohl, *Politics of Individualism*, p. 139.

106. Clay, "On the Public Lands", 20 de junho de 1832, em Mallory, *Life and Speeches*, vol. 2, p. 84-85. Ver também Howe, *Political Culture of American Whigs*, p. 138.

107. Webster para os Cidadãos do Condado de Worcester, Massachusetts, 23 de janeiro de 1844, em *Writing and Speeches of Daniel Webster*, 18 vols. (Boston: Little, Brown, 1903), vol. 16, p. 423. Ver também Kohl, *Politics of Individualism*, p. 142-143.

108. Webster, "Objects of the Mexican War", 23 de março de 1848, em *Writings and Speeches*, vol. 10, p. 32. Ver também Kohl, *Politics of Individualism*, p. 136.

109. Howe, *Political Culture of American Whigs*, p. 20-21, 32-37, 153-159, 210, 218-220; Kohl, *Politics of Individualism*, p. 72-78, 99, 105, 152-154; Paul Boyer, *Urban Masses and Moral Order in America*, 1820-1920 (Cambridge, Mass.: Harvard University Press, 1978), p. 1-64.

110. Horace Mann, "Oration Delivered before the Authorities of the City of Boston", 4 de julho de 1842, in: Mary Mann (org.). *Life and Works of Horace Mann*, vol. 4 (Boston: Lee and Shepard, 1891), p. 366, 355-356.

111. Mann, *Ninth Annual Report of the Secretary of the Board of Education of Massachusetts* (1845), em ibid., p. 4.

112. Mann, "Oration", em ibid., p. 365-366; idem, *Twelfth Annual Report* (1848), em Mary Mann, *Life and Works*, vol. 4, p. 289.

113. Madison, "Federalist nº 10", p. 62.

114. Jackson, "Farewell Address", 4 de março de 1837, em Richardson, *Messages and Papers of the Presidents*, vol. 3, p. 298, 305-306.

115. Mann, "Twelfth Annual Report", em Mary Mann, *Life and Works*, vol. 4, p. 271; idem, "Oration", p. 366.

116. Mann, "Oration", p. 359-360.

Capítulo 3 ### Trabalho livre *versus* trabalho assalariado

O debate entre jacksonianos e *whigs* mostra a persistência de temas republicanos na primeira metade do século XIX. A ênfase nas consequências cívicas dos arranjos econômicos separa aquele discurso político do nosso. Em alguns casos, os pressupostos republicanos forneceram diferentes justificativas para posições que agora defendemos em termos de prosperidade e justiça — impostos mais altos ou mais baixos, mais ou menos gastos do governo, maior ou menor regulação econômica.

Em outros casos, porém, os ideais republicanos levaram os americanos do século XIX a tratar de questões agora perdidas de vista. Uma dessas questões era se os Estados Unidos deveriam ser uma nação manufatureira. Em meados do século XIX, essa questão já estava decidida, e a defesa da indústria doméstica não era mais necessária. Mas a emergência da vida fabril levantou uma questão correlata, não menos fundamental, que repercutiria na política americana até o final do século. O que se discutia era se trabalhar por um salário seria consistente com a liberdade.

AS CONCEPÇÕES CÍVICAS E VOLUNTARISTAS

Sob a perspectiva do nosso tempo, é difícil compreender o questionamento, muito menos concebê-lo como uma questão política premente. Quando falamos sobre salários, discutimos o salário mínimo ou o acesso a empregos, questionamos o valor de compra ou segurança do local de trabalho. Pouquíssimos contestariam nos dias de hoje a noção de trabalho assalariado como tal, se é que alguém faria isso. Mas no século XIX, muitos americanos fizeram essa contestação. Pois, de acordo com a concepção republicana de liberdade, não estava claro que alguém que trabalhasse para ganhar um salário pudesse ser verdadeiramente livre.

É claro que trocar meu trabalho por um salário é uma liberdade, uma vez que eu voluntariamente concordo com a troca. Sem pressão nem coerção injusta, o trabalho assalariado é livre no sentido voluntarista ou contratual. Mas mesmo um acordo voluntário para a troca de mão de obra por salário não se enquadra na concepção republicana de trabalho livre. Na visão republicana, sou livre apenas na medida em que participo do autogoverno, o que, por sua vez, exige que eu possua certos hábitos e disposições, determinadas qualidades de caráter. O trabalho livre é, portanto, aquele realizado em condições propícias ao cultivo, nos cidadãos, das qualidades de caráter que convêm ao autogoverno. Jacksonianos e *whigs* discordavam até certo ponto sobre essas qualidades e sobre os arranjos econômicos mais propensos a promovê-las. Mas os dois compartilhavam da antiga convicção republicana de que a independência econômica é essencial para a cidadania. Aqueles que precisam subsistir com os salários pagos pelos patrões, como o proletariado europeu sem propriedade, provavelmente não teriam a independência moral e política para formar seus próprios juízos como cidadãos livres.

Jefferson pensou certa vez que apenas pequenos fazendeiros possuíam a virtude e a independência que constituíam a força do cidadão republicano. Nas primeiras décadas do século XIX, no entanto, a maioria dos republicanos acreditava que essas qualidades poderiam ser fomentadas tanto nas oficinas quanto nas fazendas. Os artesãos e mecânicos que realizavam a maior parte das manufaturas no início do século XIX eram tipicamente pequenos produtores, donos de seus meios de produção e sem vínculos com um patrão, pelo menos não como condição permanente. O trabalho era livre não apenas no sentido de que eles concordavam em realizá-lo, mas também no sentido

TRABALHO LIVRE *VERSUS* TRABALHO ASSALARIADO

de que os capacitava para pensar e agir como cidadãos independentes, capazes de compartilhar o autogoverno. Os diaristas e aprendizes que trabalhavam por salário nas oficinas dos mestres artesãos o faziam na esperança de adquirir as habilidades e reunir economias que um dia lhes permitiriam empreender por conta própria. O assalariamento, para eles, não era uma condição permanente, mas uma etapa temporária no caminho para a independência e, portanto, consistente, pelo menos em princípio, com o sistema de trabalho livre.[1]

Os artesãos da era Jackson afirmavam a visão republicana do trabalho livre em festivais públicos, discursos e desfiles, celebrando os vínculos entre a ordem dos trabalhadores e os ideais cívicos. Como explica Sean Wilentz, essas exibições públicas, nas quais os trabalhadores marchavam sob as bandeiras de seus ofícios, "anunciavam a determinação dos artesãos em fazer parte do corpo político — não mais como 'meros mecânicos', não mais como parte do confuso pelotão baixo e sofrível das turbas revolucionárias, mas como trabalhadores hábeis e orgulhosos, aparecendo aos olhos de todos em importantes ocasiões cívicas, marchando em formação ordenada para cima e para baixo na Broadway com as insígnias e as ferramentas de seus ofícios". Os oradores dos comícios e das manifestações retrataram a ordem dos artesãos não como um grupo com interesses próprios, mas como "o próprio eixo da sociedade", em cujas mãos deveria repousar "o paládio de nossa liberdade". Desconfiados da elite mercantil de um lado e dos pobres sem propriedade do outro, os artesãos se apresentavam como a personificação da independência e da virtude republicanas. "Em suma, emergiu uma variação urbana dos temas sociais jeffersonianos do lavrador virtuoso, uma variação que fundia o orgulho de suas habilidades, o ressentimento da deferência e o medo da dependência numa celebração republicana dos ofícios."[2]

Mas ao mesmo tempo que os artesãos desfilavam, o sistema de trabalho livre que eles celebravam começava a se desfazer. Mesmo antes do surgimento da produção industrial em larga escala, o crescimento da economia de mercado transformou a produção artesanal tradicional.

O DESCONTENTAMENTO DA DEMOCRACIA

As pressões competitivas dos mercados nacionais e a crescente oferta de mão de obra não qualificada deram aos capitalistas mercantes e aos mestres artesãos incentivos para cortar custos, dividindo tarefas e designando trabalhos de montagem não qualificados para terceirizados e empreiteiros de fábricas clandestinas. O novo arranjo de trabalho erodiu o papel dos artesãos qualificados, transformando diaristas e aprendizes em trabalhadores assalariados com pouco controle sobre a produção e reduzidas perspectivas de ascender para possuir suas próprias oficinas. Os mestres passaram a se assemelhar a patrões; os artesãos, empregados.[3]

Os trabalhadores protestaram contra esses desdobramentos nos termos de um republicanismo artesão radicalizado. Os dirigentes do General Trades' Union [Sindicato Geral de Mercadores] da década de 1830 queixaram-se de que patrões prósperos haviam se unido a comerciantes aristocráticos e banqueiros para privar os trabalhadores do produto de seu trabalho, impossibilitando que mantivessem "o caráter independente de um cidadão americano".[4] Um operário envolvido no início do movimento de defesa dos trabalhadores deplorava o sistema fabril como sendo "subversivo da liberdade — calculado para modificar o caráter de um povo que era (...) audaz e livre e se torna enervado, dependente e escravizado."[5]

A princípio, os patrões defenderam a nova ordem em termos também republicanos, oferecendo "uma visão empresarial alternativa da república artesã". Fiéis à tradição do republicanismo, eles invocavam os ideais de comunidade, virtude e independência. As virtudes que enfatizavam incluíam diligência, temperança, harmonia social e iniciativa individual, qualidades que, confome alegavam, a nova economia política encorajaria e recompensaria. Lucros mais altos, segundo os mestres, lhes permitiriam pagar salários mais elevados, o que prepararia melhor seus trabalhadores para a independência.[6]

Em última análise, porém, o debate sobre o significado do trabalho livre levaria a discussão política americana para além dos termos do pensamento republicano. Com o tempo, a defesa do capitalismo in-

TRABALHO LIVRE *VERSUS* TRABALHO ASSALARIADO

dustrial se afastaria dos pressupostos republicanos e assumiria novas formas. Depois da Guerra Civil, os defensores do sistema de trabalho assalariado abandonariam a tentativa de conciliar a produção capitalista com a concepção cívica do trabalho livre, e adotariam a concepção voluntarista. O trabalho assalariado é consistente com a liberdade, argumentariam eles, não porque forma cidadãos virtuosos e independentes, mas simplesmente porque é voluntário, produto de um acordo entre empregador e empregado. É essa concepção de liberdade que a jurisprudência da Suprema Corte, ao julgar o caso Lochner, atribuiria à própria Constituição. Embora o movimento trabalhista tenha mantido a concepção cívica do trabalho livre até o final do século XIX, também acabou abandonando-a; aceitou a permanência do trabalho assalariado e voltou seus esforços para o aumento da remuneração, a redução das horas da jornada e a implementação de melhorias nas condições de trabalho.

A mudança para a compreensão voluntarista do trabalho livre não extinguiu totalmente a vertente cívica dos argumentos econômicos na política americana. Mas marcou, para os Estados Unidos, um momento decisivo na migração de uma economia política de cidadania para uma economia política de crescimento econômico e justiça distributiva; de uma filosofia pública republicana para a versão do liberalismo que norteia a república procedimental.

Por mais fatídica que tenha sido, a história da transição da concepção cívica para a voluntarista do trabalho livre não é um simples conto com uma moral e uma desgraça inequívoca no final. É antes uma história repleta de complexidades morais, cercada de estranhos companheiros ideológicos. Mais do que apenas um tema ligado às relações de trabalho, a disputa sobre o significado do trabalho livre foi moldada em grande parte pelo confronto dos Estados Unidos com as duas grandes questões do século XIX: o advento do capitalismo industrial e o conflito sobre a escravidão.

TRABALHO ASSALARIADO E ESCRAVIDÃO

O debate sobre o trabalho assalariado foi intensificado e complicado pela luta em torno da escravidão. O movimento trabalhista e o movimento abolicionista surgiram mais ou menos ao mesmo tempo. Ambos levantaram questões fundamentais sobre trabalho e liberdade, mas nenhum dos dois demonstrava grande simpatia pelo outro. Os líderes trabalhistas dramatizavam sua argumentação contra o trabalho assalariado equiparando-o à escravidão do Sul — "escravidão assalariada", como a chamavam. Trabalhar por salário equivalia à escravidão não apenas porque os trabalhadores eram relegados à pobreza, mas também por negar-lhes a independência econômica e política essencial à cidadania republicana.[7]

"O salário é um artifício astuto do diabo para o benefício de consciências sensíveis que preservariam todas as vantagens do sistema escravista sem as despesas, as preocupações e o ódio por serem proprietários de escravos", escreveu Orestes Brownson. O trabalhador assalariado sofreria mais do que o escravo do Sul e, dada a improbabilidade de ascender para possuir a própria propriedade produtiva, dificilmente poderia ser considerado mais livre. A única maneira de tornar o trabalho assalariado compatível com a liberdade, argumentava Brownson, seria torná-lo uma condição temporária no caminho para a independência: "Não deve haver classe com nossos semelhantes condenados a labutar pela vida como meros trabalhadores assalariados. O salário dever ser tolerado somente no caso do operador individual, apenas sob tais condições que, ao atingir a idade apropriada para se estabelecer na vida, ele tenha acumulado o suficiente para ser um trabalhador independente com seu próprio capital, sua própria fazenda ou em sua própria oficina."[8]

Os abolicionistas, por sua vez, contestavam a analogia entre trabalho assalariado e a escravidão. Consideravam que as queixas dos trabalhadores do Norte dificilmente poderiam ser comparadas ao mal da escravidão do Sul. Em 1831, quando começou a publicar o *The*

TRABALHO LIVRE *VERSUS* TRABALHO ASSALARIADO

Liberator, William Lloyd Garrison criticava as tentativas dos reformadores trabalhistas do Norte de "inflamar as mentes de nossas classes trabalhadoras contra os mais opulentos" e de persuadi-los de que eram "oprimidos por uma aristocracia rica". Em um governo republicano, onde as avenidas da riqueza se abriam a todos, Garrison argumentava que as desigualdades estavam fadadas a surgir. Mas tais desigualdades não eram prova de opressão, apenas o produto de uma sociedade aberta em que uns conseguiam mais e outros menos.[9]

O que separava os abolicionistas e o movimento trabalhista não era apenas uma avaliação diferente das perspectivas dos assalariados para o avanço social e econômico. Tampouco era simplesmente que os abolicionistas, oriundos em grande parte das fileiras da classe média, não tivessem simpatia pela condição empobrecida dos trabalhadores do Norte. Os abolicionistas eram incapazes de levar a sério a noção de "escravidão assalariada" porque, ao contrário dos trabalhistas, eles tinham uma compreensão voluntarista e não cívica da liberdade. Na sua visão, o erro moral da escravidão não era que as pessoas escravizadas não tivessem independência econômica ou política, mas simplesmente que fossem obrigadas a trabalhar contra sua vontade.

O abolicionista nova-iorquino William Jay, ao escrever em 1835, explicitou a concepção voluntarista de liberdade subjacente à posição abolicionista. A emancipação imediata e não qualificada, argumentava Jay, "[removeria] do escravo toda causa de descontentamento. Ele é livre, seu próprio mestre, e não pode pedir mais". Jay reconhecia que o escravo liberto seria, por algum tempo, "absolutamente dependente de seu dono. Ele não pode voltar-se para mais ninguém em busca de alimentos para comer, de roupas para vestir ou de casa para abrigá-lo". Seu primeiro desejo seria, portanto, trabalhar para o antigo mestre. Mas mesmo essa condição totalmente dependente seria consistente com a liberdade, pois "o trabalho não é mais o emblema de sua servidão e a consumação de sua miséria: é a evidência de sua liberdade, pois é *voluntário*. Pela primeira vez em sua vida, ele é uma das partes de um contrato". A transição da escravidão para o trabalho livre poderia, portanto, ser realizada instantaneamente, concluía Jay, "e com raras interrupções perceptíveis das atividades comuns da vida. Com o passar do tempo, o valor do trabalho negro, como todas as outras mercadorias vendáveis, será regulado pela oferta e demanda."[10]

Para William Jay, o trabalho assalariado era a encarnação do trabalho livre, uma troca voluntária entre patrão e empregado. Para o movimento trabalhista, o trabalho assalariado era o oposto do trabalho livre, uma forma de dependência incompatível com a cidadania plena. Como abolicionista, Jay considerava que a transição da escravidão para o trabalho livre consistia em fazer do trabalho uma mercadoria que pudesse ser vendida pelo trabalhador; a chave para a liberdade era a propriedade de si mesmo, a capacidade de vender a própria mão de obra em troca de um salário. Para o movimento trabalhista, a mercantilização do trabalho era a marca da escravidão assalariada; a chave para a liberdade não era o direito de vender o próprio trabalho, mas a independência que vinha com a posse de propriedade produtiva. O que Jay compreendia como emancipação era justamente a condição de dependência contestada pelo movimento trabalhista.[11]

Durante as décadas de 1830 e 1840, os defensores dos trabalhadores instaram os abolicionistas a ampliar sua concepção de liberdade, para "incluir em seu movimento, uma reforma da atual organização miserável do trabalho, chamada de sistema salarial". Como defendia o jornalista socialista Albert Brisbane, tal posição conquistaria o apoio para os abolicionistas entre os trabalhadores, e também "prepararia condições melhores para os escravos, quando emancipados, do que a servidão ao capital, a que agora parecem destinados".[12]

George Henry Evans, defensor da reforma agrária, também tentou persuadir os abolicionistas a ampliarem a visão. Uma vez que a escravidão assalariada, com a pobreza, a doença, o crime e a prostituição que a acompanhavam, era "ainda mais destrutiva da vida, da saúde e da felicidade do que a escravidão, na forma como existe em nossos estados do Sul, estão muito mal direcionados os esforços daqueles empenhados em substituir por salários a escravidão que transforma

TRABALHO LIVRE *VERSUS* TRABALHO ASSALARIADO

homens em bens móveis". Como solução para ambas as formas de escravidão, Evans pedia a distribuição gratuita de propriedades para colonos em terras públicas. O acesso à terra aliviaria não apenas a pobreza, mas também a dependência criada pelo sistema salarial. Ela "não substituiria meramente uma forma de escravidão por outra, mas substituiria toda forma de escravidão por liberdade total".[13]

Outro partidário da reforma agrária, William West, também equiparou a dependência e a degradação das classes trabalhadoras do Norte com a condição de escravos do Sul. Mas enfatizava que a analogia não implicava indiferença à situação dos escravizados. Os partidários da reforma agrária "não odeiam menos a escravidão, mas odeiam mais a escravidão assalariada. Seu grito de guerra é 'Abaixo toda escravidão, tanto de bens móveis quanto de assalariados'."[14]

Dada a sua concepção voluntarista de liberdade, os abolicionistas não conseguiam entender a analogia entre trabalho assalariado e escravidão. Garrison considerava "um abuso de linguagem falar da escravidão assalariada". Uma coisa era pressionar por remunerações mais altas, outra bem diferente era denunciar o sistema salarial como algo parecido. "O mal da sociedade não é que o trabalho receba salários, mas que os salários pagos geralmente não sejam proporcionais ao valor do trabalho realizado. Não podemos ver erro em dar ou receber salários; ou que o dinheiro, que em si é inofensivo, seja a fonte de quase todas as desgraças humanas."[15]

O abolicionista Wendell Phillips, que mais tarde se tornaria um forte defensor dos trabalhadores, a princípio teve pouca simpatia pelo protesto contra a "escravidão assalariada". Ao escrever na década de 1840, ele afirmava que os trabalhadores do Norte possuíam os meios para resolver seus problemas por si mesmos. "A legislação pesa sobre eles? Seus votos podem alterá-la. O capital os prejudica? A economia os tornará capitalistas. A competição acirrada das cidades reduz seus salários? Eles têm apenas que ficar em casa, dedicando-se a outras atividades, e logo a diminuição da oferta trará o remédio." Quanto à sua condição geral, a classe trabalhadora, como todas as outras do país, "deverá sua elevação e aperfeiçoamento (...) à economia, abnegação, temperança, educação e caráter moral e religioso."[16]

Defensores trabalhistas e da reforma agrária não eram os únicos americanos a equiparar o trabalho assalariado à escravidão. Um ataque semelhante ao sistema salarial do Norte veio dos defensores sulistas da escravidão. Antes da década de 1830, poucos sulistas ofereciam uma defesa sistemática da escravidão; a maioria a considerava um mal necessário. Somente o advento do abolicionismo os levou a defender a escravidão por motivos morais, como um "bem positivo", nas palavras de John C. Calhoun.[17]

Central para o argumento pró-escravidão era o ataque às relações de trabalho capitalistas. "Nenhuma defesa bem-sucedida da escravidão pode ser feita até que tenhamos sucesso em refutar ou invalidar os princípios sobre os quais a sociedade livre se baseia para encontrar apoio ou defesa", escreveu George Fitzhugh, o principal ideólogo da escravidão praticada no Sul. Como os líderes trabalhistas do Norte, Fitzhugh argumentava que os assalariados da região não eram mais livres do que os escravizados do Sul: "O capital comanda o trabalho, assim como o senhor comanda o escravo." A única diferença era que os senhores do Sul assumiam a responsabilidade por seus escravos, sustentando-os na doença e na velhice, enquanto os capitalistas do Norte não cuidavam minimamente de seus trabalhadores: "Você, com o comando sobre o trabalho que seu capital lhe dá, é um proprietário de escravos: um senhor, sem as obrigações de um senhor. Aqueles que trabalham para você, que criam sua renda, são escravos, sem os direitos dos escravos."[18]

De acordo com Fitzhugh, os trabalhadores assalariados do Norte, que viviam em constante pobreza e insegurança, eram na verdade menos livres do que os escravos do Sul, que pelo menos tinham senhores obrigados a sustentá-los na doença e na velhice: "O trabalhador livre precisa trabalhar ou morrer de fome. Ele é mais escravo do que o negro, porque trabalha mais e mais duramente por menos remuneração do que o escravo, e não tem férias, porque as preocupações da vida para ele começam quando termina o trabalho. (...) O capital exerce uma compulsão mais perfeita sobre os trabalhadores livres do que os senhores humanos sobre os escravos; pois os trabalhadores livres precisam trabalhar sempre ou morrer de fome, e os escravos são sustentados quer trabalhem ou não (...). Embora cada trabalhador livre não tenha um senhor em particular, suas necessidades e o capital de outros homens fazem dele um escravo sem senhor, ou com senhores demais, o que é tão ruim quanto não ter nenhum."[19]

Ecoando os argumentos dos defensores da reforma agrária no Norte, Fitzhugh afirmava que o monopólio da propriedade nas mãos dos capitalistas privava os trabalhadores do Norte da verdadeira liberdade: "O que é falsamente chamado de Sociedade Livre é uma invenção muito recente. Sua proposta é tornar livres os fracos, os ignorantes e os pobres, soltando-os em um mundo que é propriedade exclusiva de poucos." Mas "o homem sem propriedade é, na teoria e muitas vezes na prática, desprovido de qualquer direito". Relegado a "inalar o ar estagnado e pútrido de pequenas salas, porões úmidos e fábricas lotadas", ele não tem onde descansar a cabeça. "A propriedade privada monopolizou a terra e destruiu sua liberdade e igualdade. Ele não tem garantias na vida, pois não pode viver sem emprego e salários adequados, e ninguém é obrigado a empregá-lo." Se fosse escravizado, não seria menos dependente, mas pelo menos teria a garantia de comida, roupas e abrigo. Em um desafio aos abolicionistas, Fitzhugh invocou, com efeito, a concepção de liberdade do movimento trabalhista: "Libertem verdadeiramente os supostos trabalhadores livres, fornecendo-lhes propriedade ou capital suficiente para garantir seu sustento, e então venham nos pedir, no Sul, para libertar nossos negros." Até então, ele insistia, os trabalhadores assalariados do Norte seriam menos livres do que os escravos do Sul.[20]

Outros sulistas defendiam a escravidão em termos semelhantes. O senador James Henry Hammond, da Carolina do Sul, contestava a afirmação de que, com exceção do Sul, o mundo inteiro havia abolido a escravidão. "Sim, o *nome*, mas não a *coisa*", declarou Hammond. "O homem que vive da labuta diária, que mal consegue viver disso, e que tem que colocar seu trabalho no mercado e levar o máximo que puder por isso; em suma, toda a sua classe de trabalhadores braçais e 'operadores', como são chamados, são essencialmente escravos. A diferença entre nós é que nossos escravos são contratados por toda a vida e com uma boa compensação; não há fome, não há mendicância. (...) Os seus são contratados por dia, não recebem cuidados e são escassamente remunerados", como evidenciavam os pedintes nas ruas das cidades do Norte.[21]

TRABALHO LIVRE E POLÍTICA REPUBLICANA

A concepção voluntarista do trabalho livre animou o movimento abolicionista e, mais para o final do século, ofereceu os termos nos quais o capitalismo industrial encontraria sua justificativa. Mas antes da Guerra Civil, ela permanecia como uma corrente menor no discurso político americano. Predominava a concepção cívica do trabalho livre. "A convicção jeffersoniana de que a liberdade política se encontrava segura apenas onde nenhum homem era economicamente dependente de qualquer outro levou muito tempo para desaparecer nos Estados Unidos", observou Daniel Rodgers, "e no século XIX ainda tinha força considerável. Nas mentes da maioria dos nortistas da geração da Guerra Civil, a democracia exigia independência, não apenas política, mas econômica." Também exigia que a distância entre ricos e pobres não fosse tão grande a ponto de gerar corrupção ou dependência.[22]

A prevalência da compreensão cívica do trabalho livre explica a convicção do século XIX de que

> o trabalho assalariado violava os cânones de uma sociedade livre. (...) No Norte de 1850, o trabalho ainda era, em geral, algo que uma pessoa fazia para si própria, um teste de iniciativa que fornecia recompensa econômica direta. Os senhores de um homem — o clima, os preços, a rede de comércio — eram

impessoais e distantes. Essa era a norma moral, o significado fundamental do trabalho livre. Os nortistas tinham dificuldade de abandonar aquele ideal sobre o qual repousava grande parte de sua crença no trabalho, mesmo enquanto construíam uma estrutura econômica que o minava.[23]

Quando, no final da década de 1840 e durante a década de 1850, o antiescravismo se tornou um movimento de massa no Norte, isso ocorreu sob os auspícios da concepção de liberdade cívica, não voluntarista. O movimento abolicionista, com raízes no protestantismo evangélico, havia conseguido na década de 1830 "destroçar a conspiração do silêncio em torno da questão da escravidão". Mas por causa do radicalismo, do moralismo e da falta de afinidade com as classes trabalhadoras, o abolicionismo evangélico nunca obteve amplo apoio político. À medida que a escravidão se tornou a questão central na política americana, o antiescravismo político desbancou o abolicionismo como o movimento dominante.[24]

O antiescravismo político, representado pelos Free Soilers e, depois, pelo Partido Republicano,* diferia do movimento abolicionista da década de 1830 tanto em seus objetivos quanto em seus argumentos. Onde os abolicionistas buscavam emancipar os escravizados, os Free Soilers e os partidários republicanos almejavam conter a escravidão, para impedir sua expansão nos territórios. E onde os abolicionistas enfatizavam o pecado da escravidão e o sofrimento que ela infligia, os partidos antiescravistas se concentravam em seus efeitos nas instituições livres, especialmente no sistema de trabalho livre.[25]

O movimento político antiescravista oferecia dois argumentos principais para se opor à disseminação da escravidão, ambos basea-

---

* Free Soilers eram os membros do Free Soil Party (Partido Solo Livre), formado em 1848 por dissidentes antiescravistas dos dois principais partidos do país, os democratas e os *whigs*. O partido foi incorporado na origem do atual Partido Republicano, fundado em 1854 em oposição à expansão das áreas escravocratas após o Ato de Kansas-Nebraska – que criava os novos territórios e rompia com os limites definidos pelo chamado "Compromisso de 1850". [*N. do R. T.*]

dos em temas republicanos. Um deles era a noção de que os senhores de escravos do Sul constituíam um "poder escravista" que ameaçava dominar o governo federal, subverter a Constituição e minar as instituições republicanas. De acordo com esse argumento, os fundadores da nação haviam procurado restringir a escravidão, mas os senhores de escravos do Sul tinham conspirado para controlar o governo federal a fim de estender a escravidão aos territórios. A ideia de que a escravidão não era apenas uma prática odiosa restrita ao Sul, mas um poder agressivo voltado para a expansão mobilizou a oposição do Norte de uma maneira que o abolicionismo não havia feito. Acontecimentos da década de 1850, especialmente o Ato de Kansas-Nebraska, que abriu novos territórios à escravidão, e a decisão do caso Dred Scott (de 1857, que não estendia a cidadania americana aos descendentes de africanos), deram crescente plausibilidade ao medo. O *New York Times* chamou o projeto de lei Kansas-Nebraska de "parte desse grande esquema para estender e perpetuar a supremacia do Poder Escravo".[26]

Além de sua aparente adequação aos acontecimentos, o argumento do poder escravocrata extraía força do modo como ressoava com sentimentos republicanos de longa data. Desde a época da Revolução Americana, os americanos viam o poder concentrado, fosse político ou econômico, como o inimigo da liberdade, e temiam a tendência dos poderosos de corromper o bem público em nome de interesses especiais. Os colonos viram a tributação britânica como parte de uma conspiração de poder contra a liberdade. Os jeffersonianos temiam que a política fiscal de Hamilton criasse uma aristocracia financeira antitética ao governo republicano. Os jacksonianos protestavam contra o "poder do dinheiro" incorporado no Banco dos Estados Unidos. Naquele momento, os partidos antiescravistas falavam da "escravocracia" e apontavam os donos de escravos do Sul como um poder preparado para minar as instituições republicanas. Os democratas jacksonianos que aderiram à causa antiescravista traçaram analogias explícitas entre o poder escravocrata do Sul e o poder bancário do Norte, vendo ambos como forças que ameaçavam dominar o governo nacional e destruir a liberdade.[27]

TRABALHO LIVRE *VERSUS* TRABALHO ASSALARIADO

Por que a expansão da escravidão em novos territórios constituiria uma ameaça à liberdade dos nortistas? A resposta a essa pergunta formou o segundo princípio do antiescravismo político. Estender a escravidão nos territórios minaria a liberdade do Norte porque destruiria o sistema de trabalho livre. E se o sistema de trabalho livre fosse perdido, o mesmo aconteceria com a independência econômica que preparava os cidadãos para o autogoverno. O trabalho livre necessitava de terras livres para evitar que o trabalho assalariado se tornasse uma carreira permanente. O que salvava o trabalhador assalariado do Norte de permanecer oferecendo sua força de trabalho por toda a vida era a possibilidade de economizar o suficiente para se mudar para o Oeste e construir uma fazenda ou uma loja própria. Mas se a escravidão se espalhasse para os territórios, essa possibilidade se encerraria.[28]

A defesa do trabalho livre era central na ideologia do Partido Republicano. "Os republicanos estão diante do país", declarou um porta-voz, "não apenas como o partido antiescravista, mas enfaticamente como o partido do trabalho livre". Para os republicanos, como para o movimento trabalhista da década de 1830, o trabalho livre não se referia ao trabalho assalariado permanente, mas àquele que resultava em independência econômica. A dignidade do trabalho consistia na oportunidade de superar a condição de assalariado para trabalhar por conta própria. Os republicanos elogiavam a sociedade do Norte por possibilitar tal mobilidade: "Um jovem sai para servir — para a labuta, se você quiser chamar assim — em troca de uma compensação até que ele adquira dinheiro suficiente para comprar uma fazenda (...) e logo ele se torna o próprio empregador."[29]

Mas se a escravidão se espalhasse pelos territórios, o trabalho livre não poderia fazer o mesmo. Essa era a suposição, amplamente difundida em todo o Norte, que ligava o argumento do poder escravocrata ao argumento do trabalho livre. O trabalho livre não poderia coexistir com a escravidão, porque a presença da escravidão minava a dignidade de todo trabalho. Quando os nortistas olhavam para o Sul, ficavam impressionados não apenas com a miséria dos escravizados,

O DESCONTENTAMENTO DA DEMOCRACIA

mas também com a pobreza e a degradação dos trabalhadores brancos não escravizados. A presença da escravidão privava até mesmo os não escravos de qualidades de caráter, como diligência e iniciativa, que o sistema de trabalho livre encorajava. Caso a escravidão se espalhasse para os territórios, seus efeitos se fariam sentir além de suas fronteiras para transformar as instituições da sociedade do Norte e corromper o caráter de seu povo.[30]

A convicção de que a escravidão não era um erro isolado, mas uma ameaça à economia política da cidadania levou os nortistas a concluir, como afirmou William Seward, em 1858, que havia "um conflito irreprimível" entre o Norte e o Sul, que "os Estados Unidos devem e se tornarão, mais cedo ou mais tarde, uma nação inteiramente escravista ou inteiramente de trabalho livre". Como afirmou o correligionário republicano Theodore Sedgwick às vésperas da Guerra Civil: "A política e os objetivos da escravidão, suas instituições, sua civilização e o caráter de seu povo estão em desacordo com a política, os objetivos, as instituições, a educação e o caráter do Norte. Há uma diferença irreconciliável em nossos interesses, instituições e atividades, em nossas emoções e sentimentos."[31]

O argumento de que a escravidão nos territórios os tornaria impróprios para o trabalho livre foi amplamente aceito. Mas nem tudo era admirável na política antiescravista da década de 1850. Como apontou Eric Foner, "todo o argumento pelo trabalho livre e contra a ampliação da escravidão continha uma ambiguidade crucial. Era a instituição da escravidão, ou a presença do negro, o que degradava o trabalhador branco?" Alguns políticos antiescravistas se manifestavam contra a disseminação da escravidão em termos explicitamente racistas e se esforçavam para mostrar que sua oposição ao sistema não implicava nenhuma simpatia pelos negros.[32]

Isso era especialmente verdadeiro para o grupo Barnburner, uma facção do Partido Democrata de Nova York que foi fundamental na fundação do partido Free Soil. "Não falo da condição do escravo", disse um congressista do Barnburner. "Não pretendo saber, nem é necessário que eu exprima uma opinião neste lugar questionando se o efeito da escravidão é benéfico ou prejudicial para ele. Estou olhando para o efeito sobre o homem branco, o homem branco livre deste país." David Wilmot, autor da "Provisão Wilmot" de 1846, que baniu a escravidão dos territórios conquistados na Guerra do México, insistia que seu projeto não refletia "nenhuma sensibilidade melindrosa sobre o assunto da escravidão, nenhuma simpatia mórbida pelo escravo". Segundo ele, era uma "Provisão do Homem Branco", cujo objetivo era preservar os territórios para "os filhos do trabalho, de minha própria raça e cor".[33]

Essa característica do antiescravismo político não passou despercebida ao abolicionista negro Frederick Douglass, que observou: "O clamor dos Homens Livres se ergueu, não em prol da extensão da liberdade ao homem negro, mas pela proteção da liberdade do branco."[34] George Fitzhugh, defensor da escravidão, fez uma observação semelhante em sua reclamação perversa de que a hostilidade à escravidão refletia o racismo do Norte: "A aversão aos negros, a antipatia da raça, é bem maior no Norte do que no Sul; e é muito provável que essa antipatia pela pessoa do negro se confunda ou gere ódio à instituição a que ele costuma estar ligado. O ódio à escravidão é geralmente pouco maior do que o ódio aos negros."[35] É claro, em qualquer caso, que muitos que se opuseram à disseminação do sistema não consideravam haver uma distinção entre manter a escravidão ou os afro-americanos fora dos territórios.

A defesa do trabalho livre encontrou expressão mais nobre em Abraham Lincoln. Como os abolicionistas, Lincoln insistia que a escravidão era um erro moral que não deveria ser deixado em aberto à soberania popular nos territórios. Ele se opunha, por razões práticas e constitucionais, a interferir na escravidão nos estados escravocratas, mas esperava que a contenção levasse à sua extinção final. Embora se opusesse à igualdade social e política para os negros, incluindo o sufrágio, ele argumentou em seus debates com Stephen Douglas que "não há razão no mundo para que o negro não tenha direito a todos os direitos naturais enumerados na Declaração de Independência, o direito à vida, à liberdade e à busca da felicidade. Sustento que ele tem tanto direito a isso tanto quanto o homem branco."[36]

Embora compartilhasse a condenação moral da escravidão pelos abolicionistas, ele não era adepto da concepção voluntarista de liberdade. O principal argumento de Lincoln contra a expansão da escravidão repousava no ideal do trabalho livre e, ao contrário dos abolicionistas, ele não equiparava o trabalho livre ao assalariado. A superioridade do trabalho livre sobre o trabalho escravo não consistia no fato de que havia consentimento dos trabalhadores livres na troca de seu esforço por um salário, enquanto o mesmo não ocorria com os escravos. A diferença era que o trabalhador assalariado do Norte podia manter esperanças de um dia escapar de sua condição, enquanto uma pessoa escravizada não podia. Não era o consentimento que distinguia o trabalho livre da escravidão, mas sim a perspectiva de independência, a possibilidade de ascender à propriedade produtiva e trabalhar por conta própria. De acordo com Lincoln, era essa característica do sistema de trabalho livre que os críticos sulistas do trabalho assalariado ignoravam: "Eles insistem que seus escravos estão muito melhor do que os homens livres do Norte. Que visão equivocada esses homens têm de trabalhadores do Norte! Eles pensam que os homens estão destinados a permanecer como trabalhadores para sempre por aqui — mas não existe tal classe. O homem que trabalhou para outro no ano passado, este ano trabalha para si mesmo, e no ano que vem contratará outros para trabalhar para si."[37]

Lincoln não contestava a noção de que aqueles que passam a vida inteira como assalariados são comparáveis aos escravos. Ele sustentava que ambas as formas de trabalho subordinavam erroneamente a mão de obra ao capital. Aqueles que debatiam "se é melhor que o capital *contrate* trabalhadores e, assim, os induza a trabalhar por seu próprio consentimento, ou os *compre* e os obrigue a isso sem consentimento", consideravam uma gama muito estreita de possibilidades. O trabalho livre é aquele realizado em condições de independência tanto dos patrões quanto dos senhores. Lincoln insistia que, pelo menos

TRABALHO LIVRE *VERSUS* TRABALHO ASSALARIADO

no Norte, a maioria dos americanos era independente nesse sentido: "Homens e suas famílias — esposas, filhos e filhas — trabalham para si, em suas fazendas, em suas casas e oficinas, tomando para si todo o produto, sem pedir favores ao capital, por um lado, nem a contratados ou a escravos, por outro."[38]

O trabalho assalariado como condição temporária no caminho da independência era compatível com a liberdade e totalmente inquestionável. Lincoln oferecia a si mesmo como exemplo, lembrando ao público que ele também havia sido um trabalhador contratado para cortar lenha. O que tornava o trabalho livre não era o consentimento em trabalhar por um salário, mas a oportunidade de superar a condição de assalariado e chegar ao autoemprego e à independência. "O iniciante prudente e sem um tostão no mundo trabalha por um salário por algum tempo, economiza um excedente para comprar ferramentas ou terras para si mesmo; depois trabalha por conta própria por mais um tempo e finalmente contrata outro novo iniciante para ajudá-lo." Este era o verdadeiro significado do trabalho livre, "o sistema justo, generoso e próspero, que abre o caminho a todos". Lincoln estava tão confiante na abertura do sistema de trabalho livre que aqueles que não conseguiam se erguer só poderiam ser vítimas de uma "natureza dependente" ou de "improvidência, loucura ou infortúnio singular". Aqueles que conseguiam sair da pobreza, por outro lado, eram tão dignos da confiança e do poder político quanto qualquer homem vivo.[39]

Nas mãos de Lincoln, a concepção de liberdade decorrente da tradição radical do republicanismo artesão tornou-se o ponto de convergência da causa do Norte na Guerra Civil. Nas décadas de 1830 e 1840, os líderes trabalhistas invocaram essa concepção ao criticar a sociedade do Norte; o trabalho assalariado, temiam eles, estava suplantando o trabalho livre. No final da década de 1850, Lincoln e os partidários republicanos invocaram a mesma concepção ao defender a sociedade do Norte; sua superioridade sobre o Sul escravista consistia na independência possibilitada pelo sistema de trabalho livre. "Os republicanos, portanto, identificavam-se com as aspirações dos trabalhadores

O DESCONTENTAMENTO DA DEMOCRACIA

do Norte de uma forma que os abolicionistas nunca fizeram, mas ao mesmo tempo, ajudavam a transformar essas aspirações em uma crítica ao Sul, não em um ataque à ordem social do Norte."[40]

A vitória da União na Guerra Civil acabou com a ameaça ao trabalho livre representada pelo poder escravocrata, apenas para reviver e intensificar a ameaça representada pelo sistema salarial e pelo capitalismo industrial. Lincoln levou o Norte à guerra em nome do trabalho livre e do pequeno produtor independente, mas a própria guerra acelerou o crescimento da empresa capitalista e da produção fabril.[41] Nos anos posteriores à guerra, os nortistas enfrentaram com uma angústia renovada o descompasso entre o ideal do trabalho livre e a realidade crescente da dependência econômica. "A retórica da disputa da escravidão havia prometido independência; os ideais de trabalho de meados do século XIX a haviam antecipado. À medida que a tendência da economia avançava na direção oposta, contrariando os ideais, o resultado era uma sensação incômoda e angustiante de traição."[42]

Em 1869, o *New York Times* noticiou o declínio do sistema de trabalho livre e o avanço do assalariado. As pequenas oficinas haviam se tornado "muito menos comuns do que eram antes da guerra" e "os pequenos manufatureiros assim engolidos tornaram-se trabalhadores assalariados nos grandes estabelecimentos, que, dotados de mais recursos, de máquinas que dispensavam tanta mão de obra etc., não permitiam aos pequenos fabricantes uma existência independente". O artigo criticava a tendência descrita em termos que lembravam o movimento operário das décadas de 1830 e 1840. A queda do mecânico independente para o status de assalariado equivalia a "um sistema de escravidão tão absoluto, senão tão degradante quanto aquele que recentemente prevalecia no Sul".[43]

O censo de 1870, o primeiro a registrar informações detalhadas sobre as ocupações dos americanos, confirmou o que muitos trabalhadores já sabiam. Apesar da ideologia do trabalho livre que vinculava a liberdade à propriedade produtiva, os Estados Unidos haviam se

TRABALHO LIVRE *VERSUS* TRABALHO ASSALARIADO

tornado uma nação de empregados. Dois terços dos americanos produtivamente engajados eram assalariados em 1870, dependendo de outrem para sua subsistência. Em uma nação que prezava a independência e o autoemprego, apenas um em cada três cidadãos ainda trabalhava em sua própria fazenda ou tinha uma oficina.[44]

Diante de uma economia cada vez mais em desacordo com a concepção cívica de liberdade, os americanos se posicionaram, nas décadas posteriores à Guerra Civil, de duas maneiras diferentes. Alguns continuaram a insistir que o trabalho assalariado era inconsistente com a liberdade e buscaram reformar a economia em linhas condizentes com os ideais republicanos. Outros aceitaram os arranjos do capitalismo industrial como inevitáveis (ou defendiam como desejáveis) e buscaram reconciliar o trabalho assalariado com a liberdade revisando o ideal; o trabalho assalariado era compatível com a liberdade, argumentavam, na medida em que refletia o consentimento das partes, um acordo voluntário entre empregador e empregado.

Aqueles que adotaram a concepção voluntarista de liberdade muitas vezes discordavam sobre o que a genuína liberdade de contrato exigia. Defensores doutrinários do capitalismo industrial sustentavam que qualquer acordo de troca de trabalho por salário era livre, independentemente das pressões econômicas que operavam sobre o trabalhador. Sindicalistas e reformistas liberais argumentavam, por outro lado, que a verdadeira liberdade de contrato exigia várias medidas para criar uma situação de barganha mais próxima da igualdade entre trabalho e capital. A questão relativa a quais condições sociais e econômicas seriam necessárias para que os indivíduos exercessem o livre-arbítrio alimentaria muita controvérsia na política e na lei americanas ao longo do século XX. Mas a discussão sobre as condições necessárias para uma escolha genuinamente livre se dá dentro dos termos da concepção voluntarista de liberdade. A proeminência desse debate no discurso jurídico e político do século XX demonstra até que ponto a concepção voluntarista de liberdade veio influenciar a vida pública americana.

O DESCONTENTAMENTO DA DEMOCRACIA

Entre as décadas de 1860 e 1890, porém, a concepção voluntarista de liberdade, ainda não predominante, coexistia e competia com uma concepção republicana rival que vinculava a liberdade à independência econômica. Nas décadas posteriores à Guerra Civil, a concepção cívica de liberdade ainda figurava com destaque no debate político americano. Para o movimento trabalhista da época, ela inspirou a última resistência sustentada ao sistema de trabalho assalariado e foi a base da busca por alternativas.

REPUBLICANISMO TRABALHISTA NA ERA DOURADA

As principais organizações trabalhistas da Era Dourada* foram a National Labor Union [NLU, Sindicato Trabalhista Nacional] (1866-1872) e a Knights of Labor [Cavaleiros do Trabalho] (1869-1902). O objetivo principal das duas era "abolir o sistema salarial", alegando que "há uma inevitável e irresistível conflito entre o sistema assalariado do trabalho e o sistema republicano de governo".[45] O movimento trabalhista enfatizava duas formas pelas quais o sistema salarial do capitalismo industrial ameaçava o governo republicano — diretamente, ao concentrar um poder incomensurável em grandes corporações, e indiretamente, ao destruir as qualidades de caráter que habilitam os cidadãos para o autogoverno.

A plataforma dos Knights of Labor protestava contra "o alarmante desenvolvimento e a agressividade dos grandes capitalistas e corporações" e buscava "controlar a acumulação injusta e o poder malévolo da riqueza agregada". Para esse fim, exigia que o governo comprasse e controlasse ferrovias, telégrafos e telefones, para que seu poder de

---

* Era Dourada (Gilded Age) é como ficou conhecido o período da história dos Estados Unidos estabelecido em linhas gerais entre o final da Reconstrução (1865-1877) e o início da Era Progressista (1896-1917). Teve entre suas características o crescimento e a industrialização, sobretudo no Nordeste dos Estados Unidos, e o influxo de novos contingentes de imigrantes vindos da Europa. [N. do R. T.]

TRABALHO LIVRE *VERSUS* TRABALHO ASSALARIADO

monopólio não subjugasse as instituições republicanas. "O poder dessas corporações sobre o governo, e sobre seus funcionários, [é] igualado apenas pelo poder do Czar", advertiu George McNeill, líder dos Knights. "A pergunta logo se imporá aos cidadãos republicanos desta forma: 'Essas grandes corporações controlarão o governo ou serão controladas?'"[46]

Além do perigo direto representado pelo poder monopolista para o governo republicano, havia os efeitos danosos do sistema salarial sobre o caráter moral e cívico dos trabalhadores. Ao atacar o trabalho assalariado, lideranças da NLU e dos Knights frequentemente enfatizavam suas consequências formativas. "De que nos beneficiaria, como nação", perguntava William H. Sylvis, a principal figura trabalhista da década de 1860, "se pudéssemos preservar nossas instituições e destruir a moral do povo; salvar a Constituição e afundar as massas na ignorância, na pobreza e no crime irremediáveis; todas as formas de nossas instituições republicanas permaneceriam apenas nos estatutos, e o grande corpo do povo afundaria tanto a ponto de não ser capaz de compreender seus princípios mais simples e essenciais (...)?"[47]

Falando em 1865 diante de ferreiros, na maior convenção trabalhista já realizada, Sylvis reafirmou o princípio republicano de que "os governos populares devem depender, para sua estabilidade e sucesso, da virtude e inteligência das massas". Nas condições de trabalho existentes, porém, as relações entre patrões e empregados "são, em sua maioria, aquelas de senhor e escravo, e estão totalmente em desacordo com o espírito das instituições de um povo livre". A história ensinou que os baixos salários acarretam não apenas pobreza e sofrimento, mas também a corrupção da virtude cívica. Nos locais onde os salários são baixos, a classe trabalhadora está "mergulhada nas profundezas da degradação política e social, incapaz de se elevar às alturas alcançadas por um povo livre e esclarecido capaz de cuidar de seus próprios negócios". Quando o preço da mão de obra cai, ele "derruba consigo não apenas os salários, mas todas as qualidades elevadas e nobres que nos habilitam para o autogoverno".[48]

O DESCONTENTAMENTO DA DEMOCRACIA

Se o sistema de trabalho assalariado minava a virtude cívica, que arranjos econômicos alternativos cultivariam cidadãos virtuosos e independentes? Diante das condições do capitalismo industrial, o movimento trabalhista não tinha mais fé na mobilidade individual que Lincoln apresentava como solução central para o trabalho livre. Tampouco poderia esperar restaurar uma economia anterior de pequenas fazendas e oficinas espalhadas pelo interior. Em vez disso, defendia a criação de uma comunidade cooperativa, na qual produtores e consumidores organizariam fábricas, minas, bancos, fazendas e lojas em cooperativas, combinando recursos e compartilhando os lucros. Tal sistema faria mais do que dar aos trabalhadores uma parte justa dos frutos de seu esforço. Também restauraria a independência que o sistema salarial destruíra.

Sylvis saudou a cooperação como "a verdadeira cura para os males da sociedade; esta é a grande ideia que está destinada a derrubar o atual sistema de centralização, monopólio e extorsão. Pela cooperação, nos tornaremos uma nação de empregadores — empregadores de nosso próprio trabalho". Terence Powderly, chefe do Knights, declarou que o sistema cooperativo era o caminho "para banir para sempre essa maldição da civilização moderna — a escravidão assalariada". A cooperação "por fim faria de cada homem seu próprio senhor — cada homem seu próprio patrão". McNeill ansiava pelo dia em que "o sistema cooperativo substituiria o sistema salarial". Juntamente com outras reformas, produziria um cidadão-trabalhador digno e independente, "uma masculinidade bem construída e preparada, usando as horas da manhã nas obrigações e nos prazeres do lar ensolarado; tomando seu banho matinal antes do trabalho, lendo seu jornal matutino na bem-equipada sala de leitura da fábrica... Um homem sobre o qual podem repousar em segurança as honras e os deveres da civilização."[49]

O ideal cooperativo era um projeto ao mesmo tempo ético e institucional. Seus defensores enfatizavam que o sistema cooperativo não era um programa a ser implementado pelo governo, mas sim um projeto a ser concretizado pela ação coletiva dos trabalhadores. Essa ênfase na

TRABALHO LIVRE *VERSUS* TRABALHO ASSALARIADO

autoajuda coletiva era essencial para a aspiração formativa, edificante e de construção de caráter do movimento. Embora a maioria das reformas defendidas pelo Knights of Labor exigissem ação política, explicava Powderly, "sentia-se que nem tudo deveria ser deixado para o Estado ou a nação". Mesmo em busca de reformas legislativas, "o trabalhador deve agir de outra forma". Sylvis insistia que os trabalhadores "não esquecessem que o sucesso depende de nossos próprios esforços. Não é o que é feito pelas pessoas, mas o que as pessoas fazem por si mesmas, que age sobre seu caráter e sua condição". A busca do movimento trabalhista por melhoria moral e cívica também encontrou expressão em uma ambiciosa variedade de salas de leitura e palestrantes itinerantes, sociedades dramáticas e clubes esportivos, jornais e panfletos, rituais e desfiles. "Devemos fazer com que o povo leia e pense", disse um líder trabalhista local, "e que procure algo mais elevado e mais nobre na vida do que trabalhar dessa maneira miserável dia após dia, semana após semana e ano após ano."[50]

Por algum tempo, o apelo do movimento trabalhista em prol da substituição do sistema salarial pelo cooperativo atraiu o apoio de reformadores da classe média, entre eles E. L. Godkin, um influente jornalista partidário republicano radical. Godkin atacava o sistema salarial por seu fracasso em cultivar cidadãos virtuosos. Era amplamente reconhecido, observava Godkin, que "quando um homem concorda em vender seu trabalho, ele concorda implicitamente em abrir mão de sua independência moral e social".[51]

Repetindo os argumentos de Jefferson e Jackson, Godkin sustentava que os trabalhadores assalariados industriais foram privados da dignidade, independência e espírito público essenciais para o sucesso do governo democrático: "Nenhum homem que dependa da vontade de qualquer outro homem para ter um pão para si e para seus filhos, ou que não tenha interesse em fazer seu trabalho exceto para agradar a um empregador, preenche essas condições; um fazendeiro de sua própria terra as cumpre. Ele é o único homem, no modo como a sociedade está atualmente constituída em quase todos os países civilizados, que

O DESCONTENTAMENTO DA DEMOCRACIA

pode ser considerado realmente senhor de si mesmo." O trabalhador assalariado, ao contrário, estava relegado a uma condição de "dependência política e social".[52]

Godkin condenava a "acumulação de capital nas mãos de relativamente poucos indivíduos e corporações", não por uma questão de justiça, mas por minar a economia política da cidadania e colocar em risco o governo republicano. O problema do trabalho assalariado não era apenas a pobreza gerada, mas o dano que causava às capacidades cívicas dos trabalhadores, "o tom servil e o modo de pensar servil" que produzia. Para Godkin, assim como para o movimento operário, a solução não era restaurar um passado agrário, mas reformular o capitalismo industrial substituindo o sistema salarial por um esquema de cooperativas em que os trabalhadores compartilhariam os lucros de seus esforços e governariam a si mesmos. Ele conclamava que o movimento trabalhista não deixasse "de agitar e promover arranjos até que o regime de salários, ou, como talvez possamos chamá-lo melhor, o regime servil, tenha desaparecido tão completamente quanto a escravidão ou a servidão, e até que em nenhum país livre sejam encontrados homens na condição de meros mercenários", exceto aqueles poucos viciosos ou instáveis demais para governar a si mesmos.[53]

Como os líderes trabalhistas da Era Dourada, Godkin baseava sua crítica do sistema salarial numa concepção republicana de trabalho livre. Mas a visão de Godkin também continha elementos de uma concepção voluntarista de liberdade que vinha ganhando força entre os reformadores liberais da época. Essa concepção, que identificava o trabalho livre com a liberdade de contrato, lembrava a noção dos abolicionistas de que o trabalho livre era aquele realizado voluntariamente em troca de um salário. Nos anos anteriores à Guerra Civil, a equação abolicionista do trabalho livre com trabalho assalariado era uma visão minoritária. A maioria dos americanos, dos líderes trabalhistas do Norte aos sulistas pró-escravidão, dos Free Soilers ao Partido Republicano de Lincoln, apesar de todas as diferenças existentes entre eles, concordavam que o trabalho assalariado era uma carreira incompatível com a liberdade.

TRABALHO LIVRE *VERSUS* TRABALHO ASSALARIADO

No final do século XIX, entretanto, a concepção voluntarista do trabalho livre encontrou crescente expressão na política e no direito do país. Sua expressão mais conspícua estava na doutrina *laissez-faire* defendida por economistas e juízes conservadores que insistiam que empregadores e empregados deveriam ser livres para concordar com quaisquer termos de emprego que escolhessem, livres de interferência legislativa. Mas os conservadores *laissez-faire* não eram os únicos cujos argumentos pressupunham a concepção voluntarista do trabalho livre. Os reformadores sociais também invocavam o ideal da liberdade de contrato, mas argumentavam que tal liberdade não poderia se concretizar quando as partes envolvidas negociavam em condições de severa desigualdade. No final do século, o debate político americano se concentrava menos nas condições econômicas necessárias para a formação de cidadãos virtuosos e mais nas condições econômicas necessárias para o exercício de uma escolha genuinamente livre. A passagem do entendimento cívico do trabalho livre para o voluntarista pode ser vista com mais clareza na resposta dos reformadores liberais e dos tribunais à tentativa dos trabalhadores de legislar a jornada de oito horas.

A JORNADA DE OITO HORAS

Entre os reformadores liberais, Godkin encarnou o momento de transição. Mesmo atacando o sistema salarial como sendo "hostil ao governo livre" e prejudicial ao caráter moral e cívico dos trabalhadores, ele se opunha à legislação que estabeleceria a jornada de oito horas, considerando-a uma "interferência tirânica do governo na liberdade da indústria e a santidade dos contratos". Como muitos defensores do *laissez-faire* e do capitalismo industrial, Godkin condenava o movimento em prol das oito horas como "uma farsa vergonhosa", uma violação da liberdade de contrato e uma tentativa desesperada de anular as leis da natureza. "Nenhuma legislatura pode alterar ou afetar permanentemente essas leis, assim como nunca poderia mudar a hora do fluxo e refluxo da maré." Ao contrário dos economistas políticos ortodoxos de sua época, no entanto, Godkin negava que os acordos entre trabalhadores e empregadores nas condições desiguais do capitalismo industrial fossem genuinamente voluntários.[54]

Ao explicar por que as relações trabalhistas existentes não eram verdadeiramente livres, Godkin aceitava a concepção voluntarista, ou contratual, de liberdade defendida pelos conservadores adeptos do *laissez-faire*. Mas ele rejeitava a suposição complacente dos conservadores de que a prática do trabalho assalariado correspondia ao ideal de liberdade de contrato. Vivendo à margem da existência em condições degradantes, o trabalhador não estava em condições de fazer uma troca verdadeiramente voluntária de sua mão de obra por um salário. Ele simplesmente tinha que aceitar o que o capitalista estivesse disposto a pagar. "O que eu concordo em fazer para escapar da fome, ou para salvar minha esposa e meus filhos da fome, ou por ignorância de minha capacidade de fazer qualquer outra coisa, eu concordo em fazer de forma compulsória, tanto quanto se concordasse em fazer com uma pistola na minha cabeça."[55]

Godkin não discordava da suposição voluntarista de que o trabalho é uma mercadoria a ser comprada e vendida como qualquer outra. Em princípio, pelo menos, "a contratação de um trabalhador por um capitalista deveria significar simplesmente a venda de uma mercadoria, em um mercado aberto, de um agente livre a outro". Sob as condições existentes, no entanto, o sistema salarial fracassava na realização do ideal voluntarista. O trabalhador não poderia aproximar-se do ideal de liberdade de contrato "a menos que ele fosse de algum modo elevado, ao fazer sua barganha, ao nível do patrão — a menos que ele fosse capaz de negociar com o capitalista em pé de igualdade".[56]

Godkin endossava uma série de medidas para criar condições de negociação que permitiriam que os trabalhadores exercitassem o consentimento genuíno. A primeira era que se unissem em sindicatos para equilibrar o poder de mercado do capital, colocando o trabalhador "em igualdade com seu patrão em matéria de contratos, de modo a

TRABALHO LIVRE *VERSUS* TRABALHO ASSALARIADO

capacitá-lo a contratar livremente". A longo prazo, Godkin endossava o sistema cooperativo, no qual os trabalhadores se tornariam capitalistas e compartilhariam os lucros de seu trabalho. No curto prazo, porém, as greves e os sindicatos permaneceriam como "o único meio pelo qual o contrato entre trabalhador e capitalista (...) pode se tornar realmente livre, e pelo qual o trabalhador pode ser capacitado a negociar em pé de igualdade."[57]

Os argumentos de Godkin exibiam tanto as concepções cívicas do trabalho livre quanto as voluntaristas, ora em harmonia, ora em tensão. Ele apoiava o movimento cooperativo alegando que sua organização melhoraria o caráter moral e cívico dos trabalhadores e também que sanaria a posição negocial injusta que impedia que as relações trabalhistas fossem verdadeiramente voluntárias. Ao mesmo tempo, ele se opunha ao movimento em prol da jornada de oito horas diárias, alegando que violaria a santidade da liberdade de contrato. Embora as condições existentes impedissem a efetivação de uma liberdade contratual, legislar uma jornada de trabalho mais curta não tornaria mais nivelado o campo de jogo. Constituiria simplesmente mais uma violação do ideal voluntarista.

O movimento trabalhista, por outro lado, não se baseava fortemente em argumentos voluntaristas. A justificativa para a jornada de oito horas, assim como a defesa do sistema cooperativo, baseava-se principalmente em considerações cívicas e formativas. Quando os líderes trabalhistas da Era Dourada falavam em liberdade de contrato, era para responder às críticas feitas pelos partidários do *laissez-faire*. Por exemplo, George McNeill, dos Knights of Labor, ridicularizava a noção de que legislar a jornada de oito horas "destruiria o grande direito à liberdade de contrato". Sob o sistema salarial existente, argumentava ele, não havia verdadeira liberdade de contrato entre empregador e empregado. "O contrato, assim chamado, é um acordo em que o empregador ou corporação deve nomear todas as condições da barganha." As únicas condições que se aproximavam de uma verdadeira liberdade de contrato surgiram quando poderosas organizações trabalhistas foram capazes de negociar em nome de seus membros.[58]

O principal argumento dos líderes sindicais em prol de uma jornada de trabalho mais curta não era a existência de um consentimento perfeito, mas sim a melhoria do caráter moral e cívico dos trabalhadores. Limitar por lei as horas de trabalho, defendiam eles, daria aos trabalhadores mais tempo para exercerem a cidadania — ler jornais e participar de assuntos públicos: "Pedimos alívio das Horas de Trabalho, que se esgotam no serviço de outros, o dia inteiro, não nos deixando tempo para cumprir os deveres públicos que nos foram confiados, ou para o exercício de quaisquer dons ou anseios pessoais por prazeres refinados."[59] Além de liberar tempo para atividades cívicas, uma jornada de trabalho mais curta construiria o caráter indiretamente, refinando os gostos, melhorando os hábitos e elevando as aspirações dos trabalhadores. Segundo Ira Steward, principal figura do movimento pela jornada de oito horas, mais lazer permitiria que os trabalhadores comparassem seu modo de vida com os outros e os tornaria menos dispostos a aceitar condições degradantes de existência. "O charme do sistema de oito horas", argumentou Steward, "é que ele dá tempo e oportunidade para os esfarrapados — os sujos — os ignorantes e mal-educados, para se envergonharem de si mesmos e de sua posição na sociedade." Um dia de trabalho mais curto daria às massas tempo para comparar sua sorte com a dos outros e ficar descontentes com sua situação. Isso, por sua vez, elevaria suas aspirações e os levaria a insistir em salários mais altos. Enquanto alguns gastariam seus ganhos e o lazer com o consumo, outros, "companheiros mais sábios", dedicariam seu tempo e dinheiro a atividades cívicas, "para estudar economia política, ciências sociais, as condições sanitárias do povo, a prevenção do crime, o salário da mulher, a guerra e os dez mil projetos com os quais nossa época fervilha para melhorar a condição do homem".[60]

McNeill também enfatizava o aspecto formativo da jornada mais curta, esperando transformar "os hábitos de pensamento e sentimento, costumes e maneiras das massas". O objetivo não era simplesmente aliviar os trabalhadores do tédio e do trabalho penoso de longas jornadas, mas elevá-los. Perturbar os trabalhadores empobrecidos "de seu

TRABALHO LIVRE *VERSUS* TRABALHO ASSALARIADO

contentamento estúpido por uma agitação por mais salários ou menos horas é elevá-los no nível de sua hombridade a pensamentos em coisas melhores e a uma demanda organizada por isso". Reduzir as horas de trabalho diminuiria a intemperança, o vício e o crime entre as classes trabalhadoras e aumentaria o uso de jornais e bibliotecas, salas de aula e salas de reunião. Com o tempo, a jornada de oito horas elevaria e capacitaria os trabalhadores a ponto de acarretar o fim do próprio sistema salarial: "Finalmente, o lucro sobre o trabalho cessará, e o trabalho cooperativo [será] instaurado no lugar do trabalho assalariado."[61]

Até 1868, sete estados haviam promulgado leis estabelecendo a jornada de oito horas, e o Congresso aprovou uma legislação implementando as oito horas para todos os empregados do governo federal. Mas, apesar do sucesso legislativo, o movimento de oito horas não alcançou seus objetivos mais amplos. As brechas nas leis, a falta de fiscalização e os tribunais hostis minaram as vitórias legislativas dos trabalhadores.[62] Um destino semelhante enfraqueceu outras leis trabalhistas da Era Dourada, especialmente nos tribunais. No final do século, cerca de sessenta leis trabalhistas haviam sido derrubadas por tribunais estaduais e federais; em 1920, cerca de trezentas.[63]

TRABALHO ASSALARIADO NO TRIBUNAL

A judicialização do debate sobre o trabalho livre acentuou a transição dos pressupostos cívicos para os voluntaristas. Juízes adeptos do *laissez-faire* derrubaram as leis trabalhistas invocando o direito dos trabalhadores de trocar seu trabalho por um salário. Os defensores das leis responderam que o trabalho assalariado em condições de pobreza e desigualdade não era verdadeiramente livre. A crítica do trabalho assalariado como tal gradualmente desapareceu de vista à medida que os argumentos se concentraram nas condições do consentimento genuíno e no papel da revisão judicial. Não obstante os objetivos cívicos e formativos que a princípio inspiraram as leis, aqueles que defendiam

O DESCONTENTAMENTO DA DEMOCRACIA

a legislação trabalhista contra os ataques nos tribunais conservadores gradualmente adotaram os pressupostos voluntaristas de seus oponentes do *laissez-faire* e passaram a considerar as leis necessárias para tornar o trabalho assalariado uma questão de consentimento genuíno.

Embora a maior parte do debate judicial em torno da questão trabalhista tenha se dado dentro de pressupostos voluntaristas, a primeira defesa judicial do trabalho livre sob a Décima Quarta Emenda refletia o entendimento republicano. Causou dissenso, nos *Casos dos Matadouros* de 1873. A legislatura da Louisiana havia credenciado uma corporação para manter um curral e um matadouro centrais em Nova Orleans e baniu todos os outros matadouros da região. Todos os açougueiros teriam que realizar seus abates nas instalações designadas e pagar as taxas exigidas. Um grupo de açougueiros contestou a lei, alegando que violava seu direito de possuir seus próprios matadouros e exercer seu negócio. Esse direito, eles argumentavam, era protegido por duas emendas à Constituição — a Décima Terceira e a Décima Quarta — recentemente aprovadas.[64]

A Suprema Corte, em uma decisão por 5 votos a 4, rejeitou a alegação, sustentando que as emendas da Reconstrução* não colocavam a Corte como garantidora dos direitos individuais contra a violação do Estado. Mas em um influente voto contrário à decisão da maioria, o juiz Stephen Field argumentou que as novas emendas capacitavam o Tribunal a proteger os direitos fundamentais, incluindo o "direito ao trabalho livre". Ao contrário dos juízes de conduta *laissez-faire* que mais tarde invocariam essa argumentação dissidente, Field concebia o trabalho livre segundo a tradição do republicanismo artesão — não como trabalho assalariado, mas como aquele realizado por produtores independentes, donos de suas próprias ferramentas, oficinas ou meios de produção. Se apenas ao trabalho assalariado estivesse em jogo, o

---

* Emendas da Reconstrução foi como ficaram conhecidas a Décima Terceira, Décima Quarta e Décima Quinta emendas à Constituição, aprovadas entre 1865 e 1870, após a derrota do Sul escravista na Guerra Civil (1861-1865). As medidas aboliam a escravidão e proibiam a discriminação, estendendo a cidadania, o direito ao voto e a proteção da lei a todos. [*N. do R. T.*]

TRABALHO LIVRE *VERSUS* TRABALHO ASSALARIADO

matadouro de propriedade do monopólio de Nova Orleans não representaria o mesmo tipo de ameaça. O monopólio sancionado pelo Estado não impedia os açougueiros de exercer a função de açougueiro, apenas os impedia de possuir e operar seus próprios matadouros. Privava-os do trabalho livre no sentido republicano.[65]

De acordo com Field, as emendas da Reconstrução faziam mais do que acabar com a escravidão e conferir cidadania aos escravos recém-libertados. Elas também consolidavam o ideal do trabalho livre em nome do qual o Norte havia travado a Guerra Civil. Era essa noção republicana de trabalho livre que o monopólio estatal da Louisiana minava. Um açougueiro não poderia mais exercer seu ofício como produtor independente. Passaria a ter de trabalhar nas instalações da empresa favorecida e pagar uma taxa substancial. "Ele não tem permissão para fazer seu trabalho em sua propriedade, nem para levar animais para seus próprios estábulos, nem para mantê-los em seus próprios quintais." Tais restrições "odiosas" privavam os açougueiros de sua independência. De acordo com Field, a Décima Quarta Emenda protegia o direito igual entre todos os cidadãos de exercer todas as vocações e profissões lícitas. Ao restringir esse direito, o monopólio do matadouro da Louisiana violava "o direito ao trabalho livre, um dos direitos mais sagrados e imprescritíveis do homem".[66]

Tribunais subsequentes adotariam a visão de Field sobre a Décima Quarta Emenda, mas não sua compreensão republicana de trabalho livre. Como Field, sustentavam que a Décima Quarta Emenda exigia que a Corte invalidasse leis estaduais que violassem direitos individuais, inclusive o direito ao trabalho livre. Ao contrário de Field, no entanto, eles entendiam o trabalho livre em um sentido voluntarista — como o direito do trabalhador de vender seu trabalho por um salário. Embora o próprio Field nunca tenha endossado o uso da liberdade de contrato para derrubar a legislação trabalhista, sua dissidência continha uma referência que tribunais adeptos do *laissez-faire* aproveitaram para apoiar a visão voluntarista. Em uma nota de rodapé da discussão sobre o trabalho livre, Field incluía uma citação de Adam Smith que ligava

O DESCONTENTAMENTO DA DEMOCRACIA

a liberdade de propriedade ao direito de vender o próprio trabalho. Tribunais estaduais e federais que citaram a dissidência de Field enfatizaram esta nota de rodapé e negligenciaram o fato de que os Casos do Matadouro envolviam direitos dos produtores independentes, e não de trabalhadores assalariados.[67]

Da década de 1880 à década de 1930, tribunais estaduais e federais derrubaram dezenas de leis trabalhistas por violação à liberdade dos trabalhadores. Praticamente todos esses casos adotaram a concepção voluntarista da liberdade, afirmando o direito do trabalhador de trocar seu trabalho por um salário. No caso chamado *Godcharles v. Wigeman* (1886), a Suprema Corte da Pensilvânia derrubou uma lei que exigia que as empresas pagassem aos mineiros e operários em dinheiro, em vez de em vales resgatáveis nas lojas das próprias empresas. Os metalúrgicos pressionaram para que a lei os livrasse da dependência das lojas da empresa que cobravam preços exorbitantes de sua clientela cativa. O tribunal invalidou a lei como "uma violação dos direitos do empregador e do empregado" e "uma tentativa injuriosa de colocar o trabalhador sob a tutela legislativa, o que não é apenas degradante à sua hombridade, mas subversivo em relação a seus direitos como cidadão dos Estados Unidos. Ele pode vender seu trabalho pelo que achar melhor, seja dinheiro ou bens, assim como o empregador pode vender ferro ou carvão."[68]

No caso *Lochner v. Nova York* (1905), a concepção voluntarista do trabalho livre tornou-se lei constitucional federal. Nessa ocasião, a Suprema Corte derrubou uma lei de Nova York que estabelecia um teto de horas para os trabalhadores de padarias como "uma interferência ilegal nos direitos dos indivíduos, tanto empregadores quanto empregados, de fazer contratos trabalhistas nos termos que acharem melhor. (...) Limitar as horas em que homens adultos e inteligentes podem trabalhar para ganhar a vida", declarou a Corte, é uma "mera interferência nos direitos do indivíduo" e uma violação inconstitucional da liberdade.[69]

A Corte apresentou um argumento semelhante em Coppage contra Kansas (1914), derrubando uma lei estadual que impedia que as empre-

TRABALHO LIVRE *VERSUS* TRABALHO ASSALARIADO

sas estabelecessem como condição de contratação que os trabalhadores não pertencessem a sindicatos. O estado do Kansas argumentou que a lei era necessária para impedir que trabalhadores fossem coagidos pelos empregadores a se retirarem dos sindicatos, mas a Suprema Corte dos Estados Unidos discordou, insistindo que um trabalhador confrontado com tal escolha era "um agente livre". Dada a alternativa de deixar o sindicato ou perder o emprego, ele tinha "liberdade para escolher o que fosse melhor do ponto de vista de seus próprios interesses", "livre para exercer uma escolha voluntária". A Suprema Corte do Kansas havia defendido a lei, observando que "via de regra, os empregados não eram financeiramente capazes de serem tão independentes ao fazer contratos de venda de seu trabalho quanto os patrões ao fazer contratos de compra". Mas a Suprema Corte americana rejeitou esse argumento e negou que existisse qualquer tipo de coerção. A empresa, afinal, não obrigava o funcionário a aceitar o emprego. A Corte reconheceu que "onde quer que exista o direito de propriedade privada, deve haver e haverá desigualdades de fortuna; e assim acontece naturalmente que as partes que negociam um contrato não sejam igualmente desimpedidas pelas circunstâncias". Mas essas desigualdades inevitáveis não constituíam coerção e não justificavam a interferência do governo no direito de empregadores e empregados de trocar trabalho por salário nas condições de sua escolha.[70]

O constitucionalismo *laissez-faire* dos casos Lochner e Coppage ofereceu uma expressão da concepção voluntarista do trabalho livre que se mostrou poderosa e veio a dominar o discurso jurídico e político no final do século XIX e no início do século XX. Não foi, no entanto, a única. Grande parte da oposição à ortodoxia do *laissez-faire* que se desenvolveu durante essas décadas também abraçava suposições voluntaristas. Juízes dissidentes e comentaristas e ativistas reformistas rejeitavam a doutrina do *laissez-faire* alegando que contratos de trabalho totalmente não regulamentados não são verdadeiramente voluntários. Ao contrário do movimento trabalhista da Era Dourada, eles não se opunham à mercantilização do trabalho, mas apenas às condições injustas de barganha sob as quais o trabalhador industrial vendia sua mercadoria. Não procuravam abolir o sistema salarial, mas torná-lo legítimo, criando condições sob as quais o consentimento do operário fosse verdadeiramente livre. Mesmo entre os reformistas, o debate sobre o trabalho assalariado deixava os termos cívicos e passava para os termos contratuais.

A noção de que as legislaturas poderiam legitimamente promulgar leis trabalhistas para igualar a posição de barganha dos assalariados figurava, por exemplo, em alguns dissensos notáveis em casos como o de Lochner. No caso Lochner, discordando da decisão final, o juiz John Marshall Harlan sugeriu que o estatuto da jornada máxima tinha sua origem "na crença de que empregadores e empregados em tais estabelecimentos não estavam em pé de igualdade, e que as necessidades destes últimos frequentemente os obrigavam a se submeter a tamanhos esforços que comprometiam indevidamente suas forças".[71] Em seu voto em discordância no caso Coppage, o juiz Oliver Wendell Holmes escreveu: "Nas condições atuais, um trabalhador pode perfeitamente acreditar que somente ao pertencer a um sindicato ele pode firmar um contrato que será justo para si." Essa crença "pode ser imposta por lei para estabelecer a igualdade de posição entre as partes, que é onde começa a liberdade de contrato". Uma dissidência do juiz William R. Day defendeu a lei como uma tentativa de "promover para o empregado a mesma liberdade de ação de que o empregador assumidamente goza". Dadas suas posições desiguais na negociação, seria coercitiva a exigência da empresa de que o trabalhador concordasse em deixar seu sindicato como condição para obter o emprego. O Estado, portanto, tinha justificativa para agir e remediar as condições desiguais que minavam a verdadeira liberdade de contrato.[72]

Comentaristas fora dos tribunais também criticaram a doutrina do *laissez-faire* em nome do ideal voluntarista implícito, mas não realizado, nos contratos de trabalho assalariado. Ao criticar a linha de decisões dos casos Godcharles, Lochner e Adair, Roscoe Pound defendeu uma legislação "projetada para dar aos trabalhadores alguma medida de

TRABALHO LIVRE *VERSUS* TRABALHO ASSALARIADO

independência prática e que, se autorizada a operar, os colocaria em uma posição de razoável igualdade em relação a seus patrões". Citando o jurista inglês lorde Northington, ele argumentou que os trabalhadores empobrecidos são incapazes de exercer um consentimento genuíno: "Homens necessitados não são, verdadeiramente falando, homens livres. Eles se submeterão a quaisquer termos que os astutos lhes imponham para atender suas premências."[73]

Richard Ely, economista e reformador, também sustentou que a verdadeira liberdade de contrato requer regulamentação governamental das condições sob as quais os contratos são firmados. "A igualdade legal no contrato é parte da liberdade moderna", escreveu Ely. "Mas temos uma igualdade jurídica nos contratos e uma desigualdade de fato por causa das condições subjacentes aos contratos. É neste ponto que devemos assumir o trabalho de reforma em todos os lugares, mas particularmente nos Estados Unidos." Para Ely, diferentemente dos líderes trabalhistas da Era Dourada, a justificativa para leis da jornada de oito horas e outras legislações trabalhistas não estava em transformar o caráter moral dos trabalhadores nem abolir o sistema assalariado, mas resgatar o ideal voluntarista implícito no trabalho assalariado. "Enquanto o livre contrato deve ser a regra, a liberdade exige a regulação social das muitas classes de contratos. Regular as condições do contrato significa estabelecer as 'regras do jogo' para a competição."[74]

O FIM DO IDEAL CÍVICO

Na virada do século, a mudança do ideal cívico para o voluntarista como a visão motivadora da reforma refletiu-se no caráter mutável do próprio movimento trabalhista. Os Knights of Labor, que desafiavam o sistema salarial na esperança de cultivar cidadãos-produtores virtuosos, desfrutaram de uma explosão de novos membros em meados da década de 1880, ultrapassando os setecentos mil integrantes em 1886. Abraçando a ampla noção jacksoniana das "classes produtoras", os Knights incluíam trabalhadores qualificados e não qualificados, bem como alguns pequenos comerciantes e fabricantes. Apenas "não produtores", como advogados, banqueiros, especuladores e aqueles associados ao vício, como donos de salões e jogadores, não eram elegíveis para serem membros. Os Knights também quebraram barreiras de raça e gênero, recrutando cerca de sessenta mil membros negros e um número ainda maior de mulheres.[75]

Mais do que um sindicato, os Knights eram um movimento de reforma que buscava "enxertar princípios republicanos" no sistema industrial, para transformar a economia em linhas mais condizentes com o autogoverno.[76] Mas o veículo da transformação, o sistema cooperativo, encontrou pouco sucesso sustentado. Em meados da década de 1880, assembleias locais haviam estabelecido mais de uma centena de pequenas cooperativas, incluindo mercearias, lojas de varejo, jornais, oficinas e fábricas, mas a maioria sofria de falta de capital e durou apenas alguns anos.[77] Acossados por reveses nos tribunais, oposição agressiva por parte dos patrões e divisões dentro do movimento trabalhista, os Knights sofreram um declínio intenso, reduzindo seu número de membros para cem mil em 1890. Logo depois, eles caíram no esquecimento.[78]

Com o fim dos Knights houve uma mudança no movimento trabalhista, que se afastou da reforma de inspiração republicana e passou a se pautar por uma versão de sindicalismo que aceitava a estrutura do capitalismo industrial, admitia a permanência do sistema assalariado e buscava simplesmente melhorar as condições de vida e de trabalho. "O assalariado médio decidiu que deve continuar como assalariado", declarou o presidente do United Mine Workers [Sindicato dos Trabalhadores de Minas], John Mitchell, em 1903, e "desistiu da esperança do reino vindouro, quando ele próprio será um capitalista."[79]

A ascensão da American Federation of Labor [AFL, Federação Americana do Trabalho], na década de 1890, sinalizou que os trabalhadores se afastavam da reforma política e econômica, rumo a um sindicalismo "puro e simples". "Em oposição a amplos programas de

TRABALHO LIVRE *VERSUS* TRABALHO ASSALARIADO

reconstrução social", os sindicatos "davam preferência a melhorias materiais imediatas dentro da estrutura das instituições existentes, e baseavam-se principalmente na organização e ação econômica."[80] Sob a liderança de Samuel Gompers, a AFL desistiu da antiga briga com o sistema de salários e voltou sua atenção para a prosperidade e a justiça. "Estamos operando sob o sistema salarial", declarou Gompers em 1899. "Não estou preparado para dizer qual sistema virá a tomar seu lugar (...). Sei que estamos vivendo sob o sistema salarial, e enquanto isso durar, é nosso propósito garantir uma parcela cada vez maior para os trabalhadores."[81]

Os novos sindicatos não falavam de classes produtoras, usando termos mais diretos como "assalariados" ou "classe trabalhadora", e abandonaram as tentativas de forjar uma aliança para a reforma com pequenos empresários e fabricantes. Enquanto os reformadores trabalhistas, como os Knights, resistiam à concentração do capital em grandes corporações, os sindicatos aceitavam a concentração econômica como "uma característica lógica e inevitável de nosso sistema industrial moderno" e procuravam organizar o trabalho como um poder compensatório.[82] Como observou Gompers, "os dois movimentos eram inerentemente diferentes". Os Knights of Labor "baseavam-se em um princípio de cooperação e seu objetivo era a reforma. Orgulhavam-se de ser algo mais elevado e grandioso do que um sindicato ou partido político". Os sindicatos, por sua vez, "buscavam melhorias econômicas para colocar nas mãos dos assalariados os meios para ter oportunidades mais amplas". Seu objetivo não era a reforma política, mas "o aprimoramento econômico — hoje, amanhã, no lar e na oficina".[83]

Em seus dias de declínio, os Knights of Labor denunciavam os objetivos limitados dos sindicatos e insistiam nas ambições trabalhistas mais antigas. Os Knights "não se destinam tanto a ajustar a relação entre o empregador e o empregado", proclamava seu líder, buscando sim transformar a economia para que "todos os que quiserem possam trabalhar por conta própria, independentemente das grandes corporações e empresas empregadoras. A organização não se baseia na

O DESCONTENTAMENTO DA DEMOCRACIA

questão dos ajustes salariais, mas na abolição do sistema salarial e no estabelecimento de um sistema industrial cooperativo."[84]

De sua parte, Gompers recusava qualquer declaração ampla de propósito para o movimento sindical, além de garantir a melhoria econômica dos assalariados: "Nós, trabalhadores, geralmente tentamos expressar o movimento trabalhista em termos práticos. (...) Eu não tinha fórmula para [nosso] trabalho e não poderia expressar minha filosofia em palavras. Trabalhei de modo intuitivo." A renúncia a objetivos amplos de reforma política ou econômica foi expressa com obstinação semelhante por Adolph Strasser, presidente do sindicato dos trabalhadores das fábricas de charuto. Depondo perante a Comissão do Trabalho e do Capital do Senado em 1883, Strasser foi questionado sobre os objetivos principais de sua entidade. "Não temos objetivos principais", respondeu Strasser. "A gente funciona no dia a dia. Estamos lutando apenas por objetos imediatos — aqueles podem ser concretizados em poucos anos (...). Somos todos homens práticos."[85]

Embora os sindicatos não professassem nenhum objetivo supremo, eles adotavam uma certa concepção de liberdade. Era uma concepção que tinha mais em comum com a visão voluntarista de seus adversários industriais do que com a visão cívica do republicanismo artesão que os antecedeu. Ao afirmar o direito de organização e de greve, os sindicatos não estavam coagindo empregadores ou trabalhadores não sindicalizados, insistia Gompers, nem desafiavam as premissas do capitalismo industrial; estavam simplesmente ingressando em associações voluntárias para exercer o poder da força de trabalho no mercado da mesma forma que as corporações exerciam o seu. Como sustentava Gompers, o movimento sindical extraía sua justificativa da mesma concepção de liberdade invocada pelos defensores da indústria: "Todo esse evangelho está resumido em uma expressão familiar: liberdade de contrato."[86]

De Jefferson a Lincoln e aos Knights of Labor, os oponentes do sistema salarial fizeram a defesa da concepção cívica de liberdade; o trabalho livre era aquele que produzia cidadãos virtuosos, independentes, capazes

TRABALHO LIVRE *VERSUS* TRABALHO ASSALARIADO

do autogoverno. À medida que esse argumento enfraqueceu, o mesmo aconteceu com a concepção de liberdade que o inspirou. Com a aceitação do trabalho assalariado como condição permanente, ocorreu uma mudança no discurso jurídico e político americano, que deixou a concepção cívica e passou a adotar a concepção voluntarista da liberdade. O trabalho era livre na medida em que o trabalhador concordava em trocar seu esforço por um salário. O advento da concepção voluntarista não resolveu toda a controvérsia sobre as relações de trabalho, mas colocou-a em outros termos. Quando os reformadores e conservadores do século XX discutiam questões sobre salários e trabalho, seus debates se referiam às condições do consentimento genuíno, não às condições para o cultivo da virtude cívica.

Do ponto de vista da economia política da cidadania, a concepção voluntarista do trabalho livre representava uma aspiração menor. Pois, apesar da ênfase na escolha individual, seus adeptos admitiam como inevitável a condição mais ampla de dependência à qual a tradição do republicanismo havia resistido por tanto tempo. Assim, essa concepção marcou um momento decisivo na transição de uma filosofia pública republicana para a versão do liberalismo que baseia a república procedimental nos Estados Unidos.

No início do século XX, porém, a república procedimental ainda estava em formação; a economia política da cidadania não tinha dado lugar a uma economia política de crescimento econômico e justiça distributiva. Nem a política nem a lei americanas haviam adotado a suposição de que o governo deve ser neutro diante de concepções concorrentes de uma boa vida. Não obstante a crescente proeminência da concepção voluntarista de liberdade, a noção de que o governo tem um papel na formação do caráter moral e cívico de seus cidadãos persistia no discurso e na prática da vida pública americana. Nas mãos dos progressistas, o ideal formativo da tradição do republicanismo encontrou nova expressão. Por mais algumas décadas, pelo menos, os americanos continuaram a debater a política econômica não apenas do ponto de vista da prosperidade e da justiça, mas também do ponto de vista do autogoverno.

Notas

1. Ver Sean Wilentz, "The Rise of the American Working Class, 1776-1877", in: J. Carroll Moody e Alice Kessler-Harris (orgs.), *Perspectives on American Labor History* (De Kalb: Northern Illinois University Press, 1989), p. 83-109; idem, *Chants Democratic: New York City and the Rise of the American Working Class, 1788-1850* (Princeton: Princeton University Press, 1984), p. 61-103; Daniel T. Rodgers, *The Work Ethic in Industrial America, 1850-1920* (Chicago: University of Chicago Press, 1974), p. 30-64.

2. Wilentz, *Chants Democratic*, p. 90-95. Ver também idem, "Rise of American Working Class", p. 87-88.

3. Wilentz, "Rise of the American Working Class", p. 87. Ver também idem, "Artisan Republican Festivals and the Rise of Class Conflict in New York City, 1788-1837", in Michael H. Frisch e Daniel J. Walkowitz (orgs.), *Working-Class America* (Urbana: University of Illinois Press, 1983), p. 39-45; idem, *Chants Democratic*, p. 105-216; Bruce Laurie, *Artisans into Workers: Labor in Nineteenth-Century America* (Nova York: Hill and Wang, 1989), p. 15-46, 63-64.

4. O presidente da GTU, John Commerford, citado em Wilentz, "Artisan Republican Festivals", p. 59, e idem, *Chants Democratic*, p. 245; sobre o ponto geral, ver ibid., p. 217-296.

5. Citado em Laurie, *Artisans into Workers*, p. 64.

6. Wilentz, "Artisan Republican Festivals", p. 60, 61-65; idem, *Chants Democratic*, p. 145-171.

7. Devo muito a dois excelentes relatos dos debates sobre o trabalho assalariado. São eles: Eric Foner, *Politics and Ideology in the Age of the Civil War* (Nova York: Oxford University Press, 1980), p. 57-76; e Rodgers, *Work Ethic in Industrial America*, p. 30-64.

8. Orestes Brownson, "The Laboring Classes" (1840), in: Joseph L. Blau (org.), *Social Theories of Jacksonian Democracy* (Indianapolis: Bobbs-Merrill, 1954), p. 309, 306-307, 310; ver também Foner, *Politics and Ideology*, p. 60.

9. William Lloyd Garrison citado em Foner, *Politics and Ideology*, p. 62-63.

10. William Jay, *An Inquiry into the Character and Tendency of the American Colonization and American Anti-Slavery Societies* (1835), in: Walter Hugins, ed., *The Reform Impulse*, 1825-1850 (Columbia: University of South Carolina Press, 1972), p. 168-169. Ver também Foner, *Politics and Ideology*, p. 64.

11. Ver Foner, *Politics and Ideology*, p. 64-65.

12. Albert Brisbane, *The Liberator*, 5 de setembro de 1846, citado em ibid., p. 63.

TRABALHO LIVRE *VERSUS* TRABALHO ASSALARIADO

13. George Henry Evans, *The Liberator*, 4 de setembro de 1846, citado em Aileen S. Kraditor, *Means and Ends in American Abolitionism* (Nova York: Pantheon Books, 1967), p. 248; ver também Foner, *Politics and Ideology*, p. 70. Para um relato sobre Evans e os reformadores em relação aos ideais republicanos, ver William B. Scott, *In Pursuit of Happiness: American Conceptions of Property from the Seventeenth to the Twentieth Century* (Bloomington: Indiana University Press, 1977), p. 53-70.

14. William West, *The Liberator*, 25 de setembro de 1846, citado em Foner, *Politics and Ideology*, p. 70; ver também Kraditor, *Means and Ends in American Abolitionism*, p. 248-249.

15. Garrison, *The Liberator*, 26 de março de 1847, citado em Foner, *Politics and Ideology*, p. 70-71; ver também Kraditor, *Means and Ends in American Abolitionism*, p. 249-250.

16. Wendell Phillips, *The Liberator*, 9 de julho de 1847, citado em Kraditor, *Means and Ends in American Abolitionism*, p. 250; ver também Foner, *Politics and Ideology*, p. 70-72.

17. John C. Calhoun, "Speech on the Reception of Abolition Petititions", Senado dos Estados Unidos, 6 de fevereiro de 1837, in: Eric L. McKitrick (org.), *Slavery Defended: The Views of the Old South* (Englewood Cliffs, N.J.: Prentice-Hall, 1963), p. 12-13, 18-19. Ver também George Fitzhugh, "Sociology for the South", em ibid., p. 48; e Larry E. Tise, *Proslavery: A History of the Defense of Slavery in America, 1701-1840* (Athens: University of Georgia Press, 1987), p. 308-362.

18. George Fitzhugh, *Cannibals All!, Or Slaves without Masters* (1857), org. por C. Vann Woodward (Cambridge, Mass: Harvard University Press, 1960), p. 52, 17.

19. Ibid., p. 18, 32.

20. Ibid., p. 72, 222-224.

21. James Henry Hammond, "Speech on the Admission of Kansas", Senado dos Estados Unidos, 4 de março de 1858, in: McKitrick, *Slavery Defended*, p. 123.

22. Rodgers, *Work Ethic in Industrial America*, p. 33.

23. Ibid., p. 34-35.

24. Foner, *Politics and Ideology*, p. 72.

25. Ibid. Ver em geral idem, *Free Soil, Free Labor, Free Men: The Ideology of the Republican Party before de Civil War* (Londres: Oxford University Press, 1970).

26. *The New York Times*, 19 de maio de 1854, citado em Foner, *Free Soil, Free Labor*, p. 95. Sobre o argumento do poder dos escravos em geral, ver ibid., p. 73-102, 309; e idem, *Politics and Ideology*, p. 41-50.

27. Foner, *Free Soil, Free Labor*, p. 90-91.

28. Ibid., p. 9-39.

O DESCONTENTAMENTO DA DEMOCRACIA

29. Ibid.; Carl Schurz citado na p. 11, Zachariah Chandler na p. 17.

30. Ibid., p. 40-65.

31. Ibid.; William Seward citado nas p. 69-70, Theodore Sedgwick na p. 310.

32. Ibid., p. 266; sobre o papel do racismo na política antiescravagista, ver ibid., p. 58-65, 261-300.

33. Ibid.; George Rathburn citado na p. 61, David Wilmot nas p. 60, 267. Sobre as visões raciais dos Barnburners e Free Soilers, ver Foner, *Politics and Ideology*, p. 77-93.

34. Frederick Douglass citado em Foner, *Politics and Ideology*, p. 49.

35. Fitzhugh, *Cannibals All!*, p. 201.

36. Abraham Lincoln, "First Debate with Stephen A. Douglas", Ottawa, Illinois, 21 de agosto de 1858, in: Roy P. Basler (org.), *The Collected Works of Abraham Lincoln*, 8 vols. (New Brunswick, N.J.: Rutgers University Press, 1953), vol. 3, p. 16; ver também ibid., p. 402. Sobre o ponto de vista republicano em relação aos direitos dos negros, ver Foner, *Free Soil, Free Labor*, p. 214-216, 290-295.

37. Lincoln, "Speech at Kalamazoo, Michigan", 27 de agosto de 1856, em Basler, *Collected Works*, vol. 2, p. 364.

38. Lincoln, "Annual Message to Congress", 3 de dezembro de 1861, em Basler, *Collected Works*, vol. 5, p. 51-52; ver também "Speech at Indianapolis, Indiana", 19 de setembro de 1859, em ibid., vol. 3, p. 468-469; "Address before Wisconsin State Agricultural Society", 30 de setembro de 1859, em ibid., vol. 3, p. 477-478; "Speech at Dayton, Ohio", 17 de setembro de 1859, em ibid., vol. 3, p. 459.

39. Lincoln, "Annual Message to Congress", p. 52-53; ver também "Address before Wisconsin State Agricultural Society", p. 478-479; "Speech in New Haven, Connecticut", 6 de março de 1860, em Basler, *Collected Works*, vol. 4, p. 24-25.

40. Foner, *Politics and Ideology*, p. 73-74.

41. Ibid., p. 32-33.

42. Rodgers, *Work Ethic in Industrial America*, p. 33.

43. *The New York Times*, 22 de fevereiro de 1869, citado em David Montgomery, *Beyond Equality: Labor and the Radical Republicans, 1862-1872* (Urbana: University of Illinois Press, 1981), p. 25-26. Para discussão sobre a transição para uma economia de assalariados, ver ibid., p. 3-44.

44. Montgomery, *Beyond Equality*, p. 28-30, 448-452.

45. Terence V. Powderly, "Address to the General Assembly of the Knights of Labor" (1880), in: Powderly, *The Path I Trod* (Nova York: Columbia University Press, 1940), p. 268; George E. McNeill (org.). *The Labor Movement: The Problem of Today* (Boston: A. M. Bridgman, 1887), p. 454.

46. McNeill, *The Labor Movement*, p. 485, 483, 495; ver também ibid., p. 462.

TRABALHO LIVRE *VERSUS* TRABALHO ASSALARIADO

47. William H. Sylvis, "Address Delivered at Chicago, January 9, 1865," in: James C. Sylvis (org.). *The Life, Speeches, Labors and Essays of William H. Sylvis* (Filadélfia: Claxton, Remsen & Haffelfinger, 1872), p. 129.

48. Ibid., p. 130, 148, 150; ver também Montgomery, *Beyond Equality*, p. 228-229.

49. Sylvis, "Address Delivered in Chicago", p. 168; Powderly, "Address to the Knights of Labor", p. 269; McNeill, *The Labor Movement*, p. 496, 466.

50. Terence V. Powderly, *Thirty Years of Labor, 1859-1889* (Columbus, Ohio: Excelsior, 1889), p. 453; Sylvis, "Address Delivered in Chicago", p. 169; Robert Howard citado em Leon Fink, *Workingmen's Democracy: The Knights of Labor and American Politics* (Urbana: University of Illinois Press, 1983), p. 10. Sobre as atividades culturais dos Knights, ver ibid., p. 3-15; e David Montgomery, "Labor and the Republic in Industrial America: 1860-1920", *Le mouvement social*, n° 111 (1980), p. 204-205.

51. E. L. Godkin, "The Labor Crisis", *North American Review*, 105 (julho de 1867), 186. Sobre Godkin e a relação dos reformadores da classe média com o movimento trabalhista em geral, ver Montgomery, *Beyond Equality*, p. 237-249; Rodgers, *Work Ethic in Industrial America*, p. 32-33, 42-45; e William E. Forbath, "The Ambiguities of Free Labor: Labor and the Law in the Gilded Age", *Wisconsin Law Review*, 1985, p. 787-791.

52. Godkin, "The Labor Crisis", p. 206-209.

53. Ibid., p. 212, 197; idem, "The Eight-Hour Muddle", *The Nation*, 4 (9 de maio de 1867), p. 374; idem, "The Labor Crisis", *North American Review*, p. 213.

54. Godkin, "The Labor Crisis", *The Nation*, 4 (25 de abril de 1867), p. 335; idem, "The Eight-Hour Movement", *The Nation*, 1 (26 de outubro de 1865), p. 517; idem, "The Working-Men and Politicians", *The Nation*, 5 (4 de julho de 1867), p. 11-12.

55. Godkin, "The Labor Crisis", *North American Review*, p. 181-182, 184, 186.

56. Ibid., p. 189-190.

57. Ibid., p. 179, 190-191; idem, "The Labor Crisis", *The Nation*, p. 335.

58. McNeill, *The Labor Movement*, p. 478-480; ver também Montgomery, *Beyond Equality*, p. 252.

59. Carta de um trabalhador ao Bureau of Labor Statistics citada em Montgomery, *Beyond Equality*, p. 237-238.

60. Ira Steward, "Poverty", *American Federationist*, 9 (abril de 1902), p. 159-160; idem, *A Reduction of Hours an Increase of Wages* (Boston: Boston Labor Reform Association, 1865), in: John R. Commons, *Documentary History of American Industrial Society*, vol. 9, p. 291, 295; ver ibid., p. 284-301. Sobre Steward e

O DESCONTENTAMENTO DA DEMOCRACIA

o movimento pela jornada de oito horas, ver Montgomery, *Beyond Equality*, p. 239-260; e Forbath, "Ambiguities of Free Labor", p. 810-812.

61. McNeill, *The Labor Movement*, p. 472-474, 482.

62. Ver Montgomery, *Beyond Equality*, p. 296-334.

63. William E. Forbath, *Law and the Shaping of the American Labor Movement* (Cambridge, Mass.: Harvard University Press, 1991), p. 38, 177-192.

64. *Slaughter-House Cases*, 83 Estados Unidos (16 Wallace) 36 (1873).

65. Ibid. na p. 110. Devo muito a Forbath, "Ambiguities of Free Labor", p. 772-782, por seu relato sobre os antecedentes republicanos para a dissidência de Field em *Slaughter-House*.

66. *Slaughter-House*, nas p. 90-92, 109-110.

67. Ibid. na p. 110. Veja também Forbath, "Ambiguities of Free Labor", p. 779-782.

68. *Godcharles v. Wigeman*, 113 Pa. St. 431, 6 A. 354, 356 (1886). Ver também *Ritchie v. People*, 115 Ill. 98, 40 N.W. 454 (1895). Um caso de Nova York, em *In re Jacobs*, 98 N.Y. 98 (1885), derrubou uma lei que proibia a fabricação de charutos em cortiços. Embora os trabalhadores envolvidos fossem terceirizados explorados e não artesãos autônomos, o tribunal argumentou que a lei os privava do direito de atuar em seu ramo. Ver Forbath, "Ambiguites of Free Labor", p. 795-800, e idem, *Law and Shaping*, p. 39-49.

69. *Lochner v. Nova York*, 198 U.S. 45, 61 (1905). Em um caso anterior, *Allgeyer v. Louisiana* (1896), a Corte havia decidido que a Décima Quarta Emenda protege a liberdade individual contra a violação do Estado, embora esse caso não envolvesse trabalho assalariado.

70. *Coppage v. Kansas*, 236 U.S. 1, 8-9, 12, 14, 17 (1914). Ver também *Adair v. Estados Unidos*, 208 U.S. 161, 174-175 (1908).

71. *Lochner*, na p. 69.

72. *Coppage*, nas p. 26-27, 38-41. Ver também *Holden v. Hardy*, 169 U.S. 366, 397 (1898).

73. Roscoe Pound, "Liberty of Contract", *Yale Law Journal*, 18 (maio de 1909), p. 471-472, citando lorde Northington do caso *Vernon v. Bethell*, 2 Eden, 110, 113.

74. Richard T. Ely, *Property and Contract in their Relations to the Distribution of Wealth*, vol. 2 (Nova York: Macmillan, 1914), p. 603, 731-732; ver também ibid., p. 568-569, 588-589, 604-605, 638, 697-698 e 722. Sobre as opiniões semelhantes de outros "economistas da nova escola" do final do século XIX, ver Sidney Fine, *Laissez Faire and the General-Welfare State* (Ann Arbor: University of Michigan Press, 1956), p. 198-251.

TRABALHO LIVRE *VERSUS* TRABALHO ASSALARIADO

75. Gerald N Grob, *Workers and Utopia* (Chicago: Northwestern University Press, 1961), p. 52-59, 109; Fink, *Workingmen's Democracy*, p. 9, 25, 36n; Laurie, *Artisans into Workers*, p. 157-163; Victoria Hattam, "Economic Visions and Political Strategies: American Labour and the State, 1865-1896", *Studies in American Political Development*, 4 (1990), p. 90-93.

76. McNeill, *The Labor Movement*, p. 456.

77. Grob, *Workers and Utopia*, p. 46-47; Rodgers, *Work Ethic in Industrial America*, p. 44; Laurie, *Artisans into Workers*, p. 155.

78. Laurie, *Artisans into Workers*, p. 174; Hattam, "Eonomic Visions and Political Strategies", p. 123-128; Grob, *Workers and Utopia*, p. 119-137.

79. John Mitchell citado em Rodgers, *Work Ethic in Industrial America*, p. 39.

80. Grob, *Workers and Utopia*, p. 37.

81. Samuel Gompers, "Testimony before Industrial Commission", Washington, D.C., 18 de abril de 1899, in: Gompers, *Labor and the Employer* (Nova York: E. P. Dutton, 1920), p. 291.

82. Samuel Gompers, "Labor and Its Attitude to Trusts", *American Federationist*, 14 (1907), p. 881; Hattam, "Economic Visions and Political Strategies", p. 100-106. Para referências a "assalariados" e "classes assalariadas", ver Samuel Gompers, *Seventy Years of Life and Labor*, vol. 1 (Nova York: E.P. Dutton, 1925), p. 284, 334.

83. Gompers, *Seventy Years of Life and Labor*, p. 244, 286.

84. James R. Sovereign (1894) citado em John R. Commons, *History of Labor in the United States*, vol. 2 (Nova York: Augustus M. Kelly, 1966 [1918]), p. 494-495.

85. Gompers, *Seventy Years of Life and Labor*, p. 335; Adolph Strasser citado em Fink, *Workingmen's Democracy*, p. 8.

86. Gompers, "Justice Brewer on Strikes and Lawlessness", *American Federationist*, 8 (1901), p. 122; ver Forbath, *Law and Shaping*, p. 128-135.

Capítulo 4   # Comunidade, autogoverno e reforma progressista

A concepção voluntarista de liberdade que surgiu no debate sobre o trabalho assalariado veio fundamentar gradualmente outros aspectos da política e do direito americanos. No decorrer do século XX, a noção de que o governo devia moldar o caráter moral e cívico de seus cidadãos deu lugar à noção de que o governo devia ser neutro em relação aos valores que seus cidadãos defendem, respeitando a capacidade de cada pessoa para escolher seus próprios objetivos. Nas décadas após a Segunda Guerra Mundial, por exemplo, o ideal voluntarista figurou com destaque nas justificativas para o Estado de bem-estar social e a expansão judicial dos direitos individuais. Os defensores do Estado de bem-estar costumavam argumentar que o respeito à capacidade de escolha de cada pessoa significava fornecer-lhe os pré-requisitos materiais da dignidade humana, como alimentação e abrigo, educação e emprego. Ao mesmo tempo, os tribunais expandiram os direitos de liberdade de expressão, liberdade religiosa e privacidade, muitas vezes em nome do respeito à capacidade dos indivíduos de escolherem suas próprias crenças e formas de vínculo.

Apesar das conquistas, no entanto, a vida pública fundamentada pela autoimagem voluntarista não foi capaz de corresponder inteiramente à aspiração ao autogoverno. Apesar da expansão dos direitos e prerrogativas individuais das últimas décadas, os americanos descobrem, para sua frustração, que seu controle sobre as forças que governam suas vidas está diminuindo em vez de aumentar. Ao mesmo tempo que a autoimagem liberal aprofunda seu domínio sobre a prática política e constitucional americana, há uma sensação generalizada de que estamos

O DESCONTENTAMENTO DA DEMOCRACIA

presos nas garras de estruturas impessoais de poder que desafiam nossa compreensão e nosso controle. O triunfo da concepção voluntarista de liberdade coincidiu, paradoxalmente, com uma crescente sensação de perda de poder.

Essa sensação de perda de poder surge do fato de que a autoimagem liberal e a organização real da vida social e econômica moderna estão fortemente em desacordo. Mesmo quando pensamos e agimos como indivíduos independentes, com livre-arbítrio, nos encontramos envolvidos em uma rede de dependências que não escolhemos e que cada vez mais rejeitamos. Essa condição levanta com força renovada a plausibilidade das preocupações republicanas. A tradição do republicanismo ensinava que ser livre é participar do governo de uma comunidade política que controla seu próprio destino. O autogoverno, nesse sentido, requer comunidades políticas que controlem seus destinos, assim como cidadãos que se identifiquem suficientemente com essas comunidades para pensar e agir com vistas ao bem comum.

É uma questão em aberto, na melhor das hipóteses, considerar se o autogoverno, nesse sentido, é possível sob as condições modernas. Em um mundo de interdependência global, mesmo os Estados-nação mais poderosos não são mais os donos de seu destino. E em uma sociedade pluralista tão diversa como a dos Estados Unidos, está longe de ser claro se nos identificamos suficientemente com o bem do todo para governar para um bem comum. Com efeito, a ausência de uma vida comum ao nível da nação motiva a deriva para a república procedimental. Se não podemos concordar sobre moralidade, religião ou objetivos supremos, argumentam os liberais contemporâneos, talvez possamos concordar em discordar em termos que respeitem os direitos das pessoas de escolherem seus fins por si mesmas. A república procedimental busca assim concretizar a concepção voluntarista de liberdade e, ao mesmo tempo, desvincular a política e o direito de uma substantiva controvérsia moral.

Mas o descontentamento e a frustração que afligem a política americana contemporânea indicam os limites da solução oferecida pela república procedimental. O descontentamento que ganhou força nas

COMUNIDADE, AUTOGOVERNO E REFORMA PROGRESSISTA

últimas décadas tem, sem dúvida, várias fontes, entre elas as expectativas frustradas de uma geração que atingiu a maioridade em um momento em que os Estados Unidos tinham obtido destaque mundial e a economia doméstica prometia um padrão de vida cada vez mais elevado. À medida que o crescimento econômico desacelerou nas últimas décadas, à medida que a interdependência global complicou o papel dos Estados Unidos no mundo, à medida que as instituições políticas se mostraram incapazes de resolver problemas domésticos como o crime, a pobreza, as drogas e a decadência urbana, o senso de domínio que prevalecia nos anos 1950 e no início dos anos 1960 deu lugar a uma sensação de paralisia e deriva.

Em outro nível, no entanto, além dessas frustrações particulares, a situação contemporânea da democracia liberal nos Estados Unidos pode remontar a uma deficiência na autoimagem voluntarista subjacente a ela. A sensação de impotência que aflige os cidadãos da república procedimental pode refletir a perda de agência que resulta quando a liberdade é desvinculada do autogoverno e depositada na vontade de um indivíduo independente, livre de laços morais ou comunitários que não tenha escolhido. Esse indivíduo, por mais liberto que seja do fardo das identidades que não escolheu, ainda que com acesso à gama de direitos assegurados pelo Estado de bem-estar, pode, no entanto, encontrar-se sobrecarregado no momento em que tiver que enfrentar o mundo com seus próprios recursos.

Se a política americana quiser revitalizar a vertente cívica da liberdade, ela deve encontrar uma maneira de perguntar quais arranjos econômicos são favoráveis ao autogoverno e como a vida pública de uma sociedade pluralista pode cultivar nos cidadãos a profunda autocompreensão que o engajamento cívico exige. Deve reavivar, em termos relevantes para o nosso tempo, a economia política da cidadania. Se a agenda política reinante, focada como está no crescimento econômico e na justiça distributiva, deixa pouco espaço para considerações cívicas, talvez seja útil relembrar como uma geração anterior de americanos debateu tais questões, em tempos anteriores à formação da república procedimental.

CONFRONTANDO UMA ERA DA ORGANIZAÇÃO

Nas últimas décadas do século XIX e nas primeiras décadas do século XX, os americanos abordaram essas questões com clareza e força. Pois foi então que o indivíduo com livre-arbítrio enfrentou pela primeira vez a nova era da organização, subitamente em escala nacional. "À medida que a rede de relações que afeta a vida dos homens se tornava, a cada ano, mais emaranhada e mais distendida, os americanos não sabiam mais basicamente quem eram ou onde estavam. O cenário havia se alterado além de seu poder de compreensão e, dentro de um contexto estranho, eles se perderam."[1]

Políticos e comentaristas sociais articularam as ansiedades de uma época em que a compreensão das pessoas sobre si mesmas não se encaixava mais no mundo social que habitavam. Falavam de indivíduos liberados das comunidades tradicionais, mas atolados pelas circunstâncias, desnorteados pela escala da vida social e econômica. Durante a campanha para a presidência em 1912, Woodrow Wilson afirmou: "Em nossos tempos há a sensação de que o indivíduo submergiu." A maioria dos homens da época não trabalhava por conta própria nem em parceria com outros, mas sim como empregados de grandes corporações. Sob tais condições, o indivíduo era "engolido" por grandes organizações, "preso numa confusa rede com todos os tipos de circunstâncias complicadas", "indefeso" diante de vastas estruturas de poder. No mundo moderno, "boa parte das relações cotidianas dos homens se estabelecem em torno de grandes preocupações impessoais, com organizações, e não com outros indivíduos. Esta é nada menos que uma nova era social, uma nova era de relacionamentos humanos."[2]

O filósofo John Dewey observou que a teoria do indivíduo com livre escolha "foi formulada exatamente no momento em que o indivíduo contava menos para o rumo dos assuntos sociais, um momento em que forças mecânicas e vastas organizações impessoais determinavam o quadro". Como surgiu essa situação paradoxal? De acordo com Dewey, as forças econômicas modernas libertaram o indivíduo dos

COMUNIDADE, AUTOGOVERNO E REFORMA PROGRESSISTA

laços comunais tradicionais e, assim, encorajaram autocompreensões voluntaristas, mas ao mesmo tempo enfraqueceram os poderes dos indivíduos e das unidades políticas locais. A luta pela emancipação em relação a comunidades tradicionais foi erroneamente "identificada com a liberdade do indivíduo enquanto tal; na intensidade da luta, associações e instituições foram condenadas indiscriminadamente como inimigas da liberdade, uma vez que eram produtos de acordo pessoal e escolha voluntária".[3]

Enquanto isso, o sufrágio em massa reforçou a autoimagem voluntarista, fazendo parecer que os cidadãos detinham o poder "de moldar as relações sociais com base na vontade individual. A vontade popular e o governo da maioria proporcionaram à imaginação um retrato de indivíduos com soberania individual irrestrita fazendo o Estado". Mas isso também ocultava uma realidade mais profunda e mais dura. O "espetáculo de 'homens livres' indo às urnas para determinar por suas volições pessoais as formas políticas sob as quais deveriam viver" era ilusório. Pois as próprias forças tecnológicas e industriais que dissolveram o domínio das comunidades tradicionais formaram uma estrutura de poder que governava a vida das pessoas de maneiras além do alcance da escolha individual ou de atos de consentimento. "Em vez dos indivíduos independentes e autônomos contemplados pela teoria, temos unidades intercambiáveis padronizadas. As pessoas estão juntas não porque escolheram voluntariamente se unir dessa forma, mas porque vastas correntes se estendem e prendem os homens." As novas estruturas econômicas eram "tão imensas e extensas" que determinavam o curso dos acontecimentos, e não os indivíduos, nem as comunidades políticas, nem mesmo o Estado.[4]

Naquela época, como agora, a falta de ajuste entre a forma como as pessoas concebiam suas identidades e a forma como a vida econômica era realmente organizada deu origem a temores sobre a perspectiva de um autogoverno. A ameaça ao autogoverno assumia duas formas. Uma era a concentração de poder acumulada por corporações gigantes; a outra era a erosão das formas tradicionais de autoridade e comunidade que governaram a vida da maioria dos americanos durante o primeiro século da república. Em conjunto, esses dois pontos enfraqueciam condições que tornaram possível o autogoverno. Uma economia nacional dominada por grandes corporações diminuía a autonomia das comunidades locais, que eram tradicionalmente o local do autogoverno. Enquanto isso, o crescimento de cidades grandes e impessoais, repletas de imigrantes, pobreza e desordem, levou muitos a temer que os americanos não tivessem coesão moral e cívica suficiente para governar de acordo com uma concepção compartilhada de boa vida.

A crise do autogoverno e a erosão da comunidade estavam intimamente ligadas. Como os americanos tradicionalmente exerciam o autogoverno como membros de comunidades descentralizadas, eles vivenciavam essa erosão como uma perda de agência, uma forma de impotência. Como observara Robert Wiebe: "A grande vítima da turbulência da América no final do século foi a autonomia das comunidades. Apesar de que a maioria dos americanos ainda permaneceria em centros relativamente pequenos por várias décadas, a sociedade que tinha como premissa a soberania efetiva da comunidade, com capacidade de gerenciar assuntos em seus confins, não funcionava mais. O que precipitou a crise foi uma perda generalizada de confiança nos poderes da comunidade."[5]

Com a perda da comunidade veio uma aguda sensação de deslocamento. Em um mundo impessoal, homens e mulheres tateavam em busca de orientação. À medida que os americanos "se distanciavam cada vez mais de suas comunidades, eles tentavam desesperadamente entender o mundo maior nos termos de seu ambiente pequeno e familiar". Seu fracasso alimentou um clima de ansiedade e frustração. "Estamos inquietos até as raízes de nosso ser", escreveu Walter Lippmann em 1914. "Não há uma relação humana, seja de pai e filho, marido e mulher, trabalhador e patrão, que não esteja numa situação estranha. Não estamos acostumados a uma civilização complicada, não sabemos como nos comportar quando o contato pessoal e a autoridade eterna desaparecem. Não há precedentes que nos guiem, nenhuma sabedoria

COMUNIDADE, AUTOGOVERNO E REFORMA PROGRESSISTA

que não tenha sido feita para uma época de maior simplicidade. Mudamos nosso ambiente mais rapidamente do que sabemos como mudar a nós mesmos." No centro da ansiedade estava a incapacidade das pessoas de entender o mundo onde se encontravam. "O homem moderno ainda não se encaixou em seu mundo", concluiu Lippmann. "É estranho para ele, aterrorizante, sedutor e incompreensivelmente grande."[6]

Apesar do deslocamento gerado, as novas formas de indústria, transporte e comunicação pareciam oferecer uma base mais nova e mais ampla para a comunidade política. De muitas maneiras, os americanos do início do século XX estavam mais intimamente ligados do que nunca. Ferrovias atravessavam o continente. O telefone, o telégrafo e o jornal diário colocavam as pessoas em contato com acontecimentos em lugares distantes. E um sistema industrial complexo vinculava as pessoas em um vasto esquema de interdependência que coordenava os esforços de profissionais diversos. Alguns viram na nova interdependência industrial e tecnológica uma forma de comunidade mais ampla. "O vapor nos deu eletricidade e fez da nação um bairro", escreveu William Allen White. "O cabo de eletricidade, o cano de ferro, a estrada de ferro, o jornal diário, o telefone, as linhas de tráfego transcontinental por via férrea e por água (...) fizeram de todos nós um só corpo — socialmente, industrialmente, politicamente. (...) É possível que todos os homens se compreendam."[7]

Observadores mais sóbrios não estavam tão seguros. O fato de os americanos se verem envolvidos em um complexo esquema de interdependência não garantia que se identificassem com ele ou que passassem a compartilhar uma vida em comum com outros desconhecidos, igualmente envolvidos. Como observou a reformadora social Jane Addams: "Em teoria, 'a divisão do trabalho' torna os homens mais interdependentes e humanos, reunindo-os em uma unidade de propósito." Mas tal unidade de propósito só seria viável se os participantes se sentissem orgulhosos do projeto que tivessem em comum e se considerassem donos da situação. "O mero fato mecânico da interdependência nada significa."[8]

O sociólogo Charles Cooley concordava: "Embora o indivíduo, num sentido meramente mecânico, seja parte de um todo mais amplo do que nunca, muitas vezes ele perdeu aquela participação consciente no todo da qual depende sua amplitude humana: a não ser que a vida mais ampla seja uma vida moral, ele não ganha nada nesse aspecto, e pode mesmo perder." Além disso, em virtude de sua escala, o sistema industrial moderno na verdade mina a identidade comum daqueles cujas atividades ele coordena. "O operário, o homem de negócios, o agricultor e o advogado colaboram com o todo, mas estando moralmente isolados pela própria magnitude do sistema, comumente não têm o todo vivendo em seu pensamento." Embora os novos meios de comunicação e de transporte fornecessem "a base mecânica" para uma solidariedade social mais ampla, estava em aberto, na melhor das hipóteses, se essa comunhão maior seria alcançada. "A vasta estrutura da indústria e do comércio permanece, em sua maior parte, desumanizada, e demonstrará ser um bem real ou não, a depender de nosso sucesso ou fracasso em torná-la vital, consciente, moral."[9]

A crescente lacuna entre a escala da vida econômica e os termos da identidade coletiva levou os pensadores sociais da época a enfatizar a distinção entre cooperação e comunidade. O sistema industrial era um esquema cooperativo no sentido de coordenar os esforços de muitos indivíduos; mas, a menos que esses indivíduos se interessassem pelo todo e considerassem sua atividade como uma expressão de sua identidade, não constituía uma comunidade genuína. "Os homens não formam uma comunidade, em nosso sentido restrito atual da palavra, meramente na medida em que cooperam", escreveu o filósofo Josiah Royce, em 1913. "Eles formam uma comunidade (...) quando não apenas cooperam, mas acompanham essa cooperação com aquela extensão ideal da vida dos indivíduos, pela qual cada membro cooperante diz: 'Esta atividade que realizamos juntos, este nosso trabalho, seu passado, seu futuro, sua sequência, sua ordem, seu sentido — tudo isso entra em minha vida e é a vida de meu próprio eu em grande escala.'"[10]

COMUNIDADE, AUTOGOVERNO E REFORMA PROGRESSISTA

Não obstante a interdependência que promovia, o sistema industrial moderno dificilmente inspiraria, na concepção de Royce, a identificação necessária para constituir uma vida em comum: "Há uma forte oposição mútua entre as tendências sociais que asseguram a cooperação em larga escala e as próprias condições que interessam ao indivíduo na vida comum de sua comunidade a ponto de fazerem parte de sua própria vida idealmente estendida." Dada a escala, poucos poderiam compreender, muito menos considerar o complexo esquema em que estavam enredados. "A maioria dos indivíduos, na maior parte de seu trabalho, tem que cooperar como as engrenagens cooperam nas rodas de um mecanismo."[11]

Na mesma linha, John Dewey argumentava que "nenhuma quantidade de ação coletiva agregada por si mesma constitui uma comunidade". Pelo contrário, a indústria e a tecnologia modernas uniam os homens numa forma impessoal de ação coletiva que desmantelava as comunidades tradicionais sem substituí-las: "A Grande Sociedade criada pelo vapor e pela eletricidade pode ser uma sociedade, mas não é uma comunidade. A invasão da comunidade pelos modos novos e relativamente impessoais e mecânicos de comportamento humano é o fato notável da vida moderna." Mais do que um fato, era também uma situação difícil, pois "a era das máquinas, ao desenvolver a 'Great Society' [Grande Sociedade], invadiu e desintegrou parcialmente as pequenas comunidades de outrora sem gerar uma Grande Comunidade".[12]

Para Dewey, a perda da comunidade não se resumia à perda de sentimentos comunitários, como a fraternidade e a empatia. Representava também a perda da identidade comum e da vida pública compartilhada necessárias ao autogoverno. A democracia americana tradicionalmente "desenvolvera-se a partir de uma vida comunitária genuína" baseada em centros locais e pequenas cidades. Com o advento da Grande Sociedade veio o "eclipse do público", a perda de uma esfera pública dentro da qual homens e mulheres pudessem deliberar sobre seu destino comum. Segundo Dewey, a democracia aguardava a recuperação do público, que dependia, por sua vez, de se forjar uma vida em comum à altura

O DESCONTENTAMENTO DA DEMOCRACIA

da economia moderna. "Até que a Grande Sociedade seja convertida em uma Grande Comunidade, o Público permanecerá em eclipse."[13]

REFORMA PROGRESSISTA: A AMBIÇÃO FORMATIVA

De um modo geral, a erosão da comunidade e a ameaça ao autogoverno na virada do século provocaram dois tipos de reação dos reformadores progressistas — uma procedimental; a outra, formativa. A primeira tentava tornar o governo menos dependente da virtude do povo, transferindo a tomada de decisões para gerentes, administradores e especialistas. Os reformadores municipais procuravam evitar a corrupção dos chefes dos partidos urbanos instituindo a administração da cidade por comissários apartidários e gestores municipais.[14] Os reformadores educacionais buscavam "tirar a política das escolas" transferindo a autoridade dos cidadãos locais para administradores profissionais.[15] Em geral, os progressistas recorriam às ciências sociais e às técnicas burocráticas para acomodar e ajustar as demandas conflitantes da vida social moderna. Cientistas e especialistas "constituiriam um tribunal neutro diante do qual pessoas de perspectivas diferentes poderiam apresentar seus conflitos, e cujos veredictos seriam aceitos de bom grado. Profissionais munidos do método científico permitiriam, assim, que se dispensasse o conflito e a incerteza que sempre caracterizaram o âmbito político".[16]

Em suas tentativas de separar governança e política, bem como regular os interesses concorrentes por meio de técnicas neutras e burocráticas, os reformadores progressistas acenavam para a versão de liberalismo que fundamentaria a república procedimental. Mas mesmo enquanto procuravam diminuir a necessidade de o governo confiar na virtude existente entre o povo, os progressistas mantiveram a ambição formativa da tradição do republicanismo e buscaram novas maneiras de elevar o caráter moral e cívico dos cidadãos. Isso foi especialmente verdadeiro para variados projetos de reforma urbana. Como explica

COMUNIDADE, AUTOGOVERNO E REFORMA PROGRESSISTA

Paul Boyer, o objetivo dos reformadores progressistas "era criar na cidade o tipo de ambiente físico que moldaria, de forma suave, mas irresistível, uma população de cidadãos cultos, morais e socialmente responsáveis".[17]

A luta contra tramoias urbanas e a corrupção municipal não era apenas em prol de um governo honesto e eficiente, mas também tinha o objetivo elevar o tom moral da cidade e dar um bom exemplo para os novos imigrantes. O movimento pela reforma dos cortiços visava não apenas a fazer justiça aos pobres, aliviando seu sofrimento físico, mas também a elevar o caráter moral e cívico dos moradores. "As condições físicas sob as quais essas pessoas vivem diminuem seu poder de resistir ao mal", afirmou um estudo. Outro estudo observava que "cidadãos do tipo certo não podem ser formados a partir de crianças que dormem em quartos escuros e sem janelas, em habitações superlotadas, onde a privacidade é desconhecida".[18]

Seguindo o exemplo do arquiteto paisagista do século XIX Frederick Law Olmsted, os defensores progressistas dos parques municipais colocavam-se em termos morais. Eles argumentavam que os parques não apenas realçariam a beleza da cidade, mas também promoveriam um espírito de vizinhança entre os moradores e combateriam a tendência à degradação moral.[19] Da mesma forma, o movimento pela implementação de parquinhos de recreação infantil nos anos progressistas tinha ambições maiores do que garantir o lazer para as crianças da cidade. Seu objetivo era nada menos do que "fabricar uma cidadania boa e robusta". Segundo seus partidários, o parquinho com suas caixas de areia, balanços e quadras de jogos, "seria o útero do qual emergiria uma nova cidadania urbana — honrada, trabalhadora e socialmente responsável". Como declarou um de seus defensores, o parquinho infantil poderia incutir "mais ética e boa cidadania (...) em uma única semana do que poderia ser inculcado pelos professores da escola dominical (...) em uma década".[20]

Joseph Lee, um líder do movimento em prol dos parquinhos, explicava como os esportes coletivos poderiam inculcar nas crianças "a pura experiência de cidadania em sua forma mais simples e essencial — de compartilhar uma consciência pública, de ter a organização social presente como um ideal controlador em seu coração". O ato de brincar serviria como uma "escola da cidadania" ao ensinar a forma como a comunidade genuína extrapola a mera cooperação para moldar a identidade dos participantes: "Um time não é apenas uma extensão da consciência do jogador; é uma parte de sua personalidade. Sua participação se aprofunda, da cooperação à adesão. Ele agora não faz apenas parte do time, mas o time também faz parte dele."[21]

Uma expressão mais efêmera da ambição formativa dos progressistas foi o cortejo histórico, um espetáculo cívico que empregava drama, música e dança para retratar a história das cidades para seus cidadãos. Comunidades em toda a América montaram esses espetáculos. O maior deles ocorreu em St. Louis em 1914, com um elenco de sete mil participantes e um público de cem mil espectadores em cada uma das quatro noites sucessivas na primavera. Concebidos como mais do que entretenimento, esses dramas cívicos buscavam inspirar um senso de cidadania comum e um propósito compartilhado entre os habitantes urbanos. "Enquanto os primeiros acordes da melodia (...) flutuavam sobre a vasta plateia naquela rara noite de maio", escreveu o presidente do desfile de St. Louis, "veio todo o sentimento de cidadania santificada, de interesse e confiança no próximo, de orgulho pela cidade".[22]

O movimento de planejamento urbano dos anos progressistas também refletiu a tentativa de elevar o caráter moral e cívico dos cidadãos. Cúpulas, fontes, estátuas e arquitetura pública serviriam à função didática de inspirar o orgulho cívico e melhorar o tom moral da vida urbana. O verdadeiro significado do planejamento urbano, explicou um funcionário da cidade de Nova York, era sua "poderosa influência para o bem sobre o desenvolvimento mental e moral das pessoas". Daniel H. Burnham, o principal urbanista e arquiteto cívico de Chicago, defendia que as estruturas municipais deveriam expressar a prioridade do bem público sobre os interesses privados. "A boa cidadania", afirmava ele, "é o principal objetivo do bom planejamento urbano."[23] Uma das esculturas públicas de maior destaque da Era Progressista foi o mítico monumento Virtude Cívica, instalado no parque diante da Prefeitura de Nova York.[24]

ECONOMIA POLÍTICA PROGRESSISTA

Por trás dos esquemas de reforma urbana e elevação moral, jaziam questões mais amplas de economia política: a democracia poderia sobreviver em uma economia dominada por grandes corporações? Com o declínio da autonomia das comunidaes, que novas formas de solidariedade social poderiam preparar homens e mulheres para governar o vasto mundo onde viviam? Em suma, como os americanos poderiam sanar a lacuna entre a escala da vida econômica moderna e os termos em que suas identidades foram concebidas?

O debate político na Era Progressista se concentrou em duas respostas a essas perguntas. Alguns procuravam preservar o autogoverno descentralizando o poder econômico e tornando-o passível de controle democrático. Outros consideravam a concentração econômica irreversível e buscavam controlá-la ampliando a capacidade das instituições democráticas nacionais.

A *visão descentralizadora*

A vertente descentralizadora do progressismo encontrou seu mais hábil defensor em Louis D. Brandeis, que antes de sua nomeação para a Suprema Corte era um advogado ativista e crítico ferrenho da concentração industrial. A principal preocupação de Brandeis era com as consequências cívicas dos arranjos econômicos. Ele se opunha a monopólios e trustes, não porque seu poder de mercado levava a preços mais altos ao consumidor, mas porque seu poder político minava o governo democrático.

O DESCONTENTAMENTO DA DEMOCRACIA

Na visão de Brandeis, as grandes empresas ameaçavam o auto-governo de duas maneiras: diretamente, ao esmagar as instituições democráticas e desafiar seu controle, e indiretamente, ao erodir as capacidades morais e cívicas que preparam os trabalhadores para pensar e agir como cidadãos. Tanto por seu medo da concentração de poder quanto por sua preocupação com as consequências formativas do capitalismo industrial, Brandeis trouxe para o debate do século XX antigos temas republicanos. Como Jefferson e Jackson, ele via o poder concentrado, fosse econômico ou político, como inimigo da liberdade. Os trustes não eram produto de forças econômicas naturais, argumentava Brandeis, mas sim o resultado de leis favoráveis e de manipulação financeira. A solução não era confrontar as grandes empresas com o peso do governo — isso apenas agravaria a "maldição da grandeza" —, mas romper os trustes e restaurar a concorrência. O governo não deveria tentar regular o monopólio, mas deveria regular a concorrência para proteger as empresas independentes das práticas predatórias dos monopólios e das redes nacionais. Só assim seria possível sustentar uma competição genuína e preservar uma economia descentralizada de empresas de base local passíveis de controle democrático.[25]

Além de compreender a concentração de poder como uma ameaça direta para a democracia, Brandeis se preocupava com os efeitos adversos do capitalismo industrial sobre o caráter moral e cívico dos trabalhadores. Como os republicanos do trabalho livre do século XIX, Brandeis considerava o trabalho assalariado industrial uma forma de dependência análoga à escravidão. Os operários da indústria siderúrgica, por exemplo, levavam "uma vida tão desumana que tornava nossa antiga escravidão negra infinitamente preferível, pois o senhor era dono do escravo e tentava manter sua propriedade em boas condições para seu proveito próprio. A Steel Trust, por outro lado, vê seus escravos como algo a ser esgotado e descartado." Os resultados eram a "degeneração física e moral" e a corrupção da cidadania americana.[26]

Brandeis mantinha a convicção republicana de que o trabalho livre não é aquele realizado voluntariamente em troca de um salário, mas

COMUNIDADE, AUTOGOVERNO E REFORMA PROGRESSISTA

sim o trabalho realizado em condições que cultivam as qualidades de caráter essenciais ao autogoverno. Por esse padrão, os operários americanos não poderiam ser considerados livres: "Pode ser realmente livre qualquer homem que, para sua mera subsistência, esteja constantemente em perigo de se tornar dependente de alguém e de algo além de seu próprio esforço e conduta?" Segundo Brandeis, a contradição entre "nossa grande liberdade política e esta escravidão industrial" não poderia persistir por muito tempo: "Ou a liberdade política será extinta ou a liberdade industrial deverá ser restaurada."[27]

Para Brandeis, a liberdade industrial não poderia ser obtida apenas com jornadas mais curtas, salários mais altos e melhores condições de trabalho. Tampouco se tratava de tornar o trabalho assalariado mais genuinamente voluntário, por meio da negociação coletiva, ou que a mão de obra obtivesse uma parcela maior de seus proveitos por meio da participação nos lucros. Por mais simpático que ele fosse a todas essas reformas, sua principal preocupação não era aperfeiçoar o consentimento nem assegurar a justiça distributiva, mas formar cidadãos capazes de autogoverno. Esse propósito formativo e cívico só poderia ser alcançado pela democracia industrial, aquela em que os trabalhadores participassem da gestão e compartilhassem da responsabilidade pelos rumos dos negócios.[28]

O reconhecimento dos sindicatos levou as relações capital-trabalho um passo além do "despotismo industrial" em direção a uma espécie de "monarquia constitucional" que pelo menos limitava "o poder anteriormente autocrático do empregador". A participação nos lucros foi outra melhoria. Mas a "democracia industrial plena" exigia uma partilha de responsabilidades, bem como de lucros. "Para que a negociação coletiva resulte em democracia industrial, ela deve ir além e criar praticamente um governo industrial", no qual os trabalhadores teriam voz e voto em questões de gestão, assim como cidadãos de uma democracia política têm voz e voto em questões de política pública.[29]

Brandeis era a favor da democracia industrial, não para melhorar a renda dos trabalhadores, por mais desejável que fosse, mas para

O DESCONTENTAMENTO DA DEMOCRACIA

melhorar suas capacidades cívicas: "A agitação, na minha opinião, nunca poderá ser extinta — e felizmente nunca será extinta — pela simples melhoria das condições físicas e materiais do trabalhador (...). Devemos ter em mente o tempo todo que, por mais que desejemos melhorias materiais e devamos desejá-las para o conforto do indivíduo, os Estados Unidos são uma democracia, e que, acima de tudo, devemos ter homens. É para o desenvolvimento da hombridade que qualquer sistema industrial e social deve ser direcionado." Para Brandeis, a formação de cidadãos capazes de autogoverno era um objetivo ainda mais elevado que a justiça distributiva. "Nós, americanos, estamos comprometidos não apenas com a justiça social no sentido de evitar (...) [uma] distribuição injusta de riqueza; mas temos um compromisso principalmente com a democracia." A "luta pela democracia" era inseparável da "luta pelo desenvolvimento do homem. É absolutamente essencial, para que os homens se desenvolvam, que eles sejam adequadamente alimentados e adequadamente alojados, e que tenham oportunidades adequadas de educação e recreação. Não podemos alcançar nosso objetivo sem tais coisas. Mas podemos ter tudo isso e ter uma nação de escravos."[30]

Na visão de Brandeis, a democracia industrial não poderia se enraizar em corporações gigantes. "Enquanto houver tal concentração de poder, nenhum esforço dos trabalhadores para garantir a democratização será eficaz."[31] Alinhado com a tradição da economia política do republicanismo, Brandeis procurava descentralizar o poder econômico, em parte para restaurar o controle democrático e também para o cultivo de trabalhadores-cidadãos capazes de compartilhar o autogoverno.

Como Brandeis, Woodrow Wilson via no poder concentrado dos trustes uma ameaça à democracia. As propostas de sua plataforma "New Freedom" [Nova Liberdade] prometia diminuir o poder do monopólio sobre o governo e restaurar as condições de independência econômica que formavam a base da liberdade nos Estados Unidos do século XIX. Desde seu primeiro encontro com Brandeis no verão de 1912, Wilson fez campanha para a presidência insistindo que, em vez de regular o monopólio, como Theodore Roosevelt propunha, o governo deveria procurar restaurar e regular a competição.[32]

COMUNIDADE, AUTOGOVERNO E REFORMA PROGRESSISTA

Mas Wilson não era um adepto inabalável dos ensinamentos de Brandeis. Ao contrário de seu conselheiro, ele procurava estabelecer a distinção entre os trustes, que cresceram por meios artificiais e destruí-ram a concorrência, e os grandes negócios que atingiram seu tamanho "naturalmente", como resultado da concorrência efetiva. "Sou a favor das grandes empresas", declarou Wilson, "sou contra os monopólios." Mas essa distinção não se encaixava bem com o argumento mais geral de Wilson, e ele nem sempre a observava. Seu principal argumento contra o monopólio era que ele frustrava a política democrática e mi-nava as qualidades de caráter exigidas pelo autogoverno. Desse ponto de vista, o que importava eram o tamanho e o poder das corporações gigantes, e não suas origens. "A organização dos negócios tornou-se mais centralizada", afirmou Wilson, "muito mais centralizada do que a organização política do próprio país. As corporações passaram a cobrir áreas maiores do que os estados (...) [excederam] estados em seus orça-mentos e se destacaram mais do que países em sua influência sobre as vidas e fortunas de comunidades inteiras de homens (...). O que temos que fazer é desembaraçar essa colossal 'comunidade de interesse'."[33]

Tão poderosas eram as forças do monopólio que era "quase uma questão em aberto se o governo dos Estados Unidos com apoio do povo seria forte o suficiente para superá-las e governá-las". Wilson exortava os americanos a arrancar a prerrogativa democrática do poder do monopólio: "Se o monopólio persistir, o monopólio sempre estará no comando do governo (...). Se há homens neste país que sejam grandes o suficiente para assumir o governo dos Estados Unidos, eles assumirão; o que temos que determinar agora é se somos grandes o suficiente, se somos homens o suficiente, se somos livres o suficiente para tomar mais uma vez a posse do governo que é nosso. Não tivemos acesso livre ao governo, nossas mentes não o tocaram para oferecer orientação em meia geração."[34]

Seu oponente, Theodore Roosevelt, propunha aceitar e regular o poder de monopólio. Wilson atacava este movimento como uma espécie de capitulação. "Nós tememos o tempo todo a hora em que o poder combinado das altas finanças seria maior do que o poder do governo", argumentava Wilson. "Chegamos a um momento em que o presidente dos Estados Unidos ou qualquer homem que deseje ser o presidente deve tirar o boné na presença dessa alta finança e dizer: 'Você é nosso mestre inevitável, mas veremos como vamos tirar o melhor da situação'?"[35]

Além da ameaça direta que o monopólio representava para o governo democrático, Wilson também se preocupava com os efeitos do capitalismo em larga escala sobre o caráter moral e cívico dos americanos. Uma economia dominada por grandes corporações enfraquecia as comunidades locais e desencorajava a independência, a iniciativa e o espírito empreendedor que preparavam os cidadãos para o autogoverno. Embora não demonstrasse o entusiasmo de Brandeis pela democracia industrial, Wilson culpabilizava a economia moderna por reduzir a maioria dos homens à condição de empregados, o que ele não considerava totalmente compatível com a liberdade. Nessa medida, ele compartilhava as preocupações formativas da economia política do republicanismo. "Na maior parte do nosso país", lamentava Wilson, "os homens trabalham, não para si mesmos, não em parcerias como costumavam trabalhar antigamente, mas em geral como empregados (...) das grandes corporações." Mas ser "servo de uma corporação" era "não ter voz" em políticas estabelecidas por uns poucos poderosos, políticas muitas vezes em desacordo com o interesse público.[36]

As simpatias de Wilson estavam com "homens que estão abrindo seu caminho, e não com os homens que já chegaram lá". Ele evocava memórias de uma época em que a maioria dos americanos não eram servos sem voz em grandes corporações, mas sim trabalhadores independentes ou empreendedores. Era uma época anterior à concentração de poder em vastas unidades econômicas, uma "época em que a América estava em cada vilarejo, quando a América era vista em cada belo vale, quando a América exibia suas grandes forças nas vastas pradarias, fazia arder os bons fogos do empreendimento pelas encostas das montanhas e pelas entranhas da terra, e homens ávidos eram por toda parte capitães da indústria, não empregados; não olhavam para uma cidade distante para descobrir o que nelas poderiam fazer, mas olhavam entre seus vizinhos, encontrando crédito de acordo com seu caráter, não de acordo com seus relacionamentos".[37]

Wilson rejeitava a ideia de que uma nação de empregados fosse adequada à liberdade. Se os futuros filhos da América "abrirem os olhos em um país onde devem ser empregados ou mais nada (...) então eles verão uma América que teria provocado o pranto dos fundadores desta República". Para Wilson, restaurar a liberdade significava restaurar uma economia descentralizada que criasse cidadãos independentes e permitisse que as comunidades locais fossem donas de seus destinos em vez de vítimas de forças econômicas fora de seu controle. "Em tudo o que eu tiver que fazer em assuntos públicos nos Estados Unidos, vou pensar nas cidades (...) do velho padrão americano, que possuem e operam suas próprias indústrias. (...) Meu pensamento estará voltado para a multiplicação de cidades desse tipo e para impedir a concentração industrial neste país de tal maneira e em tal escala que seja impossível existirem cidades que possuam a si mesmas."[38]

De acordo com Wilson, a vitalidade da América não jazia em Nova York, Chicago ou em outras grandes cidades, mas no "empreendimento do povo por toda a terra", nutrido por "comunidades americanas livres", de pequena escala e autossuficientes. À medida que essas comunidades perdiam o controle de seus destinos econômicos para grandes corporações, a liberdade americana era ameaçada. "Se a América desencorajar a localidade, a comunidade, a cidade autossuficiente", alertava Wilson, "ela matará a nação."[39] A descentralização do poder econômico era essencial para preservar as comunidades que cultivavam as virtudes que o autogoverno requeria.

A *visão nacionalista*

Outro ramo do movimento progressista oferecia uma resposta diferente à ameaça representada pelo poder corporativo. Em vez de descentralizar a economia para torná-la passível de controle democrático por unidades

O DESCONTENTAMENTO DA DEMOCRACIA

políticas locais, Theodore Roosevelt propunha um "New Nationalism" [Novo Nacionalismo] para regular os grandes negócios a partir do aumento da capacidade do governo nacional. "O grande negócio se nacionalizou", declarou Roosevelt em 1910, "e a única maneira eficaz de controlá-lo e dirigi-lo e prevenir os abusos relacionados a ele é fazer com que o povo nacionalize o controle governamental para atender à nacionalização dos grandes negócios."[40]

Como Brandeis e Wilson, Roosevelt temia as consequências políticas da concentração de poder econômico. As grandes empresas corrompiam o governo em nome do lucro e ameaçavam sobrecarregar as instituições democráticas. "A suprema tarefa política de nossos dias", proclamava Roosevelt, "é expulsar os interesses específicos de nossa vida pública." Essa tarefa exigia que os cidadãos dos Estados Unidos "controlassem as poderosas forças comerciais que eles mesmos criaram" e retomassem o autogoverno, tirando-o das garras do poder corporativo. "A corporação é a criatura do povo; e não deve ser permitido que ela se torne governante do povo."[41]

Roosevelt discordava dos descentralizadores em relação à forma de restaurar o controle democrático. Ele considerava as grandes corporações um produto inevitável do desenvolvimento industrial e não via sentido em tentar recuperar a economia política descentralizada do século XIX. Aqueles progressistas que buscavam restaurar uma economia competitiva de pequenas unidades representavam "uma espécie de toryismo rural,* que deseja tentar a impossível tarefa de retornar às condições econômicas de sessenta anos atrás". Eles fracassavam em reconhecer a necessidade de concentração industrial e a necessidade de "enfrentá-la por um aumento correspondente do poder governamental sobre as grandes empresas".[42]

---

* Uma referência aos *tories*, originalmente uma facção política na Grã-Bretanha do século XVII, depois transformada no Partido Tory – que foi dissolvido quando incorporado ao Partido Conservador, fundado em 1834. O uso do termo *tory* segue vinculado ao conservadorismo, e remete ao tradicionalismo e ao monarquismo – em oposição aos *whigs*, tradicionalmente ligados ao liberalismo clássico britânico. [N. do R. T.]

COMUNIDADE, AUTOGOVERNO E REFORMA PROGRESSISTA

"As combinações na indústria são o resultado de uma lei econômica imperativa", argumentava Roosevelt, "que não pode ser revogada pela legislação política. O esforço para proibir todas as combinações fracassou substancialmente. A saída não está em tentar impedir tais combinações, mas em controlá-las completamente conforme o interesse do bem-estar público." Como a maioria das grandes corporações operava no comércio interestadual ou exterior, fora do alcance dos estados individualmente, apenas o governo federal estaria apto para a tarefa de controlá-las. O poder do governo nacional tinha que crescer para corresponder à escala do poder corporativo.[43]

Ao abraçar o poder consolidado, o New Nationalism de Roosevelt marcava uma ruptura com o pensamento político republicano. A tradição do republicanismo ensinara os americanos a temer o poder concentrado, econômico ou político, considerado hostil à liberdade. De Jefferson a Brandeis, a economia política da cidadania em suas várias expressões opunha-se à tendência para a grandeza. Roosevelt, por sua vez, argumentava que a economia de escala tinha chegado para ficar, e que a única maneira de recuperar o controle democrático era abandonando o impulso republicano de dispersar o poder. Sob condições econômicas modernas, o poder disperso não mais serviria à causa do autogoverno: "As pessoas falam como se fosse uma inovação nacionalizar o controle do governo das grandes empresas. A inovação veio dos empresários que nacionalizaram os negócios. Tudo o que desejamos fazer em nome do povo é enfrentar a nacionalização do grande negócio pelo controle estatal nacional."[44]

Mas mesmo à medida que renunciava ao aspecto descentralizador da tradição do republicanismo, o New Nationalism aderia a seu aspecto formativo. Assim como os republicanos desde os tempos de Jefferson, Roosevelt se preocupava com as consequências cívicas dos arranjos econômicos e procurava cultivar nos cidadãos as qualidades de caráter essenciais para o autogoverno. Seu objetivo não era apenas reduzir o domínio dos grandes negócios sob o governo, mas também ampliar a autocompreensão dos cidadãos americanos e incutir o que ele chamava

O DESCONTENTAMENTO DA DEMOCRACIA

de "um despertar moral genuíno e permanente", "um espírito de nacionalismo amplo e de longo alcance".[45] Mais do que um programa de reforma institucional, o New Nationalism foi um projeto formativo que buscava cultivar um novo sentido de cidadania nacional.

Para Roosevelt, a política progressista era enfaticamente um empreendimento de elevação moral. "O principal problema de nossa nação é obter o tipo certo de boa cidadania", afirmava. O governo democrático não poderia ser indiferente à virtude de seu povo. "Em uma democracia como a nossa, não podemos esperar que o riacho se erga mais do que sua nascente. Se o homem médio e a mulher média não forem do tipo certo, os homens públicos não serão do tipo certo."[46]

Roosevelt às vezes identificava a virtude cívica que ele esperava inspirar com a árdua dedicação ao dever demonstrada por aqueles que combateram na Guerra Civil.[47] Em outras ocasiões, ele falou mais modestamente das "virtudes caseiras" da honestidade, coragem e do senso comum e as virtudes políticas de saber quais são seus deveres e cumpri-los.[48] Mas seu objetivo principal era persuadir seus concidadãos a se elevarem acima das preocupações materiais que ameaçavam distraí-los de fins mais nobres. "Se há uma coisa que devemos desejar evitar como nação é o ensinamento daqueles que reforçariam os impulsos inferiores de nossos corações e nos ensinariam a buscar apenas uma vida sem esforço, de facilidades, de mero conforto material."[49]

Em seu temor de que o poder do luxo corrompesse a alma do cidadão, Roosevelt expressava um tema antigo da economia política no republicanismo: "O desenvolvimento material não significa nada como um fim em si mesmo para uma nação. Se a América vier a representar simplesmente o acúmulo daquilo que significa conforto e luxo, então ela representará pouco, de fato, quando vista pelas perspectivas das eras." Somente se a América tratasse a abundância material "como a base sobre a qual construir a vida real, a vida de esforço e realização espiritual e moral", ela representaria algo digno de ser lembrado. "O bem-estar material é um grande bem, mas é um grande bem principalmente como meio para a edificação, sobre ele, de um tipo elevado e bom de caráter, privado e público."[50]

COMUNIDADE, AUTOGOVERNO E REFORMA PROGRESSISTA

Enquanto Roosevelt era o principal porta-voz do New Nationalism, Herbert Croly era seu principal filósofo. Em *The Promise of American Life* [A promessa da vida americana, 1909], Croly expôs a teoria política subjacente à vertente nacionalista do progressismo. Ao contrário de Brandeis e dos descentralizadores, Croly defendia a aceitação da escala da organização industrial moderna e a ampliação da capacidade das instituições democráticas nacionais para controlá-la. A tradição jeffersoniana de poder disperso era agora um obstáculo, não uma contribuição para a política democrática. Dada "a crescente concentração da vida industrial, política e social americana", o governo americano "exige mais centralização e não menos". Mas, de acordo com Croly, o sucesso da democracia exigia mais do que a centralização do governo. Exigia também a nacionalização da política. A organização primária da comunidade política tinha que ser reformulada em escala nacional.[51]

"A nacionalização da vida política, econômica e social americana significa algo mais do que a centralização federal", explicava Croly. Também significava inspirar nos cidadãos um novo senso de identidade nacional, ou moldar as pessoas "em algo mais parecido com uma nação". Essa foi a maneira de diminuir a lacuna, tão intensamente sentida na Era Progressista, entre a escala da vida americana e os termos da identidade americana. Dado o escopo nacional da economia moderna, a democracia exigia "uma crescente nacionalização do povo americano em ideias, instituições e espírito". Uma intensificação da vida nacional serviria à democracia ao cultivar cidadãos capazes de governar uma economia e uma sociedade agora em escala nacional.[52]

Embora Croly tenha renunciado à noção de Jefferson de que a democracia depende do poder disperso, ele compartilhava da convicção de que os arranjos econômicos e políticos devem ser julgados pelas qualidades de caráter que promovem. De modo repetido e explícito, Croly escreveu sobre o "propósito formativo" da vida democrática. Mais do que um esquema de governo da maioria ou liberdade individual ou direitos iguais, a democracia tinha como propósito maior o aperfeiçoamento moral e cívico do povo. "Sua superioridade deve se basear no fato de que a democracia é a melhor tradução possível, em termos políticos e sociais, de uma ideia moral autoritária e abrangente." Para Croly, o projeto de nacionalização do caráter americano era "uma transformação política essencialmente formativa e esclarecedora". Seu objetivo, "a criação gradual de um tipo superior de indivíduo e de vida associada".[53]

A democracia americana só poderia avançar à medida que a nação se tornasse cada vez mais uma nação, o que exigia, por sua vez, uma educação cívica que inspirasse nos americanos um senso mais profundo de identidade nacional. Os instrumentos primários dessa educação cívica não eram as escolas como tais, mas as instituições e práticas de uma vida democrática nacional. "A escola nacional é (...) a vida nacional". "A nação, como o indivíduo, deve ir à escola; e a escola nacional não é uma sala de aula ou uma biblioteca", mas uma vida democrática dirigida a um propósito coletivo.[54]

Longe do liberalismo da república procedimental, que busca não promover uma concepção particular de virtude ou de excelência moral, o nacionalismo democrático de Croly se baseava na convicção de que "a natureza humana pode ser elevada a um nível superior por um aprimoramento nas instituições e nas leis". O objetivo da democracia não era atender aos desejos das pessoas, mas elevar seu caráter, ampliar suas simpatias e aumentar seu espírito cívico. "Para o bem ou para o mal", concluía Croly, "a democracia não pode ser desvinculada de uma aspiração à perfeição humana (...). O princípio da democracia é a virtude."[55]

As versões descentralizadora e nacionalizadora da reforma progressista encontraram expressão memorável na disputa de 1912 entre Woodrow Wilson e Theodore Roosevelt.[56] "Foi a única vez, exceto talvez pela primeira eleição de Jefferson em 1800, que uma campanha presidencial colocou no ar questões que beiravam a filosofia política", observou um historiador.[57] Do ponto de vista dos desdobramentos subsequentes, no entanto, o maior significado da campanha de 1912 esteve nos pressupostos compartilhados pelos protagonistas. Wilson e Brandeis, de um lado, e Croly e Roosevelt, do outro, concordavam, apesar de suas diferenças, que as instituições econômicas e políticas deveriam ser avaliadas pela tendência a promover ou corroer as qualidades morais exigidas pelo autogoverno. Como Jefferson no passado, eles se preocupavam com o tipo de cidadão que poderia ser produzido pelos arranjos econômicos da época. Defendiam, de diferentes maneiras, uma economia política da cidadania.

A ênfase cívica da economia política a diferencia dos debates familiares em nossos dias, concentrados no crescimento econômico e na justiça distributiva. Esse contraste pode ser visto com mais clareza à luz de uma terceira vertente da reforma progressista. Pois, ao lado dos argumentos cívicos dos descentralizadores e nacionalistas, começou a tomar forma um novo modo de pensar e de falar sobre economia política. Embora tenha encontrado apenas uma expressão inicial na Era Progressista, essa terceira vertente de argumentação acabaria por definir os termos do debate político americano. A terceira voz da reforma progressista buscava a salvação da democracia em uma solidariedade diferente e menos árdua. Encorajava os americanos a enfrentarem o mundo impessoal dos grandes negócios e dos mercados centralizados, não como membros de comunidades tradicionais ou adeptos de um novo nacionalismo, mas como consumidores esclarecidos e empoderados.

A *visão consumista*

Enquanto os americanos lutavam para abrir caminho em uma economia que se tornara de escala nacional, alguns buscavam uma base de identidade compartilhada e propósito comum que pudesse transcender as diferenças de ocupação, etnia e classe. Eles procuravam "um denominador comum mundano", uma "nova ideologia de solidariedade social enraizada na experiência comum". A experiência comum a que apelaram foi o consumo.[58]

O DESCONTENTAMENTO DA DEMOCRACIA

Na virada do século, os progressistas de Wisconsin, por exemplo, baseavam seu movimento na noção de que "todos os homens e mulheres são, afinal de contas, consumidores — de preços altos, de produtos defeituosos e de políticos indiferentes; o papel de consumidor os obrigou a adotar uma causa em comum". Em vez de enfatizar questões em torno do produtor, como a democracia industrial, esses progressistas se concentravam em problemas confrontados pelas pessoas enquanto consumidoras e contribuintes, como por exemplo o alto preço das passagens de bonde, a elevada tributação imposta por políticos corruptos e a poluição do ar provocada pelo sistema de energia elétrica. As reformas defendidas buscavam promover os interesses de consumidores e contribuintes por meio de várias formas de democracia direta — primárias diretas, iniciativa, referendo, revogação, eleição direta de senadores e sufrágio feminino. O objetivo era "uma nova política de massa que unisse os homens enquanto consumidores e contribuintes em oposição à velha política baseada em identidades étnicas e produtoras".[59]

No início do século XX, o cidadão enquanto consumidor era uma presença política crescente. "O verdadeiro poder emergente na política democrática nos dias de hoje é apenas a massa de pessoas que clamam contra o 'alto custo de vida'", escreveu Walter Lippmann em 1914. "Esse é o clamor de um consumidor. Longe de ser impotente, é, creio eu, destinado a ser mais forte do que o interesse do trabalho ou do capital." Lippmann previa que o sufrágio feminino aumentaria o poder do consumidor, pois "a massa de mulheres não contempla o mundo como trabalhadoras, [mas] como consumidoras. São elas que vão ao mercado e fazem as compras; são elas que têm que dar conta do orçamento familiar; são elas que sentem a mesquinhez, a fraude e os preços altos mais diretamente". O crescimento de grandes organizações de varejo, como as lojas de departamentos, redes de lojas e empresas de compras por correspondência, também encorajou os americanos a pensar e agir politicamente enquanto consumidores. Assim como a produção em grande escala possibilitou a solidariedade entre os trabalhadores, os mercados varejistas centralizados possibilitavam "a solidariedade do consumidor".[60]

COMUNIDADE, AUTOGOVERNO E REFORMA PROGRESSISTA

Lippmann não abraçava a sociedade de consumo com "pura alegria". Ele deplorava a publicidade moderna como um "clamor enganoso que desfigura a paisagem, cobre cercas, emplastra a cidade, e pisca e cintila durante a noite", evidência do fato de que "os consumidores são uma turba inconstante e supersticiosa, incapaz de qualquer julgamento real sobre o que quer". Mas ele previa que, mesmo assim, o consumidor se tornaria "o verdadeiro senhor da situação política".[61]

Nem todos compartilhavam das ressalvas de Lippmann. O historiador Daniel Boorstin narrou o advento das "comunidades de consumo" em termos quase líricos, descrevendo seu surgimento nas primeiras décadas do século como um episódio novo e revigorante na experiência democrática americana: "Novas comunidades invisíveis foram criadas e preservadas pelo modo e por aquilo que os homens consumiam. As antigas guildas de fabricantes, a comunhão de segredos, habilidades e tradições na fabricação de coisas — mosquetes, tecidos, ferraduras, carroças e armários — foram substituídas pelas associações de consumidores maiores e mais abertas (...). Nenhuma transformação americana foi mais notável do que essas novas formas de fazer com que objetos de posse e de inveja se tornassem veículos para a construção de comunidade."[62]

Redes de lojas como A&P, Woolworth's e Walgreens, lojas de encomenda postal como Montgomery Ward e Sears, e marcas como Borden's, Campbell's, Del Monte e Morton Salt uniram inúmeros americanos em novas comunidades de consumo: "Agora os homens se associavam menos pelo que acreditavam e mais pelo que consumiam. (...) Homens que nunca se viram nem se conheciam se uniam pelo uso comum de objetos tão semelhantes que não podiam ser distinguidos nem mesmo por seus donos. Essas comunidades de consumo foram velozes. Não eram ideológicas, eram democráticas, públicas, vagas e se alteravam rapidamente (...). Tantos homens nunca estiveram unidos por tantas coisas." Boorstin reconhecia que "as novas comunidades de consumo eram (...) mais superficiais em suas lealdades, mais superficiais em seus serviços" do que as comunidades tradicionais de bairro.

O DESCONTENTAMENTO DA DEMOCRACIA

Eram, no entanto, "onipresentes, tocando de algum modo o consumidor americano a cada momento e até mesmo enquanto ele dormia".[63]

A afirmação mais completa da visão da reforma progressista baseada no consumidor foi a *New Democracy* [Nova Democracia, 1912], de Walter Weyl.[64] Economista e jornalista, Weyl se juntou a Croly e Lippmann como editor fundador do *New Republic* e ajudou a promover a causa progressista defendida por Theodore Roosevelt.[65] Como Croly, ele buscava uma solidariedade nova e democrática para confrontar o poder não democrático das grandes empresas, "a plutocracia", como ele a chamava. Mas, em vez de buscar um novo nacionalismo, Weyl via a maior esperança da democracia na solidariedade dos consumidores. Assim como os movimentos de reforma anteriores haviam surgido das identidades de produtores americanos (como agricultores ou artesãos, pequenos empresários ou operários), a reforma agora exigia reunir os americanos em seu papel de consumidores.

"Na América de hoje, a força econômica unificadora, sobre a qual está se formando uma maioria hostil à plutocracia, é o interesse comum do cidadão enquanto consumidor", declarou Weyl. "O produtor (que é apenas o consumidor em outro papel) é altamente diferenciado. Ele é banqueiro, advogado, soldado, alfaiate, fazendeiro, engraxate, mensageiro. Ele é capitalista, trabalhador, empresta dinheiro, faz empréstimos, trabalhador urbano, trabalhador rural. O consumidor, por outro lado, é indiferenciado. Todos os homens, mulheres e crianças que compram sapatos (com o fabricante de sapatos como única exceção) estão interessados em sapatos bons e baratos. Os consumidores da maioria dos artigos estão em números esmagadoramente superiores aos produtores."[66]

No passado, "a produção parecia ser o único fato econômico governante da vida de um homem". As pessoas se preocupavam mais com os salários do que com os preços e, portanto, agiam politicamente principalmente como produtores. Isso gerou políticas, como as tarifas, que ajudavam poucos em detrimento de muitos. Mas o crescimento do capitalismo monopolista diminuiu o interesse direto dos trabalhadores

COMUNIDADE, AUTOGOVERNO E REFORMA PROGRESSISTA

em seu produto, ao mesmo tempo que aumentou a preocupação com os preços em ascensão. "A universalidade do aumento dos preços começou a afetar o consumidor como um ataque de um milhão de mosquitos." De acordo com Weyl, "a principal ofensa do truste" não estava em sua ameaça ao autogoverno, mas em sua "capacidade de prejudicar o consumidor". Isso levou à esperança de mobilizar os consumidores para a causa da reforma progressista. "O consumidor, desenterrado de sepultura, reaparece na arena política como o 'homem comum', o 'povo comum', o 'passageiro do trem lotado', 'o homem da rua', 'o contribuinte', o 'consumidor final'. Homens que votavam como produtores passaram a votar como consumidores."[67]

Mas a mudança da reforma baseada no produtor para a reforma baseada no consumidor era mais do que uma nova maneira de organizar interesses. Refletia uma mudança no objetivo da reforma e na visão de democracia que lhe era implícita. Na tradição do republicanismo de economia política que informava o debate americano do século XIX, as identidades dos produtores importavam porque o mundo do trabalho era visto como a arena na qual, para o bem ou para o mal, se formava o caráter dos cidadãos. O consumo, quando figurava na economia política republicana, era algo a ser moderado, disciplinado ou restringido em prol de fins superiores.[68] Um excesso de consumo, ou de luxo, era muitas vezes visto como uma forma de corrupção, uma medida da perda da virtude cívica. Do republicanismo agrário de Jefferson à celebração do trabalho livre de Lincoln e o apelo de Brandeis pela democracia industrial, a ênfase nas identidades dos produtores refletia a tentativa de criar nos cidadãos as qualidades de caráter necessárias ao autogoverno.

Uma política baseada em identidades do consumidor muda a questão. Em vez de perguntar como elevar, melhorar ou restringir as preferências das pessoas, ela pergunta qual a melhor forma — mais completa, justa ou eficiente — de satisfazê-las. A mudança para a reforma baseada no consumidor no século XX desviava-se, portanto, da ambição formativa da tradição do republicanismo, afastando-se da economia política da cidadania. Embora não vissem seu movimento exatamente dessa maneira, os progressistas que instavam os americanos a se identificarem com seus papéis de consumidores em vez de produtores ajudaram a transformar a política americana em uma economia política de crescimento e de justiça distributiva, cuja plena expressão seria vista em décadas futuras.

Weyl não renunciava explicitamente à tradição cívica, mas articulava, com notável clareza, a ligação entre a reforma baseada no consumidor e uma economia política de crescimento e justiça distributiva. Enquanto Brandeis e Croly falavam do propósito formativo da democracia, de seu papel no aperfeiçoamento ou na elevação do caráter dos cidadãos, a "nova democracia" de Weyl não assumia nenhuma missão formativa. Seu objetivo não era a virtude, mas a abundância econômica e a distribuição justa da abundância. O objetivo da democracia não era cultivar a virtude dos cidadãos, mas alcançar "a mais ampla gama de satisfações econômicas".[69]

"É a crescente riqueza da América", escreveu Weyl, "na qual a esperança de uma democracia plena deve se basear." É o crescimento econômico, ou o "excedente social", que "dá aos nossos esforços democráticos um impulso moral e uma sanção moral". Weyl não afirmava que maximizar a riqueza nacional era um fim em si mesmo. Pelo contrário, o problema com o padrão de crescimento econômico existente era sua distribuição desigual. "O que o povo quer não é riqueza, mas riqueza distribuída; não um aumento estatístico da renda nacional, mas mais satisfações econômicas, mais amplamente distribuídas."[70]

Weyl defendia uma distribuição mais ampla da riqueza com base em dois argumentos: um utilitário, outro voluntarista ou contratualista. O argumento utilitarista sustentava que uma distribuição mais igualitária produziria um nível maior de felicidade geral, uma vez que um dólar a mais para uma pessoa pobre significa mais do que um dólar a mais para uma pessoa rica. "Um milhão de dólares em mercadorias consumidas por um homem muito rico dá menos prazer do que a mesma soma oferecida ao uso de dez mil pessoas." Em locais onde a distribuição de renda e riqueza é altamente desigual, o crescimento econômico não aumenta necessariamente o bem-estar geral; dada a exploração sobre a qual a prosperidade da plutocracia é construída, um aumento na riqueza pode até diminuir o bem-estar geral. "Uma abordagem mais próxima de uma igualdade de riqueza e renda sem dúvida significaria um grande aumento na soma total de satisfações econômicas."[71]

O segundo argumento de Weyl dizia respeito aos pré-requisitos econômicos para o consentimento genuíno, especialmente nos contratos de trabalho. Como outros reformadores trabalhistas e progressistas da época, Weyl atacava a ortodoxia do *laissez-faire* defendida pelos industriais e imposta pelos tribunais da era Lochner, e ele fazia isso em nome de uma concepção voluntarista de liberdade. A nova democracia insistiria "em uma igualdade real, econômica (assim como legal) entre as partes das negociações; sobre uma liberdade real, econômica (bem como legal). O consentimento genuíno exigia uma "interpretação social dos direitos". "Uma lei que proíbe uma mulher de trabalhar nas fábricas têxteis à noite é uma lei que aumenta em vez de restringir sua liberdade, simplesmente porque tira do empregador o direito anterior de obrigá-la por pura pressão econômica a trabalhar à noite quando ela preferiria trabalhar de dia."[72]

Como outros reformadores, Weyl defendia um imposto de renda progressivo, gastos públicos em educação, saúde e outros programas sociais, além de regulamentação governamental para melhorar as condições de trabalho na indústria. Ao contrário de Brandeis e Croly, porém, ele defendia essas reformas em termos que deixavam para trás a economia política da cidadania.

Mais do que Brandeis ou Croly, Weyl foi um profeta da república procedimental. Suas visões democráticas mantinham contato com a ambição formativa da tradição do republicanismo e com a concepção cívica da liberdade como autogoverno. Assim, Brandeis insistia que a democracia era "possível apenas onde se busca o processo de aperfeiçoamento do indivíduo", e Croly sustentava que a democracia "deve resistir ou tombar em uma plataforma de possível perfectibilidade

O DESCONTENTAMENTO DA DEMOCRACIA

humana". Weyl discordava. A "nova democracia" da qual ele falava não buscava aperfeiçoar o povo ou cultivar a virtude cívica, mas sim alcançar "a mais ampla gama de satisfações econômicas".[73] Ele não argumentava em nome do autogoverno, mas sim em nome da utilidade, da justiça e de um consentimento mais genuíno do que seria possível com a economia de mercado, deixada por conta própria. Ao separar a causa progressista de sua ambição formativa e baseá-la no tratamento justo para o cidadão-consumidor, Weyl acenava para uma economia política de crescimento e justiça distributiva que mais tarde definiria os termos do debate político.

DA CIDADANIA AO BEM-ESTAR DO CONSUMIDOR

A transição de uma economia política da cidadania para uma baseada no bem-estar do consumidor está representada pelo desfecho de duas tentativas de conter "a maldição da grandeza", uma delas bem conhecida, a outra pouco lembrada. A primeira, o movimento antitruste, começou há mais de um século e continua sendo um instrumento de política pública até os dias de hoje. A segunda, o movimento contra redes de lojas, provocou uma onda de leis e debates nas décadas de 1920 e 1930, e depois se extinguiu rapidamente. Os dois movimentos surgiram, pelo menos em parte, para preservar o autogoverno ao proteger comunidades locais e produtores independentes dos efeitos de imensas concentrações de poder econômico.

Enquanto as considerações cívicas se desvaneciam e as consumistas se tornavam mais proeminentes na economia política americana, a lei antitruste sobreviveu assumindo uma nova função. Outrora uma forma de descentralizar o poder em prol do autogoverno, ela se tornou uma forma de regular o mercado em prol de preços competitivos ao consumidor. As leis contra as redes de lojas, por outro lado, não apresentavam a mesma flexibilidade. Diante da sua incapacidade de demonstrar serviço para o bem-estar do consumidor, seu destino estava ligado à esperança de que mercearias, farmacêuticos e lojistas independentes pudessem levar os ideais republicanos para o século XX. À medida que essa esperança se desfazia, o fim do movimento contra redes de lojas insinuava o fim da própria vertente cívica do argumento econômico.

Legislação contra redes de lojas

Nos anos posteriores à Primeira Guerra Mundial, o crescimento das cadeias de lojas revolucionou a forma como os americanos compravam mercadorias. Também representava uma ameaça ao papel dos varejistas independentes de todo o país. Até 1929, as redes representavam um quinto de todas as vendas no varejo e 40% de todas as vendas de gêneros alimentícios. A partir do final da década de 1920, as legislaturas estaduais buscaram restringir seu crescimento, principalmente por meio da fixação de impostos que aumentavam de acordo com o número de lojas operadas por uma mesma rede num estado. Em Indiana, por exemplo, as redes eram taxadas em três dólares para a primeira loja, com o imposto subindo para 150 dólares por loja a partir de vinte unidades. Em 1935, o Texas cobrava um imposto de 750 dólares por loja acima de cinquenta, uma quantia considerável em uma época em que o lucro líquido médio por loja, nas redes de supermercados, era de apenas 950 dólares.[74]

Muitas das leis foram derrubadas por tribunais estaduais, mas em 1931 a Suprema Corte dos Estados Unidos sustentou uma contestação de um imposto sobre redes de lojas.[75] A decisão favorável da Corte, junto com a pressão econômica crescente sobre lojistas independentes causada pela Grande Depressão de 1929, acelerou o ritmo do movimento. Em 1933, foram propostos cerca de 225 projetos de lei que fixavam tributos para as redes em todo o país, e treze chegaram a ser promulgados. No final da década, mais da metade dos estados havia aprovado algum tipo de imposto para as redes de lojas.[76]

Os opositores do sistema de redes de lojas muitas vezes baseavam seus argumentos em termos republicanos. Em uma série de transmissões de rádio, Montaville Flowers, voz desfavorável às redes de lojas, argumentou que o sistema era "contrário a todo o gênio do povo americano e do governo americano, que diz respeito ao controle local dos negócios". A rede de lojas ameaçava o autogoverno ao produzir grandes concentrações de poder econômico, destruindo comunidades locais e minando o status de lojistas independentes e pequenos negociantes. Varejistas independentes, como o farmacêutico local, tradicionalmente serviam às comunidades como cidadãos líderes de "inteligência e caráter". Mas as cadeias reduziam o farmacêutico a um "vendedor de remédios" ligado a uma corporação distante, o que privaria a comunidade de uma figura confiável. Da mesma forma, o sistema de rede "priva centenas de milhares de bons cidadãos de seus meios de subsistência, tira deles a independência e os reduz a empregados sujeitos a regulamentações humilhantes, e assim (...) rebaixa o espírito das comunidades e da nação."[77]

Enquanto as redes reduziam seus funcionários a "peças de grandes engrenagens", como declarava Flowers, as lojas independentes defendiam o ideal do trabalho livre, preservando "o campo aberto de oportunidades, a chance igual de seus funcionários entrarem no negócio por conta própria, de acordo com as abençoadas tradições do nosso país". As cadeias também ameaçavam os ideais republicanos agrários: "As pragas mais mortais que já se abateram sobre a fazenda são os catálogos da Sears-Roebuck e de Montgomery-Ward!" Os fazendeiros eram tolos ao comprar mercadorias dos catálogos das grandes redes "porque cada vez que uma pessoa faz isso ela está destruindo a independência que lhe resta e amarrando mais firmemente sobre si os fardos de sua servidão!"[78]

Os principais políticos também se preocupavam com as consequências cívicas da proliferação das redes e temiam pelo destino das comunidades locais. "Uma mania selvagem por eficiência na produção, nas vendas e na distribuição varreu a terra, aumentando o número de desempregados, construindo um sistema de castas, perigoso para qualquer governo", disse o senador Hugo L. Black, do Alabama, que mais tarde serviria na Suprema Corte dos Estados Unidos. "Redes de mercearias, de lojas de produtos secos, de lojas de roupas, aqui hoje e fundidas amanhã — crescem em tamanho e poder. (...) O comerciante local está desaparecendo e a comunidade perde sua contribuição para os assuntos locais como pensador independente e executivo."[79]

Quando, no caso *Liggett Company v. Lee* (1933), a Suprema Corte dos Estados Unidos derrubou parte de uma lei tributária para uma rede de lojas da Flórida, o juiz Brandeis ofereceu uma eloquente discordância que resumia a argumentação republicana contrária. Os cidadãos da Flórida, raciocinava ele, haviam tributado as redes não apenas para aumentar a receita, mas também para ajudar os varejistas independentes. "Talvez tenham feito isso apenas para preservar a concorrência. Mas seu propósito pode ter sido mais amplo e profundo. Podem ter acreditado que a rede de lojas, ao aumentar a concentração de riqueza e de poder e ao promover a propriedade ausente, tem frustrado os ideais americanos; que impossibilita a igualdade de oportunidades; que converte comerciantes independentes em escriturários; e que tem minado os recursos, o vigor e a esperança das pequenas cidades e vilarejos." Isso, estabelecia Brandeis, era um propósito constitucional legítimo.[80]

Muitos acreditavam, observava Brandeis, que a desigualdade de riqueza e poder gerada por corporações gigantes representava uma ameaça ao autogoverno, e que "somente através da participação de muitos nas responsabilidades e na determinação dos negócios os americanos podem assegurar o desenvolvimento moral e intelectual essencial para a manutenção da liberdade". Se os cidadãos da Flórida compartilhavam dessa crença, não havia nada na Constituição que os impedisse de agir e impor tributos sobre as redes de lojas. "Nessa medida", concluiu Brandeis, "os cidadãos de cada estado ainda são senhores de seu destino."[81]

As cadeias de lojas e seus defensores buscavam responder aos argumentos republicanos de seus oponentes, mas expressavam-se em

O DESCONTENTAMENTO DA DEMOCRACIA

termos de bem-estar do consumidor. A noção de que os varejistas independentes incorporavam a virtude republicana era, segundo eles, um sentimentalismo que não se encaixava aos fatos. Longe de ser um pilar da comunidade, o lojista típico era "um estrangeiro semiamericanizado, sujo, analfabeto, míope ou um americano sonolento, tacanho, sem nada na cabeça", nas palavras de um redator para uma publicação de uma rede. O chefe da J. C. Penney observou que, mesmo romantizando "a velha e isolada loja de esquina", os americanos faziam suas compras em lojas de rede. Por mais que possamos "gostar de voltar à loja do tio Henry e trocar ideia com Henry e os outros ociosos ao redor do fogão", poucos estariam "dispostos a pagar por essa ociosidade como um imposto sobre todas as mercadorias que nossa família compra". Walter Lippmann também encontrou poucos motivos de lamentação no desaparecimento da loja do bairro: "Seis mercearias em três quarteirões, pequenos açougues sujos, pequenos comércios com a família morando no quarto dos fundos, o odor da comida que nos saúda na entrada, rastros de moscas nas mercadorias" — não eram exatamente condições que valia a pena preservar.[82]

Quanto ao histórico do serviço prestado às comunidades locais, as redes admitiram uma negligência inicial que, prontamente, se comprometeram a remediar. Um manual de debate de 1931 publicado pela National Chain Store Association [Associação Nacional de Redes de Lojas] reconhecia que nos "estágios pioneiros de seu desenvolvimento", as redes "podem ter sido um pouco negligentes na cooperação com empreendimentos locais e com o bem-estar da comunidade" e "negligenciaram até certo ponto suas responsabilidades sociais e relações públicas". Mas naquele momento elas se tornavam participantes ávidas das câmaras de comércio locais, contribuintes do tesouro comunitário e patrocinadoras dos escoteiros e da Cruz Vermelha. Também podiam ser boas cidadãs.[83]

Ao mesmo tempo que as redes tentavam demonstrar boa cidadania, seus porta-vozes argumentavam que a verdadeira medida de seu valor estava em outro lugar — na contribuição para o bem-estar dos con-

COMUNIDADE, AUTOGOVERNO E REFORMA PROGRESSISTA

sumidores. Sua justificativa primária não era cívica, mas utilitária: "o que é melhor para a maioria constitui o bem maior na vida econômica diária do maior número de pessoas". Se as redes "dão ao público consumidor bens melhores a preços mais baixos, então nenhum indivíduo ou nenhuma classe de indivíduos, não importa o quanto seus interesses pessoais possam ser prejudicados, tem o direito de assediar, criticar ou tentar eliminar tal agente".[84]

Todos os debates sobre o papel cívico das redes — no progresso ou no prejuízo das comunidades locais, no aumento ou na redução das perspectivas de emprego e oportunidades — diziam respeito às "funções secundárias de uma loja". Aqui, a mudança das considerações cívicas para as consumistas foi expressa sem remorso. O "primeiro dever, a maior responsabilidade comunitária de uma loja de varejo", segundo uma publicação de uma rede, era beneficiar os consumidores. Os críticos se esqueciam deste simples fato. "Quem os ouvisse pensaria que uma loja era um estabelecimento para a venda de mercadorias a preços de varejo apenas por acaso, e de um modo pouco importante, e que seu principal negócio seria contribuir para a caridade, construir calçadas e salas de reuniões públicas, e resolver o problema do desemprego." Mas isso "desprezava" a função principal de uma loja, que não era servir a um propósito cívico, mas sim maximizar o bem-estar dos consumidores ao oferecer bons produtos por preços baixos, uma função "que as redes estão cumprindo (...) completamente".[85]

No final da década de 1930, as cadeias de lojas haviam se unido com sucesso para se opor às leis, fazendo lobby e campanhas de relações públicas e angariando o apoio de consumidores, agricultores e trabalhadores organizados. Em 1936, na Califórnia, a A&P ajudou a derrubar um referendo que propunha criar um imposto para as redes ao comprar uma safra excedente de produtos do estado e manter os preços agrícolas elevados. Alguns anos depois, uma série de acordos coletivos trouxe o apoio trabalhista. As redes de lojas sofreram um revés temporário quando o Congresso aprovou a Lei Robinson-Patman, de 1936, que restringia sua capacidade de comprar mercadorias dos atacadistas a preços reduzidos. Mas um projeto de 1938 do deputado Wright Patman para a implementação de um imposto federal sobre redes não passou e, no final da década, o movimento de oposição havia expirado. Enquanto mercearias e drogarias locais se apresentavam, não de forma totalmente convincente, como os *yeoman* de seu tempo, os últimos portadores da virtude republicana, as redes representavam bons produtos a preços baixos. Diante dessas alternativas, a economia política da cidadania perdia sua capacidade de inspirar.[86]

O movimento antitruste

A lei antitruste, por outro lado, desfrutou de uma carreira mais longa, sob auspícios ideológicos inconstantes. Nascido da economia política da cidadania, o movimento antitruste sobreviveu a serviço da economia política do crescimento e da justiça distributiva que, em meados do século XX, estava em ascensão. Com certeza, as objeções ao monopólio, tanto cívicas quanto as orientadas para o consumidor, estiveram presentes desde o início. Os americanos se opunham à concentração econômica por preocupação com o autogoverno e, também, por medo dos preços altos que os monopólios poderiam cobrar dos consumidores.

Alguns comentaristas recentes, contrários aos propósitos políticos da lei antitruste, afirmam que a Lei Sherman* se preocupava apenas com a eficiência econômica e o bem-estar do consumidor.[87] Mas os próprios debates do Congresso e os termos mais amplos dos argumentos do debate econômico na virada do século sugerem o contrário. Quando o Congresso debateu a Lei Sherman Antitruste em 1890, procurava-se proteger o consumidor dos preços monopolistas e preservar a economia descentralizada formada por pequenas empresas e comércios havia muito considerados essenciais para o autogoverno. Mais do que uma

---

* A Lei Sherman (Sherman Act) foi uma legislação antitruste aprovada em 1890 que regulamentava a proibição de acordos prejudiciais à livre competição de mercado e as tentativas de formação de monopólios e cartéis. [N. do R. T.]

COMUNIDADE, AUTOGOVERNO E REFORMA PROGRESSISTA

questão de eficiência econômica ou de bem-estar do consumidor, o movimento antitruste refletia "o julgamento político de uma nação cujos líderes sempre demonstraram uma profunda consciência dos fundamentos econômicos da política. Nesse aspecto, a Lei Sherman foi simplesmente mais uma manifestação de uma persistente desconfiança americana em relação ao poder concentrado."[88]

Para o senador John Sherman e seus colegas, a lei que proibia as combinações para restringir o comércio "constituía um meio importante de se libertar da corrupção e de manter a liberdade de pensamento independente na vida política, uma pedra angular preciosa do governo democrático".[89] Sherman atacava os trustes por enganar os consumidores ao aumentar os preços artificialmente, e também por acumular um poder inexplicável que ameaçava o governo democrático. O poder concentrado dos trustes equivalia a "uma prerrogativa régia, incompatível com nossa forma de governo, e deve estar sujeito à forte resistência do Estado e das autoridades nacionais. Se algo está errado, está errado. Se não vamos suportar um rei como poder político, não devemos suportar um rei na produção, no transporte e na venda de qualquer um dos itens necessários à vida."[90]

Como observou Richard Hofstadter, "o impulso político por trás da Lei Sherman foi mais claro e articulado do que a teoria econômica. Homens que usavam a mais vaga das linguagens ao falar de 'trustes' e monopólios (...) que não tinham encontrado nenhuma maneira de demonstrar quanta competição era necessária para a eficiência, que não podiam dizer em todos os casos quais atos competitivos consideravam justos ou injustos (...) eram razoavelmente claros ao se referir ao que tentavam evitar: queriam evitar que o poder privado concentrado destruísse o governo democrático."[91]

Junto com a ameaça direta ao governo democrático representada pelas grandes corporações, os opositores dos trustes se preocupavam com os efeitos indiretos sobre o caráter moral e cívico dos cidadãos. Quando os reformadores falavam em preservar a concorrência, sua preocupação não era apenas com os preços ao consumidor — essa não era sequer a preocupação principal — mas sim com uma economia de pequenos produtores independentes e com as qualidades de caráter — espírito empreendedor, iniciativa e responsabilidade — que esse sistema idealmente invocava. Henry A. Stimson, um clérigo, ao escrever em 1904, chamou os pequenos negócios de "uma escola de caráter que perde importância apenas para a Igreja". O advento das grandes corporações e dos trustes trazia prosperidade, mas também um efeito prejudicial "sobre o caráter de muitos empregados, que, em condições anteriores, administrariam seus próprios negócios ou estariam em busca da oportunidade de fazê-lo". A tradição do republicanismo havia muito se preocupava que uma nação de contratados e funcionários não pudesse cultivar a independência e o julgamento necessários para o autogoverno. Agora Stimson se indagava, em linhas semelhantes, como as próprias corporações conseguiriam desenvolver a liderança de que precisavam. Tais posições "exigem homens que foram acostumados àquela independência de ação e àquela amplitude de visão que somente a responsabilidade de dirigir seus próprios negócios pode produzir. É um estado da mente e do espírito o mais distante possível daquele de quem passou a vida inteira como empregado".[92]

Em um discurso para uma conferência nacional sobre trustes em 1899, Hazen S. Pingree, governador de Michigan, denunciou os trustes por seu efeito corruptor "sobre nossa vida nacional, sobre nossa cidadania, e sobre a vida e o caráter dos homens e mulheres que são a verdadeira força de nossa república". A força da república sempre residira no "homem de negócios independente e individual, e no hábil artesão e mecânico". Mas o truste concentrava a propriedade e a gestão dos negócios nas mãos de poucos, obrigando empreendedores e comerciantes antes independentes a se tornarem funcionários de grandes corporações. "Eles perdem a identidade pessoal. Tornam-se engrenagens e pequenas rodas em uma grande máquina complicada (...). Eles podem talvez se tornar engrenagens maiores ou rodas maiores, mas nunca poderão ansiar por uma vida de liberdade nos negócios."[93]

COMUNIDADE, AUTOGOVERNO E REFORMA PROGRESSISTA

Com base ainda na concepção cívica de liberdade que animava o ideal do trabalho livre, Pingree acusou o truste de criar a "escravidão industrial". O senhor era o diretor do truste; o escravo, o "ex-comerciante e homem de negócios, e o artesão e mecânico, que no passado acalentaram a esperança de alcançar, algum dia, a feliz posição de propriedade independente de um negócio". Mesmo a prosperidade que os trustes poderiam trazer não justificaria tamanha degradação moral e cívica. "Eu me importo mais com a independência e a hombridade do cidadão americano", concluiu Pingree, "do que com todo o ouro ou prata do mundo (...). Uma república democrática não pode sobreviver ao desaparecimento de uma população democrática."[94]

Um orador subsequente, cuja defesa dos trustes provocou protestos veementes da plateia, desafiou a ética do produtor defendida por Pingree e ofereceu um vislumbre de uma ética do consumidor cuja ampla aceitação chegaria várias décadas depois, no futuro. Para George Gunton, um líder trabalhista que se tornou professor, a defesa dos trustes baseava-se simplesmente em seu serviço ao bem-estar público, que consistia, por sua vez, em preços baixos para os consumidores e bons salários para os trabalhadores. Sob esse aspecto, corporações odiadas como Standard Oil Company e Carnegie Steel Company e as grandes ferrovias eram sucessos retumbantes. Graças a seus investimentos de capital e suas economias de escala, argumentava Gunton, elas produziam bens melhores a preços mais baixos do que as pequenas empresas jamais poderiam oferecer.[95]

Quanto ao efeito das corporações sobre as condições de trabalho, Gunton declarou sem rodeios que "a liberdade e a individualidade do trabalhador dependem de duas coisas — emprego permanente e bons salários. Onde quer que o emprego da mão de obra seja mais permanente e os salários mais altos, o trabalhador é mais inteligente, tem maior liberdade e identidade individual mais forte". Em uma ousada reversão da ética do trabalho livre, Gunton argumentou que as grandes empresas formavam cidadãos melhores do que as pequenas. Graças à segurança do emprego nas grandes corporações, "é lá que os trabalha-

O DESCONTENTAMENTO DA DEMOCRACIA

dores têm mais independência. É sabido que as grandes corporações têm influência mínima sobre as opiniões e condutas individuais de seus trabalhadores." O pequeno empresário, em comparação, "que vai de um trimestre para o outro sem saber (...) se pode cumprir suas obrigações, não é um cidadão tão corajoso, tão inteligente nem tão livre quanto o trabalhador assalariado com emprego seguro numa grande corporação". A ética do produtor que obrigava os trabalhadores a se colocarem ao lado dos produtores independentes contra os trustes era equivocada: "O trabalhador não tem um único interesse, social, econômico ou político, na existência de patrões com pequeno capital."[96]

Os autores da Lei Sherman deixaram aos tribunais a tarefa de definir a ampla proibição de contratos e combinações em restrição ao comércio, e a primeira década da lei trouxe pouca efetivação.[97] Em 1897, no entanto, a Suprema Corte aplicou a lei contra um cartel que fixava tarifas ferroviárias. Em uma das primeiras grandes declarações antitruste, o juiz Rufus Wheeler Peckham sustentou que a Lei Sherman proibia a fixação de preços mesmo quando não resultava em preços excessivos ou irracionais. Mesmo sem prejuízo para os consumidores, tal fixação de preços poderia obrigar pequenos produtores independentes a fecharem negócios, e as leis antitruste também os protegiam. O estabelecimento de preços mais baixos ao consumidor poderia, no entanto, "[expulsar] do negócio os pequenos comerciantes e homens dignos cujas vidas foram dedicadas a eles e que podem ser incapazes de se reajustar ao ambiente alterado. A mera redução do preço da mercadoria negociada se torna cara pela ruína de tal classe e pela absorção do controle sobre uma mercadoria por uma combinação todo-poderosa de capital."[98]

Robert Bork argumentou recentemente que a menção de Peckham aos pequenos produtores foi um infeliz "deslize" ou "lapso" em uma declaração que expressava um compromisso com a maximização do bem-estar do consumidor.[99] Mas Peckham vai além e explica a importância de pequenos produtores em termos reminiscentes do ideal do trabalho livre. A saída da cena de "um grande número de comerciantes pequenos, mas independentes" não era perturbadora apenas para eles e

COMUNIDADE, AUTOGOVERNO E REFORMA PROGRESSISTA

suas famílias, mas também representava uma perda para o país como um todo. Pois mesmo que os pequenos empresários deslocados pelas grandes corporações pudessem encontrar novas formas de ganha-pão, "não é para a verdadeira prosperidade de nenhum país que ocorrem mudanças que resultem na transformação de um empresário independente, chefe de seu estabelecimento, por menor que seja, em um mero servo ou agente de uma corporação para vender as mercadorias que ele já fabricou ou negociou, sem voz na definição da política comercial da empresa e obrigado a obedecer às ordens emitidas por outros". A perda de uma classe independente de produtores era um prejuízo cívico que não poderia ser medido apenas em termos de bem-estar do consumidor.[100]

A Era Progressista trouxe energia renovada ao movimento antitruste, cujo porta-voz mais articulado e influente, naqueles anos, foi Louis D. Brandeis. Ao contrário dos reformadores antitruste dos nossos dias como Ralph Nader, Brandeis não se opunha aos trustes em nome do consumidor. Ele estava menos preocupado em baixar os preços ao consumidor do que em preservar uma economia de pequenos produtores independentes. A ênfase nos pequenos produtores como vítimas do monopólio levou um crítico a sugerir que Brandeis deveria ser lembrado não como o "Advogado do Povo", mas como "o porta-voz dos farmacêuticos, dos pequenos fabricantes de calçados e de outros membros da pequena burguesia."[101] Mais do que uma questão de deferência especial, porém, a preocupação de Brandeis com o destino dos pequenos empreendimentos refletia uma longa tradição do pensamento político republicano. Desde Jefferson até os Knights of Labor, a economia política da cidadania procurou formar o caráter moral e cívico dos americanos por meio de seu papel de produtores — enquanto agricultores, artesãos, pequenos empresários ou empreendedores. A ética do produtor de Brandeis mantinha esse vínculo com os pressupostos republicanos. Ele defendia a causa dos pequenos produtores independentes não para beneficiá-los diretamente, mas para preservar uma economia descentralizada hospitaleira ao autogoverno.[102]

O DESCONTENTAMENTO DA DEMOCRACIA

É claro que Brandeis não ignorava por completo os argumentos de eficiência econômica e do bem-estar do consumidor. Quando os defensores das grandes empresas argumentavam que os trustes promoviam economia de escala que reduziam o desperdício e aumentavam a eficiência da produção, Brandeis respondia que o tamanho muitas vezes diminuía a eficiência. A partir de certo ponto, as grandes instituições desenvolviam uma força centrífuga que desafiava a compreensão e o controle humanos.[103] "Se o Senhor tivesse a intenção de criar coisas grandes, ele teria feito o homem maior — em tamanho e caráter."[104] Como evidência da ineficiência do tamanho, Brandeis apontava para muitas tentativas de estabelecer trustes — nos negócios de uísque, cordame, malte, papel, couro e navios a vapor — que falharam ou tiveram pouco sucesso. Os trustes bem-sucedidos — nos setores de petróleo, tabaco, açúcar e aço — tinham se estabelecido não por conta de uma eficiência superior, mas por meio do controle monopolista dos mercados ou da fixação de preços. "Estou tão firmemente convencido de que a grande unidade não é tão eficiente (...) quanto a unidade menor", disse Brandeis a um comitê do Senado, "acredito que se fosse possível hoje fazer as corporações agirem de acordo com o que sem dúvida todos nós concordaríamos que deveriam ser as regras do comércio, nenhuma grande corporação seria criada, ou se fosse criada, não seria bem-sucedida." Em uma competição justa, "esses monstros tombariam no chão".[105]

No entanto, o principal argumento de Brandeis contra os trustes ia além da economia e partia para considerações sobre o autogoverno. Mesmo se pudesse ser demonstrado que eram mais eficientes do que as pequenas unidades, os monopólios representavam uma ameaça à democracia que superava quaisquer benefícios econômicos que pudessem trazer. Brandeis rejeitava a noção de que a grandeza em si não era uma ofensa, pois acreditava que "nossa sociedade, que se baseia na democracia, não pode resistir em tais condições. (...). Não é possível ter a verdadeira cidadania americana, não se pode preservar a liberdade política, não se pode garantir os padrões de vida americanos a menos

COMUNIDADE, AUTOGOVERNO E REFORMA PROGRESSISTA

que algum grau de liberdade industrial a acompanhe. E a United States Steel Corporation e esses outros trustes apunhalaram a liberdade industrial pelas costas." Alguns defendiam o monopólio apontando para o desperdício da concorrência. "Sem dúvida, a competição envolve algum desperdício", respondia Brandeis. "Que atividade humana não a causa? Os desperdícios da democracia estão entre os mais óbvios, mas temos compensações na democracia que os superam em muito e a tornam mais eficiente que o absolutismo. Assim acontece com a concorrência."[106]

A distância entre Brandeis e os movimentos de reforma voltados para o consumidor de nossos dias pode ser mais bem percebida pela sua defesa da manutenção do preço de revenda, uma prática pela qual os fabricantes estabelecem para seus produtos um preço de varejo sobre o qual nenhum distribuidor poderia aplicar descontos. Em 1911, a Suprema Corte decidiu que a Dr. Miles Medical Company, fabricante de um medicamento patenteado, não poderia firmar contratos com seus revendedores atacadistas e varejistas exigindo que eles vendessem o elixir patenteado por um preço mínimo especificado. Tais acordos, como sustentou a Corte, eram uma restrição ilegal do comércio sob a Lei Sherman. Brandeis discordou e planejou uma campanha para persuadir o Congresso a isentar das restrições antitruste os contratos de controle de preços de revenda. Ele argumentava que preços de varejo uniformes para produtos de marca ajudavam a proteger os pequenos varejistas dos descontos dados pelas redes de lojas, as lojas de departamento e a venda por correspondência, promovendo assim uma economia competitiva. Proibir a manutenção de preços permitiria que os grandes varejistas expulsassem os pequenos do negócio.[107]

Brandeis explicava os benefícios da manutenção de preços usando o exemplo da lâmina de barbear Gillette. Se a Gillette fixasse o preço de varejo de sua lâmina, nenhum revendedor poderia vender o item com desconto. Nesse sentido, a concorrência seria reduzida. Mas, como resultado do preço fixo, muitos varejistas, grandes e pequenos, poderiam vender lâminas Gillette. Nesse sentido mais amplo, a concorrência seria acirrada. "Todo comerciante, toda pequena papelaria, toda

O DESCONTENTAMENTO DA DEMOCRACIA

pequena farmácia, toda pequena loja de ferramentas pode se tornar um fornecedor desse artigo (...) e estimula-se, através do preço fixo, que o pequeno faça frente contra a loja de departamentos e contra a grande unidade que poderia monopolizar esse comércio."[108]

Para aqueles preocupados apenas com os preços ao consumidor, a competição de preços é mais desejável do que a preservação de uma economia competitiva no sentido de Brandeis: uma economia descentralizada de muitos pequenos produtores. Mas, para Brandeis, os preços ao consumidor não eram tudo. Quem pensasse assim teria uma irremediável visão de curto alcance. Em vez de correr atrás de pequenos descontos oferecidos pelos barateiros, os consumidores fariam melhor se comprassem por meio de cooperativas de consumo, "olhassem com desconfiança cada artigo anunciado" e "começassem uma greve de compradores diante de qualquer aumento no preço dos artigos básicos de consumo". O consumidor desorganizado, preocupado apenas com o preço, era "servil, autoindulgente, indolente, ignorante" e caía facilmente nas mãos do monopólio. "Insensato ou fraco, ele cede à tentação de um ganho imediato insignificante e, vendendo seu direito de primogenitura por um prato de lentilhas, torna-se um instrumento do monopólio."[109]

De qualquer forma, o controle de preços de revenda levantou questões ainda mais importantes do que a boa compreensão do que seria o bem-estar do consumidor. Pois, segundo Brandeis, a capacidade dos fabricantes de fixar preços uniformes possibilitava o desenvolvimento da economia descentralizada de pequenos produtores independentes, essenciais à própria democracia. "A proibição do controle de preços impõe aos produtores pequenos e independentes uma séria desvantagem", escreveu Brandeis em um artigo amplamente divulgado chamado "Preços predatórios: a competição que mata". Impedidos de estabelecer preços por meio de contratos com distribuidores, os fabricantes estariam aptos a fazer acordos com as redes, eliminando os pequenos varejistas. "O processo de extermínio do pequeno varejista independente já duramente pressionado por combinações capitalistas — como

COMUNIDADE, AUTOGOVERNO E REFORMA PROGRESSISTA

as firmas de venda por correspondência, as redes de lojas existentes e as grandes lojas de departamentos — seria enormemente acelerado por tal movimento. A eliminação do pequeno empresário independente pela grande corporação com sua miríade de funcionários, seu proprietário ausente e seu controle financeiro representa um grave perigo para a democracia."[110]

A campanha de Brandeis para isentar da lei antitruste os acordos de manutenção de preços não teve sucesso, embora o Congresso tenha finalmente promulgado tal legislação em 1937 com a Lei Miller-Tydings de Comércio Justo. O apogeu do movimento antitruste da Era Progressista se deu em 1914, com a aprovação da Lei Clayton, que reforçou as restrições às práticas não competitivas, e o estabelecimento da Federal Trade Commission [Comissão Federal de Comércio], uma agência administrativa encarregada de investigar e regular "métodos desleais de concorrência". Depois de 1914, o sentimento antitruste diminuiu. Da Primeira Guerra Mundial até o final do New Deal, a aplicação foi menos rigorosa, e a hostilidade às grandes empresas teve menos destaque no debate político. As grandes fusões do final da década de 1920 aumentaram a tendência à consolidação, mas não provocaram o protesto popular dos anos anteriores. O início da Depressão provocou alguns pedidos de ação antitruste, mas, em um primeiro momento, o New Deal suspendeu as leis antitruste, fazendo experiências com cartéis apoiados pelo governo e os códigos de preços da National Recovery Administration [Agência de Recuperação Nacional].[111]

O final da década de 1930 trouxe um dramático renascimento do sentimento antitruste e do ativismo. Impulsionado em parte pelo fracasso da National Recovery Administration (NRA) e em parte pela recessão de 1937, Franklin Roosevelt pediu ao Congresso, em 1938, que aumentasse os recursos para a fiscalização antitruste e destinasse quinhentos mil dólares para um estudo abrangente da concentração do poder econômico na indústria americana. Na mensagem que acompanhava esses pedidos, Roosevelt se baseou em argumentos cívicos e de bem-estar do consumidor contra o monopólio. Invocando a objeção cívica, ele declarou que "a liberdade de uma democracia não está segura se o povo tolerar o crescimento do poder privado até o ponto em que ele se torna mais forte do que o próprio Estado democrático". Ao mesmo tempo, ele expressava preocupação com os efeitos do monopólio no emprego, na justiça distributiva e "no poder de compra da nação como um todo".[112]

No mesmo ano, Roosevelt nomeou Thurman Arnold, professor de direito de Yale, para chefiar a Divisão Antitruste do Departamento de Justiça. Arnold parecia uma escolha improvável para o cargo, pois havia escrito sobre o movimento antitruste com algum sarcasmo. Em *The Folklore of Capitalism* [O folclore do capitalismo], livro publicado no ano anterior à sua nomeação, Arnold descrevia ás leis antitruste como rituais vazios, "grandes gestos morais" que absorviam a energia dos reformadores, mas pouco faziam para retardar a tendência à grandeza. Ele ridicularizava a noção de que era possível reverter a era da organização e retornar a uma economia descentralizada de pequenas unidades: "Homens como o senador Borah basearam carreiras políticas na continuação de tais cruzadas, que eram inteiramente fúteis, mas imensamente pitorescas." Enquanto isso, "em virtude da própria cruzada contra elas, as grandes corporações cresciam cada vez mais, e se tornavam cada vez mais respeitáveis". Apesar de seus escritos provocativos, a nomeação de Arnold foi aprovada pelo Senado, embora durante sua sabatina o senador Borah tenha o aconselhado a "revisar aquele capítulo sobre trustes".[113]

Apesar do desdém de Arnold pelas cruzadas contra os grandes, sua gestão se tornaria o período mais vigoroso de fiscalização antitruste na história do país. Sob Theodore Roosevelt, o célebre *trustbuster* [detonador de monopólios], a Divisão Antitruste do Departamento de Justiça "enfrentou o poder combinado das grandes corporações com uma equipe de cinco advogados e quatro estenógrafos". Em grande parte inativa durante os anos 1920 e início dos anos 1930, a Divisão Antitruste não passava de um "destacamento chinfrim" quando Arnold assumiu o cargo. Durante seu primeiro ano, ele ampliou o número de

COMUNIDADE, AUTOGOVERNO E REFORMA PROGRESSISTA

advogados de 58 para mais de cem e aumentou substancialmente o número de processos antitruste. Desde a adoção da Lei Sherman até 1938, o governo impetrava, em média, nove processos por ano. Somente em 1940, Arnold deu início a 85. Entre seus casos constavam ações altamente divulgadas contra a indústria de laticínios, a indústria de construção civil, a indústria cinematográfica, a Associação Médica Americana, fabricantes de pneus e as indústrias de fertilizantes, petróleo, papel-jornal, outdoors, máquinas de escrever e transporte. Quando deixou o Departamento de Justiça em 1943, Arnold "tinha apresentado (e ganho) mais processos antitruste do que o Departamento de Justiça havia iniciado em toda a sua história anterior."[114]

À primeira vista, o sucesso sem precedentes de Arnold na fiscalização antitruste pode parecer estranhamente em desacordo com sua conhecida antipatia em relação ao movimento para conter "a maldição da grandeza". Após uma inspeção mais detalhada, no entanto, a aparente inconsistência se dissolve. Pois a grande retomada da lei antitruste por Arnold tinha uma diferença. Ao contrário dos antimonopolistas na tradição de Brandeis, ele não procurava descentralizar a economia para o bem do autogoverno, mas sim regular a economia para garantir preços mais baixos ao consumidor. Para Arnold, o objetivo da lei antitruste era promover a eficiência econômica e não combater a concentração de poder como tal. Sua retomada marcou, portanto, uma mudança no combate ao truste e na teoria política que o fundamentava. Para Brandeis, o posicionamento antitruste era uma expressão da economia política da cidadania, preocupada em preservar uma economia de pequenos produtores independentes. Para Arnold, as medidas antitruste nada tinham a ver com a ética do produtor da tradição do republicanismo; seu objetivo era servir ao bem-estar dos consumidores.[115]

Arnold foi explícito sobre essa mudança de propósito. No passado, escreveu ele, a maioria supunha que as leis antitruste eram "projetadas para eliminar *o mal da grandeza*. O que deveria ser enfatizado não são os males do tamanho, mas os males das indústrias que não são eficientes ou que não repassam a eficiência aos consumidores. Se as leis antitruste forem simplesmente uma expressão de uma religião que condena a grandeza como pecado econômico, elas serão consideradas um anacronismo na era da máquina. Se, no entanto, direcionarem-se para aumentar a eficiência da distribuição, aí começarão a fazer sentido."[116]

Como observava Arnold, durante quarenta anos os americanos debateram se as grandes organizações eram boas ou ruins. Mas "esse debate é como discutir se prédios altos são melhores que os baixos, ou se grandes pedaços de carvão são melhores que os pequenos". Tais questões não faziam sentido a não ser em relação a algum propósito e, segundo Arnold, o único propósito da organização econômica eram a produção e a distribuição eficientes de bens. A tradição do republicanismo atribuíra um propósito moral e político mais amplo à economia, e os primeiros defensores da tendência antitruste, fiéis a essa tradição, avaliaram os arranjos econômicos por sua propensão a formar cidadãos capazes de autogoverno. Arnold descartava essa "velha religião" como uma noção sentimental, deslocada na era de produção em massa. Ele foi o primeiro grande defensor do combate ao truste a rejeitar completamente o argumento cívico e a insistir exclusivamente na ótica consumista: "Há apenas um teste sensato que podemos aplicar ao privilégio da [grande] organização, e é o seguinte: promove a eficiência da produção ou da distribuição e repassa a economia para os consumidores?"[117]

Uma vez que as considerações de cidadania ficavam para trás, a concentração do poder não era mais algo questionável por si só, apenas pelo efeito provocado sobre o bem-estar do consumidor. "Os consumidores nunca serão convencidos de que o tamanho em si é um mal. Eles sabem que o automóvel que dirigem não poderia ser produzido a não ser por intermédio de uma grande organização. Eles se lembram do tempo em que copos e pratos e martelos e tudo que hoje é vendido na loja de pechinchas, a preços baixos, eram um verdadeiro luxo. Eles sabem que essa eficiência na distribuição não poderia ter sido alcançada sem a produção em massa e a distribuição em massa. Os consumidores não estão dispostos a perder as vantagens da era da máquina

COMUNIDADE, AUTOGOVERNO E REFORMA PROGRESSISTA

por causa do apego sentimental ao ideal dos pequenos negócios." Os americanos deveriam ser convocados a apoiar a fiscalização antitruste, insistia Arnold, não por ódio aos grandes negócios, mas por interesse no "preço de costeletas de porco, do pão, dos óculos, dos remédios e das tubulações".[118]

Arnold reviveu e transformou o combate ao truste na mesma época em que caía no esquecimento o movimento contra as redes de lojas, seu antigo amuleto político e ideológico. Nas mãos de Arnold, o combate ao truste conquistou seu lugar como uma instituição legal e política estabelecida ao renunciar à ética do pequeno produtor, que estava em sua origem, prometendo, em vez disso, reduzir "o preço das costeletas de porco". Mas além de garantir o lugar do posicionamento antitruste na política e na lei americanas, a mudança da ética cívica para a consumista continha um significado maior. Embora não aparente na época, isso insinuava uma mudança mais ampla na maneira como os americanos pensariam na economia e na política pelo resto do século.

Diferentemente da economia política do republicanismo, que busca formar hábitos e disposições que capacitem os cidadãos para o autogoverno, uma economia política baseada no bem-estar do consumidor toma as preferências das pessoas à medida que elas surgem; abandona a ambição formativa da tradição do republicanismo e busca arranjos econômicos que permitam que as pessoas satisfaçam suas preferências da maneira mais completa e justa possível. A política antitruste de Arnold assumiu essa nova postura. Preocupada com o bem-estar dos consumidores, ela abandonava a antiga ambição formativa e se voltava a atender à produtividade e aos preços. Na passagem da visão antitruste de Brandeis para a de Arnold pode-se vislumbrar a passagem da economia política da cidadania para uma economia política de crescimento e justiça distributiva nos Estados Unidos, de uma filosofia pública republicana para a versão do liberalismo que fundamenta a república procedimental.

Apesar da crescente proeminência dos argumentos antitruste baseados no consumidor, o argumento cívico não desapareceu de uma

O DESCONTENTAMENTO DA DEMOCRACIA

vez nem por completo. A economia política da cidadania continuaria a ter voz nos debates antitruste, mas depois das décadas de 1940 e 1950 tornou-se cada vez mais uma voz secundária, uma expressão residual. Em um caso de 1945, ao declarar ilegal o monopólio da Alcoa na indústria do alumínio, o juiz Learned Hand lembrou os objetivos formativos das primeiras leis antitruste: "É possível, por causa de seu efeito social ou moral indireto, preferir um sistema de pequenos produtores, cada um dependente da própria habilidade e do próprio caráter para seu sucesso, em vez daquele em que a grande massa envolvida deve aceitar a direção de alguns." Hand observou que, além das razões econômicas para proibir o monopólio, "há outras, baseadas na crença de que grandes consolidações industriais são inerentemente indesejáveis, independentemente de seus resultados econômicos". Entre os propósitos da Lei Sherman, escreveu ele, "estava o desejo de acabar com grandes agregações de capital por causa do desamparo do indivíduo diante delas".[119]

Em 1950, o senador Estes Kefauver, patrocinador de uma lei para endurecer as restrições às fusões e aquisições, argumentou que a concentração econômica enfraquecia os cidadãos ao privá-los do controle sobre seu destino econômico e político. "A independência econômica local não pode ser preservada diante de consolidações como as que tivemos nos últimos anos. O controle dos negócios americanos está sendo continuamente transferido, lamento dizer, das comunidades locais para algumas grandes cidades onde gerentes centrais decidem as políticas e o destino de empreendimentos distantes que controlam. Impotentes, milhões dependem de seus juízos. Por meio de fusões monopolistas, as pessoas estão perdendo o poder de dirigir seu próprio bem-estar econômico. Quando perdem o poder de dirigir seu bem-estar econômico, perdem também os meios de dirigir seu futuro político."[120]

Dois anos depois, quando o Senado debateu a legislação para proteger o controle de preço de revenda, ou as "leis de comércio justo", da invalidação judicial, o senador Hubert Humphrey ofereceu uma das últimas sustentações do argumento cívico em prol de uma economia

COMUNIDADE, AUTOGOVERNO E REFORMA PROGRESSISTA

descentralizada. Humphrey começou negando que tais leis levassem a preços mais altos ao consumidor. Mas mesmo que isso acontecesse, argumentou ele, sua justificativa estaria na preservação dos pequenos produtores independentes dos quais a democracia americana dependia: "Não estamos necessariamente falando que alguém mesquinho poderá economizar meio centavo em um pão. Estamos falando sobre o tipo de América que queremos. Queremos uma América onde, nas estradas e caminhos, tudo o que temos são casas de catálogos? Queremos uma América onde o mercado econômico esteja repleto de Frankensteins e gigantes? Ou queremos uma América onde existam milhões e milhares de pequenos empresários, empreendedores independentes e proprietários de terras que possam se sustentar e encarar seu governo ou a qualquer outra pessoa?" A agricultura familiar, como a farmácia familiar e a loja de ferramentas, deveria ser preservada, não por ser mais econômica que a grande corporação, mas porque "produz bons cidadãos, e bons cidadãos são a única esperança de liberdade e democracia. Então pagamos um preço por isso. Estou disposto a pagar esse preço."[121]

Por algum tempo, a vertente cívica de argumentação encontrou expressão continuada nos tribunais. Em 1962, a Suprema Corte citou o argumento de Kefauver em nome de pequenos negócios e do controle local da indústria para impedir a fusão de dois fabricantes de calçados. O juiz Earl Warren, escrevendo para o tribunal, admitiu que a lei antitruste protege "a concorrência, não os concorrentes". "Mas não podemos deixar de reconhecer o desejo do Congresso de promover a competição por meio da proteção da viabilidade de negócios locais e pequenos", acrescentou ele. "O Congresso avaliou que custos e preços mais altos podem resultar ocasionalmente da manutenção de indústrias e mercados fragmentados. Ele resolveu essas considerações concorrentes em favor da descentralização."[122]

Alguns anos depois, a Suprema Corte bloqueou a fusão de duas redes de supermercados de Los Angeles por motivos semelhantes, apesar da participação de mercado combinada entre as duas ser de apenas 7,5%.[123] E em um caso de 1973 contestando uma aquisição no setor de

O DESCONTENTAMENTO DA DEMOCRACIA

cervejarias, o juiz William O. Douglas invocou o argumento cívico de Brandeis contra o poder concentrado: "O controle dos negócios americanos está sendo transferido das comunidades locais para cidades distantes, onde, do 54º andar, homens decidem o destino de comunidades com as quais têm pouco ou nenhum relacionamento, baseando-se apenas em balanços impressos e demonstrativos de lucros e prejuízos." Douglas oferecia como exemplo o caso de Goldendale, uma comunidade outrora próspera em seu estado natal, Washington. Logo depois que um gigante de fora do estado comprou uma serraria local, "auditores na distante cidade de Nova York, que nunca conheceram as glórias de Goldendale, decidiram fechar a serraria e transportar todas as toras para Yakima. Goldendale foi profundamente prejudicada." Douglas citou o destino de Goldendale como "Prova A para a preocupação de Brandeis" quanto aos efeitos enfraquecedores do monopólio sobre as comunidades locais. "Uma nação de funcionários é um anátema para o sonho antitruste americano."[124]

Mas essas declarações do caso cívico de antitruste foram se tornando cada vez mais a exceção. Nas décadas de 1970 e 1980, o "sonho antitruste" de uma economia descentralizada que sustentasse comunidades autogovernadas deu lugar à missão mais mundana de maximizar o bem-estar do consumidor. O principal tratado moderno de direito antitruste, publicado em 1978, afirma que, apesar de ocasionais sugestões judiciais em contrário, os tribunais vinham dando prioridade à eficiência econômica sobre objetivos "populistas" como a descentralização da economia. "O tamanho por si só não é uma transgressão." Há "pouco ou quase nada nos casos que sugira que os tribunais estão de fato dispostos a perseguir objetivos populistas às custas da competição e da eficiência".[125]

Para aqueles que consideram o combate aos trustes como um veículo promissor para a economia política da cidadania em nosso tempo, os autores do tratado sugerem o contrário. Hoje em dia é difícil imaginar uma reversão completa da tendência à concentração industrial em curso há pelo menos um século. Sob tais circunstâncias, a "busca permanente

COMUNIDADE, AUTOGOVERNO E REFORMA PROGRESSISTA

da dispersão da riqueza e do tamanho pequeno em detrimento da eficiência seria tão inaceitavelmente dispendiosa que está fora de questão". Agora estamos muito apaixonados pelos frutos do consumo; fomos muito longe no caminho da concentração econômica para falar de forma realista em restaurar uma economia que fosse dispersa a ponto de podermos reivindicar os ideais cívicos mencionados por Brandeis. Na prática, "a política antitruste simplesmente não vai sacrificar o bem-estar do consumidor para garantir um número muito grande de produtores em todos os mercados". É duvidoso, portanto, que qualquer ajuste superficial pudesse gerar um efeito suficiente na estrutura da economia para obter ganhos significativos para o autogoverno. Dada a distância que percorremos, qualquer "interferência plausivelmente aceitável" nas estruturas de mercado existentes seria bastante modesta e "dificilmente aumentaria muito a dispersão do poder ou afetaria a vida política de maneira perceptível. A preservação arbitrária de algumas firmas aqui ou ali não pode contribuir de forma significativa para a dispersão do poder ou para a proteção da democracia política."[126]

Algumas dessas percepções podem estar fundamentadas pelo fato de que, na década de 1970, conservadores e liberais, apesar das diferenças, compartilhavam a premissa de que o principal objetivo da política antitruste era promover o bem-estar dos consumidores. Robert H. Bork, um jurista conservador mais tarde nomeado por Ronald Reagan para a Suprema Corte e rejeitado pelo Senado, escreveu em 1978 que "o único objetivo legítimo da lei antitruste americana é a maximização do bem-estar do consumidor", e não a "sobrevivência ou conforto dos pequenos negócios". Bork considerava o propósito político do posicionamento antitruste de Brandeis e alguns juízes equivocados "um emaranhado de noções e mitologias mal digeridas", sem fundamentos na lei e duvidoso em seus méritos. "Não há evidências convincentes de que um executivo corporativo de médio escalão seja, do ponto de vista social ou político, uma criatura menos desejável do que seria se administrasse o próprio negócio." De acordo com Bork, a preocupação com o controle local e a proteção dos pequenos negócios é uma teoria antitruste "antiga e mal-afamada" cuja aplicação exigiria altos custos em eficiência econômica e bem-estar do consumidor.[127]

Mas o foco nos argumentos consumistas não se restringia a conservadores como Bork. Também estava presente entre os reformadores liberais como Ralph Nader, que defendia uma política antitruste mais ativista. Embora Nader e seus seguidores, ao contrário de Bork, não menosprezassem a tradição cívica antitruste, eles também baseavam seus argumentos em considerações sobre o bem-estar do consumidor. Progressista na tradição pró-consumidor de Weyl e Arnold, Nader se preocupava com "cidadãos consumidores", e não com cidadãos-produtores. Em suas palavras, a "relevância moderna" da sabedoria antitruste tradicional jaz em suas consequências para "os preços que as pessoas pagam por pão, gasolina, autopeças, remédios controlados e casas". Mark Green, outro defensor do consumidor, escreveu que, devidamente focada em "perdas para o bolso dos consumidores", a questão antitruste "torna-se radicalmente moderna: um mercado competitivo pode garantir aos consumidores o valor de seu dinheiro?" Embora alguns possam enfatizar os custos sociais e políticos da grandeza corporativa, "as premissas primárias da aplicação antitruste" deveriam ser "produção e distribuição eficientes — não o agricultor local, o farmacêutico local ou o merceeiro local".[128]

O pressuposto disseminado de que a política antitruste deveria promover o bem-estar do consumidor não significou, obviamente, o fim da controvérsia política sobre o combate ao truste. A maior parte do debate sobre o tema na década de 1980 refletia concepções concorrentes de bem-estar do consumidor. Para os conservadores, bem-estar do consumidor e eficiência econômica eram a mesma coisa; promover o bem-estar do consumidor significava maximizar a produção econômica total, independentemente de os ganhos de eficiência gotejarem sob a forma de preços mais baixos ou simplesmente levarem a maiores lucros corporativos. Como escreveu Bork, "o bem-estar do consumidor (...) é apenas outro termo para a riqueza da nação. O combate ao truste, portanto, tem uma preferência inata pela prosperidade material, mas não tem nada a dizer sobre as maneiras pelas quais a prosperidade é distribuída ou empregada."[129]

Os liberais, por outro lado, não se preocupavam apenas com a produção total, mas também com efeitos distributivos e questões de justiça; para eles, promover o bem-estar do consumidor significava baixar preços e melhorar a qualidade e a segurança do produto. Essas diferentes concepções levaram os conservadores a favorecer a menor intervenção governamental no mercado enquanto os liberais desejavam mais.

O governo Reagan, alinhado com a visão conservadora, reduziu drasticamente a fiscalização antitruste de fusões e aquisições. William Baxter, o primeiro chefe da Divisão Antitruste do governo Reagan, declarou: "O único objetivo do combate ao truste é a eficiência econômica." Seu sucessor, Charles Rule, afirmava que a lei antitruste não deveria insistir que os ganhos de eficiência fossem repassados aos consumidores, uma vez que "não está necessariamente claro se o consumidor ou o produtor é mais digno do excedente". O aumento dos lucros corporativos poderia, afinal, beneficiar "as viúvas e os órfãos proverbiais" que são acionistas das empresas. Mas Rule reconhecia que, na concepção conservadora de bem-estar do consumidor, os efeitos distributivos não tinham a mínima importância; não fazia diferença se os ganhos de eficiência iam para viúvas e órfãos ou para os magnatas de Wall Street: "O padrão de bem-estar do consumidor das leis antitruste (...) olha para o tamanho total do bolo econômico (...) não apenas ao tamanho das fatias individuais."[130]

Liberais, incluindo defensores do consumidor e alguns democratas no Congresso, retorquiam que a lei antitruste deveria ter como objetivo não apenas a maximização da riqueza total, mas também impedir transferências injustas de riqueza dos consumidores para empresas com poder de mercado. Preocupavam-se não apenas com o tamanho do bolo econômico, mas também com a forma como as fatias eram distribuídas.[131] Em alguns casos, os monopólios, ao limitar a produção e aumentar os preços, geram ineficiências que, na verdade, reduzem a produção total. Em outros casos, promovem ganhos de eficiência que aumentam os lucros das empresas sem reduzir os preços ao consumidor. Isso leva a "grande crescimento econômico agregado sem crescimento proporcional do valor para o consumidor".[132] Os liberais enfatizavam essa "transferência dos custos" própria ao monopólio: "Quando consumidores pagam preços desnecessários, a renda proveniente da população é redistribuída entre acionistas de corporações privadas." A alegação dos conservadores de que viúvas e órfãos e outros americanos comuns poderiam estar entre os beneficiários de lucros corporativos mais altos ignora o fato de que a grande maioria das ações corporativas pertence, na verdade, a uma minúscula fração dos americanos mais ricos.[133]

Essas visões concorrentes do bem-estar do consumidor levaram, na década de 1980, a um debate sobre a fixação de preços no varejo que ilustrou a mudança radical pela qual haviam passado os termos do debate antitruste. A questão da fixação de preços de varejo ou controle de preços de revenda vem de longa data. Quando a Suprema Corte decidiu, em 1911, que a Dr. Miles Company não poderia fixar o preço pelo qual os varejistas vendiam seu elixir popular, Brandeis protestou que, sem o controle do preço, as redes levariam os pequenos farmacêuticos à falência. Em 1937, o Congresso finalmente concordou e promulgou a Lei Miller-Tydings de Comércio Justo, que isentou da lei antitruste o controle de preços de revenda. Em 1952, liderado por Hubert Humphrey, o Congresso fortaleceu a Lei do Comércio Justo. Em 1975, ela foi revogada pelo Congresso numa onda bipartidária de sentimentos pró-consumidores.[134]

Na década de 1980, o debate sobre a fixação de preços no varejo voltou à baila de forma ligeiramente diferente. Em questão estava a capacidade de varejistas poderosos, como as lojas de departamentos, de fixar preços ao pressionar os fabricantes a recusar a venda de produtos de marca para lojas barateiras que davam grandes descontos. A decisão do caso Dr. Miles de 1911 havia tornado ilegal a fixação de preços, mas o Departamento de Justiça de Reagan se recusava a aplicá-la, argumentando que as empresas deveriam, por uma questão de eficiência, ser livres para usar seu poder de mercado para negociar os preços como bem entendessem. Os democratas no Congresso, liderados pelo senador

COMUNIDADE, AUTOGOVERNO E REFORMA PROGRESSISTA

Howard Metzenbaum, de Ohio, e pelo deputado Jack Brooks, do Texas, discordaram. Eles queriam que o governo reprimisse a fixação vertical de preços, reduzindo assim os custos pagos pelos consumidores. O renascimento rápido da economia, disse Brooks, "só se dará se as pessoas não tiverem que pagar o preço que a Bloomingdale's cobra por um produto".[135] Para os progressistas do passado, as redes tinham sido os vilões, a concorrência desleal cujos descontos destruiriam farmacêuticos, mercearias e pequenos negociantes independentes dos quais a democracia dependia. Para os liberais modernos, as mesmas lojas varejitas se tornaram heroicas ao permitir que os consumidores evitassem pagar o preço cobrado pela Bloomingdale's.

Se os protagonistas tivessem parado para refletir sobre as origens das políticas que defendiam, talvez ficassem intrigados com as companhias que acabavam por promover. Os termos mutáveis do discurso político ao longo do século criaram estranhos parceiros ideológicos. Em nome da eficiência econômica e da deferência ao mercado, os conservadores que apoiavam Reagan defendiam uma política outrora adotada por Brandeis e Hubert Humphrey, defensores progressistas dos pequenos produtores e da argumentação cívica para o combate ao truste. Em nome de preços mais baixos, liberais e grupos de consumidores defendiam as redes de lojas e seus descontos, outrora desprezadas pelos progressistas como sendo destruidoras de uma economia descentralizada de produtores independentes. O paradoxo, porém, mal foi percebido, o que é uma indicação do desaparecimento da filosofia pública que deu origem ao movimento antitruste.

Notas

1. Robert H. Wiebe, *The Search for Order, 1877-1920* (Nova York: Hill and Wang, 1967), p. 42- 43.
2. Woodrow Wilson, *The New Freedom* (Englewood Cliffs, Nova Jersey: Prentice Hall, 1961 [1913]), p. 20-21, 164.

O DESCONTENTAMENTO DA DEMOCRACIA

3. John Dewey, *The Public and its Problems* (1926), in: *The Later Works of John Dewey, 1925-1953*, vol. 2 (Carbondale: Southern Illinois University Press, 1984), p. 295-297.

4. Ibid., p. 298-301.

5. Wiebe, *Search for Order*, p. 44.

6. Ibid., p. 12; Walter Lippmann, *Drift and Mastery* (1914; Englewood Cliffs, N.J.: Prentice-Hall, 1961), p. 92, 118.

7. William Allen White, *The Old Order Changeth* (Nova York: Macmillan, 1910), p. 250, 252-253. Sobre a resposta dos intelectuais progressistas à questão da comunidade, ver Jean B. Quandt, *From the Small Town to the Great Community* (New Brunswick, N.J.: Rutgers University Press, 1970).

8. Jane Addams, *Democracy and Social Ethics* (Nova York: Macmillan, 1907), p. 210-211.

9. Charles Horton Cooley, *Social Organization* (Nova York: Charles Scribner's Sons, 1929), p. 385, 244.

10. Josiah Royce, *The Problem of Christianity*, vol. 2 (Nova York: Macmillan, 1913), p. 85-86.

11. Ibid., p. 84, 88.

12. Dewey, *Public and Its Problems*, p. 330, 296, 314.

13. Ibid., p. 304, 324 e, em geral, p. 304-350.

14. Ver James Weinstein, *The Corporate Ideal in the Liberal State, 1900-1918* (Boston: Beacon Press, 1968), p. 92-116.

15. Ver David Tyack e Elisabeth Hansot, *Managers of Virtue: Public School Leadership in America, 1820-1980* (Nova York: Basic Books, 1982), p. 106-108.

16. R. Jeffrey Lustig, *Corporate Liberalism: The Origins of Modern American Political Theory, 1890-1920* (Berkeley: University of California Press, 1982), p. 153 e p. 150-194. Ver também Wiebe, *Search for Order*, p. 133-176; e Daniel T. Rodgers, "In Search of Progressivism", *Reviews in American History*, 10 (dezembro de 1982), p. 113-132.

17. Paul Boyer, *Urban Masses and Moral Order in America, 1820-1920* (Cambridge, Mass.: Harvard University Press, 1978), p. 190 e, de uma forma geral nas p. 189-292.

18. Ibid., p. 168-171, 195-201, 233-236; e Robert B. Fairbanks, *Making Better Citizens: Housing Reform and the Community Development Strategy in Cincinnati, 1890-1960* (Urbana: University of Illinois Press, 1988), p. 25.

19. Boyer, *Urban Masses*, p. 236-241. Para a visão de Olmstead, ver Frederick Law Olmsted, "Public Parks and the Enlargement of Towns" (1870), in: Nathan Glazer e Mark Lilla (orgs.), *The Public Face of Architecture: Civic Culture*

COMUNIDADE, AUTOGOVERNO E REFORMA PROGRESSISTA

and Public Spaces (Nova York: Free Press, 1987), p. 222-263; e em Thomas Bender, *Toward an Urban Vision: Ideas and Institutions in Nineteenth-Century America* (Baltimore: Johns Hopkins University Press, 1975), p. 160-187.

20. Boyer, *Urban Masses*, p. 243, 242, 244 e, de uma forma geral, p. 242-251.
21. Joseph Lee, *Charities and the Commons* (1907), citado em Cooley, *Social Organization*, p. 34-35.
22. Boyer, *Urban Masses*, p. 259 e, de modo geral, p. 256-260. Uma história completa do movimento dos desfiles pode ser encontrada em David Glassberg, *American Historical Pageantry: The Uses of Tradition in the Early Twentieth Century* (Chapel Hill: University of North Carolina Press, 1990).
23. Boyer, *Urban Masses*, p. 270, 275 (Daniel H. Burnham) e, em geral, p. 261-276.
24. Ver Michele H. Bogart, *Public Sculpture and the Civic Ideal in New York City, 1980-1930* (Chicago: University of Chicago Press, 1989), p. 258-270.
25. Ver Osmond K. Fraenkel (org.). *The Curse of Bigness: Miscellaneous Papers of Louis D. Brandeis* (Nova York: Viking Press, 1935), p. 100-181; Philippa Strum, *Louis D. Brandeis: Justice for the People* (Cambridge, Mass.: Harvard University Press, 1984), p. x-xi, 142-153, 337-353, 390-396.
26. Louis D. Brandeis, "Big Business and Industrial Liberty" (1912), em Fraenkel, *Curse of Bigness*, p. 38.
27. Idem, "The Road to Social Efficiency" (1911), citado em Strum, *Louis D. Brandeis*, p. 170; idem, "Big Business and Industrial Liberty", em ibid., p. 39.
28. Para um bom relato das opiniões de Brandeis sobre a democracia industrial, ver Strum, *Louis D. Brandeis*, p. 159-195.
29. Louis D. Brandeis, "How Far Have We Come on the Road to Industrial Democracy? — An Interview" (1913), em Fraenkel, *Curse of Bigness*, p. 47; idem, "Testimony before the United States Commission on Industrial Relations" (1915), in ibid., p. 78-79, 83.
30. Idem, "Testimony", p. 73, 81.
31. Ibid., p. 80.
32. Sobre a influência de Brandeis nas visões econômicas de Wilson, ver Arthur S. Link, *Woodrow Wilson and the Progressive Era, 1910-1917* (Nova York: Harper & Row, 1954), p. 20-21; John Milton Cooper, Jr., *The Warrior and the Priest: Woodrow Wilson e Theodore Roosevelt* (Cambridge, Mass.: Harvard University Press, 1983), p. 193-198; Strum, *Louis D. Brandeis*, p. 196-223.
33. Wilson, discurso em Sioux City, Iowa, 17 de setembro de 1912, citado em Cooper, *Warrior and the Priest*, p. 198. Ver também Woodrow Wilson e William E. Leuchtenburg (orgs.). *The New Freedom* (Englewood Cliffs, N.J.: Prentice-Hall, 1961), p. 102, 112-113, e a introdução do organizador, p. 10-11.

O DESCONTENTAMENTO DA DEMOCRACIA

34. Idem, *New Freedom*, p. 121, 165-166.
35. Ibid., p. 121.
36. Ibid., p. 20.
37. Ibid., p. 26-27.
38. Ibid., p. 166-167.
39. Ibid., p. 167.
40. Theodore Roosevelt, "Speech at Denver", 29 de agosto de 1910, em William E. Leuchtenburg (org.). *The New Nationalism* (Englewood Cliffs, N.J.: Prentice-Hall, 1961), p. 53.
41. Idem, "Speech at St. Paul", 6 de setembro de 1910, ibid., p. 85; "Speech at Osawatomie", 31 de agosto de 1910, em ibid., p. 27; "Speech at Syracuse", 17 de setembro de 1910, em ibid., p. 171.
42. Roosevelt para Alfred W. Cooley, 29 de agosto de 1911, citado em George E. Mowry, *The Era of Theodore Roosevelt, 1900-1912* (Nova York: Harper & Row, 1958), p. 55.
43. Roosevelt, "Speech at Osawatomie", p. 29; "Speech at St. Paul", p. 79.
44. Idem, "Speech at Denver", p. 53-54.
45. Idem, "Speech at Osawatomie", p. 38, 36.
46. Ibid., p. 39; idem, "Speech at the Milwaukee Auditorium", 7 de setembro de 1910, em Leuchtenburg, *New Nationalism*, p. 141. Ver também em idem, "Speech at Sioux Falls", 3 de setembro de 1910, in ibid., p. 93.
47. Idem, "At Unveiling of Statue to McClellan at Washington", 2 de maio de 1907, em Roosevelt, *Presidential Addresses and State Papers*, vol. 6 (Nova York: Review of Reviews, 1910), p. 1.236-37; também em idem, "Speech at Osawatomie", p. 38-39.
48. Idem, "Speech at St. Paul", p. 84; "Speech at Osawatomie", p. 39; "Speech at Sioux Falls", p. 95; "Speech at Pueblo", 30 de agosto de 1910, em Leuchtenburg, *New Nationalism*, p. 145.
49. Idem, "At Unveiling of Statue to McClellan," p. 1.232.
50. Ibid.; idem, "Speech at Syracuse", p. 173.
51. Herbert Croly, *The Promise of American Life* (Indianapolis: Bobbs-Merrill, 1965 [1909]), p. 272-275. A relação entre Croly e Roosevelt e a discussão sobre quem influenciou quem são discutidas em Charles Forcey, *The Crossroads of Liberalism: Croly, Weyl, Lippmann, and the Progressive Era, 1900-1925* (Nova York: Oxford University Press, 1961), p. 121-139; e Cooper, *Warrior and the Priest*, p. 147.
52. Croly, *Promise of American Life*, p. 273, 212, 271.
53. Ibid., p. 207-208, 273, 280.

COMUNIDADE, AUTOGOVERNO E REFORMA PROGRESSISTA

54. Ibid., p. 286, 407.
55. Ibid., p. 399, 454; ver também p. 208, 400.
56. Wilson era o candidato democrata; Roosevelt, o candidato do Partido Progressista, ou "Bull Moose". O titular do Partido Republicano, William Howard Taft, relegado à margem da campanha, terminou em terceiro.
57. Cooper, *Warrior and the Priest*, p. 141.
58. Wiebe, *Search for Order*, p. 158; David P. Thelen, *The New Citizenship: Origins of Progressivism in Wisconsin, 1885-1900* (Columbia: University of Missouri Press, 1972), p. 82.
59. Thelen, *New Citizenship*, p. 82, 288, 308. Ver a distinção geral de Thelen entre os movimentos de reforma da Era Progressiva baseados no produtor e no consumidor em ibid., p. 1-2.
60. Lippmann, *Drift and Mastery*, p. 54-55.
61. Ibid., p. 52-53, 54.
62. Daniel J. Boorstin, *The Americans: The Democratic Experience* (Nova York: Vintage Books, 1973), p. 89.
63. Ibid., p. 89-90, 112 e, de uma forma geral, p. 89-164.
64. Walter E. Weyl, *The New Democracy* (Nova York: Macmillan, 1912).
65. Ver Forcey, *Crossroads of Liberalism*, esp. p. 3-5, 52-56.
66. Weyl, *The New Democracy*, p. 250.
67. Ibid., p. 250-251.
68. Os exemplos vão desde os movimentos de não consumo e não importação do período colonial às exortações de Theodore Roosevelt contra o materialismo. Ver Edmund S. Morgan, "The Puritan Ethic and the American Revolution", *William and Mary Quarterly*, 24 (outubro de 1967), p. 33-43; Gordon S. Wood, *The Creation of the American Republic 1776-1787* (Nova York: W. W. Norton, 1969), p. 91-125; e Cooper, *Warrior and the Priest*, p. 112-117.
69. Weyl, *New Democracy*, p. 150.
70. Ibid., p. 191, 195, 145.
71. Ibid., p. 145-146.
72. Ibid., p. 152-153, 161, 164.
73. Louis D. Brandeis, "Carta a Robert W. Bruere", 25 de fevereiro de 1922, em Fraenkel, *Curse of Bigness*, p. 270-271; Croly, *Promise of American Life*, p. 400; Weyl, *New Democracy*, p. 150.
74. Joseph Cornwall Palamountain Jr., *The Politics of Distribution* (Cambridge, Mass.: Harvard University Press, 1955), p. 159-160; Maurice W. Lee, *Anti-Chain-Store Tax Legislation* (Chicago: University of Chicago Press, 1939), p. 5-24; Thomas W. Ross, "Store Wars: The Chain Tax Movement", *Journal of Law & Economics*, 29 (abril de 1986), p. 125-127.

O DESCONTENTAMENTO DA DEMOCRACIA

75. *State Board of Tax Commissioners v. Jackson*, 283 U.S. 527 (1931).
76. Palamountain, *Politics of Distribution*, p. 160-162; Lee, *Antichain-Store Tax Legislation*, p. 25-26.
77. Montaville Flowers, *America Chained* (Pasadena: Montaville Flowers Publicists, 1931), p. 65, 35, 131, 82.
78. Ibid., p. 94-95, 172, 231.
79. Hugo L. Black citado em Boorstin, *Americans*, p. 111-112.
80. *Liggett Company v. Lee*, 288 U.S. 517 (1933), dissensão do juiz Brandeis, reproduzido em Fraenkel, *Curse of Bigness*, p. 171.
81. Ibid., p. 178-179.
82. Christine Frederick, "Listen to This Sophisticated Shopper!", *Chain Store Age*, 1 (junho de 1925), p. 36, citado em Rowland Berthoff, "Independence and Enterprise: Small Business in the American Dream", in: Stuart W. Bruchley (org.), *Small Business in American Life* (Nova York: Columbia University Press, 1980), p. 28; E. C. Sams, "The Chain Store is a Public Necessity", in: E. C. Buehler (org.), *A Debate Handbook on the Chain Store Question* (Lawrence: University of Kansas, 1932), p. 100. Ver também Berthoff, "Independence and Enterprise", p. 28; Lippmann, *Drift and Mastery*, p. 55.
83. E. C. Buehler, *Chain Store Debate Manual* (Nova York: National Chain Store Association, 1931), p. 40-41; John Somerville, *Chain Store Debate Manual* (Nova York: National Chain Store Association, 1930), p. 20-21. Ver também Boorstin, *Americans*, p. 112.
84. Albert H. Morrill, "The Development and Effect of Chain Stores", em Buehler, *Debate Handbook on Chain Store Question*, p. 145-146.
85. Somerville, *Chain Store Debate Manual*, p. 16-17.
86. Palamountain, *Política de Distribuição*, p. 168-187; Lee, *Antichain-Store Tax Legislation*, p. 24-26; Ross, "Store Wars", p. 127, 137.
87. O principal exemplo é Robert H. Bork, *The Antitrust Paradox* (Nova York: Basic Books, 1978), p. 15-66.
88. Richard Hofstadter, "What Happened to the Antitrust Movement?", in: Earl F. Cheit (org.), *The Business Establishment* (Nova York: John Wiley & Sons, 1964), p. 125. Ver também David Millon, "The Sherman Act and the Balance of Power", *Southern California Law Review*, 61 (1988), p. 1.219-1.292; e Robert Pitofsky, "The Political Content of Antitrust", *University of Pennsylvania Law Review*, 127 (1979), p. 1.051-1.075.
89. Hans B. Thorelli, *The Federal Antitrust Policy*. (Estocolmo: Akademisk Avhandling, 1954), p. 227.

COMUNIDADE, AUTOGOVERNO E REFORMA PROGRESSISTA

90. John B. Sherman citado em *Congressional Record*, 51º Cong., 1ª Sessão, 21 (21 de março de 1890), 2457, in: Earl W. Kintner (org.). *The Legislative History of the Federal Antitrust Laws and Related Statutes*, parte I, 9 vols. (Nova York: Chelsea House, 1978), vol. 1, p. 117.

91. Hofstadter, "What Happened to the Antitrust Movement?", p. 125.

92. Henry A. Stimson, "The Small Business as a School of Manhood", *Atlantic Monthly*, 93 (1904), p. 337-340. Ver também Berthoff, "Independence and Enterprise", p. 35-36.

93. Hazen S. Pingree citado em *Chicago Conference on Trusts* (Chicago: Civic Federation of Chicago, 1900), p. 263-267. Ver também Berthoff, "Independence and Enterprise", p. 34-35.

94. Pingree citado em *Chicago Conference on Trusts*, p. 266-267.

95. George Gunton citado em ibid., p. 276-285. Ver também Berthoff, "Independence and Enterprise", p. 35.

96. Gunton citado em *Chicago Conference on Trusts*, p. 281-282.

97. Ver Ellis W. Hawley, "Antitrust", in: Glenn Porter (org.), *Encyclopedia of American Economic History*, vol. 2 (Nova York: Charles Scribner's Sons, 1980), p. 773-774; Phillip Areeda e Louis Kaplow, *Antitrust Analysis: Problems, Text, Cases*, 4ª ed. (Boston: Little, Brown, 1988), p. 58-59.

98. *Estados Unidos v. Trans-Missouri Freight Association*, 166 U.S. 290, 323 (1897).

99. Bork, *Antitrust Paradox*, p. 21-26.

100. *Trans-Missouri Freight Association*, 166 US em 323-324.

101. Thomas K. McCraw, "Rethinking the Trust Question", in: McCraw (org.), *Regulation in Perspective: Historical Essays* (Cambridge, Mass.: Harvard University Press, 1981), p. 54.

102. Ver Strum, *Louis D. Brandeis*, p. x-xi, p. 142-153, 390-396. Por menos simpatia que ele demonstre aos argumentos contra a grandeza, McCraw estabelece uma distinção entre os argumentos políticos e econômicos de Brandeis, embora sem fazer referência à tradição do republicanismo. Ver McCraw, "Rethinking the Trust Question", p. 1-55; e idem, *Prophets of Regulation* (Cambridge, Mass.: Harvard University Press, 1984), p. 80-142.

103. Brandeis, Louis D., depoimento, 14 de dezembro de 1911, no Senado dos Estados Unidos, *Report of the Committee on Interstate Commerce, Pursuant to Senate Resolution 98: Hearings on Control of Corporations, Persons and Firms Engaged in Interstate Commerce*, 62ª Cong., 2ª Sessão (Washington, D.C.: U.S. Government Printing Office, 1912), p. 1.146-1.148; idem, "Competition", *American Legal News*, 44 (janeiro de 1913), in: Fraenkel, *Curse of Bigness* p. 112-124.

O DESCONTENTAMENTO DA DEMOCRACIA

104. Louis D. Brandeis para Elizabeth Brandeis Rauschenbush, 19 de novembro de 1933, citado em Strum, *Louis D. Brandeis*, p. 391.

105. Brandeis, depoimento, *Report of the Committee on Interstate Commerce*, p. 1148, 1170; idem, "Competition", p. 114-118. Ver também Strum, *Louis D. Brandeis*, p. 147-150; McCraw, "Rethinking the Trust Question", p. 28-38; e idem, *Prophets of Regulation*, p. 94-101.

106. Brandeis, depoimento, *Report of the Committee on Interstate Commerce*, p. 1.166-1.167, 1.155, 1.174; idem, "Competition", p. 116.

107. O caso é *Dr. Miles Medical Co. v. John D. Park & Sons Co.*, 220 U.S. 373 (1911). Sobre Brandeis e manutenção de preços de revenda, ver McCraw, *Prophets of Regulation*, p. 101-108.

108. Brandeis, depoimento, 15 de maio de 1912, perante o Comitê de Patentes da Câmara, citado em McCraw, *Prophets of Regulation*, p. 102-103.

109. Louis D. Brandeis para George Soule, 22 de abril de 1923, citado em Strum, *Louis D. Brandeis*, p. 192-193; Brandeis, "Cut-Throat Prices: The Competition That Kills", *Harper's Weekly*, 15 de novembro de 1913, in: Brandeis, *Business: A Profession* (Boston: Small, Maynard, 1914), p. 254.

110. Brandeis, "Cut-Throat Prices", p. 252-253.

111. Areeda e Kaplow, *Antitrust Analysis*, p. 58-61; McCraw, *Prophets of Regulation*, p. 114-152; Hofstadter, "What happened to the Antitrust Movement?", p. 114-115; Hawley, "Antitrust", p. 776-779.

112. Franklin D. Roosevelt, "Recommendations to the Congress to Curb Monopolies and the Concentration of Economic Power", 29 de abril de 1938, in: Samuel I. Rosenman (org.), *The Public Papers and Addresses of Franklin D. Roosevelt*, vol. 7 (Nova York: Macmillan, 1941), p. 305-315.

113. Thurman W., Arnold, *The Folklore of Capitalism* (New Haven: Yale University Press, 1937), p. 207-217, 221, 228-229; Ellis W. Hawley, *The New Deal and the Problem of Monopoly* (Princeton: Princeton University Press, 1966), p. 421-423.

114. Hawley, *New Deal and Monopoly*, p. 420-455; Hofstadter, "What Happened to the Antitrust Movement?", p. 114-115; Alan Brinkley, "The New Deal and the Idea of the State", in: Steven Fraser e Gary Gerstle (orgs.), *The Rise and Fall of the New Deal Order, 1930-1980* (Princeton: Princeton University Press, 1989), p. 89-90.

115. Thurman W. Arnold, *The Bottlenecks of Business* (Nova York: Reynal & Hitchcock, 1940), p. 1-19, 116-131, 260-297; Hawley, *New Deal and Monopoly*, p. 421-429; Brinkley, "New Deal e Idea of State", p. 89-91.

116. Arnold, *Bottlenecks of Business*, p. 3-4.

117. Ibid., p. 122, 125.

COMUNIDADE, AUTOGOVERNO E REFORMA PROGRESSISTA

118. Ibid., p. 123.

119. *Estados Unidos v. Aluminum Co. of America*, 148 F.2d 416, 427,428 (2ºd Cir. 1945).

120. Estes Kefauver, debate no Senado, Registro do Congresso, 81ª Cong., 2ª Sessão, 96 (12 de dezembro de 1950), 16433, 16452, in: Kintner, *Legislative History of Federal Antitrust Laws*, parte I, vol. 4, p. 3581. Ver também observações do deputado Emanuel Cellar, debate na Câmara, Registro do Congresso, 81ª Cong., 1ª Sessão, 95 (15 de agosto de 1949), 11484, 11486, in: Kintner, *Legislative History of Federal Antitrust Laws*, parte I, v. 4, p. 3.476. O projeto de lei era a Lei Cellar-Kefauver de 1950.

121. Hubert H. Humphrey, debate no Senado, *Congressional Record*, 82ª Cong., 2ª Sessão, 98 (1-2 de julho de 1952), 8741, 8823, in: Kintner, *Legislative History of Federal Antitrust Laws*, parte I, vol. 1, p. 807-808, 832. O projeto era da Lei McGuire de 1952.

122. *Brown Shoe Co., Inc. v. Estados Unidos*, 370 U.S. 293, 315-316, 344 (1962).

123. *Estados Unidos v. Von's Grocery Co.*, 384 U.S. 270, 274-275 (1966).

124. *Estados Unidos v. Falstaff Brewing Corp.*, 410 U.S. 526, 540-543 (1973), juiz Douglas concordando em parte.

125. Phillip Areeda e Donald F. Turner, *Antitrust Law: An Analysis of Antitrust Principles and Their Application*, vol. 1 (Boston: Little, Brown, 1978), p. 8-12.

126. Ibid., p. 24-29.

127. Bork, *Antitrust Paradox*, p. 51, 7, 54, 203-204. Ver também Richard A. Posner, *Antitrust Law: An Economic Perspective* (Chicago: University of Chicago Press, 1976).

128. Ralph Nader, "Introduction", in: Mark J. Green (org.), *The Monopoly Makers: Ralph Nader's Study Group Report on Regulation and Competition* (Nova York: Grossman, 1973), p. x; Nader, "Introduction", in: Green, *The Closed Enterprise System: Ralph Nader's Study Group Report on Antitrust Enforcement* (Nova York: Grossman, 1972), p. xi; Citações de Green em ibid., p. 5, 21.

129. Bork, *Antitrust Paradox*, p. 91; ver também ibid., p. 110-111.

130. William Baxter no *Wall Street Journal*, 4 de março de 1982, p. 28, citado em Robert H. Lande, "The Rise and (Coming) Fall of Efficiency as the Ruler of Antitrust", *Antitrust Bulletin*, outono de 1988, p. 439; Charles F. Rule e David L. Meyer, "An Antitrust Enforcement Policy to Maximize the Economic Wealth of All Consumers", *Antitrust Bulletin*, inverno de 1988, p. 684-686.

131. Ver Robert H. Lande, "Wealth Transfers as the Original and Primary Concern of Antitrust: The Efficiency Interpretation Challenged", *Hastings Law Journal*, 34 (1982), p. 68-69; idem, "Rise and (Coming) Fall"; e Peter W. Rodino, Jr.,

O DESCONTENTAMENTO DA DEMOCRACIA

"The Future of Antitrust: Ideology vs. Legislative Intent", *Antitrust Bulletin*, outono de 1990, p. 575-600.

132. Nader, "Introduction", in: Green, *Monopoly Makers*, p. xi-xii.

133. Green, *Closed Enterprise System*, p. 14-15.

134. A lei que revogava os atos de comércio justo foi chamada de Lei de Preços de Mercadorias ao Consumidor de 1975. Ver Kintner, *Legislative History of Federal Antitrust Laws*, parte I, vol. 1, p. 939-982.

135. Jack Brooks citado em *Congressional Quarterly Almanac*, 47 (1991), p. 292. Sobre a questão geral, ver ibid., p. 291-292, bem como *Congressional Quarterly Almanac*, vol. 46 (1990), p. 539-540; volume 44 (1988), p. 131-132; e vol. 43 (1987), p. 280-281.

Capítulo 5   # Liberalismo e a revolução keynesiana

Tão familiares são os termos de nossos debates econômicos — sobre prosperidade e justiça, emprego e inflação, impostos e gastos, déficits orçamentários e taxas de juros — que eles parecem naturais, até mesmo atemporais. Se a política econômica não trata do tamanho e da distribuição da riqueza nacional, do que mais trataria? Mas, olhando para trás ao longo do século, é impressionante lembrar como são novas as questões econômicas que chamam a nossa atenção. Os argumentos dos debates econômicos de nossos dias têm pouca semelhança com as questões que dividiam Theodore Roosevelt e Woodrow Wilson, Herbert Croly e Louis D. Brandeis. Eles tinham como maior preocupação a estrutura da economia e debatiam como preservar o governo democrático em face do poder econômico concentrado. Nossa preocupação se volta ao nível geral da produção econômica e debatemos como promover o crescimento econômico enquanto asseguramos amplo acesso aos frutos da prosperidade.

Em retrospecto, é possível identificar o momento em que nossas questões econômicas substituíram as deles. Como sugere o caso do movimento antitruste, o final da década de 1930 trouxe o início de uma mudança nos termos do debate econômico, que deixavam as considerações sobre o autogoverno e passavam para o tema do bem-estar do consumidor. Mais ou menos na mesma época, a política econômica nacional como um todo passou por uma transformação semelhante. Começando no final do New Deal e culminando no início dos anos 1960, a economia política do crescimento e da justiça distributiva tomou o lugar da economia política da cidadania.

VISÕES CONCORRENTES DA REFORMA DO NEW DEAL

No início do New Deal, o debate político continuava a refletir as alternativas definidas na Era Progressista. Quando Franklin Roosevelt assumiu o cargo no meio da Depressão, duas tradições de reforma ofereciam abordagens concorrentes para a recuperação econômica. Um grupo de reformadores, herdeiros da New Freedom [Nova Liberdade] e da filosofia de Brandeis, procurava descentralizar a economia por meio de medidas antitruste e outras destinadas a restaurar a concorrência. Outro grupo, influenciado pelo New Nationalism [Novo Nacionalismo], buscava racionalizar a economia por meio do planejamento nacional. Eles argumentavam que o poder concentrado era uma característica inevitável de uma economia moderna; o que era necessário era o planejamento sistemático e o controle racional do sistema industrial. Entre os planejadores, havia muita discordância sobre quem deveria se encarregar desse planejamento. Os industrialistas eram favoráveis a um tipo de esquema de comunidade empresarial pelo qual associações comerciais autônomas regulariam a produção e os preços, como durante a Primeira Guerra Mundial. Outros como Rexford G. Tugwell, economista do New Deal, queriam que os responsáveis pelo planejamento fossem o governo ou outras agências públicas, e não as empresas.[1]

Apesar das diferenças, tanto os planejadores quanto os antimonopolistas supunham que a superação da Depressão exigia uma mudança na estrutura do capitalismo industrial. Concordavam também que a concentração de poder na economia, deixada por sua conta, representava uma ameaça ao governo democrático. Como os antecessores Croly e Brandeis, os planejadores e os antimonopolistas divergiam sobre a melhor forma de preservar a democracia diante do poder econômico — se deveria ser pela formação de uma concentração rival de poder no governo nacional, ou pela descentralização do poder econômico na esperança de que tivesse que prestar contas às unidades políticas locais.

Essas abordagens concorrentes persistiram, num impasse, durante grande parte do New Deal. Em diferentes políticas e diferentes humores, Roosevelt fez experiências com as duas, sem adotar nem rejeitar

LIBERALISMO E A REVOLUÇÃO KEYNESIANA

totalmente nenhuma delas. No final, porém, nem os planejadores nem os antimonopolistas prevaleceram. A recuperação, quando veio, não se deveu à reforma estrutural, mas a gastos maciços do governo. A Segunda Guerra Mundial forneceu a ocasião para os gastos; a economia keynesiana, a lógica. Mas a política fiscal keynesiana tinha um apelo político evidente antes mesmo de a guerra demonstrar seu sucesso econômico. Ao contrário das várias propostas de reforma estrutural, a economia keynesiana oferecia ao governo uma maneira de controlar a economia sem ter que escolher entre concepções controversas da boa sociedade. Onde os reformadores anteriores haviam buscado arranjos econômicos que cultivassem cidadãos de determinado tipo, os keynesianos não empreendiam uma missão formativa; eles propunham simplesmente aceitar as preferências do consumidor já existentes e regular a economia manipulando a demanda agregada.

O apelo da política fiscal keynesiana pode ser mais bem compreendido se abordarmos o contexto das visões conflitantes de reforma que disputavam a predominância no início do New Deal. A princípio, parecia que os planejadores prevaleceriam. "Cada vez mais, o movimento das coisas em 1933 favorecia aqueles que afirmavam que o crescimento industrial havia produzido uma economia orgânica que exigia controle nacional." A primeira grande reforma do governo estabeleceu a autoridade federal de planejamento sobre a agricultura. A Agricultural Adjustment Administration [AAA, Agência de Ajuste Agrícola], criada em 1933, supervisionava preços e níveis de produção de mercadorias básicas. Na esperança de aumentar os preços e estabilizar a economia agrícola, a AAA subsidiou os agricultores para que reduzissem a produção. Quando o programa começou, o governo ordenou que os cotonicultores lavrassem menos de um quarto de sua colheita e que os suinocultores eliminassem seis milhões de porcos — medidas recebidas com incompreensão e protestos por uma nação que sofria de fome e privações. Outras medidas proporcionaram crédito aos agricultores e levaram energia elétrica para zonas rurais. Embora parte das ações da AAA tenham sido invalidadas pela Suprema Corte,

O DESCONTENTAMENTO DA DEMOCRACIA

o papel do governo federal na economia agrícola, por meio de suportes de preços, programas de crédito e outras políticas, continuaria.[2]

A segunda grande iniciativa de Roosevelt estendeu a filosofia de planejamento à economia industrial. Em 1933, o Congresso aprovou a Lei de Recuperação da Indústria Nacional, uma tentativa de reorganizar a indústria americana por meio de um novo sistema de cooperação entre empresas, trabalhadores e governo. Roosevelt saudou-a como "a legislação mais importante e abrangente já promulgada pelo Congresso americano". A lei estabelecia a National Recovery Administration [NRA, Agência de Recuperação Nacional] para supervisionar o esquema cooperativo e a Public Works Administration [PWA, Agência de Obras Públicas] para destinar uma verba de 3,3 bilhões de dólares.[3]

A missão de planejamento da NRA era negociar dois conjuntos de acordos com as principais indústrias do país. Um conjunto de acordos comprometeria os patrões a adotarem salários mínimos, jornada máxima, negociação coletiva e abolição da mão de obra infantil, o que reduziria o desemprego, melhoraria as condições de trabalho e ampliaria o poder de compra. Ao mesmo tempo, a NRA suspendia as leis antitruste para permitir que grupos do setor negociassem acordos para a fixação de preços mínimos para seus produtos e, em alguns casos, a restrição da produção. Esses códigos de preços, estabelecidos por associações do ofício com a supervisão do governo, pelo menos em teoria, evitariam que empregadores responsáveis fossem prejudicados por concorrentes gananciosos que se recusassem a pagar um salário decente a seus trabalhadores.[4]

Quando as negociações fragmentadas, setor por setor, se mostraram inadequadas para a tarefa de estimular a recuperação, o extravagante chefe da NRA, o general da reserva Hugh S. Johnson, lançou uma campanha nacional para que todos os patrões aderissem a um acordo geral para manter os padrões da NRA em salários e horas. Aqueles que assumissem o compromisso poderiam exibir a insígnia "Blue Eagle" [Águia Azul] da NRA em suas vitrines e em seus produtos. Os consumidores, por sua vez, foram instados a comprar apenas de comerciantes da Blue Eagle. Incapaz de estabelecer a obrigatoriedade

LIBERALISMO E A REVOLUÇÃO KEYNESIANA

do endosso, Johnson procurou obter apoio público para os códigos da NRA, inspirando entre os americanos o mesmo fervor patriótico despertado em tempos de guerra. Observando que a Depressão provocara mais sofrimento a mais americanos do que a Grande Guerra, Johnson lançou um movimento de massa baseado "no poder e na vontade do povo americano de agir em conjunto como um indivíduo num momento de grande perigo".[5]

O ponto alto da campanha foi um enorme desfile da Blue Eagle na cidade de Nova York em setembro de 1933. "Na maior manifestação da história da cidade", escreve Arthur Schlesinger Jr., "um quarto de milhão de homens e mulheres desceram pela Quinta Avenida, enquanto mais de um milhão e meio ladeavam as ruas, assistindo e aplaudindo." A noite caiu, mas "chegaram ainda mais participantes — rapazes do CCC* em verde-oliva; vendedores de seguro de vida e operadores de linhas telefônicas; corretores de ações e jovens coristas; cervejeiros andando sob sinalizadores vermelhos e bandas tocando 'Happy Days Are Here Again' [Os dias felizes estão de volta]. Tudo prosseguiu até a meia-noite, em um pandemônio de serpentinas, entusiasmo e companheirismo. O voo do Blue Eagle atingiu seu apogeu."[6]

Mas os aplausos não duraram. Em 1934, as críticas públicas à NRA se multiplicavam. As empresas não gostavam dos requisitos para a negociação coletiva, os consumidores se irritavam com os aumentos de preços e os trabalhadores reclamavam que a NRA era excessivamente simpática às empresas. As autoridades do código que estabeleciam acordos de preço e produção, destinados a representar os trabalhadores e o público, eram dominadas na prática por associações comerciais bem-organizadas. Os padrões trabalhistas da NRA eram comumente violados e a fiscalização era fraca. Os críticos objetavam que a NRA equivalia a uma fixação de preços pelas grandes empresas,

---

* O Corpo de Conservação Civil (Civilian Conservation Corps – CCC) foi um programa do governo dos Estados Unidos ativo entre 1933 e 1942 voltado à ocupação da mão de obra de jovens solteiros e desempregados em trabalhos relacionados a recursos naturais do país, em áreas rurais de propriedade dos governos federal, estadual e municipal. [N. do R. T.]

sancionada pelo governo. Um conselho presidido pelo advogado Clarence Darrow concluiu, para a fúria do general Johnson, que a NRA era um instrumento do monopólio. Assolado por críticas, o próprio Johnson tornou-se cada vez mais errático e finalmente foi afastado por Roosevelt. Mas a essa altura o entusiasmo do público pela NRA havia diminuído, e a nova liderança pouco pôde fazer para melhorar sua sorte. Na decisão do caso Schechter de 1935, a Suprema Corte pôs fim à NRA, declarando inconstitucional seu amplo escopo de autoridade para a elaboração de códigos. Roosevelt criticou a Corte em público, mas em particular expressou uma sensação de alívio. "Tem sido uma dor de cabeça terrível", admitiu ele a um colaborador próximo.[7]

Com o desaparecimento da NRA, o New Deal entrou em nova fase, na qual o impulso do planejamento se desvaneceu e a vertente descentralizadora da reforma assumiu maior protagonismo. "No seu início, o New Deal aceitou a concentração do poder econômico como tendência central e irreversível da economia americana e propôs a concentração do poder político como resposta." Como Tugwell, um dos principais planejadores, declarou: "O antigo sentimento de medo das grandes empresas tornou-se desnecessário. (...) Demos as costas para a competição e escolhemos o controle." O "Segundo New Deal", como alguns chamaram o período pós-NRA, deu mais voz àqueles que mantinham o antigo medo das grandes empresas e que também desconfiavam do planejamento do governo.[8]

Das primeiras medidas do New Deal, apenas a reforma do setor de valores mobiliários e a Tennessee Valley Authority [TVA, Autoridade do Vale do Tennessee] refletiram a filosofia dos descentralizadores. A Securities and Exchange Commission [Comissão de Valores Mobiliários], criada em 1934, não era um órgão de planejamento, mas uma agência reguladora encarregada de prevenir os abusos de Wall Street e promover a concorrência leal no mercado de valores mobiliários. A TVA, um programa de 1933 para levar energia barata e controle de enchentes para áreas rurais, envolveu planejamento governamental. Mas, do ponto de vista dos descentralizadores, também representava uma experiência de administração descentralizada, desenvolvimento regional

LIBERALISMO E A REVOLUÇÃO KEYNESIANA

e uma forma de incentivar pequenas comunidades integradas nas quais os trabalhadores podiam permanecer ligados à terra e ao mesmo tempo ter acesso a eletricidade, transporte e tecnologia moderna.[9]

Uma figura de destaque do New Deal tardio foi Felix Frankfurter, professor de direito de Harvard, discípulo de Brandeis e confidente de Roosevelt. Frankfurter, cujo ponto de vista refletia o progressismo de Wilson e Brandeis, "acreditava em um mundo de pequenos negócios, independência econômica e ação governamental para restaurar e preservar a livre concorrência". No rescaldo da decisão do caso Schechter na Suprema Corte, Frankfurter ganhou mais influência, junto com muitos alunos e protegidos que ele colocara na repartição. Ele argumentava que a cooperação entre empresas e governo havia fracassado e insistia que Roosevelt se manifestasse contra as grandes empresas, revigorasse o combate ao truste e tributasse grandes corporações.[10]

Uma expressão da nova ênfase antitruste foi a proposta de Roosevelt, em 1935, de desmembrar as grandes holdings de serviços públicos que permitiam que um pequeno grupo de investidores poderosos controlasse as empresas de energia locais. Em mensagem ao Congresso pedindo a aprovação do projeto de lei das holdings, Roosevelt repetiu a acusação ao estilo de Brandeis, de que as grandes empresas ameaçavam a democracia. As holdings privavam as comunidades locais do controle sobre seus serviços públicos, argumentou ele, e davam "poder tirânico" a uns poucos favorecidos. "É hora de fazer um esforço para reverter esse processo de concentração de poder que fez com que, para conseguir o pão diário, a maioria dos cidadãos americanos, antes tradicionalmente proprietários independentes dos próprios negócios, dependessem, impotentes, do favor de muito poucos que, por dispositivos como as holdings, tomaram para si um poder econômico injustificado. Sou contra o socialismo de poder privado concentrado tão completamente quanto sou contra o socialismo governamental. Um é tão perigoso quanto o outro." Embora um tanto enfraquecida pelo intenso lobby da indústria, a Lei das Concessionárias de Serviço Público em Regime de Holding representou uma vitória para os oponentes da concentração econômica.[11]

O DESCONTENTAMENTO DA DEMOCRACIA

Outro ataque à concentração de poder e de riqueza estava contido na mensagem fiscal de Roosevelt ao Congresso em 1935, que pedia aumento dos impostos sobre heranças e doações, impostos de renda mais altos para os ricos e um imposto de renda corporativo progressivo, que aumentaria com o tamanho do negócio. Até certo ponto, essas propostas respondiam ao crescente apoio à campanha "Compartilhe a Riqueza" do senador Huey Long e invocavam considerações de justiça distributiva. A mensagem de Roosevelt se referia, por exemplo, à "agitação social e a um sentimento cada vez mais profundo de injustiça" na vida americana. Enfatizava a necessidade de uma distribuição justa da carga tributária e uma "prosperidade nacional bem distribuída". Mas além da questão da justiça distributiva, Roosevelt também destacava as consequências cívicas do poder e da riqueza concentrados: "Grandes acumulações de riqueza (...) equivalem à perpetuação de uma grande e indesejável concentração de controle, nas mãos de relativamente poucos indivíduos, sobre o emprego e o bem-estar de muitos, muitos outros." Assim como os fundadores da pátria rejeitaram o poder político herdado, os americanos rejeitavam agora o poder econômico herdado.[12]

As propostas fiscais de Roosevelt provocaram uma torrente de oposição empresarial capaz de enfraquecer o projeto de lei que por fim emergiu do Congresso. No final das contas, a Lei da Receita de 1935 pouco fez para redistribuir a riqueza ou conter a maré de grandeza. A tentativa de Roosevelt de tributar lucros corporativos não distribuídos, no ano seguinte, provocou conflitos semelhantes com resultados modestos. Embora as batalhas fiscais de 1935 e 1936 representassem um novo compromisso com a oposição à grandeza em nome da pequena empresa competitiva, pouco ou nada fizeram para descentralizar a economia.[13]

Ainda assim, Roosevelt entrou na campanha de 1936 a toda contra os grandes negócios e o poder concentrado. Ao aceitar a candidatura pela convenção democrata, ele atacou os "monarquistas econômicos" que usavam seu vasto poder para minar a democracia nos Estados Unidos. A Revolução Americana derrubara a tirania política e conquistara para cada cidadão "o direito de, junto com seus vizinhos, fazer e ordenar o próprio destino por meio de seu próprio governo". Mas a era moderna das máquinas e das ferrovias, do vapor e da eletricidade, da produção e da distribuição em massa, permitira que novos tiranos construíssem reinos "a partir da concentração do controle sobre as coisas materiais". E, em pouco tempo, "os príncipes privilegiados dessas novas dinastias econômicas, sedentos de poder, buscaram ter o controle do próprio governo".[14]

A "nova ditadura industrial" privava o povo do controle sobre as horas que trabalhavam, os salários que recebiam e as condições de seu trabalho. Para aqueles que lavravam o solo, a "pequena medida de seus ganhos era decretada por homens em cidades distantes". O monopólio destruía as oportunidades e "a iniciativa individual havia sido esmagada nas engrenagens de uma grande máquina". A igualdade política tornava-se "sem sentido diante da desigualdade econômica. Um pequeno grupo concentrava em suas próprias mãos um controle quase completo sobre a propriedade de outras pessoas, o dinheiro de outras pessoas, o trabalho de outras pessoas — a vida de outras pessoas." O New Deal assumia como missão a tarefa de redimir a democracia americana do despotismo do poder econômico.[15]

Roosevelt foi reeleito em 1936 com uma vitória esmagadora, apenas para enfrentar, no primeiro ano de seu segundo mandato, uma nova e severa crise econômica. A recessão de 1937 começou com o declínio mais agudo já registrado entre os índices da produção industrial, seguido por uma queda acentuada no mercado de ações. O governo, confiante de que a recuperação estava em andamento, de repente enfrentou uma nova crise. Roosevelt havia herdado a primeira depressão; naquele momento, passou a ter outra, só sua. Enquanto decidia como reagir, o mesmo conjunto desconcertante de alternativas se apresentou. "A indústria deveria ser atomizada e o poder econômico concentrado, disperso? Deveria haver uma organização e uma racionalização de tal modo que os próprios empresários possam se envolver no planejamento econômico? Ou seria necessário transferir o poder econômico para o Estado ou para grupos não empresariais? E haveria mesmo uma solução real em algumas dessas alternativas?"[16]

O DESCONTENTAMENTO DA DEMOCRACIA

Entre as várias escolas de reforma, os antimonopolistas ofereceram o diagnóstico mais influente. A nova recessão demonstrava que as grandes empresas, deixadas por conta própria, restringiriam a produção e imporiam "preços administrados", artificialmente altos aos consumidores, diminuindo assim o poder de compra. Alguns alegavam que o mundo corporativo havia provocado a recessão de modo intencional, para sabotar o New Deal. E complementavam: somente uma vigorosa campanha de desmonte dos trustes e de regulamentação poderia restaurar a saúde da economia. "Assim, pelo menos na superfície, o impulso mais poderoso dentro do New Deal, a partir do início de 1938, foi o renascimento da velha cruzada contra o 'monopólio'. Os ataques retóricos à concentração econômica ecoavam por todo o governo enquanto se tentava forjar uma explicação para os reveses do ano anterior."[17]

Em uma mensagem ao Congresso em 1938, Roosevelt tocou em temas tradicionalmente antimonopolistas ao pedir um aumento nos gastos com a fiscalização antitruste e um estudo abrangente sobre a concentração do poder econômico na indústria americana. "A liberdade de uma democracia não está assegurada", declarou ele, "se o povo tolerar o crescimento do poder privado a um ponto em que ele se torne mais forte do que o próprio Estado democrático." Mais ou menos na mesma época, Roosevelt nomeou Thurman Arnold para chefiar a Divisão Antitruste do Departamento de Justiça, onde ele reforçou a aplicação da lei.[18]

Mas os acontecimentos desmentiram o aparente triunfo da reforma brandeisiana. Como vimos, a proposta antitruste de Arnold, por mais vigorosa que tenha sido, visava a reduzir os preços ao consumidor, não descentralizar a economia nem reduzir o poder político das grandes empresas. "Seu sucesso em usar as leis antitruste para policiar em vez de impedir a 'grandeza' foi um golpe sério, talvez o golpe final, no antigo conceito dessas leis como o caminho para a descentralização genuína." A aplicação da lei antitruste não demonstrou ser um meio eficaz de promover a recuperação. "Como meio de estimular a expansão econômica, a campanha antitruste de Arnold só poderia ser considerada um fracasso. Mesmo que não tivesse sido frustrada pela guerra, era muito robusta, muito rígida e muito lenta."[19]

LIBERALISMO E A REVOLUÇÃO KEYNESIANA

O estudo abrangente do monopólio que parecia indispensável a Roosevelt também não conseguiu gerar políticas eficazes para restaurar uma economia competitiva de produtores independentes. A Temporary National Economic Committee [TNEC, Comissão Econômica Nacional Temporária], como era conhecida, trabalhou durante três anos, convocou 655 testemunhas, produziu oitenta volumes de depoimentos, publicou 44 monografias, mas no final ofereceu pouco em termos de conclusões concretas. Apesar de toda a munição armazenada, comentou a revista *Time*, "o comitê montou uma arma de ar comprimido enferrujada [e] disparou nos problemas econômicos do país". Como escreveu Alan Brinkley: "A débil conclusão da investigação da TNEC ilustrou o grau em que o entusiasmo antimonopólio de 1938 se desvanecera em 1941. Mas o caráter da investigação durante seus três anos de existência ilustrava como a retórica antimonopólio, mesmo em seu momento mais intenso, tinha deixado de refletir qualquer compromisso real com a descentralização."[20]

Os descentralizadores, então, foram apenas os aparentes vencedores das lutas políticas do final da década de 1930. O triunfo mais duradouro pertenceu àqueles que defendiam um rumo diferente, um caminho de recuperação que abandonava as tentativas de reforma estrutural e preferia se concentrar nos gastos do governo. A estratégia para tirar a economia da depressão, argumentavam, era empregar as ferramentas da política fiscal para promover o crescimento econômico ao estimular a demanda dos consumidores.

A SOLUÇÃO PELOS GASTOS

É claro que empregar recursos do governo para aliviar a depressão não era em si uma ideia nova. Muitos dos programas do início do New Deal envolviam gastos, desde o apoio aos preços agrícolas destinado à Tennessee Valley Authority até os 3,3 bilhões de dólares em obras públicas. Mas Roosevelt considerara esses gastos como medidas emer-

O DESCONTENTAMENTO DA DEMOCRACIA

genciais necessárias para realizar projetos específicos, não como forma de estimular a economia como um todo. No caso de obras públicas, por exemplo, ele resistiu ao conselho de gastar mais, insistindo que o número de projetos públicos úteis era limitado. Mais importante, ele duvidava que tais dispêndios tivessem quaisquer "efeitos indiretos" além dos empregos de construção que eram de fato criados. Roosevelt, portanto, considerava o programa de obras públicas uma medida "paliativa", e não uma medida "indutora" projetada para expandir o poder de compra e aumentar a demanda agregada.[21]

Longe de ser um dos primeiros apóstolos da economia keynesiana, Roosevelt aderiu à sabedoria convencional que enfatizava a importância de orçamentos equilibrados. Durante a campanha de 1932, ele criticou Herbert Hoover por ter gerado um déficit e, para condenar os gastos excessivos do governo, usou palavras que, décadas depois, poderiam facilmente ter sido atribuídas a partidários republicanos conservadores como Barry Goldwater ou Ronald Reagan: "Acuso o atual governo de ser aquele que mais gastou em tempos de paz em toda a nossa história. É uma administração que amontoou gabinetes e mais gabinetes, comissões e mais comissões", tudo às custas do contribuinte americano. "Ele está comprometido com a ideia de que devemos centralizar o controle de tudo em Washington o mais rápido possível — controle federal." O candidato Roosevelt prometia remediar esse excesso reduzindo o custo das operações do governo federal em 25%. "Considero a redução dos gastos federais uma das questões mais importantes desta campanha. Na minha opinião é a contribuição mais direta e efetiva que o Governo pode dar aos negócios."[22]

Mais do que uma peça de retórica de campanha, o compromisso de Roosevelt com um orçamento equilibrado persistiu como um mantra, por menos que tenha sido posto em prática, durante grande parte de sua presidência. Aqueles entre seus conselheiros, como Marriner Eccles, que defendiam os gastos como forma de recuperação econômica, viram-se "em colisão com uma das poucas doutrinas econômicas que Roosevelt sustentava de forma clara — que um orçamento desequilibrado era

LIBERALISMO E A REVOLUÇÃO KEYNESIANA

ruim". Roosevelt também não foi muito influenciado pelos conselhos do fundador da política fiscal moderna, John Maynard Keynes. Quando o célebre economista britânico visitou Roosevelt na Casa Branca em 1934, o presidente pareceu mais perplexo do que impressionado. "Ele deixou uma montanha de números", reclamou Roosevelt à secretária do Trabalho, Frances Perkins. "Deve ser um matemático e não um economista político." Keynes, por sua vez, disse mais tarde a Perkins que "supunha que o presidente fosse mais alfabetizado, do ponto de vista econômico".[23]

Ainda em 1937, Roosevelt ficou do lado daqueles assessores, liderados pelo secretário do Tesouro Henry Morgenthau Jr., que afirmavam a necessidade de cortes de gastos para equilibrar o orçamento. Foi somente em 1938, após o colapso econômico, que Roosevelt adotou com relutância uma política de gastos deficitários destinada a aumentar o poder de compra dos consumidores. Ao ceder aos argumentos de conselheiros pró-gastos como Eccles e Harry Hopkins, ele pediu ao Congresso 4,5 bilhões de dólares em dotações adicionais. Mais significativo do que o montante foi o novo raciocínio. Roosevelt havia apresentado os gastos anteriores do New Deal como medidas temporárias para atender a necessidades emergenciais, como um alívio até que as reformas estruturais gerassem recuperação. Agora, pela primeira vez, ele justificava os gastos como instrumento de recuperação. "Nós sofremos principalmente com um colapso na demanda do consumidor por causa da falta de poder de compra", disse Roosevelt em um de seus pronunciamentos de rádio, conhecidos como "bate-papo à beira da lareira", explicando a nova política. Cabia, portanto, ao governo "criar uma recuperação econômica" fazendo "acréscimos definitivos ao poder de compra da nação". Os gastos do Estado não ajudariam apenas aqueles que ocupavam cargos públicos. Funcionariam "como um gatilho para desencadear a atividade privada", aumentando assim a renda nacional em muito mais do que o valor do gasto.[24]

A virada de Roosevelt pelo uso dos gastos como instrumento de recuperação marcou uma ruptura com as suposições que fundamentaram o início do New Deal. Por cinco anos, o New Deal havia buscado a recuperação por meio de vários programas destinados a reformar a estrutura da economia. Agora, sob a pressão de uma nova recessão e com poucas alternativas práticas restantes, Roosevelt adotava com relutância o que era basicamente a política fiscal keynesiana. Apesar da ruptura com a ortodoxia fiscal, no entanto, ele resistiu aos gastos mais amplos que o keynesianismo completo teria exigido. A economia melhorou um pouco no final de 1938, estabilizando-se em 1939. Cerca de dez milhões de pessoas permaneceram desempregadas, ou melhor, mais de um sexto da força de trabalho. A recuperação completa da economia e a demonstração suprema dos efeitos do estímulo fiscal aguardariam os gastos governamentais muito maiores da Segunda Guerra Mundial.[25]

Enquanto isso, os ensinamentos de Keynes adquiriam crescente influência entre os economistas e formuladores de políticas americanos. Em 1938, um grupo de jovens economistas de Harvard e Tufts publicou um relatório que resumia os novos conhecimentos. A recuperação econômica gradual de 1933 a 1937 devia-se menos aos efeitos diretos dos programas do New Deal — os empregos temporários, os subsídios agrícolas, os projetos públicos — do que aos efeitos secundários mais amplos dos gastos deficitários na economia como um todo. Quando os gastos do governo foram reduzidos em 1937, seguiu-se a recessão. O problema do New Deal era simplesmente o fracasso em gastar o suficiente para trazer a recuperação. Os economistas insistiam que os gastos do governo não fossem mais vistos como um dispositivo temporário de emergência, mas como uma política permanente para compensar, conforme necessário, a lentidão na economia privada. Eles também pediam medidas de redistribuição de renda, por meio de benefícios para idosos, subsídios para educação e saúde e seguro-desemprego, para aumentar o poder de compra das famílias de baixa renda.[26]

A Segunda Guerra Mundial trouxe o consenso crescente de que o governo deveria empregar a política fiscal para assegurar o pleno emprego em tempos de paz e de guerra. Essa convicção foi adotada

LIBERALISMO E A REVOLUÇÃO KEYNESIANA

tanto por democratas quanto por republicanos. Durante a campanha presidencial de 1944, o candidato do Partido Republicano Thomas Dewey declarou: "Nós, do Partido Republicano, concordamos que o pleno emprego deve ser o primeiro objetivo da política nacional." Ele também endossava os gastos do governo como forma de alcançar esse objetivo: "Se a qualquer momento não houver empregos suficientes no setor privado para todos, então o governo pode e deve criar oportunidades adicionais porque deve haver empregos para todos neste nosso país." Após a guerra, o novo consenso sobre o uso da política fiscal para garantir a prosperidade foi incorporado na Lei do Emprego de 1946, que o anunciava como "política e responsabilidade permanentes do Governo Federal" para "promover o máximo de emprego, de produção e de poder de compra".[27]

No final da Segunda Guerra Mundial, as questões centrais da política econômica tinham pouca relação com os debates que haviam preocupado os americanos desde a Era Progressista até o New Deal. As velhas discussões sobre como reformar o capitalismo industrial desapareceram de cena, e as questões macroeconômicas familiares em nossos dias vieram à tona. Até 1960, a maioria dos economistas e formuladores de políticas concordava que "o principal problema econômico do país era alcançar e manter a produção total alta e em rápido crescimento". Medidas para tornar a distribuição de renda mais igualitária também foram consideradas desejáveis, mas secundárias ao objetivo de promover pleno emprego e do crescimento econômico.[28]

O debate continuaria, é claro, voltado às reivindicações relativas de crescimento econômico e justiça distributiva, aos trade-offs entre inflação e desemprego, a políticas fiscais e prioridades de gastos. Mas essas divergências refletiam o pressuposto de que a política econômica se preocupa acima de tudo com o tamanho e a distribuição da riqueza nacional. As antigas questões sobre quais arranjos econômicos são receptivos para o autogoverno deixaram de ser objeto de debate nacional. Com o triunfo da política fiscal, a economia política da cidadania cedeu lugar à economia política do crescimento e da justiça distributiva.

ECONOMIA KEYNESIANA E A REPÚBLICA PROCEDIMENTAL

Mais do que apenas uma questão econômica, o advento da nova economia política marcou um momento decisivo no desaparecimento da vertente do republicanismo e na ascensão do liberalismo contemporâneo. De acordo com esse liberalismo, o governo deve ser neutro em relação às concepções de boa vida, a fim de respeitar as pessoas como indivíduos livres e independentes, capazes de escolher seus próprios fins. À medida que a política fiscal keynesiana emergia, do final da década de 1930 até o início da década de 1960, ela refletia essa visão liberal e aprofundava sua influência na vida pública americana. Embora aqueles que praticavam o keynesianismo não a defendessem precisamente nesses termos, a nova economia política apresentava duas características do liberalismo que definem a república procedimental. Em primeiro lugar, oferecia aos formuladores de políticas e autoridades eleitas uma maneira de "desconsiderar", ou deixar de lado, concepções controversas da boa vida e, assim, prometia um consenso que os programas de reforma estrutural não poderiam oferecer. Em segundo lugar, ao abandonar a ambição de inculcar certos hábitos e disposições, negava ao governo um interesse em se imiscuir no caráter moral de seus cidadãos e afirmava a noção de indivíduos livres e independentes, capazes de fazer escolhas. A revolução keynesiana pode ser vista, portanto, na economia política, como a contrapartida do liberalismo surgido no direito constitucional após a Segunda Guerra Mundial e como expressão econômica da república procedimental.

Evitando controvérsias políticas

O primeiro sentido em que a economia keynesiana exibia a aspiração à neutralidade característica da república procedimental dizia respeito a visões conflitantes de reforma econômica. Desde o final da década de 1930 ao início da década de 1960, a política fiscal keynesiana atraía os

LIBERALISMO E A REVOLUÇÃO KEYNESIANA

formuladores de políticas como uma forma de evitar as controvérsias insolúveis entre os defensores de várias reformas e porta-vozes de diversos setores da economia. Essa vantagem política contribuiu para a decisão de Roosevelt de adotar a política de gastos de 1938. Ao contrário das propostas concorrentes para reforma estrutural, a solução dos gastos era um consenso para a maioria dos New Dealers — planejadores e descentralizadores, bem como keynesianos. Mesmo os conservadores consideravam um aumento nos gastos algo menos censurável do que os esforços para descentralizar a economia ou impor o planejamento econômico nacional. Diante dos objetivos conflitantes que dividiam os reformadores do New Deal — que por sua vez refletiam visões morais e políticas conflitantes —, "os formuladores de políticas descobriram que era extremamente difícil chegar a uma base comum de acordo". Para resolver esse impasse sobre os fins, "a solução de gastos tornou-se cada vez mais atraente".[29]

Embora o New Deal tenha começado como uma tentativa, ou uma série de tentativas, de reformar a estrutura do capitalismo industrial, no fim os New Dealers fracassaram, como escreveu Ellis Hawley, "em chegar a qualquer consenso real sobre as origens e a natureza da concentração econômica, os efeitos dela ou os métodos de lidar com ela. Em 1939, na verdade, eles pareciam estar ainda mais divididos do que em 1933. Talvez (...) estivessem lutando com um problema para o qual não havia solução real". Em resposta a essa situação, o governo Roosevelt, assolado por ideologias conflitantes e objetivos divergentes, optou por uma solução neutra em relação a essas controvérsias. "Ele se esquivou de reformas institucionais drásticas e passou a depender principalmente da solução de gastos."[30]

A esperança de evitar controvérsias políticas antigas também contribuiu para o apelo do keynesianismo nos anos do pós-guerra. Os esforços de planejamento realizados durante a Segunda Guerra Mundial diminuíram a confiança dos americanos na capacidade do Estado de administrar diretamente a economia. Enquanto isso, a expansão do tempo de guerra demonstrou o poderoso efeito do estímulo fiscal ma-

O DESCONTENTAMENTO DA DEMOCRACIA

ciço. "O caminho para o pleno emprego, como a guerra pareceu provar, não era a gestão estatal das instituições capitalistas, mas políticas fiscais que promovessem o consumo e, assim, estimulassem o crescimento econômico." Como observa Brinkley, a economia keynesiana oferecia uma maneira de "gerenciar a economia sem gerenciar as instituições da economia". O crescimento não exigia a intervenção do governo na gestão da indústria, apenas a manipulação indireta da economia por meio do uso da política fiscal e monetária. "Tais medidas não eram (como alguns liberais acreditavam) simplesmente paliativos temporários, que mantinham as coisas funcionando até que alguma solução mais básica pudesse ser encontrada; elas eram a própria solução."[31]

Foi esse liberalismo procedimental do final dos anos 1930 e 1940 que foi apropriado e reafirmado por aqueles liberais do pós-guerra que se autodenominavam New Dealers, e não as ideologias reformistas do início do New Deal. "Eles ignoraram amplamente os experimentos abortados do New Deal no planejamento econômico, os esforços fracassados para criar arranjos associativos harmoniosos, suas cruzadas antimonopólio e regulatórias vigorosas e breves, seu ceticismo aberto em relação ao capitalismo e seus capitães, sua celebração aberta do Estado." Em vez disso, "os liberais do pós-guerra celebraram o New Deal por ter descoberto soluções para problemas do capitalismo que não exigiam qualquer alteração na sua estrutura; por ter definido para o Estado um papel em que ele não se intrometia demais na economia".[32] O final do New Deal procurou evitar concepções controversas de reforma política e econômica, e foi essa estratégia de evasão que viria a definir a república procedimental.

A ênfase do pós-guerra no crescimento econômico e no pleno emprego não apenas permitiu que os reformadores do New Deal encontrassem um consenso; também forneceu uma base para um acordo entre liberais e conservadores. "O pleno emprego tornou-se a bandeira em torno da qual todos podiam se unir. Isso permitia a subordinação de outros objetivos e políticas mais polêmicos e divisivos." O acordo, no pós-guerra, entre liberais e conservadores sobre a meta do pleno emprego ajudou a elevar a política fiscal como meio de consenso. "A política fiscal prometia ser bastante eficiente para alcançar a meta de pleno emprego, enquanto era, pelo menos em algumas variantes, neutra em relação a metas mais divisivas", declarou Herbert Stein, economista que mais tarde atuaria como presidente do Conselho de Assessores Econômicos sob Richard Nixon. "Uma pessoa poderia ser favorável ao uso ativo da política fiscal para promover altos níveis de emprego sem ser pró-negócios ou antinegócios, ou pró-planejamento ou antiplanejamento. As disputas sobre essas outras questões poderiam continuar, e continuaram, mas ninguém precisava deixar que sua insistência nessas outras posições impedisse o apoio a uma política mais ou menos neutra para o pleno emprego."[33]

A revolução keynesiana se concretizou com o corte nos impostos recomendado pelo presidente John F. Kennedy em 1962, finalmente promulgado em 1964. Kennedy entrou na Casa Branca acreditando em orçamentos equilibrados, mas o ritmo lento de recuperação econômica durante seu primeiro ano, juntamente com a influência de seus assessores keynesianos, logo o persuadiram da necessidade de estimular a economia. Muitos no governo, incluindo o próprio Kennedy, teriam preferido fornecer estímulo fiscal por meio do aumento dos gastos do governo, a fim de impulsionar a economia e, ao mesmo tempo, atender às necessidades públicas prementes. Mas conservadores e empresários, ainda devotos do equilíbrio orçamentário, se opuseram a novos gastos. Atento ao clima político, Kennedy optou por um corte nos impostos. Os conservadores, que gostavam ainda mais da redução de impostos do que dos orçamentos equilibrados, ofereceram pouca resistência.[34]

O corte de impostos levou a uma expansão econômica que durou o resto da década e passou a ser considerada um caso clássico de gestão fiscal keynesiana bem-sucedida. Mas, além de seu sucesso econômico, o corte de impostos de Kennedy simbolizou o apelo da política fiscal moderna, em particular a sua neutralidade em relação a fins políticos concorrentes. "Na calma que se seguiu a um novo consenso nacional", escreveu um economista em 1966, "é possível ver finalmente que a economia keynesiana não é conservadora, liberal ou radical. As técnicas de estímulo e estabilização econômica são simplesmente ferramentas administrativas neutras capazes de distribuir a renda nacional de forma mais ou menos equitativa (...) e aumentar ou diminuir a importância do setor público da economia."[35]

A mais clara expressão de fé na nova economia como instrumento neutro de governança nacional foi oferecida pelo próprio Kennedy. Ao falar em uma conferência econômica da Casa Branca, em 1962, ele argumentou que os problemas econômicos modernos poderiam ser mais bem resolvidos se as pessoas deixassem de lado suas convicções políticas e ideológicas. "A maioria de nós foi condicionada por muitos anos a ter um ponto de vista político, de acordo com o Partido Republicano ou o Democrata — liberal, conservador, moderado. O fato é que a maioria dos problemas que agora enfrentamos, ou pelo menos muitos deles, são problemas técnicos, são problemas administrativos. São decisões muito sofisticadas que não se prestam à grande variedade de 'movimentos apaixonados' que agitaram este país com tanta frequência no passado."[36]

Algumas semanas depois, em um discurso de colação de grau na Universidade de Yale, Kennedy debruçou-se sobre o tema. "As questões domésticas centrais de nosso tempo", observou ele, "são mais sutis e menos simples" do que as grandes questões morais e políticas que outrora atraíam a atenção da nação. "Elas se relacionam não com confrontos básicos de filosofia ou ideologia, mas com formas e meios para atingir objetivos em comum. (...) O que está em jogo em nossas decisões econômicas de hoje não é uma grande guerra de ideologias rivais que varrerá o país com paixão, mas a gestão prática de uma economia moderna." Kennedy exortou o país a "enfrentar os problemas técnicos sem preconceitos ideológicos", a se concentrar nas "questões sofisticadas e técnicas decorrentes da manutenção de uma grande máquina econômica em movimento".[37]

É claro que a economia keynesiana não é neutra, para ser exato, com respeito a todos os fins políticos. Ao contrário, promove declaradamente o fim da prosperidade ou do crescimento econômico. Mas

LIBERALISMO E A REVOLUÇÃO KEYNESIANA

afirmar o crescimento como fim é, no entanto, consistente com a ideia de evitar concepções controversas da boa vida, em dois aspectos. Primeiro, pelo menos como um objetivo da política americana do final dos anos 1930 até os anos 1960, o crescimento econômico era um objetivo suficientemente geral para ser neutro em relação aos objetivos mais específicos promovidos por, digamos, planejadores e descentralizadores ou empresas e mão de obra. Quaisquer que fossem suas concepções particulares de boa sociedade, partidários de várias convicções políticas e econômicas pareciam concordar que aumentar o nível geral de riqueza nacional tornaria mais fácil a realização de seus objetivos particulares. A noção de que o crescimento econômico serve bem a todos os fins sociais e políticos seria contestada em anos posteriores, pelos ambientalistas entre outros, mas parecia estar subjacente ao consenso sobre a política fiscal keynesiana que se desenrolou do final dos anos 1930 ao início dos anos 1960.[38]

O abandono do projeto formativo

O segundo sentido em que promover o crescimento expressa a neutralidade entre os fins vincula a nova economia política mais profunda e distintamente à filosofia pública da república procedimental. Considerando que o primeiro sentido de neutralidade se aplica ao nível das políticas públicas concorrentes, o segundo diz respeito às vontades, desejos, interesses e fins que homens e mulheres trazem para a vida pública. A política fiscal keynesiana é neutra neste segundo sentido ao partir do pressuposto de que o governo não deve formar nem revisar, nem mesmo julgar, os interesses e fins de seus cidadãos. Em vez disso, deve permitir-lhes perseguir esses interesses e fins, sejam eles quais forem, consistentes com uma liberdade semelhante para os outros. É esta suposição acima de tudo que traça a distinção entre a economia política do crescimento e a economia política da cidadania e liga a economia keynesiana ao liberalismo contemporâneo.

O DESCONTENTAMENTO DA DEMOCRACIA

Aqueles que praticaram e defenderam a nova economia política não descreviam seu projeto exatamente nesses termos. Mas, ao explicar e justificar seus pontos de vista, eles articulavam três temas da revolução keynesiana que, juntos, revelam os contornos da nova filosofia pública que a economia keynesiana trouxe à tona. Um era a mudança da produção para o consumo como base primária da identidade política e foco da política econômica. O segundo era a rejeição ao projeto formativo característico dos movimentos reformistas anteriores e à tradição republicana em geral. O terceiro foi a adoção da concepção voluntarista de liberdade e a compreensão das pessoas como indivíduos livres e independentes, capazes de escolher seus próprios fins.

Dos três temas, a ênfase no consumo era o que se encontrava mais próximo da superfície e encontrou expressão explícita entre os keynesianos. Em sua famosa obra *Teoria geral do emprego, do juro e da moeda*, Keynes declarava o que considerava óbvio, que "o consumo (...) é o único fim e objeto de toda atividade econômica". Os principais New Dealers fizeram pronunciamentos semelhantes. Harold Ickes, secretário do Interior de Roosevelt e chefe da WPA, argumentou que o governo deveria direcionar seus esforços para melhorar a sorte do consumidor: "A maior parte da atividade de todos nós é consumir. É como consumidores que todos nós temos um interesse comum, independentemente do trabalho produtivo em que estejamos envolvidos. (...) Trabalhamos para ganhar dinheiro e para podermos consumir." No final da década de 1930, Thurman Arnold, como vimos, mudou o objetivo da fiscalização antitruste para melhorar o bem-estar do consumidor.[39]

Alvin Hansen, um dos principais propagadores do keynesianismo entre os economistas americanos, enfatizou o aumento do consumo como a chave para uma economia próspera no pós-guerra. Escrevendo em 1943, ele defendeu que a manutenção do pleno emprego após o final da guerra exigiria gastos públicos substanciais, especialmente na construção. Mas como não se pode manter um alto nível de construção indefinidamente, "é importante desenvolver uma economia de alto consumo para que possamos alcançar o pleno emprego e utilizar

LIBERALISMO E A REVOLUÇÃO KEYNESIANA

efetivamente nosso crescente poder produtivo (...). Devemos aumentar a propensão ao consumo." A prosperidade do pós-guerra dependia da construção de uma economia "capaz de combinar o consumo em massa com a produção em massa".[40]

A afirmação de Keynes de que o consumo é o único fim de toda atividade econômica, por mais óbvia que pareça, contraria um dos principais pressupostos do pensamento político republicano, segundo o qual um dos fins da atividade econômica é o cultivo de condições propícias ao autogoverno. De Jefferson a Brandeis, o republicanismo se preocupava mais com as condições de produção do que com as condições de consumo, porque viam o mundo do trabalho como a arena na qual, para o bem ou para o mal, se formava o caráter dos cidadãos. A atividade de consumo não era igualmente decisiva para o autogoverno. Na medida em que o consumo figurava na economia política do republicanismo, surgia como algo a ser moderado ou contido, como uma fonte potencial de corrupção.

Os keynesianos, por outro lado, se concentravam no consumo e queriam aumentar "a propensão a consumir". Nesse sentido, eles também buscavam mudar o comportamento das pessoas. Mas a mudança desejada não envolvia a reforma do caráter dos indivíduos — tornando-os mais perdulários, por exemplo — nem a mudança na essência de suas vontades e desejos. A economia keynesiana procurava aumentar a propensão ao consumo, não com a mudança das preferências individuais, mas ao gerenciar a demanda agregada. "Uma maior propensão a consumir pode ser alcançada, em parte, por uma estrutura tributária progressiva combinada com previdência social, bem-estar e despesas de consumo da comunidade", escreveu Hansen, "e ao se estabelecerem altos níveis contínuos de emprego com salários crescentes proporcionais ao aumento da produtividade. A garantia de emprego sustentado tende a fazer com que as pessoas gastem uma proporção maior de sua renda." Não seria uma nova virtude cívica, mas sim o aumento da confiança do consumidor e um poder de compra mais amplamente distribuído o que induziria as pessoas a gastar mais e levariam o país "para a frente, rumo a uma economia de alto consumo".[41]

O DESCONTENTAMENTO DA DEMOCRACIA

O foco dos keynesianos no nível de demanda agregada permite, assim, que o governo seja neutro em relação ao conteúdo das vontades e desejos dos consumidores. John Kenneth Galbraith, argumentando que a "sociedade afluente" dos Estados Unidos da década de 1950 dava prioridade excessiva ao consumo privado sobre os gastos públicos, descreveu bem esse pressuposto. A teoria da demanda do consumidor considera os desejos do consumidor como um fato. A tarefa do economista "é meramente buscar sua satisfação" e maximizar os bens que suprem as necessidades. "Ele não precisa perguntar como esses desejos são formados" nem mesmo julgar o quanto são importantes ou legítimos. A teoria da demanda do consumidor "divorcia a economia de qualquer julgamento sobre os bens com os quais [se] preocupa".[42] O caráter resolutamente sem julgamentos da gestão da demanda keynesiana é o primeiro tema da nova economia que evoca o liberalismo da república procedimental.

O segundo tema da economia política keynesiana que a conecta ao liberalismo contemporâneo é sua rejeição da ambição formativa da tradição cívica. Esse aspecto da nova economia política, embora intimamente relacionado à ênfase no consumo, encontrou articulação menos explícita na época. Embora muitos liberais do New Deal e do período pós-guerra sentissem que suas políticas diferiam consideravelmente dos movimentos progressistas anteriores, poucos notaram o desaparecimento do ideal formativo como tal. Entre aqueles que notaram estava o comentarista político Edgar Kemler. Ele comparou o New Deal com tradições anteriores de reforma e escreveu sobre "a deflação dos ideais americanos". "O que quer que se diga sobre o antigo movimento de reforma mugwump,* não se pode negar que foi calculado para aprimorar o caráter do cidadão." Na época do New Deal, no entanto, "a era da elevação" deu lugar à "era da engenharia social". "Retiramos o caráter humano do âmbito de nossas reformas."[43]

---

* Os *mugwumps* foram originalmente uma facção do Partido Republicano ativa no final do século XIX. Devotada ao discurso de oposição à corrupção política, seus membros eventualmente apoiaram candidatos democratas, mudaram de partido, ou permaneceram independentes. [*N. do R. T.*]

LIBERALISMO E A REVOLUÇÃO KEYNESIANA

Kemler considerou essa mudança como "o aspecto mais importante da deflação dos ideais americanos. Penso eu que seja mais nitidamente percebida na mudança de caráter da educação política. Não nos preocupamos mais em desenvolver o indivíduo como um colaborador singular para uma forma democrática. Queremos esse indivíduo como um soldado num exército, cooperando com todos os outros soldados. A velha ênfase jeffersoniana nas escolas para a cidadania e no autogoverno se transformou em uma ênfase rooseveltiana na resposta a uma liderança heroica." Kemler admitia que, com a ascensão da economia moderna, o esvaziamento dos ideais americanos talvez fosse inevitável. "Sejamos razoáveis", concluía sarcasticamente. "A inspiração vem de muitas fontes — de clérigos, professores, escritores, músicos, poetas, artistas. Que demonstrem as virtudes e que moldem o caráter de nossa cidadania. Os políticos têm outras coisas a fazer."[44]

Para a maioria, a ambição formativa simplesmente desapareceu, sem lamentos nem discussões, à medida que as considerações cívicas desapareceram do debate político. Rexford G. Tugwell, economista de Columbia e figura de destaque do início do New Deal, foi um dos poucos a oferecer um argumento explícito para o abandono do projeto formativo. "Sempre me pareceu arrogante supor que temos algum direito ou poder de mudar as pessoas", disse ele em uma convenção nacional de assistentes sociais em 1934. "As pessoas são praticamente as mesmas, em relação a seus desejos básicos, impulsos e paixões, como eram cinco mil anos atrás (...). Quando falamos de mudança social, falamos de mudar (...) instituições, não os homens que as usam."[45]

Uma geração antes, Croly havia argumentado que "a democracia não pode ser desvinculada de uma aspiração à perfectibilidade humana" e Brandeis sustentara, em termos semelhantes, que a democracia "só é possível onde se persegue o processo de aperfeiçoamento do indivíduo". Com isso se estabelece a distância que se encontravam da república procedimental, que tem como premissa a fé de que a democracia, afinal de contas, pode funcionar sem a aspiração de aprimoramento moral. Tugwell falava em nome da nova fé. O New Deal diferia dos movimentos de reforma anteriores precisamente nesse aspecto; procurava atender melhor aos desejos e objetivos dos americanos, sem elevá-los nem aprimorá-los. "O New Deal não está tentando fazer nada com *as pessoas*", insistia Tugwell, "e não procura de forma alguma alterar seu modo de vida, suas vontades e desejos."[46]

Do ponto de vista do liberalismo contemporâneo, a rejeição do projeto formativo não é um esvaziamento, mas sim a revisão dos ideais americanos, uma revisão a favor da concepção liberal de liberdade. De acordo com a tradição do republicanismo, a liberdade depende do autogoverno, que requer, por sua vez, certas qualidades de caráter, certas virtudes morais e cívicas. Os liberais alegam que, de acordo com o governo, o papel de moldar o caráter dos cidadãos abre caminho para a coerção e não respeita as pessoas como indivíduos livres e independentes, capazes de escolher sozinhos seus fins. O que está implícito na tendência dos liberais a rejeitar do projeto formativo é, portanto, uma concepção rival de liberdade, que poderia ser chamada de concepção voluntarista.

Isso sugere o terceiro tema da economia keynesiana, que aponta para o liberalismo da república procedimental. Os defensores da nova economia política não abandonaram simplesmente a ambição formativa dos reformadores anteriores. Em seu lugar, eles afirmaram a concepção voluntarista de liberdade. Desde o século XIX, a concepção voluntarista de liberdade era invocada pelos defensores do liberalismo clássico, ou *laissez-faire*; a intervenção do governo no funcionamento da economia de mercado, segundo eles, violava a liberdade ao impedir que trabalhadores e empregadores escolhessem por si mesmos os termos pelos quais trocavam trabalho por salário. No final do século XIX, os liberais reformistas também adotaram a concepção voluntarista. Eles argumentavam que, contrariamente às alegações dos liberais adeptos do *laissez-faire*, a escolha verdadeiramente voluntária pressupunha uma posição de barganha justa entre todas as partes de um contrato, o que em alguns casos justificava a regulamentação governamental.[47]

LIBERALISMO E A REVOLUÇÃO KEYNESIANA

Keynes agora avançava nessa tradição de liberalismo reformista ao propor uma maneira pela qual o governo poderia regular a demanda agregada sem interferir nas escolhas feitas pelos consumidores individuais. Como os liberais do *laissez-faire* que abominavam seu ponto de vista, Keynes justificava sua economia em nome da concepção voluntarista de liberdade. Embora fosse às vezes visto como "em conflito com a tradição anterior do liberalismo econômico, o programa keynesiano completo pode, em vez disso, ser considerado seu apogeu". Como o economista Fred Hirsch observou apropriadamente, "Keynes completou as correções necessárias para validar o que o *laissez-faire* foi projetado para fazer", ou seja, respeitar a liberdade dos indivíduos de escolher seus próprios fins.[48]

Keynes considerou uma importante vantagem de sua teoria que a intervenção governamental sancionada fosse consistente com o respeito à escolha individual: "Se o nível das despesas agregadas de uma comunidade pode ser regulado, o modo como se gastam as rendas pessoais e as formas pelas quais se satisfaz a demanda podem permanecer seguramente livres e particulares. (...) [Esta é] a única maneira de evitar a destruição da escolha." Keynes reconhecia que "os controles centrais necessários para garantir o pleno emprego envolverão, é claro, uma grande extensão das funções tradicionais do governo". Mas ainda restaria, argumentou, "um amplo campo para o exercício da iniciativa privada e da responsabilidade". "Acima de tudo, o individualismo, se puder ser expurgado de seus defeitos, é a melhor salvaguarda da liberdade pessoal", pois "amplia em muito o campo para o exercício da escolha pessoal". Embora "a ampliação das funções do governo" possa parecer "uma terrível invasão do individualismo", Keynes insistia que era a única alternativa prática à "destruição das formas econômicas existentes em sua totalidade" e a única maneira de preservar um esquema com base na escolha individual.[49]

Os ideais e autoimagens implícitos num modo de vida muitas vezes escapam à atenção daqueles que os vivem. Não surpreende, portanto, que poucos entre os keynesianos americanos tenham abordado explicitamente a transição da concepção cívica para a voluntarista de liberdade. David Lilienthal, o primeiro diretor da Tennessee Valley Authority, talvez tenha sido aquele que chegou mais perto disso. Suas variadas reflexões sobre a economia política de sua época refletiam o momento dessa passagem. Escrevendo em 1943, Lilienthal baseou-se na concepção cívica de liberdade ao descrever a TVA como uma expressão da democracia mais genuína. A TVA descentralizava o poder de decisão; reconhecia que cada cidadão "quer ser capaz de não apenas expressar livremente sua opinião, mas de saber que ela tem algum peso; saber que há algumas coisas que ele decide ou participa na decisão, e que ele é uma parte necessária e útil de algo muito maior do que ele. (...) Por esse ato de esforço conjunto, de participação cidadã, a liberdade essencial do indivíduo é fortalecida." A gestão centralizada, seja no governo ou nos negócios, representava uma ameaça a essa liberdade. Esse tipo de administração "promove o controle distante e ausente e, assim, nega cada vez mais ao indivíduo a oportunidade de tomar decisões e de assumir as responsabilidades pelas quais a personalidade humana é nutrida e desenvolvida. Acho impossível entender como a democracia pode ser uma realidade viva se as pessoas estão distantes do governo (...) ou se o controle e a direção dos modos de ganhar a vida — indústria, agricultura, distribuição de bens — estão longe do fluxo da vida e da comunidade local."[50]

Na década de 1950, Lilienthal reformulou suas esperanças de liberdade em termos voluntaristas. Escrevendo em defesa da grande empresa, ele procurou refutar o medo "ultrapassado" de que a grandeza fosse antitética à liberdade: "Os tempos pedem uma afirmação retumbante de que a Grandeza pode se tornar o meio de promover e de aprimorar não apenas a produtividade de nossa nação, mas o que é mais importante ainda, a liberdade e o bem-estar de seus cidadãos individuais." Por mais de um século, os críticos republicanos do trabalho assalariado argumentaram que o capitalismo industrial privava os

LIBERALISMO E A REVOLUÇÃO KEYNESIANA

trabalhadores da independência essencial ao autogoverno. Lilienthal passava a responder que a independência não deveria mais ser buscada no mundo do trabalho, mas sim nos domínios do lazer e do consumo. "Em grande parte por causa da produtividade da Grandeza, a maior parte da independência do homem não precisa mais vir diretamente de seu trabalho." Como resultado do aumento espetacular no lazer, "a porcentagem total da semana de um homem *que é só sua* aumentou de modo marcante". Quando, graças à produtividade da grande indústria, as horas de trabalho caem de sessenta por semana para 44, "com isso acrescentamos dezesseis horas à independência de cada homem todas as semanas. Nessas horas extras, ele é seu 'próprio chefe', não no sentido de um homem que possui seu próprio negócio, mas num sentido potencialmente ainda mais significativo."[51]

A liberdade que Lilienthal celebrava era um tanto diferente da liberdade cívica que inspirava a economia política da cidadania: "Por liberdade eu me refiro essencialmente à *liberdade de escolha* no maior grau possível." Essa liberdade, e não simplesmente a produção e o consumo de um grande número de bens, era o propósito mais elevado do sistema econômico americano e a justificativa suprema para os grandes negócios: "A liberdade de escolha em questões econômicas significa liberdade para escolher entre ideias, serviços ou bens concorrentes. Significa a máxima liberdade de escolher um emprego, uma profissão ou uma linha de negócios em detrimento de outra. Significa uma gama máxima de escolha para o consumidor quando ele gasta seu dólar." Mais do que atos econômicos ou comerciais, essas escolhas expressavam um ideal moral mais elevado: "Elas são a marca de homens livres, tão livres quanto na sociedade é possível ou viável que os homens sejam."[52]

Ao mesmo tempo que afirmava o ideal voluntarista que dá vida à república procedimental, o velho New Dealer oferecia uma despedida grandiloquente para a economia política da cidadania: "Havia um sonho antigo: o homem independente em sua própria lojinha ou negócio. *Era* um sonho bom." Mas agora "há um novo sonho: um mundo de grandes máquinas, com o homem no controle, criando e fazendo uso dessas criaturas inanimadas para construir um novo tipo de independência. (...) A grandeza pode se tornar uma expressão da dimensão heroica do próprio homem quando ele se defronta com uma imensidão recém-descoberta."[53]

Notas

1. Um excelente estudo sobre as tradições concorrentes de reforma que fundamentaram o New Deal encontra-se em Ellis W. Hawley, *The New Deal and the Problem of Monopoly* (Princenton: Princenton University Press, 1966).
2. Arthur M. Schlesinger Jr., *The Coming of the New Deal* (Boston: Houghton Mifflin, 1958), p. 179, 55-67; William E. Leuchtenburg, *Franklin D. Roosevelt and the New Deal, 1932-1940* (Nova York: Harper & Row, 1963), p. 72-73; Frank Freidel e Alan Brinkley, *America in the Twentieth Century*, 5ª ed. (Nova York: Alfred A. Knopf, 1982), p. 225-228; Hawley, *New Deal and Monopoly*, p. 191-194.
3. Schlesinger, *Coming of the New Deal*, p. 87-102.
4. Ibid., p. 100-112.
5. Ibid., p. 112-115; Freidel e Brinkley, *America in the Twentieth Century*, p. 228-229; Johnson citado em Schlesinger, *Coming of the New Deal*, p. 115.
6. Schlesinger, *Coming of the New Deal*, p. 115-116.
7. Arthur M. Schlesinger, Jr., *The Politics of Upheaval* (Boston: Houghton Mifflin, 1960), p. 263-290. Roosevelt citado na p. 289; idem, *Coming of the New Deal*, p. 119-176; Freidel e Brinkley, *America in the Twentieth Century*, p. 229-232; Leuchtenburg, *Roosevelt and the New Deal*, p. 66-70, 145-146; Hawley, *New Deal and Monopoly*, p. 35-146. O caso foi *Schechter Poultry Corp. v. Estados Unidos*, 295 U.S. 495 (1935).
8. Schlesinger, *Politics of Upheaval*, p. 385 e, de modo geral, p. 385-398; Tugwell citado em idem, *Coming of the New Deal*, p. 183.
9. Leuchtenburg, *Roosevelt and the New Deal*, p. 149; Hawley, *New Deal and Monopoly*, p. 306-311, 328-329.
10. Hawley, *New Deal and Monopoly*, p. 284 e, de modo geral, p. 283-303; Leuchtenburg, *Roosevelt and the New Deal*, p. 149-150.

LIBERALISMO E A REVOLUÇÃO KEYNESIANA

11. Franklin D. Roosevelt, "Recomendation for Regulation of Public Utility Holding Companies", 12 de março de 1935, in: Samuel I. Rosenman (org.), *The Public Papers and Addresses of Franklin D. Roosevelt*, 13 vols. (Nova York: Random House, 1938-1950), vol. 4, p. 101; Hawley, *New Deal and Monopoly*, p. 325-337; Schlesinger, *Politics of Upheaval*, p. 302-324; Leuchtenburg, *Roosevelt and the New Deal*, p. 154-157.

12. Roosevelt, "Message to Congress on Tax Revision", 19 de junho de 1935, in: Rosenman, *Public Papers and Addresses*, vol. 4, p. 270-276; Hawley, *New Deal and Monopoly*, p. 344-349; Schlesinger, *Politics of Upheaval*, p. 325-333; Leuchtenburg, *Roosevelt and the New Deal*, p. 152-154.

13. Schlesinger, *Politics of Upheaval*, p. 334, 505-509; Hawley, *New Deal and Monopoly*, p. 350-359.

14. Roosevelt, "Acceptance of Renomination", 27 de junho de 1936, in: Rosenman, *Public Papers and Addresses*, vol. 5, p. 231-232.

15. Ibid., p. 233. Roosevelt apresentou temas semelhantes em sua "Anual Message to Congress", 3 de janeiro de 1936, em Rosenman, *Public Papers and Addresses*, vol. 5, p. 8-18, e em um discurso de campanha no Madison Square Garden, 31 de outubro de 1936, em ibid., p. 566-573.

16. Hawley, *New Deal and Monopoly*, p. 404 e, de um modo geral, p. 383-403; Herbert Stein, *The Fiscal Revolution in America* (Chicago: University of Chicago Press, 1969), p. 100-104.

17. Alan Brinkley, "The New Deal and the Idea of the State", in: Steve Fraser e Gary Gerstle (orgs.), *The Rise and Fall of the New Deal Order, 1930-1980* (Princeton: Princeton University Press, 1989), p. 89. Ver também Stein, *Fiscal Revolution in America*, p. 102.

18. Roosevelt, "Recomendations to Congress to Curb Monopolies", 29 de abril de 1938, in: Rosenman, *Public Papers and Addresses*, vol. 7, p. 305; Brinkley, "New Deal and Idea of State", p. 89.

19. Brinkley, "New Deal and Idea of State", p. 91; Hawley, *New Deal and Monopoly*, p. 453-454.

20. Brinkley, "New Deal and Idea of State", p. 91-92.

21. Stein, *Fiscal Revolution in America*, p. 50-54.

22. Roosevelt, "Campaign Address at Sioux City, Iowa", 29 de setembro de 1932, in: Rosenman, *Public Papers and Addresses*, vol. 1, p. 761; "Campaign Address at Pittsburgh", 19 de outubro de 1932, ibid., p. 808-809. Ver também Leuchtenburg, *Roosevelt and the New Deal*, p. 10-11.

23. Stein, *Fiscal Revolution in America*, p. 43; Schlesinger, *Politics of Upheaval*, p. 263-264, 406-408.

O DESCONTENTAMENTO DA DEMOCRACIA

24. Roosevelt, "Fireside Chat on Present Economic Conditions", 14 de abril de 1938, in: Rosenman, *Public Papers and Addresses*, vol. 7, p. 240-241, 244; Stein, *Fiscal Revolution in America*, p. 60, 108-113; Schlesinger, *Politics of Upheaval*, p. 407; Brinkley, "New Deal e Idea of State". p. 94-97.

25. Brinkley, "New Deal and Idea of State", p. 96-97; Stein, *Fiscal Revolution in America*, p. 102-120; Robert Lekachman, *The Age of Keynes* (Nova York: Random House, 1966), p. 112-143; Leuchtenburg, *Roosevelt and the New Deal*, p. 264.

26. Richard V. Gilbert et al., *An Economic Program for American Democracy* (Nova York: Vanguard Press, 1938), p. 25, 40, 45-93; Stein, *Fiscal Revolution in America*, p. 162-168; Lekachman, *Age of Keynes*, p. 152-156.

27. Thomas Dewey citado em Stein, *Fiscal Revolution in America*, p. 173-174; Employment Act of 1946, in: Stephen Kemp Bailey, *Congress Makes a Law* (Nova York: Columbia University Press, 1950), p. 228-232; ver de modo geral Stein, *Fiscal Revolution in America*, p. 197-204; e Lekachman, *Age of Keynes*, p. 165-175.

28. Stein, *Fiscal Revolution in America*, p. 381-382.

29. Hawley, *New Deal and Monopoly*, p. 407, 459 e, de modo geral, nas p. 454-460.

30. Ibid., p. 470-471.

31. Brinkley, "New Deal and Idea of State", p. 106-109, 94.

32. Ibid., p. 109-110. Brinkley desenvolve esses temas de modo mais completo em *The End of Reform* (Nova York: Alfred A. Knopf, 1995).

33. Stein, *Fiscal Revolution in America*, p. 172-173.

34. Ibid., p. 372-422; Lekachman, *Age of Keynes*, p. 270-285.

35. Lekachman, *Age of Keynes*, p. 285; ver também Stein, *Fiscal Revolution in America*, p. 460-463.

36. John F. Kennedy, "Remarks to White House Conference on National Economic Issues", 21 de maio de 1962, in: *Public Papers of the Presidents of the United States: John F. Kennedy, 1962* (Washington, D.C.: U.S. Government Printing Office, 1963), p. 422; ver também Arthur M. Schlesinger Jr., *A Thousand Days: John F. Kennedy in the White House* (Nova York: Fawcett Premier, 1965), p. 592-594.

37. Kennedy, "Commencement Addres at Yale University", 11 de junho de 1962, in: *Public Papers*, p. 470-471, 473.

38. Entre as críticas mais perspicazes do crescimento econômico estão aquelas em Fred Hirsch, *The Social Limits to Growth* (Cambridge, Mass.: Harvard University Press, 1976).

LIBERALISMO E A REVOLUÇÃO KEYNESIANA

39. John Maynard Keynes, *The General Theory of Employment, Interest, and Money* (1936; Londres: Macmillan, St. Martin's Press, 1973), p. 104. [Ed. bras.: *Teoria geral do emprego, do juro e da moeda: Inflação e Deflação*. São Paulo: Abril Cultural, 1985]; Harold L. Ickes, *The New Democracy* (Nova York: W. W. Norton, 1934), p. 142-143; Thurman W. Arnold, *The Bottlenecks of Business* (Nova York: Reynal & Hitchcock, 1940).

40. Alvin H. Hanssen, "Wanted: Ten Million Jobs", *Atlantic Monthly*, 172 (setembro de 1943), p. 68-69; ver também Brinkley, "New Deal and Idea of State", p. 97-98, 108.

41. Hansen, "Wanted: Ten Million Jobs", p. 68-69.

42. John Kenneth Galbraith, *The Affluent Society* (Boston: Houghton, Mifflin, 1958), p. 144, 147. [Ed. bras.: *A sociedade afluente*. São Paulo: Pioneira, 1987.]

43. Edgar Kemler, *The Deflation of American Ideals* (Washington, D.C.: American Council of Public Affairs, 1941), p. 129, 63, 44.

44. Ibid., p. 109, 130.

45. Rexford G. Tugwell, "Relief and Reconstruction", 21 de maio de 1934, in: Tugwell, *The Battle for Democracy* (Nova York: Columbia University Press, 1935), p. 318.

46. Herbert Croly, *The Promise of American Life* (Indianapolis: Bobbs-Merrill, 1965 [1909]), p. 454; Louis D. Brandeis, "Carta a Robert W. Bruere", 25 de fevereiro de 1922, in: Osmond K. Fraenkel (org.). *The Curse of Bigness* (Nova York: Viking Press, 1935), p. 271; Tugwell, *The Battle for Democracy*, p. 319.

47. Para um relato do debate entre liberais *laissez-faire* e reformistas, ver Capítulo 3.

48. Hirsch, *Social Limits to Growth*, p. 119, 121.

49. John Maynard Keynes, carta ao *The Times*, 10 de abril de 1940, citada em Robert Skidelsky, "Keynes and the Reconstruction of Liberalism", *Encounter*, 52 (abril de 1979), 34; Keynes, *Teoria Geral*, p. 379-380.

50. David E. Lilienthal, *TVA: Democracy on the March* (Nova York: Harper & Brothers, 1944), p. 75, 88, 139.

51. David. E. Lilienthal, *Big Business: A New Era* (Nova York: Harper & Brothers, 1953), p. 7, 200.

52. Ibid., p. 40.

53. Ibid., p. 204.

Capítulo 6   # O triunfo e as agruras da república procedimental

À medida que a política fiscal keynesiana ganhava destaque após a Segunda Guerra Mundial, a vertente cívica dos debates econômicos desaparecia do discurso político americano. A política econômica preocupava-se mais com o tamanho e a distribuição do produto nacional e menos com as condições de autogoverno. Os americanos viam cada vez mais os arranjos econômicos como instrumentos para o consumo, não como escolas para a cidadania. A ambição formativa deu lugar à esperança mais mundana de aumentar e dispersar os frutos da prosperidade. Em vez de cultivar cidadãos virtuosos, o governo partiria de considerações sobre os desejos e vontades das pessoas e adotaria políticas destinadas a satisfazê-los da maneira mais completa e justa possível.

Do ponto de vista da tradição do republicanismo, o desaparecimento da economia política da cidadania constituiu uma concessão, um esvaziamento dos ideais americanos, uma perda de liberdade. A teoria política republicana ensina que ser livre é participar do governo de uma comunidade política que controla o próprio destino. O autogoverno, nesse sentido, requer comunidades políticas que controlem o destino e cidadãos que se identifiquem suficientemente com essas comunidades para pensar e agir com a finalidade do bem comum. Cultivar nos cidadãos a virtude, a independência e os entendimentos compartilhados que tal engajamento cívico requer é um objetivo central da política republicana. Abandonar a ambição formativa é, portanto, abandonar o projeto de liberdade tal como foi concebido pela tradição republicana.

O DESCONTENTAMENTO DA DEMOCRACIA

Animados pela concepção cívica de liberdade, americanos desde Jefferson a Lincoln, Brandeis, Croly e Theodore Roosevelt lutaram para afirmar o domínio democrático sobre o poder econômico e cultivar nos cidadãos as virtudes adequadas para o autogoverno. Naquele momento, os americanos pareciam dispostos a desistir da luta, ou, mais precisamente, a desistir da concepção de liberdade que tornava a luta necessária. Pois com o fim da economia política da cidadania a concepção cívica de liberdade deu lugar para a concepção voluntarista.

Confrontados com uma economia vasta demais para admitir esperanças republicanas de domínio e tentados pela perspectiva de prosperidade, os americanos do pós-guerra seguiram rumo a uma nova compreensão da liberdade. De acordo com essa concepção, nossa liberdade não depende da nossa capacidade de moldar as forças que governam nosso destino coletivo, enquanto cidadãos, mas sim da capacidade de escolher valores e fins por nós mesmos.

No final do século XX, o eclipse da vertente cívica da liberdade alimentaria um crescente descontentamento com as instituições democráticas, uma sensação generalizada de que propósitos comuns e entendimentos compartilhados estavam se desgastando e um medo corrosivo de que, individual e coletivamente, os americanos estivessem perdendo o controle das forças que governavam a vida. Mas esse não foi o quadro inicial. À medida que a república procedimental tomava forma após a Segunda Guerra Mundial, a nova filosofia pública não parecia uma ameaça ao senso de empoderamento dos americanos. Pelo contrário, no dia de sua chegada, a república procedimental não apareceu como uma concessão, mas como um triunfo da agência e do autocontrole. Isso se deveu em parte ao momento histórico e em parte à promessa libertadora da concepção voluntarista de liberdade.

O MOMENTO DE DOMÍNIO

A república procedimental nasceu num raro momento de predominância americana. Quando a Segunda Guerra Mundial terminou, os

Estados Unidos estavam no topo como uma potência global incomparável. Em um discurso de rádio para a nação no dia da rendição do Japão, o presidente Harry Truman pôde declarar sem hipérboles que a América possuía "a maior força e o maior poder jamais alcançados pelo homem".[1]

Como a primazia dos Estados Unidos conferia uma sensação de domínio coletivo, o desempenho da economia doméstica deu aos americanos a sensação de comandar seus destinos individuais. O produto nacional bruto aumentou de 231 bilhões de dólares em 1947 para 504 bilhões de dólares em 1960, até 977 bilhões em 1970. Nas duas décadas de 1948 a 1968, a taxa média de crescimento econômico, ajustada pela inflação, foi de 4% ao ano, um recorde sem precedentes na história das nações. As taxas de natalidade aumentaram rapidamente desde a década de 1940 até o final da década de 1950 e permaneceram em níveis elevados no começo da década de 1960. A posse de casa própria saltou de 44% em 1940 para 62% em 1960. "Se por volta de 1947 os americanos concluíram que o crescimento econômico era novamente possível", escreve Michael Barone, "por volta de 1964 eles decidiram que era mais ou menos inevitável. O ciclo de negócios, ao que parecia, havia sido abolido." Equipados com as ferramentas de gerenciamento keynesiano de demanda, os formuladores de políticas "pareciam ter descoberto o segredo para produzir um crescimento econômico sustentado sem inflação nem recessão".[2]

Mais do que uma questão de prosperidade material, a economia pujante do pós-guerra, juntamente com o poder dos Estados Unidos no mundo, acostumou uma geração de americanos a se verem como senhores de suas circunstâncias. Embora os acontecimentos em breve abalassem tamanha confiança, essa foi uma geração "criada para acreditar que, em casa ou no exterior, o que os americanos desejassem fazer aconteceria".[3]

Em nenhum lugar a afirmação de agência foi mais explícita do que na pungente retórica de John F. Kennedy. Ele fez campanha para a presidência durante um interlúdio de ansiedade provocado no final da

O DESCONTENTAMENTO DA DEMOCRACIA

década de 1950 pelo lançamento do satélite soviético Sputnik, a recessão de 1957-1958, a suposta *missile gap*, nome dado à suposta superioridade do arsenal de mísseis russos, e a crescente preocupação de que os Estados Unidos estivessem perdendo sua vantagem na Guerra Fria. Diante dessas preocupações, Kennedy prometeu reafirmar o propósito e a vontade dos americanos de fazer o país voltar a avançar. "Minha campanha para a presidência se baseia em uma única suposição", declarou ele, "a suposição de que o povo americano está cansado de ficar à deriva em nosso curso nacional, de que o povo está cansado do declínio contínuo de nosso prestígio nacional (...) e que está pronto para voltar a se movimentar." Ao aceitar a indicação de seu partido, ele conclamou os americanos a reunir "a coragem e a vontade" para prevalecer em "uma corrida pelo domínio do céu e da chuva, do oceano e das marés, do espaço exterior e do interior das mentes dos homens".[4]

O discurso de posse de Kennedy deu uma expressão eloquente à convicção de uma geração que acreditava possuir poderes de proporções prometeicas. "O mundo está muito diferente agora", proclamou Kennedy. "Pois o homem tem em suas mãos mortais o poder de abolir todas as formas de pobreza humana e todas as formas de vida humana." Se os dois lados da Guerra Fria pudessem superar suas diferenças, poderiam empregar as maravilhas da ciência para "explorar as estrelas, conquistar os desertos, erradicar doenças, explorar as profundezas do oceano e encorajar as artes e o comércio". Mas, enquanto isso não acontecesse, os Estados Unidos exerceriam seu poder com determinação ilimitada: "Que cada nação saiba, quer nos queira bem ou mal, que pagaremos qualquer preço, carregaremos qualquer fardo, enfrentaremos qualquer dificuldade, apoiaremos qualquer amigo, nos oporemos a qualquer inimigo para garantir a sobrevivência e o sucesso da liberdade. Isso nós prometemos — e muito mais."[5]

Alguns meses depois, dentro de um espírito semelhante, Kennedy propôs que os Estados Unidos enviassem um homem à lua. As razões que ele ofereceu para embarcar neste projeto tinham principalmente a ver com a demonstração do poder e da vontade dos americanos.

O TRIUNFO E AS AGRURAS DA REPÚBLICA PROCEDIMENTAL

Nenhum outro projeto espacial seria "mais impressionante para a humanidade" e nenhum seria "tão difícil nem tão caro de realizar". A missão importava menos por quaisquer resultados tangíveis que pudesse trazer do que como uma afirmação de agência coletiva e definidora. "Ninguém pode prever com certeza qual será o significado final do domínio do espaço", reconhecia Kennedy. Mas a perspectiva de domínio e a "dedicação, organização e disciplina" necessárias para alcançá-la eram motivos suficientes para tentar. O sucesso do projeto exigia que "todo cientista, todo engenheiro, todo soldado, todo técnico, empreiteiro e funcionário público [firmem] o compromisso pessoal de que esta nação avançará, com toda a velocidade da liberdade, na emocionante aventura espacial".[6]

Kennedy apresentou sua convocação ao propósito americano como a missão de uma nova geração, pronta para reivindicar o futuro. Em retrospecto, no entanto, sua "New Frontier" [Nova Fronteira] permanece como um monumento a uma visão desvanecida do poder e da vontade dos americanos, uma expressão final daquele momento em meados do século quando eles se viam como senhores de seu destino. Pois mesmo enquanto Kennedy os desafiava, perguntando o que poderiam fazer por seu país, os recursos cívicos da vida dos americanos estavam se atenuando; a economia política da cidadania perdia o seu domínio, posta de lado pelos imperativos do crescimento e pela filosofia pública da república procedimental. Como o próprio Kennedy reconheceu, os problemas econômicos da época não se prestavam aos "apaixonados movimentos" que agitaram o país no passado, mas envolviam "questões técnicas sofisticadas (...) que estão além da compreensão da maioria dos homens".[7]

E assim, por um tempo, as circunstâncias especiais da vida americana nas duas décadas após a Segunda Guerra Mundial obscureceram o desaparecimento da concepção cívica de liberdade. Mas quando o momento de domínio diminuiu — quando os rigores do início da Guerra Fria diminuíram, a economia vacilou e a autoridade do governo começou a se desfazer — os americanos estavam mal equipados para lidar com o deslocamento e a perda de poder que enfrentaram.

O DESCONTENTAMENTO DA DEMOCRACIA

A PROMESSA VOLUNTARISTA

Além da fartura do poder americano, a promessa de domínio nas décadas do pós-guerra tinha outra fonte, mais profunda, na filosofia pública do liberalismo contemporâneo. Este é o liberalismo que afirma a prioridade do direito sobre o bem; o governo deve manter a neutralidade entre concepções concorrentes da boa vida, a fim de respeitar as pessoas como seres livres e independentes, capazes de escolher seus próprios fins. A concepção voluntarista de liberdade que inspira esse liberalismo apresenta uma visão libertadora, uma promessa de agência que aparentemente poderia ser cumprida mesmo sob condições de poder concentrado.

Inspirados pela concepção cívica de liberdade, os defensores do republicanimo se colocavam contra "a maldição da grandeza", preocupados com a lacuna entre os termos da comunidade política e a escala da vida econômica, e lutaram, diante das diferenças morais e culturais, para forjar propósitos e fins comuns. A concepção voluntarista da liberdade parecia não exigir tais esforços. Se o governo pudesse fornecer uma estrutura de direitos, neutra em relação aos fins, então os cidadãos poderiam perseguir seus próprios valores e objetivos, consistentes com uma liberdade semelhante para os outros. Num momento em que os fatos sociais e econômicos da vida moderna ameaçavam relegar a liberdade republicana ao reino da nostalgia, os americanos encontraram uma concepção de liberdade que, diferentemente da concepção cívica, não dependia do poder disperso.

Se a liberdade depende de uma estrutura de direitos, neutra em relação aos fins, dentro da qual os indivíduos podem perseguir a própria visão de boa vida, resta perguntar que direitos tal estrutura exige. A liberdade voluntarista requer respeito apenas pelos direitos civis e políticos, como liberdade de expressão, liberdade religiosa, tribunal do júri e direito ao voto? Ou também exige certos direitos sociais e econômicos, como a educação, emprego, moradia e assistência médica? Da década de 1940 à de 1990, pessoas diferentes dariam respostas diferentes a essa

256

O TRIUNFO E AS AGRURAS DA REPÚBLICA PROCEDIMENTAL

pergunta. Mas quaisquer que fossem suas opiniões sobre o escopo e o conteúdo dos direitos individuais, a maioria justificaria seus argumentos em termos da concepção voluntarista de liberdade.

Isso marcou uma mudança nos termos do discurso político. Durante grande parte do século XIX, os americanos discutiram sobre como incutir nos cidadãos as virtudes que os preparariam para o autogoverno. Na segunda metade do século XX, os americanos passaram a debater quais seriam os direitos que permitiriam às pessoas escolher seus próprios valores e fins. Com o tempo, a agenda política definida pela concepção voluntarista de liberdade mostrou-se incapaz de atender à aspiração ao autogoverno e, assim, perdeu a capacidade de inspirar. No início, porém, dera energia e propósito a um projeto amplo de aprimoramento moral e político.

A nova filosofia pública foi sustentada pela primeira vez com clareza nos tribunais. Em 1940, a Suprema Corte dos Estados Unidos sustentou uma lei local que exigia que crianças em idade escolar saudassem a bandeira, mesmo no caso de testemunhas de Jeová que alegavam uma objeção de cunho religioso. O ministro Felix Frankfurter invocou a missão formativa da tradição republicana. A Constituição não impedia que os distritos escolares inculcassem nos jovens cidadãos "o laço de união do sentimento de coesão" do qual depende a liberdade. Três anos depois, o tribunal mudou de rumo e derrubou a saudação obrigatória à bandeira. Passou a apelar para uma concepção diferente de liberdade que não dependia do cultivo da virtude, mas de certos direitos que fossem mantidos fora do alcance das maiorias. Além disso, o governo não poderia impor a seus cidadãos nenhuma concepção particular de boa vida: "nenhuma autoridade, grande ou pequena, pode prescrever o que deve ser ortodoxo em política, nacionalismo, religião ou outras questões de opinião". O patriotismo seria agora uma questão de escolha, não de inculcação, um ato voluntário de indivíduos livres e independentes.[8]

Após a Segunda Guerra Mundial, à medida que os pressupostos liberais se sobrepuseram à vertente cívica do debate econômico, uma transição semelhante se desenrolou no direito constitucional. A partir

O DESCONTENTAMENTO DA DEMOCRACIA

da década de 1940, a Suprema Corte assumiu seu papel hoje conhecido de proteção aos direitos individuais contra a violação do governo e de definição de direitos de acordo com o princípio de que o governo deve manter a neutralidade sobre o conceito de uma boa vida. Em 1947, a Corte declarou pela primeira vez que o governo deve ser neutro em relação à religião. Nas décadas seguintes, justificou essa neutralidade em nome da concepção voluntarista de liberdade: "as crenças religiosas dignas de respeito são produto da escolha livre e voluntária dos fiéis".[9] No mesmo período, o tribunal ampliou a proteção à liberdade de expressão, contando menos com sua importância para o autogoverno e mais com sua relevância para a autoexpressão, tornando "a escolha do discurso pelo indivíduo o fator crucial para justificar a proteção".[10] Nas décadas de 1960 a 1980, a Corte impôs, em uma série de decisões em nome da autonomia e da liberdade de escolha, um direito à privacidade que impede o governo de tentar legislar a moralidade em questões relativas à contracepção e ao aborto.

A versão do liberalismo que afirma a prioridade do direito sobre o bem não se restringiu à esfera do direito constitucional. Também figurou de forma proeminente na justificativa do Estado de bem-estar social americano desde o momento em que ele emergiu do New Deal até o presente. À primeira vista, não fica claro como esse liberalismo poderia desempenhar tal papel. A intervenção do Estado de bem-estar na economia de mercado pode parecer estar em desacordo com a tentativa de manter a neutralidade em relação aos fins. Além disso, a defesa do fornecimento público de certos bens a todos os cidadãos parecia exigir uma forte ética de obrigação mútua e cidadania compartilhada, um senso altamente desenvolvido de solidariedade e propósito comum.[11] Na Grã-Bretanha, por exemplo, o Estado de bem-estar social foi inspirado não apenas nas tradições socialistas do Partido Trabalhista, mas também nas tradições pré-liberais e comunais do conservadorismo *tory*. Como escreveu Samuel H. Beer sobre a política britânica em meados da década de 1960: "Velhas tradições de governo forte, paternalismo e sociedade orgânica facilitaram a reafirmação maciça do poder esta-

O TRIUNFO E AS AGRURAS DA REPÚBLICA PROCEDIMENTAL

tal que ocorreu nas últimas décadas, muitas vezes sob os auspícios do governo conservador."[12]

Os defensores do Estado de bem-estar social americano, por outro lado, não se baseavam em uma ética de obrigação cívica ou comunal. Em vez disso, apelavam para a concepção voluntarista da liberdade. Suas justificativas para a expansão dos direitos sociais e econômicos não dependiam do cultivo de um senso mais profundo de cidadania compartilhada, mas sim do respeito à capacidade de cada um para escolher seus próprios valores e objetivos.

Franklin Roosevelt apelava ocasionalmente para um amplo senso de comunidade nacional. "Temos estendido à nossa vida nacional o velho princípio da comunidade local", proclamou ele em 1933. "Estamos dizendo: 'Seria esta prática, esse costume, algo que está sendo mantido às custas de muitos?' E esses muitos são os vizinhos. Em um sentido nacional, esses muitos, os vizinhos, são o povo dos Estados Unidos como um todo." Em 1935, ao falar para uma plateia da juventude do Partido Democrata, ele os exortou a adotar uma ética de cooperação e avanço mútuo. No passado, os americanos perseguiram "o sonho da escada dourada — cada indivíduo por si". Mas a nova geração tinha um sonho diferente: "Seu progresso, você espera, se dá ao longo de uma estrada larga na qual milhares de homens e mulheres iguais a você avançam juntos."[13]

Mas Roosevelt teve o cuidado de não basear a política social federal em nenhuma ética comunal desse tipo. Por exemplo, a Lei de Seguridade Social* não foi defendida como um programa de bem-estar, mas foi cuidadosamente projetada para se assemelhar a um esquema de seguro privado, financiada por "contribuições" de folha de pagamento em vez de receitas fiscais gerais. Mais tarde, admitindo que os impostos

---

* A Lei de Seguridade Social (Social Security Act) foi aprovada pelo Congresso e sancionada pelo presidente Franklin Delano Roosevelt em agosto de 1935. Parte das medidas governamentais do New Deal para recuperação do país após a Grande Depressão, a lei delimitou o arcabouço de seguridade social e as políticas de seguro desemprego com base em taxação sobre as folhas de pagamento. [N. do R. T.]

O DESCONTENTAMENTO DA DEMOCRACIA

regressivos sobre a folha de pagamento eram uma medida econômica ruim, Roosevelt enfatizou que seu propósito era político: "Colocamos essas contribuições na folha de pagamento de modo a fornecer aos contribuintes um direito legal, moral e político de recolher pensões e benefícios de desemprego. Com esses impostos lá, nenhum maldito político pode se desfazer do meu programa de seguridade social."[14]

Em 1944, em seu último discurso sobre o Estado da União, Roosevelt expôs o que se tornou a agenda para o Estado de bem-estar social que emergiria nas décadas seguintes. Ele a chamou de "uma declaração de direitos econômicos". À medida que a economia industrial se expandia, os direitos políticos enumerados na Constituição mostravam-se inadequados para garantir a liberdade. Entre os direitos sociais e econômicos necessários à "verdadeira liberdade individual" estavam "o direito a um trabalho útil e remunerado, (...) o direito de ganhar o suficiente para fornecer alimentação adequada, vestuário e recreação, (...) o direito de toda família a um lar digno, o direito a cuidados médicos adequados (...) o direito à proteção adequada contra os temores econômicos da velhice, doença, acidente e desemprego, (...) o direito a uma boa educação". Para Roosevelt, esses direitos dependiam, para serem justificados, não de fortes noções de obrigação comunal, mas da ideia de que "homens necessitados não são homens livres". Certas condições materiais eram pré-requisitos para a liberdade de cada pessoa escolher seus fins por si mesma.[15]

Do "Fair Deal" [Acordo Justo] de Harry Truman até a "Great Society" [Grande Sociedade] de Lyndon Johnson, o Estado de bem-estar americano se desenrolou, às vezes aos trancos, mais ou menos nas linhas imaginadas por Franklin Roosevelt. A ajuda federal a educação, habitação de baixa renda, Medicare, Medicaid, vale-refeição, treinamento profissional e expansões da Previdência Social, seguro-desemprego e assistência pública contribuiu consideravelmente para cumprir o projeto de reforma liberal. Consistente com a sugestão de Roosevelt, os argumentos que justificavam esses programas — assim como os argumentos contra eles — costumavam ser tipicamente lançados em termos de direitos individuais e da concepção voluntarista de liberdade.

O TRIUNFO E AS AGRURAS DA REPÚBLICA PROCEDIMENTAL

Ao apresentar seu raciocínio para a Grande Sociedade, Lyndon Johnson baseou-se em vários argumentos, inclusive no ideal de comunidade nacional.[16] Ele falava sobre "forjar um senso maior de união neste país", aprender a "submergir nossas diferenças individuais em nome do bem comum", transformar a "unidade de interesse dos americanos em unidade de propósito, e a unidade de objetivos em unidade na Grande Sociedade". Com uma metáfora que se repetiria na retórica democrata por uma geração, Johnson descreveu a nação como "uma família" que "cuida de todos os seus membros em tempos de adversidade", o povo "unido por laços comuns de confiança e afeto".[17]

A evocação da comunidade nacional por Johnson talvez pareça abraçar a tradição nacionalizadora da reforma progressista e separá-la do liberalismo da república procedimental. Como os progressistas desde Herbert Croly a Franklin Roosevelt, Johnson procurou não apenas expandir o papel do governo federal, mas também aprofundar o sentimento de pertencimento nacional dos americanos, para "tornar a nação mais nação".[18] O objetivo primário da política, como ele declarava, era "elevar nossa vida nacional", para "ajudar a aperfeiçoar a unidade do povo", para engajar os americanos em "um empreendimento comum, uma causa maior do que eles mesmos. (...) Sem isso, simplesmente nos tornaremos uma nação de desconhecidos."[19]

Num exame mais minucioso, no entanto, a visão política de Johnson tinha menos em comum com a tradição formativa do que com a versão do liberalismo que, na década de 1960, cada vez mais estabelecia os termos do discurso político americano. Os proponentes anteriores do projeto formativo procuravam moldar o caráter dos cidadãos por meio de práticas concretas e instituições, que variavam da escola comunitária até a democracia industrial e outros arranjos econômicos considerados hospitaleiros para os hábitos de autogoverno. Para Johnson, pelo contrário, o chamado à comunidade nacional era mais abstrato e exortativo. Dando-lhe seu devido crédito, a ética da comunidade nacional de Johnson serviu como uma forma de explicar às pessoas brancas por que elas deveriam defender os direitos civis e os direitos de voto para os afro-americanos e para explicar por que os ricos deveriam apoiar políticas destinadas a ajudar os pobres.[20] Mas apesar de sua promessa de responder "à fome de comunidade", a Grande Sociedade estava preocupada, em primeiro lugar, em promover a abundância e o acesso justo aos frutos da abundância. Ela oferecia pouco para formar nos cidadãos as virtudes que os preparariam para o autogoverno.[21]

O único aspecto da Grande Sociedade que lembrava a economia política da cidadania foi o programa de ação comunitária da guerra contra a Pobreza. Este programa buscava ampliar a capacidade cívica dos pobres, incentivando sua participação em programas contra a pobreza em nível local. Para Johnson, no entanto, o programa era uma anomalia desconfortável e, quando grupos de ação comunitária entraram em conflito com prefeitos democratas e outras autoridades locais, ele o abandonou.[22]

Na visão de comunidade nacional de Johnson, o projeto formativo de tradição progressista vai cedendo lugar ao projeto voluntarista do liberalismo contemporâneo. Uma expressão desse movimento na direção da república procedimental pode ser encontrada na concepção de cidadania afirmada por Johnson. Para ele, aperfeiçoar a unidade da nação significava encorajar os americanos a deixarem de lado ou superarem identidades ligadas a região, raça, religião ou classe. O cidadão americano ideal pensaria e agiria como uma espécie de indivíduo universal, livre de identidades e apegos particulares. O ideal de Johnson era "uma América que não conhece Norte nem Sul, nem Leste nem Oeste", "uma nação unida, sem ser dividida nem por classe, nem por seção, nem por cor". Como exemplo da "política de unidade" que defendia, Johnson lembrou a reunião de altos funcionários do governo e militares na Casa Branca durante a crise dos mísseis cubanos. O que mais o impressionou foi a maneira como eles deliberaram sem se referirem às próprias origens ou às comunidades específicas de onde vinham: "Não era possível discernir a partir do comentário de alguém qual seria sua religião ou partido político. Não era possível descobrir de onde vinham nem pelo sotaque."[23]

O TRIUNFO E AS AGRURAS DA REPÚBLICA PROCEDIMENTAL

Mesmo ao apelar ao ideal de comunidade nacional, Lyndon Johnson defendia a Grande Sociedade em nome da concepção voluntarista de liberdade. Nisto reside mais um elo com o liberalismo da república procedimental. Johnson contestou a afirmação feita por críticos conservadores de que o governo federal havia se tornado "uma grande ameaça à liberdade individual. (...) A verdade é que, longe de esmagar o indivíduo, o governo, na melhor das hipóteses, o liberta das forças escravizadoras de seu ambiente". Graças às conquistas da reforma democrática, "todo americano é mais livre para moldar suas próprias atividades, estabelecer seus próprios objetivos, fazer o que quiser com a própria vida do que em qualquer outro momento da história do homem".[24]

Ao aceitar a candidatura à presidência por seu partido em 1964, Johnson ecoou o argumento de Roosevelt de que a segurança econômica é um pré-requisito para a liberdade individual: "O homem que está com fome, que não consegue encontrar trabalho nem educar seus filhos, que é dobrado pela carência — esse homem não é totalmente livre." Johnson defendeu o projeto de reforma liberal para permitir que as pessoas escolhessem e buscassem seus fins por si mesmas: "Por mais de trinta anos, da previdência social à guerra contra a pobreza, trabalhamos diligentemente para ampliar a liberdade do homem. E como resultado, os americanos esta noite estão mais livres para viver como querem viver, para perseguir suas ambições, satisfazer seus desejos (...) do que em qualquer momento em toda a nossa gloriosa história."[25]

A noção de que o governo deveria respeitar os direitos do indivíduo de escolher seus próprios valores e fins não era exclusiva dos defensores do Estado de bem-estar social. Também foi invocada por aqueles que o criticavam, como o conservador republicano Barry Goldwater e o economista Milton Friedman. Estabeleciam-se assim os termos do debate político nacional. A campanha de Goldwater em 1964 contra Johnson apresentou um dos contrastes ideológicos mais nítidos de todas as eleições presidenciais recentes. Mas apesar da oposição a causas

O DESCONTENTAMENTO DA DEMOCRACIA

liberais como a guerra contra a pobreza, o imposto de renda progressivo e até a Previdência Social, Goldwater compartilhava com os liberais a concepção voluntarista de liberdade.[26]

"As escolhas que governam a vida [de um indivíduo] são escolhas que *ele* deve fazer: não podem ser tomadas por nenhum outro ser humano, nem por uma coletividade de seres humanos", escreveu Goldwater em um manifesto de 1960, *A consciência de um conservador*. "Se o conservador está menos ansioso do que seus irmãos liberais para aumentar os 'benefícios' da Previdência Social, é porque ele está mais ansioso que seus irmãos liberais para que que as pessoas sejam livres, ao longo de suas vidas, para gastar seus ganhos quando e como bem entenderem." As únicas funções legítimas do governo eram aquelas que tornavam "possível que os homens sigam as atividades escolhidas com a máxima liberdade". De acordo com Goldwater, essas funções eram limitadas a coisas como a manutenção da ordem, providências para a defesa nacional e o cumprimento dos direitos de propriedade privada. Outras atividades governamentais, como cobrar tributos dos ricos para ajudar os pobres, equivaliam à caridade coagida, uma violação da liberdade. "Como pode um homem ser verdadeiramente livre (...) se os frutos de seu trabalho não se destinam ao seu dispor, mas são tratados, em vez disso, como parte de um fundo comum de riqueza pública?" Aqueles que acreditavam em programas de bem-estar deveriam contribuir como bem entendessem para a caridade privada, sem que houvesse o confisco do dinheiro de "concidadãos que podem ter ideias diferentes sobre suas obrigações sociais".[27]

O economista Milton Friedman ofereceu uma versão acadêmica das posições defendidas por Goldwater. Em vez de adotar o termo "conservador", no entanto, Friedman insistiu que se opor ao Estado de bem-estar social em nome da liberdade individual era ser fiel ao liberalismo em seu sentido clássico do século XIX. "Acho difícil, como liberal, enxergar qualquer justificativa para a tributação gradual apenas para redistribuir a renda", escreveu Friedman. "Este parece um caso claro do uso da coerção para tirar alguma coisa de uns para dar a outros e, assim, entrar em conflito frontal com a liberdade individual." Exigir que as pessoas contribuíssem para a própria aposentadoria por meio do sistema de Previdência Social também era uma violação injusta à liberdade. "Se um homem conscientemente prefere viver o dia de hoje, usar seus recursos para o gozo atual, escolhendo deliberadamente uma velhice miserável, com que direito o impedimos de fazê-lo? Podemos discutir com ele, tentar convencê-lo de que ele está errado, mas temos o direito de usar a coerção para impedi-lo de fazer o que ele escolhe?"[28]

Friedman se opôs, por motivos semelhantes, a uma ampla gama de políticas, incluindo subsídios à habitação, salário mínimo, parques nacionais, estradas de propriedade estatal com cobrança de pedágio e leis exigindo o licenciamento de médicos, farmacêuticos e outros grupos profissionais. Por mais completa que tenha sido, a crítica de Friedman compartilhava com os defensores do Estado de bem-estar social a concepção voluntarista de liberdade. Os programas governamentais das últimas décadas estavam errados em impor a alguns os valores de outros, por não respeitar os desejos das pessoas de "viver suas vidas de acordo com seus próprios valores".[29]

A AUTOIMAGEM DA ERA

A versão do liberalismo que fundamentou o debate político e constitucional americano nas décadas após a Segunda Guerra Mundial encontrou sua formulação filosófica mais completa na década de 1970, principalmente em *Uma teoria da justiça*, de John Rawls. Contra os pressupostos utilitaristas que dominaram grande parte da filosofia anglo-americana do século XX, Rawls argumentava que certos direitos individuais são tão importantes que superam as considerações do bem-estar geral ou da vontade da maioria. Assim, "os direitos assegurados pela justiça não estão sujeitos à barganha política ou ao cálculo de interesses sociais".[30]

O DESCONTENTAMENTO DA DEMOCRACIA

A noção de que certos direitos individuais superam as considerações utilitárias não é, naturalmente, exclusiva do liberalismo da república procedimental. Os direitos podem ser defendidos por vários motivos, inclusive sob a alegação de que respeitar certos direitos é uma forma de cultivar a virtude cívica ou de encorajar, entre os cidadãos, determinadas práticas, crenças ou qualidades de caráter dignas. O direito à liberdade de expressão pode ser defendido, por exemplo, com base no fato de que torna possível o debate político e a deliberação dos quais o autogoverno depende. Da mesma forma, o direito à liberdade religiosa pode ser defendido com base no fato de que a prática e a crença religiosas são características importantes da boa vida e, portanto, dignas de proteção especial.

Mas Rawls não defendia os direitos por motivos como esse. Pelo contrário, ele argumentava que os direitos não deveriam depender de qualquer concepção particular do que seria uma boa vida para se justificarem. De acordo com Rawls, uma sociedade justa não tenta cultivar a virtude ou impor aos seus cidadãos quaisquer fins particulares. Em vez disso, fornece uma estrutura de direitos, neutra em seus fins, dentro da qual as pessoas podem seguir suas próprias concepções do bem, consistentes com uma liberdade semelhante para os outros. Essa é a afirmação de que o direito é anterior ao bem, e é essa afirmação que define o liberalismo da república procedimental.[31]

A concepção voluntarista da liberdade está intimamente ligada à reivindicação da prioridade do direito. Como explicou Rawls, é precisamente porque somos indivíduos livres e independentes, capazes de escolher nossos fins por nós mesmos, que precisamos de uma estrutura de direitos que seja neutra em seus fins. Quando o governo procura promover a virtude ou moldar o caráter moral de seus cidadãos, impõe a alguns os valores de outros e, portanto, não respeita nossa capacidade de escolher nossos próprios valores e objetivos. Na visão voluntarista, os direitos à liberdade de expressão e à liberdade religiosa são importantes, não porque as atividades que protegem sejam especialmente dignas, mas porque esses direitos respeitam a capacidade das pessoas de escolherem quais são suas crenças e opiniões. Isso traz à tona a visão libertadora subjacente à insistência de que o governo seja neutro. "Um indivíduo moral é um sujeito com fins que escolheu, e sua preferência fundamental é por condições que lhe possibilitem estruturar um modo de vida que expresse, tão plenamente quanto as circunstâncias permitirem, sua natureza como ser livre e igualmente racional." Assim como o justo tem primazia sobre o bem, o indivíduo tem primazia sobre os fins. "Não são nossos objetivos que revelam primariamente nossa natureza", mas sim os direitos que concordaríamos em respeitar se pudéssemos nos abstrair de nossas metas. "Pois o indivíduo é anterior aos fins afirmados por ele. Mesmo um fim dominante deve ser escolhido entre numerosas possibilidades."[32]

Se o governo deve ser neutro em relação aos fins para respeitar as pessoas como indivíduos de livre-arbítrio, libertos de laços morais que antecedem à escolha, é mais uma questão estabelecer que direitos o ideal do Estado neutro exige. Aqui também o debate filosófico da década de 1970 se manteve paralelamente ao debate político sobre direitos que se desenrolou desde o New Deal até a Grande Sociedade. Alguns, incluindo Rawls, argumentaram em defesa do Estado de bem-estar social. Para o governo manter a neutralidade em relação aos fins, seria preciso permitir apenas as desigualdades sociais e econômicas que funcionam em benefício dos membros menos favorecidos da sociedade. A distribuição de talentos e dotes que leva alguns a prosperar e outros a fracassar na economia de mercado é "arbitrária do ponto de vista moral". Respeitar as pessoas como seres livres e independentes, portanto, requer uma estrutura de direitos e prerrogativas que compense a arbitrariedade da fortuna.[33]

Outros, como Robert Nozick em *Anarquia, estado e utopia*, argumentaram contra o Estado de bem-estar social. Liberal de tradição *laissez-faire* como Barry Goldwater e Milton Friedman, Nozick sustentava que respeitar os direitos significa negar ao Estado um papel na redistribuição de renda e riqueza. A distribuição justa é qualquer uma que resulte das trocas voluntárias que ocorrem em uma sociedade de mercado. "De cada um como eles escolhem, para cada um como eles são escolhidos." Apesar de suas diferenças sobre justiça distributiva, Nozick concordava com Rawls que os direitos individuais superam as considerações utilitárias e que o governo deve ser neutro em relação aos fins para respeitar a capacidade das pessoas de escolher e buscar seus próprios valores e fins.[34] Como o debate político sobre o qual os dois lançaram clareza filosófica, esse debate ocorria dentro dos termos da concepção voluntarista de liberdade.

A autoimagem liberal subjacente à república procedimental encontrou uma expressão mais vívida, embora menos edificante, na psicologia pop e na literatura de autoajuda dos anos 1970. Foi aqui que a promessa libertadora da concepção voluntarista da liberdade assumiu sua forma mais extravagante. De acordo com o dr. Wayne Dyer, autor de best-sellers da década de 1970, o caminho para a felicidade e a liberdade começa com a percepção de que "você é a soma total de suas escolhas". O autodomínio consiste em ver cada objetivo e vínculo, cada sentimento e pensamento, como o produto da escolha. Ver cada emoção "como uma escolha e não como uma condição de vida" é "o coração da liberdade pessoal". O mesmo acontece com o pensamento: "Você tem o poder de pensar naquilo que você mesmo permitir que entre em sua cabeça. Se algo simplesmente 'pipoca' em sua cabeça (...) você ainda tem o poder de fazê-lo ir embora." A moral e a religião, devidamente compreendidas, são também os produtos da escolha. A religião organizada, um sintoma da "necessidade de buscar aprovação", produz um comportamento que "você não escolheu (...) livremente". Preferível é "uma verdadeira religião do eu na qual um indivíduo determina o próprio comportamento" sem "precisar da aprovação de uma força exterior".[35]

Segundo a teoria política do liberalismo contemporâneo, o governo não deve moldar nem julgar o caráter de seus cidadãos. De acordo com o dr. Dyer, as pessoas devem adotar a mesma postura de não julgamento, mesmo em suas relações íntimas. A essência do amor é a "disposição de permitir que aqueles que você ama sejam o que eles escolherem

O TRIUNFO E AS AGRURAS DA REPÚBLICA PROCEDIMENTAL

para si mesmos". Esse amor "não envolve imposição de valores ao ente querido". Esses indivíduos independentes inspirariam novas letras para canções de amor populares. Em vez de cantar "Can't stop loving you" [não posso deixar de te amar], eles cantarolavam: "Posso parar de amar você, mas neste momento escolho não fazer isso."[36]

Apesar de sua pose de sem julgamentos, no entanto, os indivíduos desimpedidos do dr. Dyer insistem que seus amados correspondam ao ideal de independência. Tais pessoas "querem que as pessoas queridas sejam independentes, façam suas próprias escolhas e vivam suas vidas por si mesmas". São pessoas que "veem a independência como superior à dependência em todos os relacionamentos. (...) Recusam-se a depender ou a que dependam deles em um relacionamento maduro."[37]

Se a caricatura pode ser esclarecedora, o ideal de Dyer resume a promessa libertadora que anima a república procedimental. Os indivíduos felizes e saudáveis que ele nos convida a admirar "são surpreendentemente independentes. (...) Seus relacionamentos são construídos sob o respeito mútuo pelo direito de um indivíduo de tomar decisões por si mesmo". São tolerantes, não julgam, a não ser aqueles que afirmam a tão indesejada dependência. "Eles não têm obrigações para com os outros. Consideram que todos têm escolhas, e essas coisas mesquinhas que enlouquecem os outros são simplesmente o resultado da decisão de alguém." Alertas ao fato de que muitas vezes as pessoas discordam sobre valores, são pessoas ágeis na relativização de questões controversas e, assim, perdem pouco tempo se engajando em discursos ou debates morais: "Essas pessoas não tendem a discutir nem são debatedores de cabeça quente. Simplesmente declaram suas opiniões, ouvem os outros e reconhecem a futilidade de tentar convencer outra pessoa a ser como eles. Simplesmente dirão: 'Tudo bem; somos apenas diferentes. Nós não temos que concordar.' Deixam isso para lá sem qualquer necessidade de ganhar uma discussão ou de persuadir o oponente do erro de sua posição."[38]

Libertos do peso de laços morais que não escolheram, os indivíduos ideais de Dyer não conhecem a solidariedade: "Seus valores não são

O DESCONTENTAMENTO DA DEMOCRACIA

locais. Não se identificam com família, bairro, comunidade, cidade, estado ou país. Eles se consideram pertencentes à raça humana, e um austríaco desempregado não é melhor nem pior do que um californiano desempregado. Eles não são patriotas em relação a fronteiras específicas; em vez disso, veem-se como parte de toda a humanidade."[39]

Mais do que saúde e felicidade, quem vive de acordo com os preceitos do dr. Dyer pode atingir o "domínio total" de suas vidas.[40] Muito além da liberdade republicana do exercício do autogoverno, no entanto, o domínio em questão tem muito mais a ver com relações pessoais ou atividades de consumo — enfrentar vendedores grosseiros de lojas de departamentos, devolver um bife sem ser intimidado por garçons rudes e assim por diante. Nisso reside o *pathos* do projeto voluntarista tal como se desenrolou na década de 1970. Pois mesmo enquanto os americanos ansiavam pelo domínio em suas vidas pessoais, a vida pública informada pela visão voluntarista era assombrada pelo medo de que a perspectiva de agência coletiva estivesse se esvaindo.

A PERDA DO DOMÍNIO

Na década de 1970, a versão do liberalismo que afirma a prioridade do direito sobre o bem tornou-se a filosofia pública reinante nos Estados Unidos. A noção de que o governo deve manter a neutralidade entre as concepções concorrentes da boa vida, a fim de respeitar os direitos das pessoas de escolher seus próprios valores e fins, figurou com destaque no discurso político e no direito constitucional. A imagem dos indivíduos como seres livres e independentes, livres de laços morais ou políticos que não escolheram, encontrou expressão na política, na economia, no direito, na filosofia e na cultura pública mais ampla. Os entendimentos republicanos mais antigos de cidadania e liberdade não desapareceram completamente, mas se tornaram uma vertente menor no discurso público dos Estados Unidos.

O TRIUNFO E AS AGRURAS DA REPÚBLICA PROCEDIMENTAL

Apesar de sua visão libertadora, a filosofia pública do liberalismo contemporâneo não foi capaz de garantir a liberdade que prometia. O triunfo da concepção voluntarista coincidiu com uma crescente sensação de desempoderamento. Apesar da expansão de direitos e prerrogativas, apesar das conquistas da economia política do crescimento e da justiça distributiva, os americanos descobriram, para sua frustração, que estavam perdendo o controle das forças que governavam suas vidas. Em casa e no exterior, os eventos saíram do controle e o governo parecia incapaz de reagir. Ao mesmo tempo, as circunstâncias da vida moderna erodiam aquelas formas de comunidade — famílias e bairros, cidades e vilas, comunidades cívicas, étnicas e religiosas — que situam as pessoas no mundo e fornecem uma fonte de identidade e de pertencimento.

Juntos, esses dois medos — pela perda do autogoverno e pela erosão da comunidade — definiram a angústia predominante na época. Era uma ansiedade que a agenda política reinante, com seus recursos cívicos atenuados, não tinha capacidade de resolver, ou mesmo de abordar. Esse fracasso alimentou o descontentamento que assolou a democracia americana desde o final da década de 1960 até os dias atuais. As figuras políticas que conseguiram explorar o clima de descontentamento fizeram isso indo além dos termos do liberalismo contemporâneo. Algumas buscaram uma resposta na recuperação de temas republicanos.

A história raramente marca seus momentos com precisão. As linhas gravadas no tempo são muitas vezes indistintas, difíceis de discernir. O ano de 1968, no entanto, foi uma exceção. Pois foi aí que o momento de domínio dos Estados Unidos chegou ao fim. Theodore White começava sua crônica da tumultuada política de 1968 descrevendo os mapas nas paredes envidraçadas e os teletipos barulhentos do Centro de Comando Militar Nacional do Pentágono, onde os militares monitoram a prontidão das forças e armas americanas em todo o mundo. "Aqui, em janeiro de 1968, consagrado como um mito, estava o símbolo visível da fé americana: que o poder dos Estados Unidos não poderia ser contido por ninguém, que os instrumentos do governo americano precisariam apenas ter vontade de agir para conseguir o que queriam."

O DESCONTENTAMENTO DA DEMOCRACIA

Como White observou: "Em 1968, essa fé seria destroçada — o mito do poder americano abalado, a confiança do povo americano em seu governo, suas instituições, suas lideranças, estremecidas como nunca desde 1860."[41]

O primeiro episódio que abalaria aquela fé ocorreu no final de janeiro, quando notícias de uma ofensiva comunista no Vietnã chegaram aos teletipos do centro de comando. No dia do Ano-Novo vietnamita (Tet), as forças vietcongues organizaram um ataque impressionante a Saigon e a outros redutos sul-vietnamitas, invadindo até a embaixada americana, supostamente inexpugnável. No noticiário da televisão naquela noite, os americanos, havia muito convencidos pelo governo de que os Estados Unidos venciam a guerra, viram a cena chocante das tropas vietcongues na embaixada. No dia seguinte, eles testemunharam o espetáculo horrível de um oficial sul-vietnamita atirando na cabeça de um prisioneiro vietcongue, imagem que veio a simbolizar a brutalidade da guerra.[42]

Embora a ofensiva do Tet tenha terminado, na realidade, em uma derrota cara para as forças comunistas, ela teve um efeito devastador na confiança que os americanos depositavam na forma como Lyndon Johnson conduzia a guerra. Nas semanas depois do Tet, o sentimento antiguerra cresceu, a popularidade de Johnson despencou e até o comedido apresentador da CBS, Walter Cronkite, pediu a mitigação do conflito. Ao mesmo tempo, a temporada política de 1968 se desenrolou em uma série de eventos desconcertantes e violentos. Nas primárias de New Hampshire, o senador de posicionamento antiguerra Eugene McCarthy, desafiando um presidente de seu próprio partido, quase derrotou Lyndon Johnson. Pesquisas mostraram que os votos de McCarthy vinham não apenas de oponentes da guerra, mas também de *hawks** desiludidos com o atoleiro de Johnson no Vietnã. Poucos dias depois, Robert Kennedy declarou sua candidatura. No final de março,

---

* *Hawks* [falcões] é o termo usado como referência aos atores políticos alinhados a uma postura bélica agressiva nas relações externas do país, em oposição aos *doves* [pombos], que priorizam a paz pela diplomacia. [N. do R. T.]

O TRIUNFO E AS AGRURAS DA REPÚBLICA PROCEDIMENTAL

Johnson — cuja administração havia sido atingida não apenas pela guerra, mas também pela agitação interna que ela havia provocado — chocou o país ao anunciar sua retirada da campanha.[43]

Quatro dias depois, Martin Luther King Jr. foi assassinado em Memphis. Revoltas eclodiram em guetos urbanos por todo o país: quarenta e três pessoas morreram e mais de vinte mil foram presas. No mês seguinte, na noite de sua vitória nas primárias da Califórnia, Robert Kennedy foi assassinado em Los Angeles. O vice-presidente Hubert Humphrey ganhou a indicação democrata em agosto, mas a ocasião foi marcada por confrontos violentos entre a polícia e manifestantes contrários à guerra do lado de fora do salão de convenções de Chicago. Em novembro, Richard Nixon, apelando ao desejo dos americanos por "lei e ordem", elegeu-se presidente.[44]

O clima de descontentamento e desilusão que se abateu sobre a política americana em 1968 vinha sendo gestado havia vários anos. Tumultos na periferia, ocupações nos campi universitários e manifestações antiguerra de meados da década de 1960 insinuaram o desmoronamento da fé nos arranjos existentes. Esses protestos e distúrbios, assim como os medos que suscitaram, fomentaram uma sensação crescente de que os eventos estavam saindo do controle e que o governo não tinha autoridade moral ou política para responder. Em 1968, a desilusão se espalhou para além dos guetos e campi e chegou a um público americano mais amplo. A sensação inebriante de domínio tão prevalente nas décadas anteriores deu lugar à convicção de que "os eventos avançam a galope e conduzem a humanidade".[45] Como escreveu James Reston: "Washington é agora o símbolo do desamparo dos dias atuais. (...) A principal crise não está no próprio Vietnã nem nas cidades, mas na sensação de que o sistema político que lida com essas coisas não funciona mais."[46]

As décadas que se seguiram não aplacaram essa sensação de desamparo. Em casa e no exterior, os eventos das décadas de 1970 e 1980 apenas aprofundaram os temores dos americanos de que, individualmente e coletivamente, eles estivessem perdendo o controle das forças que governavam suas vidas. A invasão de Watergate e seu acobertamento; a renúncia de Nixon sob ameaça de impeachment; a queda de Saigon, enquanto americanos e sul-vietnamitas se amontoavam em desespero para embarcar nos poucos helicópteros que partiam; a inflação dos anos 1970; o choque do petróleo da OPEP; a consequente falta de energia e de combustível; os reféns no Irã e a missão de resgate fracassada; a morte de 241 fuzileiros navais americanos no quartel em Beirute em um ataque terrorista; a estagnação da renda da classe média; o déficit orçamentário federal escancarado, e a persistente incapacidade do governo de lidar com o crime, as drogas e a decadência urbana: tudo isso corroeu ainda mais a crença dos americanos na ideia de serem senhores do destino.

Esses eventos tiveram um impacto devastador na confiança da população no governo.[47] Em 1964, 76% dos americanos acreditavam que podiam confiar no governo de Washington para fazer o que é certo na maioria das vezes; três décadas depois, apenas 20% manifestavam a mesma confiança.[48] Em 1964, pouco menos da metade da população achava que o governo desperdiçava boa parte do dinheiro dos contribuintes; na década de 1990, quatro em cada cinco americanos pensavam assim. Em 1964, menos de um em cada três acreditava que o governo era comandado por alguns interesses poderosos e que não era para o benefício de todas as pessoas; na década de 1990, três quartos pensavam que o governo era dirigido por poucos e para poucos.[49] Quando John Kennedy foi eleito presidente, a maioria dos americanos acreditava que as autoridades públicas se importavam com o que eles pensavam; três décadas depois, a maioria não acredita mais nisso.[50]

TATEANDO PARA LIDAR COM O DESCONTENTAMENTO

À medida que crescia a desilusão com o governo, os políticos pelejavam para articular as frustrações e os descontentamentos que a agenda política vigente não captava. Aqueles que buscaram capitalizar o clima de descontentamento diferiam tão fortemente em suas visões políticas quanto George Wallace e Robert Kennedy, Jimmy Carter e Ronald Reagan. Apesar de todas as diferenças, todos que obtiveram sucesso se basearam em temas que iam além dos termos do liberalismo contemporâneo e falavam sobre a perda do autogoverno e da comunidade.

A política do protesto: George C. Wallace

Proeminente entre os primeiros praticantes da política de protesto encontrava-se George Wallace, o impetuoso populista sulista que, em 1963, como governador do Alabama, proclamou "segregação agora, segregação amanhã, segregação para sempre" e prometeu "ficar na porta da escola" para evitar o fim da segregação na Universidade do Alabama.[51] Ao concorrer à presidência como candidato independente em 1968, e depois nas primárias democratas em 1972, Wallace expressava os ressentimentos dos eleitores brancos da classe trabalhadora que se sentiam ameaçados pela criminalidade e pelos protestos raciais, vitimizados pelo transporte obrigatório dos filhos para escolas públicas não segregadas, irritados por protestos estudantis e manifestações contra a guerra, e enfraquecidos por tribunais permissivos e burocratas federais arrogantes. Ele falava, segundo dizia, para o "homem comum na rua, o homem na tecelagem, o homem na siderúrgica, o barbeiro, a esteticista, o policial na sua ronda diária".[52]

Além do inegável elemento racista no apelo de Wallace, havia um protesto mais amplo contra a impotência que muitos americanos sentiram diante de um governo federal distante que regulava suas vidas, mas parecia incapaz de conter as turbulências sociais e a ilegalidade que tanto os incomodava.[53] Wallace explorou o fato de que nenhum dos principais partidos estava abordando esse sentimento de impotência. Não havia "um centavo de diferença", acusava Wallace, entre os partidários democratas e republicanos nacionais, que preferiam ouvir "algum pseudointelectual de cabeça pontuda que não consegue nem es-

O DESCONTENTAMENTO DA DEMOCRACIA

tacionar direito sua bicicleta" a prestar atenção nos cidadãos comuns. "Eles olharam com desprezo para o homem médio na rua por tempo demais, (...) eles dizem: 'Nós temos que escrever uma diretriz, temos que dizer a você a que horas deve se levantar, temos que dizer a você a que horas deve ir para a cama.' E vamos dizer aos dois partidos nacionais que o homem comum que caminha pelas ruas no Tennessee, no Alabama e na Califórnia não precisa que ninguém lhe escreva uma diretriz para lhe dizer a que horas se levantar."[54]

Embora protestasse contra o poder do governo federal, Wallace não era um conservador adepto do *laissez-faire*. Defendia a reforma tributária e apoiava os aumentos da Previdência Social, do seguro-desemprego e no salário mínimo. Como os populistas anteriores, ele protestava contra a concentração de riqueza e do poder econômico: "Estamos cansados de ver o cidadão médio ser taxado até a morte enquanto esses multibilionários como os Rockefellers e os Fords e os Mellons e Carnegies ficam sem pagar impostos."[55]

Wallace oferecia soluções contundentes para a agitação social. Professores pedindo revolução e estudantes arrecadando dinheiro para os comunistas deveriam ser jogados "numa boa prisão em algum lugar". Manifestantes políticos indisciplinados poderiam ser tratados com "um bom vinco no crânio". Quanto ao "anarquista" que tentou bloquear a passagem do carro do presidente, Wallace prometeu: "Se algum manifestante se deitar na frente do meu carro quando eu for presidente, vai ser a última vez que ele se deitará na frente de um carro."[56]

Além de reprimir os dissidentes, Wallace propunha reduzir o poder do governo federal, que ele afirmava ser dominado por uma elite que desprezava os valores dos americanos comuns: "Estou cansado de alguns professores, de alguns pregadores, de alguns juízes e de alguns editores de jornais tendo mais a dizer sobre minha vida cotidiana (...) do que eu mesmo tenho a dizer sobre o assunto." Ele convocaria os burocratas de Washington e "arrancaria suas pastas e as jogaria no rio Potomac". A "turba beatnik em Washington" havia "quase destruído não apenas o governo local, mas os sistemas escolares de nosso país",

O TRIUNFO E AS AGRURAS DA REPÚBLICA PROCEDIMENTAL

provocando uma "reação contra o *big government*".* Wallace prometia reverter a tendência do poder federal: "Vamos devolver a vocês, povo dos estados, o direito de controlar nossas instituições domésticas."[57]

A candidatura de Wallace revelou o lado sombrio da política da impotência, mas seu sucesso eleitoral alertou os políticos das principais correntes quanto a um descontentamento crescente, difícil de ser ignorado.[58] Como candidato independente em 1968, Wallace chegou perto dos dez milhões de votos e venceu em cinco estados. Antes de ser baleado durante a campanha nas primárias democratas de 1972, ele atraiu mais votos populares do que qualquer outro democrata, vencendo cinco primárias e terminando em segundo em outras cinco.[59] Embora Wallace oferecesse poucas soluções plausíveis, ele esteve entre os primeiros a explorar o descontentamento de um número crescente de americanos que acreditavam que os debates conhecidos entre democratas e republicanos, liberais e conservadores, não abordavam as questões que mais importavam. A agenda política reinante, que ainda trazia a marca do New Deal e da Grande Sociedade, tinha principalmente a ver com noções concorrentes de direitos individuais e diferentes formas de administrar a relação entre o Estado de bem-estar social e a economia de mercado. Tinha pouco a dizer àqueles que temiam estar perdendo o controle de suas vidas para vastas estruturas de poder impessoal enquanto o tecido moral da vizinhança e da comunidade se esgarçava à sua volta.

Agitação cívica: Robert F. Kennedy

De todos os candidatos presidenciais das últimas décadas que procuraram articular as frustrações incipientes que afligem a política americana, aquele com a visão política mais arrebatadora foi Robert F. Kennedy.

---

* *Big Government* (governo grande) é uma expressão usada de forma crítica ao excesso de intervencionismo e à hipertrofia do Estado em diferentes aspectos da vida do cidadão, da ineficiência da burocracia à cobrança de impostos, até a interferência em liberdades individuais. [*N. do R. T.*]

O DESCONTENTAMENTO DA DEMOCRACIA

A alternativa que ele oferecia tinha origem na tradição do republicanismo de política que o liberalismo contemporâneo havia em grande parte eclipsado. Como procurador-geral de seu irmão, John Kennedy, e mais tarde como senador dos Estados Unidos por Nova York, Robert Kennedy foi amplamente identificado com a versão do liberalismo que definiu os termos do discurso político na década de 1960. Mas nos últimos anos de sua vida, Kennedy tornou-se um crítico mordaz das suposições que fundamentavam o Estado de bem-estar americano.[60]

Kennedy observou que em meados da década de 1960 o governo federal havia cumprido amplamente a agenda da reforma liberal: "A herança do New Deal está realizada. Não há problema para o qual não haja um programa. Não há um problema para o qual o dinheiro não esteja sendo gasto. Não há um problema ou um programa em que dezenas, centenas ou milhares de burocratas não estejam trabalhando seriamente."[61] Apesar do sucesso do projeto liberal, e talvez em parte por causa dele, os americanos se viam como vítimas de grandes forças impessoais fora de seu controle. Kennedy vinculava essa perda de agência à erosão do autogoverno e do senso de comunidade que o sustenta.

Kennedy procurou compensar esse enfraquecimento descentralizando o poder político, o que marcava um afastamento do liberalismo de sua época. Da década de 1930 à década de 1960, os liberais viram o aumento do poder federal como um instrumento da liberdade.[62] A concentração de poder no governo nacional e a expansão dos direitos e prerrogativas individuais andaram de mãos dadas. Os liberais defendiam o crescimento do poder federal como essencial para a garantia dos direitos básicos dos cidadãos — incluindo os direitos civis e certos direitos econômicos — contra a violação por maiorias locais. Caso contrário, argumentavam eles, os governos locais poderiam agir para privar as pessoas de direitos, permitindo a segregação, por exemplo, ou negando benefícios sociais por motivos ilegítimos. Aqueles como Wallace, que se opunha à integração, ou como Goldwater, que se opunha às prerrogativas sociais e econômicas, muitas vezes clamavam pelos

O TRIUNFO E AS AGRURAS DA REPÚBLICA PROCEDIMENTAL

direitos dos estados e pelo controle local como forma de oposição às políticas federais que não eram de seu agrado.

A justificativa de Robert Kennedy para a descentralização era diferente. Como defensor dos direitos civis e dos gastos federais para ajudar os pobres, sua preocupação com o poder federal não surgia da oposição aos fins a que o Estado servia. Em vez disso, refletia a percepção de que mesmo um Estado de bem-estar social estabelecido não pode garantir a parcela de liberdade vinculada ao compartilhamento do governo; não pode fornecer, e talvez até corroa, as capacidades cívicas e os recursos comunitários necessários ao autogoverno. No crescente descontentamento com a vida pública americana, Kennedy vislumbrava o fracasso da política liberal em atender à dimensão cívica da liberdade.

Em termos que lembram o ataque de Brandeis à "maldição da grandeza", Kennedy criticava a concentração de poder tanto na economia moderna quanto no Estado burocrático. "Mesmo quando o impulso para a grandeza [e] concentração (...) alcançava alturas nunca sonhadas", disse ele a uma plateia na zona rural de Minnesota, "de repente percebemos o alto preço que pagamos (...) no crescimento de organizações, particularmente no governo, tão grande e poderoso que o esforço e a importância individuais parecem perdidos; e na perda dos valores de (...) comunidade e diversidade local nutridos nas cidades menores e áreas rurais da América. (...) Grandeza, perda de comunidade, organizações e sociedade cresceram muito além da escala humana — esses são os pecados que assolam o século XX, que ameaçam paralisar nossa capacidade de agir. (...) Portanto, chegou a hora (...) em que devemos combater ativamente a grandeza e a superconcentração e, em vez disso, colocar os motores do governo, da tecnologia, da economia, totalmente sob o controle de nossos cidadãos."[63]

Uma política de proporções mais administráveis não era apenas idílica para a América rural. Também fundamentava a abordagem de Kennedy à crise das cidades. Subjacente à situação da América urbana, ele disse a uma subcomissão do Senado, estava "a destruição do sentido, e muitas

O DESCONTENTAMENTO DA DEMOCRACIA

vezes de fato, da comunidade, do diálogo humano, dos milhares de fios invisíveis da experiência e do propósito compartilhados, da afeição e respeito, que ligam os homens aos seus semelhantes. Exprime-se em palavras como comunidade, vizinhança, orgulho cívico, amizade."[64]

Nas últimas décadas, os democratas que evocaram o ideal de comunidade — desde Lyndon Johnson a Walter Mondale e Mario Cuomo — normalmente apelaram para a comunidade nacional.[65] Mas Robert Kennedy duvidava que a nação bastasse como veículo para o tipo de comunidade que o autogoverno exige: "As nações ou grandes cidades são grandes demais para fornecer os valores da comunidade. A comunidade exige um lugar onde as pessoas possam se ver e se conhecer, onde as crianças possam brincar e os adultos trabalhem juntos e participem dos prazeres e responsabilidades do lugar onde vivem." Tais comunidades estavam desaparecendo no mundo moderno, deixando seus habitantes deslocados e impotentes. "O mundo que se encontra além do bairro tornou-se mais impessoal e abstrato", além do alcance do controle individual: "as cidades, em sua expansão vertiginosa, estão destruindo bairros e distritos. As unidades habitacionais são construídas, mas não há lugar para as pessoas caminharem, para as mulheres e seus filhos se encontrarem, para as atividades comuns. O local de trabalho fica longe, acessível por túneis enegrecidos ou estradas impessoais. O médico, o advogado e o funcionário do governo costumam estar em outra parte e são pouco conhecidos. Em muitos lugares — nos subúrbios agradáveis, bem como nas ruas da cidade — a casa é onde se dorme, se come e se assiste à televisão; mas a comunidade não é onde vivemos. Vivemos em tantos lugares e acabamos vivendo em parte alguma."[66]

Ao descrever as maneiras pelas quais o crime e o desemprego afligiam a vida no gueto urbano, Kennedy enfatizava as consequências cívicas. Além do perigo concreto que representava, a tragédia do crime era a destruição de espaços públicos, como bairros e comunidades, que são essenciais para o autogoverno: "A verdadeira ameaça do crime é o que ele faz conosco e com nossas comunidades. Nenhuma nação escondida atrás de portas trancadas é livre, pois está aprisionada por seu próprio medo. Nenhuma nação cujos cidadãos temem andar em suas próprias ruas é saudável, pois no isolamento se encontra o envenenamento da participação pública." Da mesma forma, o problema do desemprego não era simplesmente a falta de renda dos desempregados, mas o fato de que eles não podiam compartilhar da vida comum da cidadania: "Desemprego significa não ter nada para fazer — o que significa não ter nada a ver com o resto de nós. Ficar sem trabalho, sem utilidade para os concidadãos, é ser, na verdade, o Homem Invisível sobre quem Ralph Ellison escreveu."[67]

Valendo-se da concepção voluntarista de liberdade, muitos liberais da época argumentavam que a solução para a pobreza era a política de bem-estar, idealmente sob a forma de uma renda mínima garantida sem imposição de condições e sem julgamentos sobre as vidas que os destinatários levavam. Respeitar as pessoas como seres livres e independentes, capazes de escolher seus próprios fins, significava fornecer a cada uma, por direito, uma certa medida de segurança econômica. Kennedy discordava. Ao contrário de muitos liberais, ele não se inspirava na concepção voluntarista de liberdade. Sua principal preocupação era com a dimensão cívica, a capacidade de compartilhar o autogoverno. Por esses motivos, ele rejeitava o bem-estar e a renda garantida, considerando-os inadequados.

Embora pudesse aliviar a pobreza, o Estado de bem-estar não equipava as pessoas com as capacidades morais e cívicas para compartilhar a cidadania plena. O modelo talvez tivesse sido "nosso maior fracasso doméstico", argumentava Kennedy, por ter tornado "milhões de nossos cidadãos escravos da dependência e da pobreza, esperando que seus concidadãos lhes fizessem o favor de lhes passar cheques. Companheirismo, comunidade, patriotismo compartilhado — esses valores essenciais de nossa civilização não vêm apenas da compra e do consumo coletivo de bens. Eles vêm de um senso compartilhado de independência individual e do esforço pessoal." A solução para a pobreza não era uma renda garantida paga pelo governo, mas "emprego digno com remuneração decente, o tipo de emprego que permite que um homem diga à sua comunidade, à sua família, ao seu país e, mais importante, a si mesmo: 'Ajudei a construir este país. Participo de seus grandes empreendimentos públicos.'" Uma renda garantida, seja qual fosse o bem que pudesse trazer, "simplesmente não é capaz de proporcionar a sensação de autossuficiência, de participação na vida da comunidade, que é essencial para os cidadãos de uma democracia".[68]

A proposta de Kennedy de trazer empregos para a população de baixa renda refletia seu objetivo mais amplo de restaurar uma economia política de cidadania. Em vez de um programa de empregos do governo dirigido em Washington, Kennedy propunha incentivos fiscais federais para empresas que abrissem fábricas em áreas empobrecidas, uma ideia revivida recentemente como "zonas empresariais". Mas Kennedy não propunha confiar apenas nas forças do mercado. Mesmo que os incentivos fiscais conseguissem levar empresas de fora a investir em bairros carentes, isso pouco contribuiria para dar aos moradores o controle de suas comunidades. Kennedy, portanto, propunha a criação de Community Development Corporations [Corporações de Desenvolvimento da Comunidade], instituições administradas pela comunidade que direcionariam o desenvolvimento de acordo com as necessidades locais. Essas corporações poderiam financiar a construção de moradias de baixo custo, clínicas de saúde, parques, até mesmo shopping centers e cinemas, além de fornecer treinamento profissional para que trabalhadores locais pudessem dar continuidade a essa construção. O objetivo do programa era tanto cívico quanto econômico: ajudar "o gueto a se tornar uma comunidade — uma unidade funcional, seu povo agindo em conjunto em questões de interesse mútuo, com poder e recursos para transformar as condições de sua própria vida."[69]

Em um dos primeiros grandes experimentos nesse sentido, Kennedy conseguiu apoio governamental, corporativo e de fundações para lançar uma corporação de desenvolvimento comunitário na área de Bedford-Stuyvesant do Brooklyn, o segundo maior gueto negro do país. Mais do que um projeto de desenvolvimento econômico, Kennedy encarava Bedford-Stuyvesant como "um experimento de política, um

O TRIUNFO E AS AGRURAS DA REPÚBLICA PROCEDIMENTAL

experimento de autogoverno. Na verdade, é acima de tudo uma chance de devolver o governo para os moradores do bairro". Kennedy relembrou a proposta de Jefferson de regenerar a virtude cívica dividindo o país em pequenos distritos políticos dentro dos quais os americanos poderiam se encarregar de seus assuntos locais e aprender os hábitos e as habilidades da cidadania. Corporações de desenvolvimento comunitário e outros órgãos de bairro, desde que recebessem responsabilidades e apoio suficientes, poderiam ser uma forma de traduzir a visão republicana de Jefferson para os tempos modernos, revertendo "a crescente acumulação de poder e de autoridade no governo central em Washington e [devolvendo] o poder de decisão para o povo americano em suas próprias comunidades locais".[70]

Sozinho entre os principais políticos de seu tempo, Robert Kennedy diagnosticou o sentimento de desempoderamento que afligia a vida pública americana como um sintoma da erosão dos ideais e das práticas civis. Em parte como resultado disso, a candidatura repercutiu em dois grupos de descontentes — nos eleitores de etnia branca e negra — que desde a morte de Kennedy muitas vezes se mostravam em desacordo. Nas primárias de Indiana, por exemplo, ele ganhou 86% dos votos negros e também varreu os sete condados que tinham dado o maior apoio a George Wallace em 1964. Uma vez descrito como "o último político liberal que conseguiu se comunicar com a classe trabalhadora branca dos Estados Unidos", Kennedy foi acima de tudo o único candidato do protesto — de Wallace e Reagan até Jesse Jackson — que "era capaz de falar ao mesmo tempo com dois polos do sentimento de impotência".[71]

Nas décadas seguintes, Jimmy Carter e Ronald Reagan chegaram à presidência ao se dirigirem às frustrações dos americanos em relação ao governo e aos políticos. Os dois fizeram campanhas como *outsiders* em Washington, que restaurariam a confiança e o orgulho dos americanos. No final das contas, seus governos fizeram pouco para modificar as condições subjacentes ao descontentamento que eles procuravam capi-

O DESCONTENTAMENTO DA DEMOCRACIA

talizar enquanto candidatos. Suas diferentes tentativas de diagnosticar esse descontentamento lançam luz sobre a condição política que ainda enfrentamos na atualidade.

Moralismo e gerencialismo: Jimmy Carter

Carter fez campanha, na esteira de Watergate e o perdão concedido por Gerald Ford a Richard Nixon, como um forasteiro no establishment de Washington que restauraria a fé dos americanos no governo. Segundo Carter, os americanos haviam perdido a confiança porque a conduta do Estado tinha sido enganosa e ineficiente. Ele então oferecia dois remédios — um moral, o outro gerencial. A primeira solução enfatizava a honestidade e a transparência. A segunda, a eficiência e competência.[72] O apelo moral de Carter foi expresso em seu famoso compromisso de nunca mentir para o povo americano. Mas a honestidade e a franqueza prometidas por Carter eram mais do que uma simples questão de probidade pessoal. A proposta também era oferecer uma cura para a distância entre o povo e seu governo, uma distância que os americanos sentiam cada vez mais como desempoderadora.

A respeito disso, a visão de Carter se afastava da tradição do republicanismo e refletia a filosofia pública de sua época. Essa tradição ensinava que uma certa distância entre o povo e o governo era inevitável, até desejável — desde que a distância fosse preenchida por instituições mediadoras que reunissem as pessoas e as equipassem para compartilhar o autogoverno. Essa foi a ideia que animou o projeto formativo tanto do sistema de distritos de Jefferson quanto das corporações de desenvolvimento comunitário de Robert Kennedy. A política de Carter não se baseava nessa tradição. Em vez de mediar e organizar a distância entre o povo e o governo, Carter propôs diminuí-la. Seu apelo por honestidade e abertura representava essa ambição maior — diminuir a distância entre o governo e os governados, estabelecer uma espécie de transparência ou proximidade entre a presidência e o povo.

Carter expressou essa aspiração de várias maneiras. Ele queria "desfazer o sigilo", "derrubar o muro que existe entre o povo e o governo", ter uma nação que fosse "honesta e sensível [e] aberta". Mesmo "a menor mentira, a menor declaração enganosa" que ele pudesse cometer como presidente poderia ter um efeito devastador. Ele buscaria evitar tais transgressões "ligando-se" diretamente ao povo: "Não quero que haja nenhum intermediário político poderoso e importante entre mim e o cidadão médio deste país. Temos que nos unir."[73]

O segundo aspecto do programa de Carter atribuía a desilusão com o governo à sua ineficiência: "Agora temos uma burocracia inchada e confusa em Washington. Vai ser preciso alguém de fora para corrigi-la." Carter prometeu tornar o governo mais eficiente, econômico e gerenciável: "Devemos dar prioridade máxima a uma revisão drástica e completa da burocracia federal, de seu sistema orçamentário e dos procedimentos para analisar constantemente a eficácia de seus diversos serviços. Técnicas rígidas de gerenciamento e de planejamento devem ser instituídas e mantidas, utilizando toda a autoridade e o envolvimento pessoal do próprio presidente."[74] Os críticos logo desdenharam Carter por ser fiel demais à sua promessa tecnocrática, enquanto ele verificava a aritmética do orçamento federal e revisava pessoalmente os pedidos de utilização da quadra de tênis da Casa Branca.[75] Mas a dificuldade mais profunda encontrava-se em outro lugar.

Por mais diferentes que fossem no tom, o moralismo e o gerencialismo que definiram a política de Carter compartilhavam do seguinte defeito: nem um nem outro abordavam os propósitos ou os objetivos que deveriam ser cumpridos pelo governo. Consistente com a filosofia pública da república procedimental, o programa de honestidade e eficiência de Carter excluía ou abstraía quaisquer fins morais ou políticos substantivos. Mais do que um conceito tecnocrático, o moralismo e o gerencialismo de Carter tinham a vantagem política de evitar controvérsias ideológicas. Carter enfatizou repetidas vezes o caráter não ideológico de sua política: "Não acredito em desperdício de dinheiro. Eu acredito numa gestão dura e competente. (...) Também acredito

O DESCONTENTAMENTO DA DEMOCRACIA

no atendimento às pessoas que precisam desses serviços de maneira eficiente, econômica e sensível. Isso não corresponde a ser liberal ou conservador. Trata-se apenas de um bom governo."[76]

Alguns culparam Carter por conduzir uma "presidência sem paixão".[77] O verdadeiro problema era que, fiel à sua campanha, sua gestão era sem propósito. Honestidade e eficiência, por mais admiráveis que sejam, não são fins, mas maneiras de perseguir fins; elas não constituem em si mesmas uma visão governante. Sem qualquer propósito de gestão substantiva, o governo Carter se tornou ainda mais vulnerável a eventos internos e externos que aprofundaram o sentimento de desempoderamento dos americanos.

O primeiro desses eventos se desenrolou gradualmente, à medida que a alta dos preços ao consumidor deu origem a um episódio prolongado de inflação de dois dígitos, apenas o segundo desde os dias posteriores à Segunda Guerra Mundial. Impulsionada em parte pelos preços mais altos da energia, a taxa anual subiu de 7% em maio de 1978 para 14,8% em março de 1980.[78] Além de diminuir o poder de compra dos consumidores, a inflação crescente corroía ainda mais a confiança dos americanos no controle do destino. As consequências cívicas da inflação não foram descritas de maneira melhor do que no *Economic Report of the President* [Relatório econômico do presidente] de janeiro de 1979. "Uma das principais tarefas de um governo democrático é manter as condições para que seus cidadãos tenham um senso de comando sobre seu próprio destino", afirmava o documento. Durante um período de inflação, as pessoas veem, frustradas, o valor dos salários ou das pensões sendo corroído "por um processo que está além de seu controle". Já é bastante difícil planejar o futuro nos melhores momentos. Mas "quando o valor da régua que usamos para nosso planejamento — o poder de compra do dólar — está sujeito a um encolhimento grande e imprevisível, mais um elemento de comando sobre nosso próprio futuro se esvai. Não é de admirar que a confiança no governo e nas instituições sociais seja simultaneamente corroída."[79]

O TRIUNFO E AS AGRURAS DA REPÚBLICA PROCEDIMENTAL

A sensação de que os eventos estavam saindo do controle foi intensificada pela crise do petróleo de 1979, provocada pela derrubada do xá do Irã e pelos fortes aumentos de preços em outros Estados produtores do Oriente Médio. O valor do barril, que havia sido vendido no mercado mundial por 3,41 dólares em 1973, subiu para 14,54 dólares em 1978 e atingiu 30 dólares em 1980.[80] A crise do petróleo não contribuiu apenas para a inflação americana, mas também deixou claro para os americanos o quanto seu estilo de vida dependia da energia barata fornecida por nações estrangeiras sobre as quais tinham pouco controle. A frustração com essa condição atingiu proporções de pânico quando, na primavera e no verão de 1979, a escassez de combustível levou à formação de longas filas e a esquemas de racionamento em postos de gasolina de todo o país.

O presidente Carter, ciente de que a escassez estava aprofundando a raiva e a desilusão do eleitorado americano, reformulou um discurso sobre a crise de energia para abordar a crise de confiança na vida pública americana, um tema mais amplo. "A erosão de nossa confiança no futuro ameaça destruir o tecido social e político da América", declarou. As pessoas estavam perdendo a fé "não apenas no próprio governo, mas em sua capacidade como cidadãos de servir como os supremos governantes e formadores de nossa democracia". O que poderia ser feito para mudar essa condição? A resposta de Carter consistia principalmente em exortação: "Nós simplesmente devemos ter fé uns nos outros, fé em nossa capacidade de governar a nós mesmos e fé no futuro desta Nação. Restaurar essa fé e essa confiança na América é agora a tarefa mais importante que enfrentamos."[81]

O discurso de Carter ficou conhecido como o discurso do "mal-estar" (embora ele nunca tenha empregado esse termo), e muitos o criticaram por atribuir seus problemas ao estado de ansiedade do povo americano.[82] Na verdade, o pronunciamento foi uma declaração convincente do descontentamento que vinha sendo construído por mais de uma década. Seu ponto fraco não foi a transferência de culpa, mas o fracasso em oferecer uma direção para que a política americana

O DESCONTENTAMENTO DA DEMOCRACIA

pudesse lidar com o descontentamento que ele descrevia de forma tão apropriada.

Alguns meses depois, as filas para a gasolina diminuíram, mas o desmoronamento da fé e da administração Carter prosseguiu. Para coroar tantas indignidades do azarado mandato de Carter, uma multidão de manifestantes no Irã fez 53 americanos reféns na embaixada dos Estados Unidos em Teerã. Walter Cronkite passou a encerrar o noticiário da CBS todas as noites contando por quantos dias os reféns permaneciam detidos — uma contagem que se estendeu até o final do mandato de Carter — e a ABC mantinha o espetáculo humilhante diante dos olhos do público com uma reportagem diária de fim de noite que se tornaria o tradicional programa *Nightline*. A crise dos reféns e a missão de resgate fracassada no deserto pareciam confirmar mais uma vez que uma nação acostumada ao domínio havia perdido o controle de seu destino.[83]

Conservadorismo libertário versus comunal: Ronald Reagan

Ronald Reagan foi eleito com a promessa de restaurar o domínio americano. Livre das restrições da república procedimental, sua retórica ressoava com os ideais de autogoverno e da comunidade. Por algum tempo, seu apelo ao orgulho e à determinação dos americanos, combinado com os efeitos salubres da recuperação econômica, pareceu reverter a tendência à desilusão crescente com o governo. No final, porém, seu governo pouco fez para mudar as condições subjacentes ao descontentamento. As políticas que ele propôs não atenderam às características da vida moderna que representavam as mais graves ameaças à perspectiva de agência coletiva e ao tecido da comunidade. A "manhã na América" proclamada nos comerciais da campanha de Reagan em 1984 demonstrou ser um alvorecer falso e, no final da década de 1980, a frustração dos americanos com sua condição política continuou a aumentar.[84]

O TRIUNFO E AS AGRURAS DA REPÚBLICA PROCEDIMENTAL

Embora Reagan tenha falhado em aplacar o descontentamento que ele canalizou, é instrutivo, no entanto, considerar a fonte de seu apelo e a maneira como ele se afastou dos termos dominantes do discurso político. A conquista de Reagan foi reunir em uma única voz duas correntes conflitantes no conservadorismo americano. A primeira, o conservadorismo libertário ou *laissez-faire* de Barry Goldwater e Milton Friedman, sustenta que as pessoas devem ser livres para fazer o que quiserem, desde que não prejudiquem as outras. Esse é o conservadorismo que celebra o livre mercado e fala em retirar o governo da vida das pessoas. Rejeita a noção de que o governo deva formar o caráter de seus cidadãos e, portanto, se ajusta confortavelmente às suposições da república procedimental. Em vez de buscar cultivar a virtude, esse conservadorismo afirma a concepção voluntarista de liberdade. Como Reagan declarou certa vez, em sua voz libertária: "Acreditamos que a liberdade pode ser medida considerando-se quanta liberdade os americanos têm para tomar suas próprias decisões — até mesmo cometer seus próprios erros."[85]

A segunda vertente do conservadorismo de Reagan se encaixava de maneira desconfortável na primeira e gesticulava para além dos termos da república procedimental. Essa parte de sua política evocava uma ética cívica ou comunitária favorecida pelos conservadores culturais e pela direita religiosa. Onde os conservadores libertários rejeitam o projeto formativo, os conservadores comunitários acreditam que o governo deveria cuidar do caráter de seus cidadãos. Os primeiros buscam um papel maior para os mercados na vida pública; os segundos, um papel maior para a moral.

O conservadorismo comunitário da era Reagan encontrou sua expressão mais conspícua na voz estridente de Jerry Falwell e sua "Moral Majority" [Maioria Moral]. Falwell protestava contra a decadência moral desenfreada na vida americana, que ele associava a feminismo, aborto, homossexualidade, pornografia, permissividade sexual, humanismo secular, ao rock e à falta de oração nas escolas públicas. "A esperança de reverter as tendências de decadência em nossa república agora repousa nas mãos do público cristão na América", declarou Falwell. "Não podemos esperar ajuda dos liberais." "Embora seja verdade que não somos uma teocracia", admitia Falwell, "somos uma nação que foi fundada com base em princípios cristãos. (...) Precisamos definir e articular as questões do pecado e da vida pecaminosa que estão destruindo nossa nação nos dias de hoje." Questionado se tal programa levaria à "censura ou a uma espécie de nazismo cristão", Falwell deu uma resposta desconfortável, dizendo que "não podemos permitir que uma minoria imoral de nossa população nos intimide em questões morais. As pessoas que assumem uma posição fraca em relação à moralidade inevitavelmente têm uma moral fraca."[86]

O conservadorismo comunitário encontrou uma expressão mais atraente nos escritos do colunista George F. Will. Argumentando que "arte do Estado é arte da alma", ele criticava tanto liberais quanto conservadores por assumirem que o governo deveria manter a neutralidade em relação a questões morais. "Assim como toda educação é educação moral porque a aprendizagem condiciona a conduta, boa parte da legislação é legislação moral porque condiciona a ação e o pensamento da nação em amplas e importantes esferas da vida." Ao contrário de Falwell, que buscava a salvação dos Estados Unidos por meio do renascimento da moralidade cristã, Will procurava cultivar a virtude cívica, as "disposições, hábitos e costumes" dos quais o governo livre depende. Por virtude ele queria dizer "boa cidadania, cujos componentes principais são moderação, empatia social e disposição a sacrificar desejos privados em nome de fins públicos". Contra o conservadorismo *laissez-faire* de sua época, Will procurava fazer reviver na política conservadora a ambição formativa da tradição do republicanismo.[87]

Em sua hostilidade em relação ao governo, os conservadores chegaram a concordar com os liberais que as instituições políticas "deveriam se esforçar para ser indiferentes ou neutras em relação à 'vida interior' — o caráter — dos cidadãos". Por exemplo, enquanto muitos liberais defendiam o direito ao aborto alegando que o governo deveria ser neutro

O TRIUNFO E AS AGRURAS DA REPÚBLICA PROCEDIMENTAL

em questões morais, outros tantos conservadores defendiam políticas econômicas do *laissez-faire* alegando que o governo deveria ser neutro em relação aos rendimentos gerados pela economia de mercado. Era um erro, segundo Will, pois não é possível nem desejável que o governo mantenha essa neutralidade. A tentativa de evitar os aspectos formativos da política empobreceu o discurso político, corroeu a coesão social e aumentou a aversão dos americanos ao governo. "Nosso senso de cidadania", observou Will, "tornou-se um mingau ralo." Ele sustentava que seria melhor que os conservadores deixassem de desprezar o governo e articulassem uma versão do Estado de bem-estar social acolhedora aos valores conservadores e capaz de nutrir as qualidades de caráter das quais depende a boa cidadania.[88]

Reagan baseava-se, dependendo do humor e do momento, nas vertentes libertária e comunitária do conservadorismo americano. Como Goldwater, ele encarava o Estado de bem-estar social como uma violação da liberdade individual e rejeitava a noção de que a assistência social era um direito dos necessitados. Mas, apesar de toda a sua conversa sobre liberdade individual e soluções de mercado, foi a vertente comunitária da política de Reagan que lhe permitiu falar aos descontentes da época. A parte mais ressonante de seu apelo político estava em sua habilidosa evocação de valores comunitários — família e vizinhança, religião e patriotismo. O que diferenciava Reagan dos conservadores *laissez-faire* também o diferenciava da filosofia pública liberal da época. Era sua capacidade de se identificar com os anseios dos americanos por uma vida comum e de significado maior em uma escala menor e menos impessoal do que aquela proporcionada pela república procedimental.

Reagan falava sobre a perda de domínio e a erosão da comunidade. Desafiando o republicano Gerald Ford, presidente em exercício em 1976, Reagan criticou aqueles "na capital de nossa nação [que] nos fazem acreditar que somos incapazes de guiar nosso próprio destino". Sua campanha presidencial de 1980 foi sobretudo em torno do domínio, sobre combater a sensação de impotência que afligia a presidência de Carter. "A visão predominante na América é que ninguém está no controle", observou o responsável pelas pesquisas de opinião de Reagan. "A impressão predominante dada pela Casa Branca é que ninguém pode estar no controle." A campanha "transmitiria a mensagem mais clara possível de que Reagan representa liderança e controle".[89]

Ao aceitar a indicação de seu partido em 1980, Reagan denunciava a visão de que "nossa nação passou do seu apogeu". Ele rejeitava a noção de que "o governo federal se tornou tão grande e poderoso que foge do controle de qualquer presidente". E expressava de modo alarmista que a principal questão para a política externa americana "não era mais: 'Devemos fazer alguma coisa?', mas sim 'Temos a capacidade de fazer *alguma coisa*?'". Num mundo que parecia desafiar a agência e o controle humanos, Reagan prometia reacender o espírito americano, reafirmar "nossa vontade e o propósito nacional", "recapturar nosso destino, tomá-lo em nossas próprias mãos".[90]

Reagan vinculava a sensação de desempoderamento com a erosão da comunidade e o desmonte dessas fontes de autoridade moral e de identidade compartilhada intermediárias entre o indivíduo e a nação. Durante a campanha para ganhar a candidatura republicana de 1976, Reagan pediu "o fim do gigantismo, um retorno à escala humana — a escala que os seres humanos podem entender e com a qual podem lidar; a escala da fraterna estalagem local, a congregação da igreja, o clube do quarteirão, a agência agrícola". Em termos que lembravam Brandeis, Reagan elogiava a "fábrica local, o pequeno empresário, que lida pessoalmente com seus clientes e está por trás de seu produto, a cooperativa agrícola e de consumo, o banco municipal ou de bairro que investe na comunidade, o sindicato local. (...) É essa atividade em pequena escala humana que cria o tecido da comunidade."[91]

A plataforma do Partido Republicano de Reagan em 1980 elaborou esse tema. Comprometeu-se a "reenfatizar aquelas comunidades vitais como a família, o bairro [e] o local de trabalho" que residem "entre o governo e o indivíduo" e incentivar o "renascimento da atividade cidadã em bairros e cidades em todo o país". Durante sua presidência, Reagan

O TRIUNFO E AS AGRURAS DA REPÚBLICA PROCEDIMENTAL

falou repetidamente em restaurar "os valores da família, do trabalho, da vizinhança e da religião". Ao anunciar sua candidatura à reeleição em 1984, ele declarou: "A América está de volta e de pé. Começamos a restaurar grandes valores americanos — a dignidade do trabalho, o calor da família, a força da vizinhança."[92]

Reagan culpava o *big government* por enfraquecer os cidadãos e minar a comunidade: "Nossos cidadãos sentem que perderam o controle até das decisões mais básicas tomadas sobre os serviços essenciais do governo, como escolas, assistência social, estradas e mesmo coleta de lixo. E eles têm razão." Também afirmou que o *big government* contribuía para o crime e para a decadência moral ao expulsar as instituições da sociedade civil que no passado "moldavam o caráter de nosso povo". Citando comentaristas que enfatizavam a necessidade de tais instituições mediadoras, ele argumentou que o governo havia "esvaziado aquelas instituições mitigadoras como família, bairro, igreja e escola — organizações que atuam como um amortecedor e como uma ponte entre o indivíduo e o poder bruto do Estado".[93]

A solução de Reagan era um "New Federalism" [Novo Federalismo] que transferiria o poder do governo federal para as esferas estaduais e locais. Um sistema federal revitalizado restauraria o controle das pessoas sobre suas vidas ao deixar o poder mais perto de casa. Um governo nacional menos intrusivo abriria espaço para o florescimento de formas locais de comunidade. Enquanto isso, uma Força-Tarefa para Iniciativas do Setor Privado exploraria maneiras de promover a caridade privada e o serviço comunitário.[94]

A vertente comunitária da política de Reagan lembrava a antiga preocupação do republicanismo com o poder concentrado. Mas Reagan revivia essa tradição com uma diferença. Antigos defensores da economia política republicana se preocupavam tanto com o *big government* quanto com os grandes negócios. Para Reagan, ao contrário, a maldição da grandeza estava ligada apenas ao governo. Mesmo ao evocar o ideal de comunidade, ele tinha pouco a dizer sobre os efeitos corrosivos da fuga de capital ou sobre as consequências enfraquecedoras do poder

O DESCONTENTAMENTO DA DEMOCRACIA

econômico organizado em grande escala. Como observou Christopher Lasch, "a defesa retórica de Reagan da 'família e vizinhança' não podia ser conciliada com seu campeonato de empresas não regulamentadas, que haviam substituído bairros residenciais por shopping centers e autoestradas". Apesar de tanto invocar a tradição, "seu programa visava a promover o crescimento econômico e empreendimentos comerciais não regulamentados, exatamente as mesmas forças que minaram a tradição".[95]

De sua parte, os democratas da era Reagan não o contestaram em relação a esse aspecto, nem aderiram ao debate sobre comunidade e autogoverno. Presos aos termos do liberalismo orientado para os direitos, eles ignoraram o clima de descontentamento. Criticaram a política econômica de Reagan por favorecer os ricos, mas não conseguiram abordar os maiores medos dos americanos que sentiam estar perdendo o controle de suas vidas e que viam o tecido moral da comunidade se desfazer a seu redor. Às vezes, os democratas pareciam determinados a evitar completamente as preocupações morais, como aconteceu quando Michael Dukakis falou sobre sua campanha de 1988, contra George Bush: "Esta eleição não é sobre ideologia. Ela é sobre competência." Quando chegavam a articular a visão moral subjacente à sua política, os democratas falavam principalmente de equidade e justiça distributiva. Recorrendo aos termos familiares ao debate entre partidários democratas e republicanos, eles argumentavam que Reagan tinha dado "a seus amigos ricos incentivos fiscais suficientes para comprar um Rolls-Royce" e depois pedia ao americano médio "que pagasse pelas calotas".[96]

Diante do poderoso apelo de Reagan, essas queixas, por mais válidas que fossem, careciam de ressonância moral ou cívica para serem inspiradoras. Sentindo essa falta de ressonância, os democratas defenderam algumas vezes a justiça em termos comunitários. Tanto Walter Mondale, o democrata que desafiou Reagan em 1984, quanto o governador de Nova York, Mario Cuomo, apelaram para o ideal de comunidade nacional e a ética implícita de comunhão. Ambos se basearam, como

Lyndon Johnson, na metáfora da nação como uma família. "Sejamos uma comunidade", declarou Mondale, "uma família onde cuidamos uns dos outros. Vamos acabar com esse egoísmo, essa ganância, esse novo campeonato de cuidar apenas de si mesmo". Em seu discurso de abertura na convenção democrata de 1984, Cuomo argumentou que o propósito moral da nação poderia ser encontrado na "ideia de família", o que significava compartilhar benefícios e encargos para o bem de todos: "Acreditamos que devemos ser a família da América, reconhecendo que no cerne da questão estamos ligados uns aos outros, que os problemas de um professor aposentado em Duluth são *nossos* problemas. Que o futuro da criança em Buffalo é o *nosso* futuro. A luta de um homem com deficiência em Boston para sobreviver, viver decentemente, é a *nossa* luta. A fome de uma mulher em Little Rock, *nossa* fome."[97]

Na década de 1980, no entanto, o ideal de comunidade nacional havia perdido sua capacidade de inspirar, pelo menos para fins de justiça distributiva. Os reformadores desde a virada do século haviam buscado cultivar, às vezes com sucesso, um senso mais profundo de comunidade nacional. Mas, naquele momento, a nação se mostrava vasta demais para sustentar mais do que um mínimo comum, distante demais para despertar as simpatias sociais ampliadas que um Estado de bem-estar mais generoso exigia.

Nem tinha capacidade de responder ao descontentamento crescente. As ansiedades da época diziam respeito à erosão daquelas comunidades intermediárias entre o indivíduo e a nação, como famílias e bairros, cidades e vilas, escolas e congregações. A democracia americana dependera por muito tempo de associações como essas para cultivar um espírito público que a nação sozinha não conseguia conjurar. Como ensinava a tradição do republicanismo, os vínculos locais podem servir ao autogoverno ao engajar os cidadãos em uma vida comum além de suas atividades privadas, ao formar o hábito de atender às coisas públicas. Eles habilitam os cidadãos, na frase de Tocqueville, a "praticar a arte do governo na pequena esfera ao [seu] alcance".[98]

O DESCONTENTAMENTO DA DEMOCRACIA

Idealmente, pelo menos, o alcance se estende à medida que a esfera se expande. As capacidades cívicas despertadas num primeiro momento em bairros e prefeituras, igrejas e sinagogas, sindicatos e movimentos sociais, encontram expressão mais ampla. Por exemplo, a educação cívica e a solidariedade social cultivadas nas igrejas batistas negras do Sul foram um pré-requisito crucial para o movimento pelos direitos civis que terminou se desenrolando em escala nacional. O que começou como um boicote aos ônibus em Montgomery mais tarde se tornou um desafio geral à segregação no Sul, que por sua vez levou a uma campanha nacional pela plena cidadania igualitária e pelo direito ao voto. Mais do que um meio de ganhar os votos, o movimento em si foi um momento de autogoverno, uma instância de empoderamento. Ele ofereceu um exemplo do engajamento cívico que pode fluir a partir de vínculos locais e laços comunitários.

Mas a filosofia pública dos democratas da era Reagan carecia de recursos cívicos para responder à aspiração ao autogoverno. Outrora a agremiação do poder disperso, o Partido Democrata havia aprendido nas últimas décadas a ver a mediação das comunidades com desconfiança. Muitas vezes tais comunidades tinham sido bolsões de preconceito, postos avançados de intolerância, lugares onde a tirania da maioria dominava. E assim, desde o New Deal ao movimento pelos direitos civis e à Grande Sociedade, o projeto liberal era usar o poder federal para reivindicar direitos individuais que as comunidades locais não conseguiam proteger. O indivíduo e a nação avançavam de mãos dadas.

Esse desconforto com os meio-termos da vida cívica deixou os democratas mal aparelhados para atender à erosão do autogoverno. A concepção de comunidade nacional afirmada por eles tinha apenas uma relação distante com a tradição do republicanismo. Para eles, a comunidade importava não para cultivar a virtude ou preparar os cidadãos para o autogoverno, mas sim para fornecer uma razão para o Estado de bem-estar social. Desvinculada do ideal formativo da tradição republicana, ela oferecia uma maneira de explicar por que a busca pelo crescimento econômico deveria ser temperada por certas

O TRIUNFO E AS AGRURAS DA REPÚBLICA PROCEDIMENTAL

preocupações distributivas. Mas não oferecia nenhuma maneira de revigorar a vida cívica, nenhuma esperança de reconstituir a economia política da cidadania.

Onde os democratas fracassaram, a vertente cívica e comunitária da retórica de Reagan permitiu-lhe ter sucesso ao canalizar o clima de descontentamento. Mas, no final das contas, a presidência de Reagan pouco fez para alterar as raízes do descontentamento. Ele governou mais como conservador de mercado do que como conservador cívico. O capitalismo com menos amarras que ele defendia nada fez para reparar o tecido moral das famílias, bairros ou comunidades.[99] O "New Federalism" que ele propunha não foi adotado e também não lidava com o desempoderamento que comunidades locais — e até mesmo nações — agora confrontavam, ao mesmo tempo que lutavam para enfrentar forças econômicas globais fora de seu controle. E embora o crescimento econômico tivesse prosseguido na década de 1980, estimulado em parte por imensos déficits federais, os frutos desse crescimento não eram mais amplamente compartilhados. Nas décadas após a Segunda Guerra Mundial, quando os americanos podiam acreditar que eram os donos de seu destino, os ganhos do crescimento econômico atingiram todo o espectro econômico. De 1979 a 1992, por outro lado, 98% do aumento de 826 bilhões de dólares nas rendas familiares foram para o quinto superior da população. A maioria das famílias americanas perdeu terreno.[100] Não é surpreendente que a frustração com a política continuou aumentando.[101]

Notas

1. Harry S. Truman, "Radio Address after the Unconditional Surrender by Japan", 1º de setembro de 1945, in: *Public Papers of the Presidents of the United States: Harry S Truman, 1945* (Washington, D.C.: U.S. Government Printing Office, 1961), p. 257; ver também, de modo geral, Godfrey Hodgson, *In Our Time: America from World War II to Nixon* (Londres: Macmillan, 1976), p. 3-52.

O DESCONTENTAMENTO DA DEMOCRACIA

2. Michael Barone, *Our Country: The Shaping of America from Roosevelt to Reagan* (Nova York: Free Press, 1990), p. 197-199, 388.

3. Theodore H. White, *In Search of History* (Nova York: Harper & Row, 1978), p. 493.

4. John F. Kennedy citado em Allen J. Matusow, *The Unraveling of America* (Nova York: Harper & Row, 1984), p. 18; Kennedy, "Acceptance Speech", Los Angeles, 15 de julho de 1960, in: Gregory Bush (org.), *Campaign Speeches of American Presidential Candidates, 1948-1984* (Nova York: Frederick Ungar, 1985), p. 100. Sobre as ansiedades do final da década de 1950 como pano de fundo para a eleição de 1960, ver Matusow, *Unraveling of America*, p. 3-29; Barone, *Our Country*, p. 294-327; e Henry Fairlie, *The Kennedy Promise: The Politics of Expectation* (Garden City, N.Y.: Doubleday, 1973), p. 17-35.

5. Kennedy, "Inaugural Address", 20 de janeiro de 1961, in: *Public Papers of the Presidents of the United States: John F. Kennedy, 1961* (Washington, D.C.: U.S. Government Printing Office, 1962), p. 1-3.

6. Kennedy, "Special Message to Congress on Urgent National Needs", 25 de maio de 1961, ibid., p. 404-405.

7. Kennedy, "Remarks to White House Conference on National Economic Issues", 21 de maio de 1962, in: *Public Papers of the Presidents of the United States: John F. Kennedy, 1962* (Washington, D.C.: U.S. Government Printing Office, 1963), p. 422-423.

8. *Minnersville School District v. Gobitis*, 310 U.S. 586 (1940); *West Virginia State Board of Education v. Barnette*, 319 U.S. 624 (1943).

9. *Everson v. Board of Education of Ewing Township*, 330 U.S. 1 (1947); *Wallace v. Jaffree*, 472 U.S. 38, 52-53 (1985).

10. C. Edwin Baker, "Scope of the First Amendment Freedom of Speech", *U.C.L.A. Law Review*, 25 (1978), p. 993.

11. O argumento comunal para o Estado de bem-estar é oferecido, por exemplo, por Michael Walzer, *Spheres of Justice* (Nova York: Basic Books, 1983), p. 64-91, que escreve (p. 64): "É importante ser um membro por conta daquilo que os membros de uma comunidade política devem uns aos outros e a mais ninguém, ou a mais ninguém no mesmo grau. E a primeira coisa que eles devem é a provisão comunal de segurança e bem-estar (...) a provisão comunal é importante porque nos ensina o valor da participação."

12. Samuel H. Beer, *British Politics in the Collectivist Age* (Nova York: Alfred A. Knopf, 1967), p. 69-71.

13. Franklin D. Roosevelt, "The Golden Rule in Government: An Extemporaneous Address at Vassar College", 26 de agosto de 1933, in: Samuel I. Rosenman (org.),

The Public Papers and Addresses of Franklin D. Roosevelt, 13 vols. (Nova York: Random House, 1938-1950), vol. 2, p. 340, 342; "Radio Address to Young Democratic Clubs of America", 24 de agosto de 1935, ibid., vol. 4, p. 339.

14. Roosevelt citado em Arthur M. Schlesinger, *The Coming of the New Deal* (Boston: Houghton Mifflin, 1958), p. 308-309; sobre a ideia geral, ver James Holt, "The New Deal and the American Anti-Statist Tradition", in: John Braeman, Robert H. Bremner e David Brody (orgs.), *The New Deal: The National Level* (Columbus: Ohio State University Press, 1975), p. 27-49; e Theda Skocpol, "Legacies of New Deal Liberalism", *Dissent*, inverno de 1983, p. 33-44.

15. Roosevelt, "Message to Congress on the State of the Union", 11 de janeiro de 1944, in: Rosenman, *Public, Papers and Addresses*, vol. 13, p. 40-42.

16. Ver William A. Schambra, "Progressive Liberalism and American 'Community'", *The Public Interest*, verão de 1985, p. 31-48; idem, "The Decline of National Community and the Renaissance of the Small Republic" (manuscrito, s.d.); idem, "Is New Federalism the Wave of the Future?", in: Marshall Kaplan e Peggy L. Cucciti (orgs.), *The Great Society and Its Legacy* (Durham, N.C.: Duke University Press, 1986), p. 24-31.

17. Lyndon B. Johnson, "Annual Message to the Congress on the State of the Union", 8 de janeiro de 1964, in: *Public Papers of the Presidents of the United States: Lyndon B. Johnson, 1963-64*, vol. 1 (Washington, D.C.: U.S. Government Printing Office, 1965), p. 113; "Remarks in Raleigh at North Carolina State College", 6 de outubro de 1964, ibid., vol. 2, p. 1.225; "Remarks in Los Angeles", 20 de junho de 1964, ibid., vol. 1, p. 797; "Remarks in Dayton, Ohio", 16 de outubro de 1964, ibid., vol. 2, p. 1372.

18. A frase é a de Samuel H. Beer, que oferece uma importante declaração e defesa da tradição nacionalizante em "Liberalism and the National Idea", *The Public Interest*, outono de 1966, p. 70-82.

19. Johnson, "Remarks to the Faculty and Students of Johns Hopkins University", 1º de outubro de 1964, in: *Public Papers, 1963-64*, vol. 2, p. 1178; "Remarks at a Luncheon for Businessmen", 10 de agosto de 1964, in ibid., vol. 2, p. 943; "Inaugural Address", 20 de janeiro de 1965, in: *Public Papers of the Presidents of the United States: Lyndon B. Johnson, 1965*, vol. 1 (Washington, D.C.: U.S. Government Printing Office, 1966), p. 73.

20. Sobre raça e comunidade nacional, veja o memorável discurso de Johnson sobre o direito ao voto, "Special Message to the Congress: The American Promise", 15 de março de 1965, in: *Public Papers, 1965*, vol. 1, p. 281-287. Sobre as implicações da ética comunal para a política de pobreza, ver Alvin L. Schorr, *Explorations in Social Policy* (Nova York: Basic Books, 1968), p. 274: "Se

O DESCONTENTAMENTO DA DEMOCRACIA

quisermos ser uma nação, aqueles que têm dinheiro e poder devem dedicar os recursos necessários para produzir moradia para os pobres."

21. Johnson, "Remarks at the University of Michigan", 22 de maio de 1964, in: *Public Papers*, 1963-64, vol. 1, p. 704.

22. Ver Daniel P. Moynihan, *Maximum Feasible Misunderstanding: Community Action in the War on Poverty* (Nova York: Free Press, 1970); e Matusow, *Unraveling of America*, p. 243-271.

23. Johnson, "Remarks before the National Convention", 27 de agosto de 1964, in: *Public Papers, 1963-64*, vol. 2, p. 1.013; "Remarks in Dayton, Ohio", em ibid., p. 1.371; "Remarks to the Faculty and Students of Johns Hopkins University", 1º de outubro de 1964, ibid., p. 1.177.

24. Johnson, "Address at Swarthmore College", 8 de junho de 1964, em *Public Papers, 1963-64*, vol. 1, p. 757; "Remarks at Fundraising Dinner in Minneapolis", 27 de junho de 1964, ibid., vol. 1, p. 828.

25. Johnson, "Remarks before the National Convention", 27 de agosto de 1964, ibid., vol. 2, p. 1.012-1.013.

26. Durante a campanha de 1964, Goldwater reviu sua oposição anterior à Previdência Social, mas continuou a se opor ao Medicare, aos programas federais de combate à pobreza e à Tennessee Valley Authority. Ver Matusow, *Unraveling of America*, p. 144-148.

27. Barry Goldwater, *The Conscience of a Conservative* (Washington, D.C.: Regnery Gateway, 1990 [1960]), p. 6-7, 11, 52-53, 66-68.

28. Milton Friedman, *Capitalism and Freedom* (Chicago: University of Chicago Press, 1962), p. 5-6, 174, 188.

29. Ibid., p. 34-36, 200.

30. John Rawls, *A Theory of Justice* (Cambridge, Mass.: Harvard University Press, 1971), p. 28 [ed. bras.: *Uma teoria da justiça*. São Paulo: Martins Fontes, 1997]. Ver também Ronald Dworkin, *Taking Rights Serious* (Londres: Duckworth, 1977), p. 184-205.

31. Rawls, *A Theory of Justice*. Uma visão semelhante é apresentada por Ronald Dworkin, que escreve que "o governo deve ser neutro no que pode ser chamado de questão da boa vida (...) as decisões políticas devem ser, tanto quanto possível, independentes de qualquer concepção particular sobre o que seja uma boa vida, ou do que dá valor à vida". Ver Dworkin, "Liberalism", in: Stuart Hampshire (org.). *Public and Private Morality* (Cambridge: Cambridge University Press, 1978), p. 127.

32. Rawls, *A Theory of Justice*. Rawls fez uma revisão parcial de sua visão na década de 1990. Ver John Rawls, *Political Liberalism* (Nova York: Columbia

O TRIUNFO E AS AGRURAS DA REPÚBLICA PROCEDIMENTAL

University Press, 1933). [Ed. bras.: *O liberalismo político*. São Paulo: WMF Martins Fontes: 2011.]

33. Rawls, *A Theory of Justice*, p. 72-75, 100-108.

34. Robert Nozick, *Anarchy, State, and Utopia* (Nova York: Basic Books, 1974), p. 160, ix, 26-45; ver em termos gerais p. 147-231.

35. Wayne W. Dyer, *Your Erroneous Zones* (Nova York: Funk & Wagnalls, 1976). [Ed. bras.: *Seus pontos fracos*. Rio de Janeiro: Record, 2002.] Ver também Gail Sheehy, *Passages: Predictable Crises of Adult Life* (Nova York: E. P. Dutton, 1976), p. 251, em tradução livre: "Você não pode levar tudo consigo quando partir na jornada da meia-idade. Você está se afastando. Afastando-se das reivindicações institucionais e da agenda de outras pessoas. Afastando-se das avaliações e acreditações externas, em busca de uma validação interna. Você está largando os papéis e se tornando cada vez mais você mesmo." [Ed. bras.: *Passagens: crises previsíveis da vida adulta*. Rio de Janeiro: F. Alves, 1991.]

36. Dyer, *Your Erroneous Zones*, p. 29, 225, 61.

37. Ibid, p. 225-226.

38. Ibid, p. 225, 230-231, 233.

39. Ibid, p. 233.

40. Wayne W. Dyer, *O céu é o limite* (Rio de Janeiro: Record, 1996); Idem, *Não se deixe manipular pelos outros* (São Paulo: Viva Livros, 2014).

41. Theodore H. White, *The Making of the President, 1968* (Nova York: Atheneum, 1969), p. 3-4.

42. Ibid., p. 4-5; Barone, *Our Country*, p. 431; Matusow, *Unraveling of America*, p. 391; Alan Brinkley, *The Unfinished Nation* (Nova York: Alfred A. Knopf, 1993), p. 829.

43. Barone, *Our Country*, p. 431-434; Matusow, *Unraveling of America*, p. 390-394; Brinkley, *The Unfinished Nation*, p. 829-830.

44. Barone, *Our Country*, p. 436-453; Matusow, *Unraveling of America*, p. 395-439; Brinkley, *The Unfinished Nation*, p. 830-833; ver em termos gerais White, *Making of the President, 1968*.

45. White, *Making of the President, 1968*, p. 29-30. White observa que a expressão, amplamente utilizada em 1968, deriva de Ralph Waldo Emerson.

46. James Reston citado em ibid., p. 95.

47. Pesquisa sobre confiança no governo é apresentada em Seymour Martin Lipset e William Schneider, *The Confidence Gap* (edição revista, Baltimore: Johns Hopkins University Press, 1987); Warren E. Miller, Arthur H. Miller e Edward J. Schneider, *American Election Studies Data Sourcebook, 1952-78* (Cambridge, Mass.: Harvard University Press, 1980); e Alan F. Kay et al.,

O DESCONTENTAMENTO DA DEMOCRACIA

"Steps for Democracy: The Many versus the Few", *Americans Talk Issues*, 25 de março de 1994.

48. *Gallup Poll Monthly*, fevereiro de 1994, p. 12.

49. Kay et al., "Steps for Democracy", p. 4, 8, 9.

50. Em 1960, 25% concordaram com a seguinte declaração: "Acho que os funcionários públicos não se importam muito com o que pessoas como eu pensam"; em 1990, 64% concordaram. Miller, Miller e Schneider, *Election Studies Data Sourcebook*, p. 259-261; Warren E. Miller, Donald R. Kinder, Stephen J. Rosenstone, "American National Election Study: 1990 Post-Election Survey" (arquivo de computador, Inter-University Consortium for Political and Social Research, Ann Arbor, Michigan).

51. George Wallace citado em Stephen Lesher, *George Wallace: American Populist* (Reading, Mass.: Addison-Wesley, 1994), p. 160, 174; também em Jody Carlson, *George C. Wallace and the Politics of Powerlessness* (New Brunswick, N.J.: Transaction Books, 1981), p. 24.

52. Wallace em *Meet the Press*, NBC, 23 de abril de 1967, citado em Lesher, *George Wallace*, p. 390; e em Lewis Chester, Godfrey Hodgson e Bruce Page, *An American Melodrama: The Presidential Campaign of 1968* (Nova York: Viking Press, 1969), p. 280-281.

53. Ver Carlson, *Wallace and the Politics of Powerlessness*, p. 5-18, 85-126; e a plataforma do Partido Independente Americano, citada em ibid., p. 127-128. Ver também Lesher, *George Wallace*, p. 502-503.

54. Wallace citado em Chester, Hodgson e Page, *An American Melodrama*, p. 283; em Lesher, *George Wallace*, p. 475; e em Carlson, *Wallace and the Politics of Powerlessness*, p. 6, 131. Um discurso de campanha característico de Wallace é reproduzido em Bush, *Campaign Speeches*, p. 185-193.

55. Lesher, *George Wallace*, p. 313, 474.

56. Wallace, Nova York, 24 de outubro de 1968, em Bush, *Campaign Speeches*, p. 191; Chester, Hodgson e Page, *American Melodrama*, p. 283; Carlson, *Wallace and the Politics of Powerlessness*, p. 129.

57. Wallace citado em Lesher, *George Wallace*, p. 420; em Matusow, *Unraveling of America*, p. 425; em Chester, Hodgson e Page, *American Melodrama*, p. 280; e em Bush, *Campaign Speeches*, p. 187.

58. De 1968 em diante, todo candidato bem-sucedido à presidência conseguiu de alguma forma se identificar com as frustrações apontadas por Wallace. Richard Nixon concorreu em uma plataforma de "lei e ordem" e apelou para uma "maioria silenciosa" farta do crime e da agitação social. Jimmy Carter e Ronald

O TRIUNFO E AS AGRURAS DA REPÚBLICA PROCEDIMENTAL

Reagan, de maneiras diferentes, concorreram como *outsiders* em Washington e críticos do governo federal. Sobre a disputa pelo distrito eleitoral de Wallace, ver Lesher, *George Wallace*, p. 312-313, 483, 491.

59. Carlson, *Wallace and the Politics of Powerlessness*, p. 5, 148.

60. O melhor relato a respeito de Kennedy na tradição do liberalismo do New Deal está em Arthur M. Schlesinger Jr., *Robert Kennedy and His Times* (Nova York: Ballantine Books, 1978). Para relatos que enfatizam o afastamento de Kennedy do liberalismo convencional, ver Jack Newfield, *Robert Kennedy: A Memoir* (Nova York: E. P. Dutton, 1969); e Maxwell Rabson Rovner, *Jeffersonianism vs. the National Idea: Community Revitalization and the Rethinking of American Liberalism* (Tese com menção honrosa. Departamento de Governo, Universidade de Harvard, Biblioteca Widener, 1990).

61. Kennedy em Utica, N.Y., 7 de fevereiro de 1966, in: Edwin O. Guthman, e C. Richard Allen (orgs.). *RFK: Collected Speeches* (Nova York: Viking, 1993), p. 208-209.

62. Ver Beer, "Liberalism and the National Idea".

63. Kennedy em Worthington, Minn., 17 de setembro de 1966, em Guthman e Allen, *RFK: Collected Speeches*, p. 211-212.

64. Robert F. Kennedy, depoimento perante o Subcomitê de Reorganização Executiva, Comitê do Senado dos Estados Unidos para Operações Governamentais, Washington, D.C., 15 de agosto de 1966, ibid., p. 178.

65. Ver Schambra, "Progressive Liberalism and American 'Community'".

66. Kennedy, depoimento perante o Subcomitê de Reorganização Executiva, em Guthman e Allen, *RFK: Collected Speeches*, p. 179.

67. Kennedy em Indianapolis, 26 de abril de 1968, ibid., p. 381; Press Release, Los Angeles, 19 de maio de 1968, ibid., p. 385. Ver também Robert F. Kennedy, *To Seek a Newer World* (Garden City, N.Y.: Doubleday, 1967), p. 28, 33-36.

68. Kennedy, Press Release, Los Angeles, 19 de maio de 1968, em Guthman e Allen, *RFK: Collected Speeches*, p. 385-386.

69. Kennedy, depoimento perante o Subcomitê de Reorganização Executiva, em ibid., p. 183.

70. Kennedy, *To Seek a Newer World*, p. 55-62; São Francisco, 21 de maio de 1968, em Guthman e Allen, *RFK: Collected Speeches*, p. 389. Ver também Newfield, *Robert Kennedy*, p. 87-109.

71. Newfield, *Robert Kennedy*, p. 81, 83; Guthman e Allen, *Collected Speeches*, p. 371-372, 379-383.

72. Sobre esses dois temas, ver Jimmy Carter, *Why Not the Best?* (Nashville: Broadman Press, 1975), p. 9-11, 145-154.

O DESCONTENTAMENTO DA DEMOCRACIA

73. Jimmy Carter, "Acceptance Speech", Democratic National Convention, Nova York, 15 de julho de 1976, in: *The Presidential Campaign*, 1976, vol. 1. (Washington, D.C.: U.S. Government Printing Office, 1978), parte 1, p. 350; Charleston, W. Va., 14 de agosto de 1976, ibid., p. 501, 502. Ver também Acceptance Speech, p. 349; e idem, *Why Not the Best?*, p. 145-147. Outra expressão da propensão de Carter ao imediatismo era sua impaciência com a noção de que formas intermediárias de governo refletem eleitorados distintos: "Não vejo razão para nossa nação estar dividida. E quero ver os níveis de governo federal, estadual e municipal trabalhando juntos porque representamos exatamente as mesmas pessoas"; Evansville, Ind., 27 de setembro de 1976, in: *Presedential Campaign*, 1976, vol. 1, parte 2, p. 822.

74. Carter, Portland, Oregon, 27 de setembro de 1976, em *Presidential Campaign*, 1976, vol. 1, parte 2, p. 833; idem, *Why not the best?*, p. 147.

75. A preocupação de Carter com detalhes foi descrita por James Fallows, que costumava escrever os seus discursos, em Fallows, "The Passionless Presidency", *Atlantic Monthly*, maio de 1979, p. 38.

76. Carter, "Los Angeles", 23 de agosto de 1976, em *Presidential Campaign*, 1976, vol. 1, parte 1, p. 506, 504; ver também *Meet the Press*, NBC, 11 de julho de 1976, ibid., p. 292: "Acho que as diferenças entre nossas categorias ideológicas de pessoas [sic] foram removidas (...). Acho que as diferenças nítidas que costumavam existir entre os elementos liberais e conservadores de nossa sociedade foram muito bem removidas."

77. Veja Fallows, "Passionless Presidency".

78. Barone, *Our Country*, p. 580-583.

79. Carter, *Economic Report of the President*, 25 de janeiro de 1979, em *Public Papers of the Presidentes of the United States: Jimmy Carter, 1979*, vol. 1 (Washington, D.C.: U.S. Government Printing Office, 1980), p. 113.

80. Theodore H. White, *America in Search of Itself* (Nova York: Harper & Row, 1982), p. 152-153.

81. Carter, "Energy and National Goals", 15 de julho de 1979, em *Public Papers, 1979*, vol. 2, p. 1.237-38.

82. Ver Brinkley, *Unfinished Nation*, p. 876.

83. White, *America in Search of Itself*, p. 16-21; Barone, *Our Country*. p. 587-592.

84. Sobre a recuperação temporária da confiança no governo durante os primeiros anos de Reagan, ver Lipset e Schneider, *Confidence Gap*, p. 17, 415-425; Kay et al., "Steps for Democracy", p. 9-10; Arthur Miller, "Is Confidence Rebounding?", *Public Opinion*, junho/julho de 1983, p. 16-20; Barone, *Our Country*, p. 629, 643-644, 759-760.

O TRIUNFO E AS AGRURAS DA REPÚBLICA PROCEDIMENTAL

85. Ronald Reagan no American Conservative Union Banquet, Washington, D.C., 6 de fevereiro de 1977, in: Alfred Balitzer (org.). *A Time for Choosing: The Speeches of Ronald Reagan, 1961-1982* (Chicago: Regnery Gateway, 1983), p. 192.

86. Jerry Falwell, *Listen, America!* (Garden City, N.Y.: Doubleday, 1980), p. 20-21, 251-252.

87. George F. Will, *Statecraft as Soulcraft: What Government Does* (Nova York: Simon and Schuster, 1983), p. 19, 24, 134.

88. Ibid., p. 19-22, 45, 125-131.

89. Ronald Reagan. Discurso de televisão em rede nacional, 31 de março de 1976, in: Eckhard Breitinger (org.), *The Presidential Campaign 1976* (Frankfurt am Main: Peter Lang, 1978), p. 67; Richard B. Wirthlin, "Reagan for President: Campaign Action Plan", documento de campanha, 29 de junho de 1980, citado em John Kenneth White, *The New Politics of Old Values* (Hanover, N.H.: University Press of New England, 1988), p. 54.

90. Ronald Reagan, Acceptance Speech, Detroit, 17 de julho de 1980, in: Bush, *Campaign Speeches*, p. 264, 268, 271, 273.

91. Ronald Reagan, "Let the People Rule", discurso no Executive Club de Chicago, 26 de setembro de 1975 (manuscrito, Ronald Reagan Library, Simi Valley, Califórnia).

92. Plataforma do Partido Republicano, in: Donald Bruce Johnson (org.), *National Party Platforms of 1980* (Urbana: University of Illinois Press, 1982), p. 177, 187; Reagan, "Remarks at the Conservative Political Action Conference", Washington, D.C., 20 de março de 1981, in Reagan, *Speaking My Mind: Selected Speeches* (Nova York: Simon and Schuster, 1989), p. 100; ver também "Remarks at the Annual Convention of the National Association of Evangelicals", Orlando, Flórida, 8 de março de 1983, ibid., p. 171; "Address to the Nation Announcing the Reagan-Bush Candidacies for Reelection", 29 de janeiro de 1984, in: *Public Papers of the Presidents of the United States: Ronald Reagan, 1984*, vol. 1 (Washington, D.C.: U.S. Government Printing Office, 1986), p. 110.

93. Reagan, "State of the Union Address", 26 de janeiro de 1982, in: *Public Papers of the Presidents of the United States: Ronald Reagan, 1982*, vol. 1 (Washington, D.C.: U.S. Government Printing Office, 1983), p. 75; "Remarks in New Orleans, Annual Meeting of the International Association of Chiefs of Police", 28 de setembro de 1981, in *Public Papers of the Presidents of the United States: Ronald Reagan, 1981* (Washington, D.C.: U.S. Government Printing Office, 1982), p. 845. A referência de Reagan a instituições que "moldaram o caráter de nosso povo" foi uma citação do juiz da Suprema Corte Lewis Powell.

94. Reagan, "State of the Union Address", in: *Public Papers*, 1982, vol. 1, p. 72-77; "Remarks to International Association of Chiefs of Police", 28 de setembro de 1981, in: *Public Papers*, 1981, p. 844-845; "Remarks at Annual Meeting of the National Alliance of Business", 5 de outubro de 1981, ibid., p. 881-887.

95. Christopher Lasch, *The True and Only Heaven: Progress and Its Critics* (Nova York: W. W. Norton, 1991), p. 516, 39.

96. Michael S. Dukakis, Acceptance Speech, Democratic National Convention, Atlanta, Georgia, 21 de julho de 1988, *Congressional Digest*, 67, outubro de 1988, p. 234; Walter F. Mondale, Acceptance Speech, Democratic National Convention, San Francisco, Califórnia, 19 de julho de 1984, in: Bush, *Campaign Speeches*, p. 334. Equidade e justiça distributiva também foram os temas do discurso de Mario Cuomo naquela convenção, "A Tale of Two Cities", 16 de julho de 1984, reproduzido em Cuomo, *More than Words* (Nova York: St. Martin's Press, 1993), p. 21-31.

97. Mondale citado em Paul Taylor, "Mondale Rises to Peak Form", *Washington Post*, 26 de outubro de 1984, p. 1; Cuomo, "A Tale of Two Cities", p. 29. Outras invocações democratas da ideia de comunidade nacional incluem Dukakis, Acceptance Speech, p. 236; e Barbara Jordan, Keynote Address, Democratic National Convention, Nova York, 12 de julho de 1976, in: Breitinger, *Presidential Campaign*, 1976, p. 103-106.

98. Alexis de Tocqueville, *Democracy in America*, vol. 1 (1835), Henry Reeve (trad.), Phillips Bradley (org.) (Nova York: Alfred A. Knopf, 1945), cap. 5, p. 68. [Ed. bras.: *A democracia na América*. São Paulo: Edipro, 2019.]

99. Ver, por exemplo, William A. Schambra, "By the People: The Old Values of the New Citizenship", *Policy Review*, 69, verão de 1994, p. 32-38. Schambra, um defensor do conservadorismo cívico, escreve sobre o governo Reagan (p. 4): "Um retorno genuíno à democracia cidadã local nunca esteve na agenda." Ver também Lasch, *True and Only Heaven*, p. 22, 38-39, 515-517; Harry C. Boyte, "Ronald Reagan and America's Neighborhoods: Undermining Community Initiative", in: Alan Gartner, Colin Greer e Frank Riessman (orgs.), *What Reagan Is Doing to Us* (Nova York: Harper & Row, 1982), p. 109-124.

100. O valor de 826 bilhões de dólares está expresso em moeda constante de 1993. De 1950 a 1978, o crescimento real da renda familiar por quintil, do menor ao maior, foi de 138%, 98%, 106%, 111% e 99%, respectivamente. Os números comparáveis de 1979 a 1993 foram -17%, -8%, -3%, 5% e 18%. Números do Departamento do Trabalho apresentados com comentários do secretário do Trabalho Robert B. Reich, National Press Club, Washington, D.C., 5 de janeiro de 1995.

O TRIUNFO E AS AGRURAS DA REPÚBLICA PROCEDIMENTAL

101. Os resultados da pesquisa sobre o desencanto político na década de 1990 são apresentados em Kay et al., "Steps for Democracy". Ver também *Gallup Poll Monthly*, fevereiro de 1994, p. 12.

Conclusão Em busca de uma filosofia pública

LIBERDADE REPUBLICANA: DIFICULDADES E PERIGOS

Qualquer tentativa de revitalizar a vertente cívica da liberdade deve enfrentar duas sérias objeções. A primeira duvida que seja possível reviver os ideais republicanos; a segunda duvida que isso seja desejável. A primeira objeção sustenta que, dadas a escala e a complexidade do mundo moderno, não é realista aspirar ao autogoverno como concebido pela tradição republicana. Da pólis de Aristóteles ao ideal agrário de Jefferson, a concepção cívica de liberdade encontrou seu lar em lugares pequenos e delimitados, em grande parte autossuficientes, habitados por pessoas cujas condições de vida possibilitavam o acesso a lazer, educação e organização comunitária para deliberar bem sobre as preocupações públicas. Mas não vivemos assim nos dias de hoje. Pelo contrário, vivemos em uma sociedade continental altamente móvel, repleta de diversidade. Além disso, nem mesmo essa vasta sociedade é autossuficiente, estando situada em uma economia global cujo fluxo frenético de dinheiro e bens, informações e imagens, presta pouca atenção às nações, muito menos aos bairros. Como poderia a vertente cívica da liberdade se firmar em condições como essas?

Na verdade, ainda dentro dessa objeção, a vertente republicana da política americana, apesar de toda a sua persistência, muitas vezes fala com uma voz tingida de nostalgia. Mesmo enquanto Jefferson valorizava o pequeno agricultor, os Estados Unidos se tornavam uma nação manufatureira. E assim foi com o ideal da república artesã da época de Jackson, os apóstolos do trabalho livre no tempo de Lincoln, os

O DESCONTENTAMENTO DA DEMOCRACIA

cidadãos-produtores dos Knights of Labor e os lojistas e farmacêuticos que Brandeis defendia contra a maldição da grandeza. Em cada um desses casos — ou assim poderia se argumentar — os ideais republicanos encontraram sua expressão no último momento, tarde demais para propor alternativas viáveis, a tempo de oferecer apenas uma elegia por uma causa perdida. Se a tradição republicana é irremediavelmente nostálgica, então, qualquer que seja sua capacidade de iluminar os defeitos da política liberal, ela oferece pouco que possa nos conduzir a uma vida cívica mais rica.

A segunda objeção argumenta que mesmo que fosse possível recuperar os ideais republicanos, fazer isso não seria desejável. Que a vertente cívica de nossa tradição tenha dado lugar nas últimas décadas a uma filosofia pública liberal não é necessariamente algo a ser lamentado. Quando se considera o conjunto, isto pode representar uma mudança para melhor. Os críticos da tradição republicana podem até admitir que a república procedimental vem com uma certa perda de comunidade e autogoverno, e ainda insistir que esse é um preço que vale a pena pagar, pela tolerância e pelas escolhas individuais que a república procedimental torna possíveis.

Na raiz dessa objeção estão duas preocupações relacionadas com a teoria política republicana como ela foi tradicionalmente concebida. A primeira é que ela é excludente; a segunda é que ela é coercitiva. As duas preocupações decorrem das demandas especiais da cidadania republicana. Se compartilhar o autogoverno requer a capacidade de deliberar bem sobre o bem comum, então os cidadãos devem possuir certas excelências — de caráter, julgamento e preocupação com o todo. Mas isso implica que a cidadania não pode ser concedida indiscriminadamente. Deve ser restrita àqueles que possuem as virtudes relevantes ou podem vir a adquiri-las.

Alguns teóricos republicanos presumiram que a capacidade de virtude cívica corresponde a categorias fixas de nascimento ou condição. Aristóteles, por exemplo, considerava as mulheres, os escravos e os estrangeiros residentes como sendo indignos de cidadania porque sua natureza ou seus papéis os privavam das qualidades relevantes. Argumentos seme-lhantes foram oferecidos na América do século XIX por defensores das exigências de propriedade para votar, pelos defensores sulistas da escravidão e opositores nativistas da cidadania para imigrantes.[1] Todos eles vinculavam as noções republicanas de cidadania ao pressuposto de que um grupo ou outro — os sem propriedade, ou afro-americanos, ou imigrantes católicos — eram, por natureza, por condição ou convicção, incapazes das virtudes que a boa cidadania exige.

Mas a suposição de que a capacidade para a virtude é incorrigível, ligada a papéis ou a identidades fixadas de antemão, não é intrínseca à teoria política republicana, e nem todos os republicanos a abraçaram. Alguns argumentaram que bons cidadãos são feitos e não encontra-dos prontos, e depositaram suas esperanças no projeto formativo da política republicana. Isso é especialmente verdadeiro para as versões democráticas do pensamento republicano que surgiram com o Ilumi-nismo. Quando a tese da incorrigibilidade cede, o mesmo acontece com a tendência de política republicana a sancionar a exclusão.

À medida que a tendência à exclusão diminui, no entanto, o perigo da coerção se torna maior. Das duas patologias às quais a política republicana é propensa, as democracias modernas são mais sujeitas a sofrer da segunda. Pois, dadas as exigências da cidadania republicana, quanto mais amplos os limites de filiação, mais dura é a tarefa de cul-tivar a virtude. Na pólis de Aristóteles, a tarefa formativa era cultivar a virtude num pequeno grupo de pessoas que compartilhavam de uma vida em comum e de uma tendência natural para a cidadania. Quando o pensamento republicano se torna democrático, porém, e quando a tendência natural das pessoas à cidadania não pode mais ser presumida, o projeto formativo torna-se mais desafiador. A tarefa de forjar uma cidadania comum entre um povo vasto e díspar convida a formas mais extenuantes de desenvolvimento do espírito. Isso eleva os riscos para a política republicana e aumenta as chances de haver coerção.

Esse perigo pode ser vislumbrado no relato de Rousseau sobre o empreendimento formativo necessário para uma república democrática.

A tarefa do fundador, ou grande legislador, escreve ele, é nada menos que "mudar a natureza humana, transformar cada indivíduo (...) em uma parte de um todo maior do qual esse indivíduo recebe, em certo sentido, sua vida e seu ser". O legislador "deve negar ao homem suas próprias forças" para torná-lo dependente da comunidade como um todo. Quanto mais a vontade individual de cada pessoa estiver "morta e obliterada", mais provável é que ela apoie a vontade geral. "Assim, se cada cidadão não é nada e não pode fazer nada a não ser em conjunto com todos os outros (...) pode-se dizer que a legislação atingiu o ponto mais alto possível de perfeição."[2]

A face coercitiva da formação espiritual não é de forma alguma desconhecida entre o republicanismo americano. Por exemplo, Benjamin Rush, signatário da Declaração de Independência, queria "converter os homens em máquinas republicanas" e ensinar a cada cidadão "que ele não pertence a si mesmo, mas que é propriedade pública".[3] Entretanto, a educação cívica não precisa assumir uma forma tão dura. Na prática, a formação bem-sucedida do espírito republicano envolve um tipo mais suave de tutela. Por exemplo, a economia política da cidadania que fundamentava a vida americana do século XIX procurava cultivar não apenas a organização comunitária, mas também a independência e o julgamento para gerar boas deliberações sobre o bem comum. Funcionava não por coerção, mas por uma mistura complexa de persuasão e hábito, o que Tocqueville chamou de "a ação lenta e silenciosa da sociedade sobre si mesma".[4]

O que separa os esforços republicanos de Rousseau das práticas cívicas descritas por Tocqueville são os aspectos de dispersão e diferenciação da vida pública americana na época de Tocqueville e os modos indiretos de formação de caráter permitidos por essa diferenciação. Incapaz de tolerar a desarmonia, o ideal republicano de Rousseau busca encolher a distância entre as pessoas para que os cidadãos permaneçam em uma espécie de transparência muda, ou uma presença imediata uns para os outros. Onde o interesse geral prevalece, os cidadãos "se consideram um corpo único", e não há necessidade de argumentação

EM BUSCA DE UMA FILOSOFIA PÚBLICA

política. "O primeiro a propor [uma nova lei] apenas diz o que todos já sentiram; e não há espaço para intrigas ou eloquência" para garantir sua aprovação. Dado o caráter unitário da vontade geral, a deliberação em seus melhores momentos resulta em unanimidade silenciosa: "Quanto mais a harmonia reina nas assembleias, isto é, quanto mais as opiniões se aproximam da unanimidade, mais dominante também é a vontade geral. Mas longos debates, dissensões e tumultos indicam a ascendência dos interesses privados e o declínio do Estado." Como o bem comum não admite interpretações concorrentes, o desacordo sinaliza a corrupção, um afastamento do bem comum.[5]

É esta suposição — que o bem comum é unitário e incontestável —, e não a ambição formativa como tal, que inclina a política de Rousseau à coerção. Além disso, trata-se de um pressuposto dispensável para a política do republicanismo. Como sugere a experiência dos Estados Unidos com a economia política da cidadania, a concepção cívica de liberdade não torna desnecessária a discordância, oferecendo uma maneira de conduzir a discussão política sem transcendê-la.

Ao contrário da visão unitária de Rousseau, a política do republicanismo que Tocqueville descreve é mais barulhenta do que consensual, ao não desprezar a diferenciação. Em vez de encolher o espaço entre seus integrantes, ela o preenche com instituições públicas que reúnem indivíduos de várias capacidades, as quais ao mesmo tempo os separam e os relacionam.[6] Essas instituições incluem municípios, escolas, religiões e ocupações virtuosas que formam o "caráter da mente" e "hábitos do coração" que uma república democrática exige. Quaisquer que sejam seus propósitos mais particulares, essas agências de educação cívica inculcam o hábito de cuidar das coisas públicas. E, no entanto, dada a sua multiplicidade, impedem que a vida pública se dissolva em um todo indiferenciado.[7]

Assim, a vertente cívica da liberdade não é necessariamente exclusiva ou coercitiva. Às vezes pode encontrar uma expressão democrática e pluralista. Nessa medida, a objeção do liberal à teoria política do republicanismo é equivocada. Mas a preocupação liberal contém um insight que não pode ser descartado: a política republicana é arriscada, sem garantias. E os riscos acarretados são inerentes ao projeto formativo. Atribuir à comunidade política um interesse no caráter de seus cidadãos é admitir a possibilidade de que más comunidades possam formar maus caráteres. O poder disperso e os múltiplos locais de formação cívica podem reduzir esses perigos, mas não eliminá-los. Essa é a verdade existente na queixa do liberal sobre a política republicana.

A TENTATIVA DE EVITAR O PROJETO FORMATIVO

O que fazer com essa queixa depende das alternativas. Se houvesse uma maneira de garantir a liberdade sem tratar do caráter dos cidadãos, ou definir direitos sem definir uma concepção de boa vida, então a objeção liberal ao projeto formativo poderia ser decisiva. Mas existe mesmo tal maneira? A teoria política liberal afirma que existe. A concepção voluntarista de liberdade promete acabar de uma vez por todas com os riscos da política republicana. Se a liberdade pode ser separada do exercício do autogoverno e, em seu lugar, ser concebida como a capacidade das pessoas de escolher seus próprios fins, então a difícil tarefa de formar a virtude cívica poderia ser enfim dispensada. Ou pelo menos pode ser reduzida à tarefa aparentemente mais simples de cultivar a tolerância e o respeito pelos outros.

Na concepção voluntarista de liberdade, a política não precisa mais da formação do espírito, exceto em um domínio limitado. Vincular a liberdade ao respeito pelos direitos de indivíduos de livre-arbítrio atenuaria velhas disputas sobre como formar os hábitos de autogoverno. Pouparia a política das antigas querelas sobre a natureza da boa vida. Uma vez que a liberdade é desvinculada do projeto formativo, "o problema de estabelecer um Estado pode ser resolvido até mesmo por uma nação de demônios", nas memoráveis palavras de Kant, "pois tal tarefa não envolve o aperfeiçoamento moral do homem".[8]

EM BUSCA DE UMA FILOSOFIA PÚBLICA

Mas a tentativa liberal de separar a liberdade do projeto formativo enfrenta problemas próprios, problemas que podem ser vistos tanto na teoria quanto na prática da república procedimental. A dificuldade filosófica reside na concepção liberal de cidadãos como seres independentes, de livre-arbítrio, livres de vínculos morais ou cívicos antecedentes à escolha. Essa visão não pode dar conta de uma ampla gama de obrigações morais e políticas que comumente reconhecemos, tais como as obrigações de lealdade ou solidariedade. Ao insistir que somos limitados apenas por fins e papéis que escolhemos para nós mesmos, essa visão nega que possamos ser levados por finalidades que não escolhemos — objetivos fornecidos pela natureza ou por Deus, por exemplo, ou por nossas identidades como membros de famílias, povos, culturas ou tradições.

Alguns liberais admitem que podemos estar vinculados a obrigações como essas, mas insistem que elas se aplicam apenas à vida privada e não incidem sobre a política. Mas isso levanta mais uma dificuldade. Por que insistir em separar nossa identidade enquanto cidadãos de nossa identidade enquanto pessoas concebidas de forma mais ampla? Por que a deliberação política não deveria refletir nossa melhor compreensão dos fins humanos mais elevados? Os argumentos sobre justiça e direitos não se baseariam inevitavelmente em concepções particulares da boa vida, queiramos ou não admiti-lo?

Os problemas da teoria do liberalismo procedimental aparecem na prática que ela inspira. Ao longo do último meio século, a política americana passou a incorporar a versão do liberalismo que renuncia à ambição formativa e insiste que o governo deve ser neutro em relação a concepções concorrentes da boa vida. Em vez de vincular a liberdade ao autogoverno e às virtudes que a sustentam, a república procedimental busca uma estrutura de direitos, neutra em relação aos fins, dentro da qual os indivíduos possam escolher e perseguir seus próprios propósitos.

Mas o descontentamento que assola a vida pública americana nos dias de hoje ilustra a inadequação dessa solução. Uma política que põe entre parênteses a moral e a religião de forma muito completa

O DESCONTENTAMENTO DA DEMOCRACIA

logo gera seu próprio desencanto. Quando o discurso político carece de ressonância moral, o anseio por uma vida pública de maior significado encontra expressão indesejável. Grupos como a Moral Majority procuram vestir a nudez da praça pública com moralismos estreitos e intolerantes. Os fundamentalistas vêm correndo para aqueles lugares onde os liberais temem pisar. O desencanto também assume formas mais seculares. Na ausência de uma agenda política que aborde a dimensão moral das questões públicas, a atenção se volta para os vícios privados dos funcionários públicos. O discurso político torna-se cada vez mais preocupado com o escandaloso, com o sensacionalista e o confessional, como costuma ser veiculado por tabloides, programas de auditório e pela grande mídia. Não se pode dizer que a filosofia pública do liberalismo contemporâneo seja inteiramente responsável por essas tendências. Mas sua visão do discurso político é esparsa demais para conter as energias morais da vida democrática. Ela cria um vácuo moral que abre caminho para a intolerância e outros moralismos equivocados.

Uma agenda política sem discurso moral substantivo é um sintoma da filosofia pública da república procedimental. Outro sintoma é a perda do domínio. O triunfo da concepção voluntarista de liberdade coincidiu com uma crescente sensação de desempoderamento. Apesar da expansão dos direitos nas últimas décadas, os americanos descobrem, para sua frustração, que estão perdendo o controle das forças que governam a vida. Isso tem a ver em parte com a insegurança dos empregos na economia global, mas também reflete a autoimagem pela qual vivemos. A autoimagem liberal e a organização real da vida social e econômica moderna estão em forte desacordo. Mesmo quando pensamos e agimos como indivíduos independentes e de livre-arbítrio, enfrentamos um mundo governado por estruturas impessoais de poder que desafiam nossa compreensão e nosso controle. A concepção voluntarista de liberdade nos deixa mal equipados para enfrentar essa condição. Por mais libertos que possamos estar do fardo de identidades que não escolhemos, por mais que tenhamos direito ao leque de prerrogativas asseguradas pelo Estado de bem-estar social, nos vemos

EM BUSCA DE UMA FILOSOFIA PÚBLICA

sobrepujados quando nos voltamos para enfrentar o mundo com nossos próprios recursos.

A incapacidade da agenda política dominante para lidar com a erosão do autogoverno e da comunidade reflete as concepções empobrecidas de cidadania e liberdade implícitas em nossa vida pública. A república procedimental que se desenrolou ao longo do último meio século pode agora ser vista como um experimento épico nas reivindicações do pensamento político liberal contra o republicano. Nossa situação atual dá peso à afirmação republicana de que a liberdade não pode ser desvinculada do autogoverno e das virtudes que o sustentam, que o projeto formativo não pode ser dispensado afinal de contas. A república procedimental, ao que parece, não pode garantir a liberdade que promete porque não consegue inspirar o engajamento moral e cívico exigido pelo autogoverno.

PARA REVIVER A ECONOMIA POLÍTICA DA CIDADANIA

Se a filosofia pública do liberalismo contemporâneo não responde ao descontentamento da democracia, resta perguntar como uma atenção renovada aos temas republicanos poderia nos equipar melhor para enfrentar nossa condição. Como uma agenda política informada pela vertente cívica da liberdade difere daquela que agora prevalece? O autogoverno no sentido republicano seria sequer possível nas condições atuais? Em caso afirmativo, que arranjos econômicos e políticos seriam exigidos e que qualidades de caráter seriam necessárias para sustentá-los?

Discutir como a política americana pode recuperar sua voz cívica não é apenas objeto de especulação. Embora a filosofia pública da república procedimental tenha se tornado predominante no final do século XX, ela não extinguiu a compreensão cívica da liberdade. Nos limites de nosso discurso e prática política, ainda se vislumbravam indícios do projeto formativo.

O DESCONTENTAMENTO DA DEMOCRACIA

Organização comunitária

Uma das expressões mais promissoras da vertente cívica da liberdade pode ser encontrada no trabalho da Industrial Areas Foundation [IAF, Fundação das Áreas Industriais], uma rede de organizações comunitárias que ensinam moradores de comunidades de baixa renda a se engajarem em ações políticas efetivas. As origens da IAF remontam a Saul Alinsky, o conhecido ativista comunitário das décadas de 1940 e 1950, que levou seu estilo agressivo de organização para as favelas atrás de armazéns em Chicago. Alinsky enfatizou a importância de construir "bolsões de poder" locais como sindicatos, grupos religiosos, grupos étnicos e cívicos, associações de pequenos negócios e organizações políticas. Nas últimas décadas, no entanto, a maioria das bases tradicionais da atividade cívica em áreas de baixa renda erodiu, deixando as congregações religiosas como as únicas instituições vitais em muitas comunidades. Como resultado, os sucessores de Alinsky na IAF se organizaram principalmente em torno de congregações, em especial de igrejas católicas e protestantes.[9]

A mais influente organização da IAF na atualidade é a Communities Organized for Public Service [COPS, Comunidades Organizadas para o Serviço Público], um grupo de cidadãos fundado em 1974 nos bairros hispânicos de San Antonio. Sua base em paróquias católicas fornece não apenas uma fonte estável de fundos, participantes e líderes, mas também uma linguagem moral compartilhada que serve como ponto de partida para o discurso político.[10] Os líderes que a COPS identifica e treina não são figuras políticas ou ativistas estabelecidos, mas aqueles acostumados a trabalhar em instituições de apoio à comunidade, como as associações de pais e mestres e os conselhos de igreja. Muitas vezes, são mulheres "cujas vidas, em geral, giravam em torno de suas paróquias e filhos. O que a COPS conseguiu fazer foi dar-lhes uma vida pública e visibilidade, educar, fornecer as ferramentas para que pudessem participar do processo político."[11]

EM BUSCA DE UMA FILOSOFIA PÚBLICA

Ao preparar seus membros para deliberar sobre as necessidades da comunidade e se engajar em atividades políticas, a COPS obteve um bilhão de dólares em obras de ruas, escolas, esgotos, parques e outras infraestruturas para bairros de San Antonio há tanto tempo negligenciados. Junto com uma rede de organizações afiliadas em todo o Texas, ela ajudou a aprovar a legislação estadual que reforma a educação pública, a assistência médica e a segurança agrícola. Em 1994, a IAF havia gerado cerca de quarenta organizações de base em dezessete estados. Assim como os conservadores cívicos, as lideranças da IAF enfatizavam a importância de instituições mediadoras, como as famílias, os bairros e as igrejas, e o papel formador de caráter que essas instituições podiam desempenhar. Para a IAF, no entanto, essas estruturas eram pontos de partida para a atividade política, eram formas de vincular os recursos morais da vida comunitária ao exercício da liberdade no sentido republicano.[12]

A abordagem cívica contra a desigualdade

Outro gesto em direção a uma economia política da cidadania pode ser visto em uma crescente preocupação com as consequências cívicas da desigualdade econômica. Na década de 1990, a diferença entre ricos e pobres estava se aproximando de níveis desconhecidos na sociedade americana desde a década de 1920. O aumento mais acentuado da desigualdade desenrolou-se desde o final da década de 1970 até a década de 1990. De 1950 a 1978, ricos e pobres compartilharam os ganhos do crescimento econômico. A renda familiar real dobrou para os americanos de renda baixa, média e alta, confirmando a máxima dos economistas de que uma maré alta levanta todos os barcos. De 1979 a 1993, no entanto, essa máxima deixou de valer. Quase todo o aumento da renda familiar nesse período foi para o quinto mais rico da população. A maioria dos americanos perdeu terreno.[13] A distribuição da riqueza também apresentou crescente desigualdade. Em 1992, o 1%

O DESCONTENTAMENTO DA DEMOCRACIA

mais rico da população possuía 42% da riqueza privada total, contra 34% uma década antes, e mais que o dobro da concentração de riqueza na Grã-Bretanha.[14]

Alguns atribuíram a crescente desigualdade à política tributária da era Reagan, que reduziu os impostos sobre a renda dos ricos e aumentou a tributação —, incluindo a Previdência Social e os impostos estaduais e locais — que recai mais fortemente sobre os contribuintes de baixa e média renda. Outros apontaram para a economia global cada vez mais competitiva, que recompensava os trabalhadores altamente qualificados, mas corroía os salários daqueles com baixa qualificação.[15] Não importa a explicação, a diferença entre ricos e pobres deu origem a um novo conjunto de argumentos para explicar por que a desigualdade é uma questão relevante e o que deve ser feito para resolvê-la. Alguns desses ultrapassaram os limites dos termos da república procedimental e reviveram a vertente cívica do argumento econômico.

Um argumento contra as grandes disparidades de renda e riqueza, familiar na política americana das últimas décadas, baseia-se na equidade ou na justiça distributiva. Consistente com a filosofia pública do liberalismo contemporâneo, ele reflete a concepção voluntarista de liberdade. De acordo com essa visão, uma sociedade justa fornece uma estrutura de direitos, neutra entre os fins, dentro da qual os indivíduos são livres para escolher e buscar as próprias concepções de uma boa vida. Essa noção de justiça exige que o governo faça mais do que maximizar o bem-estar geral, promovendo o crescimento econômico. Ele deve garantir também a cada pessoa uma medida de segurança social e econômica suficiente para o exercício significativo da escolha. Sem condições sociais e econômicas justas, ninguém é verdadeiramente livre para escolher e perseguir seus próprios valores e fins. Dessa forma, a ênfase liberal na equidade e na justiça distributiva reflete a concepção voluntarista de liberdade.

Mas ser justo com indivíduos independentes e capazes do livre-arbítrio não é a única razão para se preocupar com as desigualdades de renda e riqueza. Um segundo motivo não se baseia na concepção liberal de liberdade, mas sim na republicana. A tradição do republica-

EM BUSCA DE UMA FILOSOFIA PÚBLICA

nismo ensina que a desigualdade severa mina a liberdade ao corromper o caráter de ricos e pobres e destruir a comunhão necessária ao autogoverno. Aristóteles sustentava que pessoas de recursos moderados são os melhores cidadãos. Os ricos, distraídos pelo luxo e propensos à ambição, não estão dispostos a obedecer, enquanto os pobres, algemados pela necessidade e propensos à inveja, não são adequados para o governo. Uma sociedade de extremos carece do "espírito de amizade" que o autogoverno exige: "A comunidade depende da amizade; e quando há inimizade em vez de amizade, os homens nem dividem o mesmo caminho." Rousseau argumentou, com fundamentos semelhantes, que "nenhum cidadão deve ser tão rico a ponto de ser capaz de comprar outro cidadão, e nenhum tão pobre a ponto de ser obrigado a se vender". Embora a igualdade absoluta seja impossível, um Estado democrático não deveria "tolerar nem ricos nem mendigos", pois as duas condições "são igualmente fatais para o bem comum".[16]

À medida que o fosso entre ricos e pobres se aprofundava nos Estados Unidos, nas décadas de 1980 e 1990, o argumento cívico contra a desigualdade encontrou uma expressão pelo menos provisória. Robert B. Reich, secretário do Trabalho do governo Clinton, afirmou que os imperativos da mudança tecnológica e da competição global exigiam maiores gastos federais em treinamento profissional e educação. O declínio da classe média poderia ser revertido se os trabalhadores americanos adquirissem as habilidades valorizadas pela nova economia.[17] Em um livro escrito pouco antes de assumir o cargo, porém, Reich reconhecia um sério obstáculo a essa solução. Um compromisso de investir mais na educação e no treinamento dos trabalhadores americanos pressupunha um sentimento nacional de responsabilidade mútua que não podia mais ser presumido. À medida que ricos e pobres se distanciavam cada vez mais, o senso de destino compartilhado diminuía e, com ele, a disposição dos ricos a investir nas habilidades de seus concidadãos, por meio de impostos mais altos.[18]

Como observou Reich, mais do que uma questão de dinheiro, a nova desigualdade dá origem a estilos de vida cada vez mais separa-

O DESCONTENTAMENTO DA DEMOCRACIA

dos. Profissionais abastados gradualmente se recolhem da vida pública em "enclaves homogêneos", onde têm pouco contato com os menos afortunados. "À medida que os parques e playgrounds públicos se deterioram, há uma proliferação de academias de ginástica, clubes de golfe, clubes de tênis, clubes de patinação, todos particulares", acessíveis apenas a membros pagantes. À medida que os filhos dos prósperos são matriculados em escolas particulares ou em escolas suburbanas relativamente homogêneas, as escolas públicas urbanas são destinadas aos pobres. Em 1990, por exemplo, 45% das crianças em escolas públicas de Nova York recebiam assistência social. À medida que os serviços municipais declinam nas áreas urbanas, moradores e negócios estabelecidos em bairros nobres conseguem se isolar dos seus efeitos, recorrendo a sobretaxas para fornecer coleta privada de lixo, limpeza de ruas e proteção policial indisponíveis para a cidade como um todo. Cada vez mais, os afluentes evacuam os espaços públicos, retirando-se para comunidades privatizadas definidas em grande parte pelo nível de renda, ou pelo código postal que os anunciantes de mala direta usam para atingir prováveis clientes. Como um desses profissionais de marketing proclama: "Diga-me o CEP de alguém e eu posso prever o que eles comem, bebem e o que dirigem — até mesmo o que pensam."[19]

A preocupação de Reich com a erosão da comunidade nacional se relacionava principalmente com o obstáculo que isso representava para gastos federais mais justos. Para ele, assim como para os defensores da comunidade nacional como Mario Cuomo, a comunidade não era importante para formar cidadãos equipados para o autogoverno, mas sim para inspirar a ética de compartilhamento exigida por um Estado de bem-estar mais generoso. Nesse sentido, enquadra-se nos termos da agenda política vigente.

Mas o relato de Reich sobre as consequências comunitárias da desigualdade destaca uma falha na vida americana que também afeta a perspectiva de autogoverno. A separação dos ricos da esfera pública não apenas esgarça o tecido social que sustenta o Estado de bem-estar social; corrói também a virtude cívica concebida de forma mais ampla.

EM BUSCA DE UMA FILOSOFIA PÚBLICA

A tradição republicana por muito tempo viu a esfera pública não só como um lugar de provisão comum, mas também como cenário para a educação cívica. O caráter público da escola da comunidade, por exemplo, não consistia apenas na origem de seus recursos, mas também em seu ensino. Idealmente seria um lugar onde crianças de todas as classes sociais se misturariam e aprenderiam a desenvolver os hábitos da cidadania democrática. Até as praças e os parques municipais já foram vistos como mais do que simples áreas de recreação. Seriam também locais para a promoção da identidade cívica, vizinhança e comunidade.[20]

À medida que os americanos abastados se dispõem cada vez mais a pagar para não depender dos serviços públicos, minguam os recursos formativos e cívicos da vida americana. A deterioração das escolas públicas urbanas é talvez o exemplo mais evidente e prejudicial dessa tendência. Outro exemplo é a crescente dependência de serviços de segurança privada, que na década de 1980 foram uma das categorias ocupacionais de mais rápido crescimento. A demanda desse tipo de serviço em shopping centers, aeroportos, lojas de varejo e comunidades residenciais foi tão grande que, em 1990, o número de vigilantes em todo o país ultrapassava o número de policiais.[21] "A nação, na verdade, está colocando menos ênfase no controle do crime em prol de toda a população — o trabalho de policiais — e mais ênfase em serviços de vigilância particular que criam zonas seguras para aqueles que pagam por tal proteção."[22] Até a recreação infantil está sujeita a essas forças privatizadoras. Distante do espírito do movimento pelos parques de recreação infantil da Era Progressista emergiu o novo negócio de franquias de epaços pagos. Por 4,95 dólares por hora por criança, os pais podem levar seus filhos a playcenters particulares, geralmente em shopping centers. "Os parquinhos das praças são sujos", explica um proprietário de um desses novos negócios. "Não ficamos expostos ao ar livre, temos o chão acolchoado. Os pais podem sentir que seu filho está seguro."[23]

O DESCONTENTAMENTO DA DEMOCRACIA

Os conservadores cívicos, em sua maioria, não reconheceram que as forças do mercado, sob condições de desigualdade, corroem os aspectos da vida comunitária que reúnem ricos e pobres em locais e atividades públicas. Muitos liberais, em grande parte preocupados com a justiça distributiva, também não perceberam as consequências cívicas da crescente desigualdade. Uma política atenta à vertente cívica da liberdade pode tentar "restringir a esfera da vida em que o dinheiro importa" e fortalecer os espaços públicos que reúnem as pessoas em experiências comuns e formam hábitos de cidadania.

Como observou o comentarista Mickey Kaus, tal política se preocuparia menos com a distribuição de renda como tal, e mais "com a reconstrução, preservação e o fortalecimento de instituições comunitárias nas quais a renda é irrelevante, prevenindo sua corrupção pelas forças do mercado". Assim incentivaria "instituições com mistura de classes" como escolas públicas, bibliotecas, parques, centros comunitários, transporte público e serviço militar. Embora tais políticas também possam ser favorecidas pelos liberais do Estado de bem-estar social, a ênfase e a justificativa seriam diferentes. Um liberalismo mais cívico buscaria a provisão comunal menos por uma questão de justiça distributiva e mais para afirmar a filiação e formar a identidade cívica de ricos e pobres.[24]

A retomada da vertente cívica da liberdade não se justifica por levar a uma política mais consensual. Não há razão para supor que uma política organizada em torno de temas republicanos teria maior grau de aderência do que a atual. Enquanto a agenda política vigente convida ao desacordo sobre o significado de neutralidade, direitos e escolha verdadeiramente voluntária, uma agenda política informada por preocupações cívicas convidaria ao desacordo sobre o significado de virtude e sobre as formas de autogoverno que seriam possíveis em nosso tempo. Alguns enfatizariam as dimensões morais e religiosas da virtude cívica, enquanto outros dariam maior importância às maneiras pelas quais os arranjos econômicos e as estruturas de poder dificultam ou promovem o

EM BUSCA DE UMA FILOSOFIA PÚBLICA

exercício do autogoverno. As divisões políticas que surgem em resposta a essas questões provavelmente seriam diferentes daquelas que regem o debate sobre o Estado de bem-estar social. Mas as discordâncias certamente existiriam. Uma retomada bem-sucedida da política republicana não resolveria nossas disputas políticas. Quando muito ela revigoraria o debate político ao enfrentar mais diretamente os obstáculos ao autogoverno no nosso tempo.

POLÍTICA GLOBAL E IDENTIDADES PARTICULARES

Vamos supor que as aspirações cívicas que persistem na política contemporânea encontrassem uma voz mais plena, conseguindo reorientar os termos do discurso político. O que aconteceria? Haveria a perspectiva de que uma política revitalizada pudesse aliviar a perda de domínio e a erosão da comunidade que residem no cerne do descontentamento da democracia? Mesmo uma política que engajasse em vez de evitar um discurso moral substantivo, que tratasse das consequências cívicas da desigualdade econômica e que fortalecesse as instituições mediadoras da sociedade civil enfrentaria um obstáculo assustador. Esse obstáculo consiste na formidável escala em que se organiza a vida econômica moderna e na dificuldade de constituir a autoridade política democrática necessária para governá-la.

Essa dificuldade, na verdade, envolve dois desafios relacionados entre si. O primeiro é conceber instituições políticas capazes de governar a economia global. O segundo é cultivar as identidades cívicas necessárias para sustentar essas instituições e fornecer-lhes a autoridade moral de que necessitam. Não parece óbvio que ambos os desafios possam ser superados.

Em um mundo onde capital e bens, informações e imagens, poluição e pessoas fluem atravessando fronteiras nacionais com uma facilidade sem precedentes, a política deve assumir formas transnacionais, até mesmo globais, mesmo que apenas para se manter em dia. Caso con-

O DESCONTENTAMENTO DA DEMOCRACIA

trário, o poder econômico não será controlado pelo poder político democraticamente sancionado. Os Estados-nação, tradicionalmente veículos do autogoverno, se verão cada vez mais incapazes de fazer com que os julgamentos e valores de seus cidadãos influenciem as forças econômicas que governam seus destinos. O enfraquecimento do Estado-nação em relação à economia global pode ser uma fonte do descontentamento que aflige não apenas a política americana, mas outras democracias ao redor do mundo.

Se o caráter global da economia sugere a necessidade de instaurar formas transnacionais de governança, resta saber, no entanto, se tais unidades políticas podem inspirar a identificação e a lealdade — a cultura moral e cívica — das quais a autoridade democrática depende em última instância. Na verdade, há razões para duvidar que sejam capazes. Exceto em momentos extraordinários, como a guerra, mesmo os Estados-nação têm dificuldade em inspirar o senso de comunidade e engajamento cívico exigido pelo autogoverno. Associações políticas mais expansivas do que nações, e com menos tradições culturais e memórias históricas que as inspirem, podem ter ainda mais dificuldades na tarefa de cultivar um espírito comunitário.

Mesmo a União Europeia (UE), uma das experiências mais bem-sucedidas em governança supranacional, tem enfrentado dificuldades para cultivar uma identidade europeia compartilhada suficiente para sustentar seus mecanismos de integração econômica e política. Na década de 1990, defensores ponderados de uma integração europeia mais profunda se preocupavam com o "déficit democrático" que surge quando a maior parte dos negócios da UE passa a ser conduzida por comissários especializados e funcionários públicos, em vez de representantes eleitos. Esse "cenário político enfraquecido", observou Shirley Williams, perde "a raiva, a paixão, o compromisso e o partidarismo que constituem a força vital da política". Abre espaço para uma "Europa do homem de negócios", e não uma "Europa dos cidadãos". O presidente tcheco Vaclav Havel enfatizava a ausência de propósitos morais compartilhados: "A Europa hoje carece de um *ethos*. (...) Não

EM BUSCA DE UMA FILOSOFIA PÚBLICA

há identificação real na Europa com o significado e o propósito da integração." Ele apelava às instituições pan-europeias "para cultivar os valores a partir dos quais o espírito e o *ethos* da integração europeia pudessem crescer".[25]

De certa forma, o desafio ao autogoverno na economia global se assemelha às provações enfrentadas pela política americana nas primeiras décadas do século XX. Naquela época, como agora, havia uma lacuna, ou falta de ajuste, entre a escala da vida econômica e os termos em que as pessoas concebiam suas identidades, uma distância que muitos consideravam desorientadora e debilitante. Os americanos, por muito tempo acostumados a se orientarem em pequenas comunidades, de repente se viram diante de uma economia de âmbito nacional. As instituições políticas ficaram para trás, inadequadas à vida em uma sociedade continental. Naquela época, como agora, novas formas de comércio e de comunicação se espalharam pelas fronteiras políticas familiares e criaram redes de interdependência entre pessoas em lugares distantes. Mas a nova interdependência não trouxe consigo um novo sentido de comunidade. Como observou Jane Addams, "o mero fato mecânico da interdependência nada significa".[26]

A visão de Addams não é menos adequada para os dias de hoje. O que ferrovias, fios de telégrafo e mercados nacionais significaram para seu tempo, as conexões de satélite, a CNN, o ciberespaço e os mercados globais significam para o nosso — instrumentos que ligam indivíduos em lugares distantes sem necessariamente torná-los vizinhos, concidadãos ou participantes de um empreendimento comum. Converter redes de comunicação e interdependência em uma vida pública digna do nome é uma questão moral e política, e não tecnológica.

Dada a semelhança entre as dificuldades do passado e as nossas, é instrutivo relembrar as soluções já propostas. Confrontados com uma economia que ameaçava desafiar o controle democrático, progressistas como Theodore Roosevelt e Herbert Croly e seus sucessores do New Deal procuraram aumentar os poderes do governo nacional. Para a sobrevivência da democracia, concluíam eles, a concentração do poder

O DESCONTENTAMENTO DA DEMOCRACIA

econômico teria de ser enfrentada por uma concentração semelhante do poder político. Mas essa tarefa envolvia mais do que a simples centralização do governo; exigia também a nacionalização da política. A forma primária de comunidade política teve de ser reformulada em escala nacional. Só assim eles poderiam esperar a diminuição da distância entre a escala da vida social e econômica e os termos em que as pessoas concebiam suas identidades. Somente um forte sentimento de comunidade nacional poderia sustentar moral e politicamente as extensas relações de uma ordem industrial moderna. A "nacionalização da vida política, econômica e social americana", como escreveu Croly, foi "uma transformação política essencialmente formativa e esclarecedora". Os Estados Unidos se tornariam uma democracia melhor à medida que se tornassem "uma nação melhor (...) nas ideias, nas instituições e no espírito."[27]

É tentador pensar que a lógica daquela solução poderia ser estendida ao nosso tempo. Se a maneira de lidar com uma economia nacional era fortalecer o governo do país e cultivar um senso de cidadania nacional, talvez a maneira de lidar com uma economia global seja fortalecer a governança global e cultivar um senso correspondente de cidadania global ou cosmopolita.

Na década de 1990, reformadores com mentalidade internacionalista articularam esse impulso. A Comissão de Governança Global, um grupo de 28 funcionários públicos de todo o mundo, emitiu um relatório enfatizando a necessidade de fortalecer as instituições internacionais. A interdependência global crescia, eles observaram, impulsionada por poderosas forças tecnológicas e econômicas. Mas as estruturas políticas do mundo não acompanhavam esse ritmo. A Comissão solicitou a criação de novas instituições internacionais para lidar com questões econômicas e ambientais, uma "assembleia popular" que pudesse ser eleita pelos povos do mundo, um esquema de tributação internacional para financiar atividades de governança global e maior autoridade para o Tribunal Mundial. Atenta à necessidade de cultivar uma ética adequada ao seu projeto, a Comissão também solicitava medidas para

EM BUSCA DE UMA FILOSOFIA PÚBLICA

"promover a cidadania global", para inspirar "ampla aceitação de uma ética cívica global", para transformar "uma vizinhança global baseada no intercâmbio econômico e nas comunicações aprimoradas em uma comunidade moral universal".[28]

Outros comentaristas da década de 1990 viram nos movimentos internacionais ambientais, de direitos humanos e de mulheres o surgimento de uma "sociedade civil global" que poderia servir como um contrapeso ao poder dos mercados e da mídia globais. O cientista político Richard Falk viu em tais movimentos a perspectiva de uma nova "cidadania global (...) que tem como premissa a solidariedade global ou entre espécies". "Esse espírito de cidadania global está quase totalmente desterritorializado", observou. Não tem relação com a lealdade a uma determinada comunidade política, seja em âmbito municipal ou federal, mas aspira em vez disso ao ideal de "comunidade mundial". A filósofa Martha Nussbaum defendia, com espírito semelhante, uma educação cívica que cultivasse a cidadania cosmopolita. Uma vez que a identidade nacional é "uma característica moralmente irrelevante", os alunos deveriam aprender que sua "lealdade primária é para com a comunidade de seres humanos em todo o mundo".[29]

O ideal cosmopolita enfatiza devidamente a humanidade que compartilhamos e direciona nossa atenção para as consequências morais que dela decorrem. Oferece uma solução para o chauvinismo estreito, às vezes assassino, no qual as identidades étnicas e nacionais podem chafurdar. Ele lembra às nações ricas que suas obrigações para com a humanidade não devem morrer na praia. Pode até sugerir motivos para cuidar do planeta que vão além do uso que fazemos dele. Tudo isso faz do ideal cosmopolita uma ética atraente, especialmente agora que o aspecto global da vida política exige formas de fidelidade que vão além das nações.

Apesar desses méritos, no entanto, o ideal cosmopolita é falho, tanto como ideal moral quanto como filosofia pública para autogoverno em nosso tempo. A noção de que as identidades universais devem sempre ter precedência sobre as particulares tem uma história longa e variada.

Kant vinculava a moralidade ao respeito pelas pessoas como seres racionais de forma independente de suas particularidades, e Marx identificava a mais alta solidariedade como a do homem com sua espécie. Talvez a afirmação mais clara da ética cosmopolita como ideal moral seja aquela oferecida pelo filósofo iluminista Montesquieu: "Se eu soubesse algo útil para mim, mas prejudicial à minha família, eu o rejeitaria com toda minha alma. Se eu soubesse algo útil para minha família, mas não para meu país, eu tentaria esquecê-lo. Se eu soubesse algo útil ao meu país, mas prejudicial à Europa, ou útil à Europa, mas prejudicial à humanidade, eu o consideraria um crime. (...) [Pois] sou um homem antes de ser francês, ou melhor (...) sou necessariamente um homem, ao passo apenas o acaso me tornou francês."[30]

Se nossas lealdades mais abrangentes sempre tivessem precedência sobre as mais locais, então a distinção entre amigos e desconhecidos deveria ser superada. Nossa preocupação especial com o bem-estar dos amigos seria uma espécie de preconceito, uma medida da distância que nos separa da preocupação humana universal. Montesquieu não se esquiva dessa conclusão. "Um homem verdadeiramente virtuoso viria em socorro do estranho mais distante tão rapidamente quanto viria para socorrer seu próprio amigo", escreveu ele. "Se os homens fossem perfeitamente virtuosos, não teriam amigos."[31]

É difícil imaginar um mundo em que as pessoas fossem tão virtuosas a ponto de não ter amigos e manter apenas uma disposição universal para a amizade. O problema não é simplesmente a dificuldade da criação de tal mundo, mas a dificuldade de reconhecê-lo como um mundo humano. O amor à humanidade é um sentimento nobre, mas na maioria das vezes vivemos vidas pautadas por solidariedades menores. Isto talvez reflita certos limites aos vínculos de simpatia moral. Acima de tudo, reflete o fato de que não aprendemos a amar a humanidade de modo geral, mas sim por meio de suas expressões particulares.

J. G. Herder, filósofo do romantismo alemão, foi um dos primeiros a afirmar as diferenças de idioma, cultura e identidade nacional como expressões distintivas de nossa humanidade. Desprezava o cidadão

EM BUSCA DE UMA FILOSOFIA PÚBLICA

cosmopolita cuja devoção à humanidade é totalmente abstrata: "O selvagem que ama apenas a si mesmo, a sua esposa e o filho, com alegria tranquila, e que de seu jeito modesto trabalha pelo bem da tribo" é "um ser mais verdadeiro do que aquela sombra de um homem, o cidadão refinado do mundo, que, arrebatado pelo amor de todas as sombras semelhantes, ama apenas uma quimera". Na prática, escreve Herder, é o selvagem em sua pobre cabana que acolhe o estrangeiro. "O coração inundado do cosmopolita ocioso, por outro lado, não oferece abrigo a ninguém." Charles Dickens também captou a futilidade do cosmopolita deslocado em sua descrição da sra. Jellyby, a personagem de *A casa soturna*, que lamentavelmente negligencia os filhos enquanto se dedicava a causas de caridade no exterior. Era uma mulher "com belos olhos", escreve Dickens, "embora eles tivessem o curioso hábito de parecer distantes. Como se (...) não pudessem enxergar nada mais próximo do que a África."[32]

Afirmar como moralmente relevantes as comunidades particulares que nos localizam no mundo, de bairros a nações, não é afirmar que não devemos nada a pessoas enquanto pessoas, enquanto seres humanos. Na melhor das hipóteses, as solidariedades locais apontam para além de si mesmas em direção a horizontes mais amplos de preocupação moral, inclusive o horizonte de nossa humanidade comum. A ética cosmopolita erra, não por afirmar que temos determinadas obrigações para com a humanidade como um todo, mas sim por insistir que as comunidades mais universais que habitamos devem sempre ter precedência sobre as mais particulares.

A falha moral da ética cosmopolita está relacionada à sua falha política. Pois mesmo que a economia global exija formas mais universais de identidade política, a atração do particular se reafirma. Mesmo quando as nações aderem a novas instituições de governança global, elas enfrentam demandas crescentes de grupos étnicos, religiosos e linguísticos por várias formas de reconhecimento político e autodeterminação. Essas demandas são motivadas em parte pela dissolução dos impérios que antes as continham, como a União Soviética. Mas

O DESCONTENTAMENTO DA DEMOCRACIA

a crescente aspiração pela expressão pública de identidades comunais também pode refletir um anseio por identidades políticas que possam situar as pessoas em um mundo governado cada vez mais por forças vastas e distantes.

Por um tempo, o Estado-nação prometeu responder a esse anseio e fornecer a ligação entre identidade e autogoverno. Pelo menos em teoria, cada Estado era uma unidade política e econômica mais ou menos autossuficiente que dava expressão à identidade coletiva de um povo definido por história, língua ou tradição compartilhadas. O Estado-nação reivindicava a lealdade de seus cidadãos com base no fato de que seu exercício de soberania expressava a identidade coletiva.

No mundo contemporâneo, no entanto, essa afirmação está perdendo força. A soberania nacional é corroída de cima para baixo pela mobilidade de capital, dos bens e das informações através das fronteiras nacionais, da integração dos mercados financeiros mundiais, do caráter transnacional da produção industrial. Ao mesmo tempo, a soberania nacional é desafiada de baixo para cima pelas aspirações ressurgentes de grupos subnacionais por autonomia e autogoverno. À medida que sua soberania efetiva se desvanece, as nações gradualmente perdem o controle da lealdade de seus cidadãos. Assolados pelas tendências integradoras da economia global e pelas tendências fragmentárias das identidades de grupo, os Estados-nação são cada vez mais incapazes de vincular identidade e autogoverno. Mesmo os Estados mais poderosos não conseguem escapar dos imperativos da economia global; mesmo os menores são heterogêneos demais para dar plena expressão à identidade comunal de qualquer grupo étnico, nacional ou religioso sem oprimir outros que vivem em seu meio.

Dados os limites da política cosmopolita, a tentativa de salvar a democracia pela globalização da cidadania, da forma como os progressistas certa vez procuraram salvar a democracia nacionalizando a cidadania, provavelmente não terá sucesso. A analogia entre o impulso globalizante da atualidade e o projeto nacionalizador de outros tempos se mantém na seguinte medida: não podemos esperar governar

EM BUSCA DE UMA FILOSOFIA PÚBLICA

a economia global sem instituições políticas transnacionais, e não podemos esperar sustentar tais instituições sem cultivar identidades cívicas mais expansivas. Esta é a hora da verdade na visão cosmopolita. Convenções de direitos humanos, acordos ambientais globais e organismos mundiais que governam comércio, finanças e desenvolvimento econômico estão entre os empreendimentos que dependerão do apoio público para inspirar um maior senso de engajamento em um destino global compartilhado.

Mas a visão cosmopolita está errada ao sugerir que podemos restaurar o autogoverno simplesmente elevando a soberania e a cidadania. A esperança no autogoverno não está na realocação da soberania, mas em sua dispersão. A alternativa mais promissora ao Estado soberano não é uma comunidade mundial baseada na solidariedade humana, mas numa multiplicidade de comunidades e corpos políticos — alguns mais extensos do que nações, outros menos — entre os quais a soberania é difundida. O Estado-nação não precisa desaparecer, apenas ceder sua reivindicação de ser o único repositório do poder soberano e objeto de fidelidade política. Assim, diferentes formas de associação política governariam diferentes esferas da vida e envolveriam diferentes aspectos de nossas identidades. Somente um regime que dispersa a soberania tanto para cima quanto para baixo pode combinar o poder necessário para rivalizar forças do mercado com a diferenciação exigida de uma vida pública que espera inspirar a fidelidade reflexiva de seus cidadãos.

Em alguns lugares, a dispersão da soberania pode implicar maiores concessões de autonomia cultural e política a comunidades subnacionais — como os catalães e os curdos, os escoceses e os quebequenses —, mesmo enquanto fortalece e democratiza estruturas transnacionais, como a União Europeia. Ou pode envolver modos de devolução e subsidiariedade ao longo de linhas geográficas em vez de étnicas e culturais. Arranjos como esses podem aliviar o conflito que surge quando a soberania do Estado é uma questão de tudo ou nada, absoluta e indivisível, a única forma significativa de autodeterminação.

O DESCONTENTAMENTO DA DEMOCRACIA

Nos Estados Unidos, que nunca foram um Estado-nação no sentido europeu, a proliferação de locais de engajamento político pode assumir uma forma diferente. A América nasceu da convicção de que a soberania não precisa residir em um único lugar. Desde o início, a Constituição dividiu o poder entre ramos e níveis de governo. Com o tempo, porém, nós também elevamos a soberania e a cidadania em direção à nação.

A nacionalização da vida política americana ocorreu em grande parte em resposta ao capitalismo industrial. A consolidação do poder econômico evocou a consolidação do poder político. Os conservadores atuais que protestam contra o *big government* muitas vezes ignoram esse fato. Eles assumem erroneamente que a redução do poder do governo nacional liberaria os indivíduos para perseguir seus próprios objetivos, em vez de deixá-los à mercê de forças econômicas além de seu controle.

As queixas conservadoras sobre o tamanho do Estado encontram ressonância popular, mas não pelas razões articuladas pelos conservadores. O Estado de bem-estar americano é politicamente vulnerável porque não se baseia em um senso de comunidade nacional adequado ao seu propósito. O projeto nacionalizante que se desenrolou a partir da Era Progressista até o New Deal e a Grande Sociedade teve sucesso apenas parcialmente: conseguiu criar um governo nacional forte, mas fracassou em cultivar uma identidade nacional compartilhada. À medida que o Estado de bem-estar social se desenvolvia, baseava-se menos em uma ética de solidariedade social e obrigação mútua e mais em uma ética de procedimentos justos e direitos individuais. Mas o liberalismo da república procedimental demonstrou ser um substituto inadequado para o forte sentimento de cidadania exigido pelo Estado de bem-estar social.

Se a nação não consegue invocar mais do que um mínimo em comum, é improvável que a comunidade global possa fazer coisa melhor, pelo menos por conta própria. Uma base mais promissora para uma política democrática que transcenda as nações está em uma vida cívica revitalizada, nutrida nas comunidades mais particulares em que

EM BUSCA DE UMA FILOSOFIA PÚBLICA

habitamos. Na era do Nafta, a política de vizinhança importa mais, não menos. As pessoas não manifestarão lealdade a entidades vastas e distantes, qualquer que seja sua importância, a menos que essas instituições estejam de alguma forma conectadas a arranjos políticos que reflitam a identidade dos participantes.

Esta é a razão para considerar as possibilidades não realizadas implícitas no federalismo americano. Costumamos pensar no federalismo como uma doutrina constitucional por algum tempo inativa e que foi recentemente revivida por conservadores que transfeririam o poder do governo federal para os estados. Mas o federalismo é mais do que uma teoria das relações intergovernamentais. Ele representa também uma visão política que oferece uma alternativa ao Estado soberano e às identidades políticas unívocas que esses Estados exigem. Sugere que o autogoverno funciona melhor quando a soberania é dispersa e a cidadania se forma em vários locais de engajamento cívico. Esse aspecto do federalismo fundamenta a versão pluralista da política do republicanismo. Fornece a diferenciação que separa o republicanismo de Tocqueville daquele de Rousseau, que salva o projeto formativo de cair na coerção.

Rousseau concebeu a comunidade política como um todo indiferenciado e por isso insistia que os cidadãos se conformassem à vontade geral. Tocqueville destacava os benefícios republicanos dos órgãos políticos intermediários entre o indivíduo e o Estado, como os municípios. "O nativo da Nova Inglaterra está ligado ao seu município porque é independente e livre", escreveu. "Ele participa de todas as ocorrências no local; pratica a arte do governo na pequena esfera ao seu alcance; ele se acostuma a essas formas sem as quais a liberdade só pode avançar por revoluções; ele absorve seu espírito; adquire o gosto pela ordem, compreende o equilíbrio dos poderes e colhe noções práticas claras sobre a natureza de seus deveres e a extensão de seus direitos." Praticar o autogoverno em pequenas esferas, observou Tocqueville, também impele os cidadãos a esferas maiores de atividade política.[33]

O DESCONTENTAMENTO DA DEMOCRACIA

Jefferson defendia uma visão semelhante ao se preocupar, no final da vida, que a Constituição não oferecia uma provisão adequada para o cultivo da virtude cívica. Mesmo os estados, e os condados também, estavam distantes demais para engajar as energias cívicas e o afeto do povo. Para "nutrir e perpetuar" o espírito republicano, Jefferson propunha dividir os condados em distritos, unidades locais de autogoverno que permitiriam a participação política direta. Ao "tornar cada cidadão um membro ativo do governo", o sistema "os vincularia, em seus mais fortes sentimentos, independência de seu país e à sua constituição republicana". A "divisão e subdivisão de atribuições" entre as repúblicas federal, estadual, municipal e distrital não era apenas uma forma de evitar o abuso de poder. Para Jefferson, era também uma forma de cimentar o todo, ao dar para cada cidadão uma parte nos assuntos públicos.[34]

O sistema de Jefferson nunca foi adotado, e a municipalidade da Nova Inglaterra que Tocqueville tanto admirava perdeu o poder e significado cívico. Mas a visão política subjacente ao federalismo permanece relevante nos dias de hoje. Está na percepção de que a proliferação de locais de atividade cívica e poder político pode servir ao autogoverno ao cultivar a virtude, preparar os cidadãos para exercer a autonomia e gerar lealdades a conjuntos políticos maiores. Se o governo local e as instituições municipais não são mais arenas adequadas para a cidadania republicana, devemos buscar espaços públicos que podem ser encontrados entre as instituições da sociedade civil — em escolas e locais de trabalho, igrejas e sinagogas, sindicatos e movimentos sociais.

Espaços públicos como esses foram indispensáveis para a melhor expressão da política do republicanismo em nosso tempo, o movimento pelos direitos civis dos anos 1950 a meados dos anos 1960. Em retrospecto, o caráter republicano do movimento pelos direitos civis é facilmente obscurecido. Ele se desenrolou exatamente no momento que a república procedimental tomava forma. Em parte, como resultado, os americanos aprenderam as lições do movimento pelas lentes do liberalismo contemporâneo: os direitos civis consistiam no combate à

EM BUSCA DE UMA FILOSOFIA PÚBLICA

discriminação e a defesa à igualdade perante a lei, na reivindicação dos direitos individuais contra os preconceitos de comunidades locais, no respeito às pessoas como pessoas, independentemente de raça, religião ou outras características particulares.

Mas essa não é toda a história. Quando se assimila o movimento dos direitos civis ao liberalismo da república procedimental, perdem-se as lições mais importantes para o nosso tempo. Mais do que um meio de garantir a igualdade de direitos, o movimento em si foi um momento de empoderamento, um exemplo da vertente cívica da liberdade. As leis que suspenderam a segregação em instalações públicas e garantiram direitos de voto para afro-americanos serviram à liberdade no sentido voluntarista — a liberdade de escolher e perseguir propósitos e fins próprios. Mas a luta para conquistar esses direitos exibiu uma liberdade republicana mais elevada — a liberdade que consiste em agir coletivamente para moldar o mundo público.[35]

Além de buscar reformas legais, o movimento dos direitos civis empreendia um projeto formativo; seu objetivo era a "transformação moral e cívica de um povo inteiro". Como explicou Martin Luther King Jr.: "Quando as disputas legais eram a única forma de atividade, o negro comum estava envolvido como um espectador passivo. Seu interesse tinha sido despertado, mas suas energias não eram empregadas. Enormes passeatas transformaram o homem comum no artista principal. (...) O negro não estava mais sujeito a mudanças. Ele era o órgão ativo da mudança."[36]

O aspecto formativo da política republicana requer espaços públicos que reúnam os cidadãos, que lhes permitam interpretar sua condição e cultivar a solidariedade e o engajamento cívico. Para o movimento dos direitos civis, esses espaços públicos foram fornecidos pelas igrejas negras do Sul. Estes foram os locais das reuniões de massa, da educação cívica, da oração e do canto, que prepararam os negros a participar dos boicotes e das passeatas do movimento.[37]

Costumamos pensar que o movimento dos direitos civis tenha encontrado sua fruição nas leis de direitos civis e direitos de voto aprovadas

O DESCONTENTAMENTO DA DEMOCRACIA

pelo Congresso. Mas a nação nunca teria agido sem um movimento cujas raízes estivessem em identidades e lugares muito particulares. Além disso, o movimento oferecia uma visão de cidadania republicana que ia além do direito ao voto. Mesmo depois que a Lei do Direito ao Voto foi conquistada, King esperava por uma vida pública que pudesse realizar as insinuações de liberdade republicana presentes no movimento dos direitos civis em sua melhor forma: "Como vamos transformar os guetos em uma vasta escola? Como faremos de cada esquina um fórum? (...) cada trabalhador doméstico e cada trabalhador braçal um manifestante, um eleitor, um propagandista e um estudante? A dignidade que seus empregos talvez lhes neguem está esperando por eles na ação política e social."[38]

ALÉM DOS ESTADOS SOBERANOS E DOS INDIVÍDUOS SOBERANOS

A mídia global e os mercados que moldam nossas vidas acenam para um mundo além das fronteiras e das relações de pertencimento. Mas os recursos cívicos necessários para dominar essas forças, ou pelo menos para enfrentá-las, ainda precisam ser encontrados em lugares e em histórias, em memórias e significados, incidentes e identidades que nos situam no mundo e dão às nossas vidas a sua particularidade moral.

A filosofia pública pela qual vivemos nos convida a colocar entre parênteses esses vínculos, a deixá-los de lado para fins políticos, a conduzir nossos debates políticos sem fazer referência a eles. Mas uma república procedimental que bane o argumento moral e religioso do discurso político contribui para uma vida cívica empobrecida. Também não responde à aspiração de autogoverno. Sua imagem de cidadãos como seres livres e independentes, livres de laços morais ou cívicos que não escolheram, não consegue sustentar o espírito público que nos prepara para o autogoverno.

Desde os tempos da pólis de Aristóteles, a tradição republicana via o autogoverno como uma atividade enraizada num lugar determinado,

EM BUSCA DE UMA FILOSOFIA PÚBLICA

realizada por cidadãos leais a esse lugar e ao modo de vida que ele encarna. O autogoverno hoje, no entanto, requer uma política que se desenrola em uma multiplicidade de cenários, dos bairros até as nações e ao mundo como um todo. Tal política requer cidadãos que possam pensar e agir como indivíduos multiplamente situados. A virtude cívica característica do nosso tempo é a capacidade de abrir caminho entre obrigações ora sobrepostas, ora conflitantes que exigem nossa resposta, e de conviver com a tensão que as múltiplas lealdades suscitam. Essa é uma habilidade difícil de sustentar, pois é mais fácil conviver com a pluralidade entre as pessoas do que dentro delas.

A tradição republicana nos lembra que a cada virtude corresponde uma forma característica de corrupção ou decadência. Uma vez que a virtude cívica consiste em manter a unidade complexa das identidades dos indivíduos modernos, ela se torna vulnerável à corrupção de dois tipos. Em primeiro lugar, há a tendência ao fundamentalismo, a resposta daqueles que não suportam a ambiguidade associada à soberania dividida e aos indivíduos sobrecarregados pela multiplicidade. Na medida em que a política contemporânea questiona a soberania de Estados e indivíduos, é provável que provoque reações daqueles que baniriam a ambiguidade, reforçariam fronteiras, endureceriam a distinção quem é de dentro e quem é de fora e que prometeriam uma política para "recuperar nossa cultura e recuperar nosso país", para "restaurar nossa soberania" furiosamente.[39]

A segunda corrupção a que estão sujeitos os cidadãos multiplamente sobrecarregados é a deriva para indivíduos sem forma, camaleônicos, sem história, incapazes de tecer os vários fios de sua identidade em um todo coerente. A comunidade política depende de narrativas pelas quais as pessoas dão sentido à sua condição e interpretam a vida que compartilham. Na melhor das hipóteses, a deliberação política não é apenas sobre políticas concorrentes, mas também sobre interpretações concorrentes do caráter de uma comunidade, de seus propósitos e fins. Uma política que prolifera as fontes e os lugares da cidadania complica

O DESCONTENTAMENTO DA DEMOCRACIA

o projeto interpretativo. Em uma época em que os recursos narrativos da vida cívica já estão tensionados — como atestam áudios, factoides e imagens desconexas de nossa cultura saturada de mídia — torna-se cada vez mais difícil contar as histórias que ordenam nossas vidas. Existe um perigo crescente de que, individual e coletivamente, nos encontremos caindo numa condição fragmentada e sem história. A perda da capacidade narrativa equivaleria ao despojamento final do sujeito humano, pois sem narrativa não há continuidade entre presente e passado e, portanto, nenhuma responsabilidade, e nenhuma possibilidade de agir em conjunto para governar a nós mesmos.

Uma vez que os seres humanos são contadores de histórias, somos obrigados a nos rebelar contra essa tendência. Mas não há garantia de que as rebeliões assumirão uma forma salutar. Alguns, em sua fome de história, serão atraídos pelo material vazio, de segunda mão, dos programas de auditório confessionais, dos escândalos envolvendo celebridades e julgamentos sensacionalistas. Outros buscarão refúgio no fundamentalismo. A esperança de nosso tempo jaz com aqueles que conseguem reunir convicção e contenção para encontrar sentido em nossa condição e fazer reparar a nossa vida cívica, da qual depende a democracia.

Notas

1. Sobre os argumentos republicanos a favor e contra o sufrágio para donos de propriedade, veja os debates na Convenção da Virgínia de 1829-1830, em Merrill D. Peterson (org.). *Democracy, Liberty, and Property* (Indianapolis: Bobbs-Merrill, 1966), p. 377-408; também Chilton Williamson, *American Suffrage: From Property to Democracy, 1760-1860* (Princeton: Princeton University Press, 1960). Sobre os defensores da escravidão, ver James Henry Hammond, "'Mud-Sill' Speech" (1858), e Josiah Nott, "Types of Mankind" (1854), in: Erick L. McKitrick (org.), *Slavery Defended: The Views of of the Old South* (Englewood Cliffs, N.J.: Prentice-Hall, 1963), p. 121-138; também Kenneth

EM BUSCA DE UMA FILOSOFIA PÚBLICA

S Greenberg, *Masters and Statesmen: The Political Culture of American Slavery* (Baltimore: Johns Hopkins University Press, 1985), p. 3-22, 85-106. Sobre oposição à cidadania para imigrantes, ver Tyler Anbinder, *Nativism and Slavery: The Northern Know Nothings and the Politics of the 1850s* (Nova York: Oxford University Press), 1992, p. 118-126.

2. Jean-Jacques Rousseau, *On the Social Contract* (1762), Donald A. Cress (trad. e org.), Livro 2 (Indianapolis: Hackett, 1983), cap. 7, p. 39. [Ed. bras.: *Do contrato social* (1762). São Paulo: Edipro, 2018.]

3. Benjamin Rush, *A Plan for the Establishment of Public Schools and the Diffusion of Knowledge in Pennsylvania (1786)*, in: Frederick Rudolph (org.), *Essays on Education in the Early Republic* (Cambridge, Mass.: Harvard University Press, 1965), p. 9, 17, 14.

4. Alexis de Tocqueville, *Democracy in America*, vol. 1 (1835), Henry Reeve (trad.), Phillips Bradley (org.) (Nova York: Alfred A. Knopf, 1945), cap. 5, p. 68. [Ed. bras.: *A democracia na América*. São Paulo: Edipro, 2019.]

5. Rousseau, *On the Social Contract*, livro 4, caps. 1-2, p. 79-81. Ver também livro 2, cap. 3 p. 32, em tradução livre: "Se, quando uma população suficientemente informada deliberar, os cidadãos não tiverem comunicação entre si, a vontade geral sempre apareceria."

6. O relato de Hannah Arendt sobre a esfera pública também enfatiza essa característica: "O que torna a sociedade de massa tão difícil de suportar não é o número de pessoas envolvidas, ou pelo menos isso não é o principal, mas o fato de que o mundo entre elas perdeu o poder de reuni-las, relacioná-las e separá-las"; Arendt, *The Human Condition* (Chicago: University of Chicago Press, 1958), p. 52-53. [Ed. bras.: *A condição humana*, Rio de Janeiro: Forense Universitária, 2014.]

7. Tocqueville, *Democracia na América*, vol. 1, cap. 17; ver de modo geral cap. 5, e cap. 17, p. 299-325. A ideia de que a liberdade requer uma vida em comum que é, no entanto, diferenciada ou articulada por agências particulares de formação de identidade da sociedade civil é central para G. W. F. Hegel, *Philosophy of Right* (1821), trad. T.M. Knox (Londres: Oxford University Press, 1952).

8. Immanuel Kant, "Perpetual Peace" (1795), in: Hans Reiss (org.), *Kant's Political Writings* (Cambridge: Cambridge University Press, 1970), p. 112-113.

9. Harry C Boyte, *Common Wealth: A Return to Citizen Politics* (Nova York: Free Press, 1989), p. 49-61, 81-86; Ernesto Cortes, Jr. "Reweaving the Fabric: The Iron Rule and the IAF Strategy for Power and Politics", in: Henry G. Cisneros (org.), *Interwoven Destinies: Cities and the Nation* (Nova York: W. W. Norton, 1993), p. 303.

O DESCONTENTAMENTO DA DEMOCRACIA

10. Boyte, *Common Wealth*, p. 87-99; Mark R Warren, *Social Capital and Community Empowerment Religion and Political Organization in the Texas Industrial Areas Foundation* (Tese de doutorado, Universidade de Harvard, 1995), cap. 2; Geoffrey Rips, "A Democratic Conversation", *Texas Observer*, 22 de novembro de 1990, p. 4-5; Mary Beth Rogers, "Gospel Values and Secular Politics", in: ibid., p. 6-8.

11. A organizadora do COPS Christine Stephens citada em Boyte, *Common Wealth*, p. 90.

12. Peter Applebome, "Changing Texas Politics at Its Roots", *The New York Times*, 31 de maio de 1988; Laurie Goodstein, "Harnessing the Force of Faith", *Washington Post*, 6 de fevereiro de 1994, p. B1, B4; Boyte, *Common Wealth*, p. 90-94, 191.

13. Ver o capítulo 6, nota 100.

14. David R. Francis, "New Figures Show Wider Gap between Rich and Poor", *Christian Science Monitor*, 21 de abril de 1995, p. 1, citando um estudo do economista Edward N. Wolff; e Keith Bradsher, "Gap in Wealth in U.S. Called Widest in West", *The New York Times*, 17 de abril de 1995, p. Al, D4, também citando Wolff. Ver também Edward N. Wolff, *Top Heavy* (Nova York: Twentieth Century Fund Press, 1995); e Kevin Phillips, *Boiling Point: Republicans, Democrats, and the Decline of Middle-Class Prosperity* (Nova York: Random House, 1993), p. xix, citando a historiadora econômica Claudia Goldin.

15. Esses e outros fatores são discutidos em Robert B. Reich, *The Work of Nations* (Nova York: Alfred A. Knopf, 1991), p. 202-224 [ed. bras.: *O trabalho das nações*. São Paulo: Educator, 1994]; Phillips, *Boiling Point*, p. 32-57, 85-128; e idem, *The Politics of Rich and Poor* (Nova York: Random House, 1990), p. 52-153.

16. Aristóteles, *The Politics*, trad. e org.: Ernest Baker, livro 4 (Londres, Oxford, University Press, 1946), cap. 11 (1295b), p. 180-182 [Ed. bras.: *A política*. São Paulo: Lafonte, 2017]; Rousseau, *On the Social Contract*, livro 2, cap. 11, p. 46-47.

17. Robert B. Reich, "The Revolt of the Anxious Class", Conselho de Liderança Democrática, Washington, D.C., 22 de novembro de 1994; idem, "The Choice Ahead", National Press Club, Washington, D.C., 5 de janeiro de 1995.

18. Idem, *The Work of Nations*, p. 249-315.

19. Ibid. p. 268-277.

20. Sobre o papel formativo dos espaços de recreação e playgrounds na Era Progressista, ver Paul Boyer, *Urban Masses and Moral Order in America, 1820-1920* (Cambridge, Mass.: Harvard University Press, 1978), p. 233-251.

21. Reich, *The Work of Nations*, p. 269.

EM BUSCA DE UMA FILOSOFIA PÚBLICA

22. Louis Uchitelle, "Sharp Rise of Private Guard Jobs", *The New York Times*, 14 de outubro de 1989, p. 33.

23. Elizabeth Rudolph, *Time*, 4 de novembro de 1991, p. 86. Ver também Mickey Kaus, *The End of Equality* (Nova York: Basic Books, 1992), p. 56.

24. Kaus, *End of Equality*, p. 18, 21-22, 96-100. Uma teoria política baseada na restrição da esfera em que o dinheiro importa é apresentada em Michael Walzer, *Spheres of Justice* (Nova York: Basic Books, 1983). Sobre lugares onde ocorre mistura de classes, ver Ray Oldenburg, *The Great Good Place* (Nova York: Paragon House), 1989.

25. Shirley Williams, "Sovereignty and Accountability in the European Community", in: Robert O. Keohane e Stanley Hoffman (orgs.), *The New European Community* (Boulder: Westview Press, 1991), p. 155-176; Vaclav Havel, "Address to the General Assembly of the Council on Europe, Vienna", 9 de outubro de 1993, Paul Wilson, *New York Review of Books*, 40, 18 de novembro de 1993, p. 3. A Comunidade Europeia tornou-se oficialmente a União Europeia com o Tratado de Maastricht, que entrou em vigor em 1993.

26. Jane Addams, *Democracy and Social Ethics* (Nova York: Macmillan, 1907), p. 210-211.

27. Herbert Croly, *The Promise of American Life* (1909) (Indianápolis: Bobbs--Merrill, 1965), p. 271-273.

28. *Our Global Neighborhood: The Report of the Commission on Global Governance* (Nova York: Oxford University Press, 1995), p. 154, 257, 303-304, 5, 46-49, 336.

29. Richard Falk, "The Making of Global Citizenship", em Jeremy Brecher, John Brown Childs e Jill Cutler (orgs.), *Global Visions: Beyond the New World Order* (Boston: South End Press, 1993), p. 39-50; Martha Nussbaum, "Patriotism and Cosmopolitanism", *Boston Review*, outubro/novembro de 1994, p. 3.

30. Montesquieu, "Mes pensées", in: Roger Chaillois (org.), *Oeuvres completes* (Paris: Gallimard, 1949), nº 10, 11, p. 980-981.

31. Ibid., nº 604, p. 1.129-1.130.

32. Johann Gottfried Herder, "Ideas for a Philosophy of the History of Mankind" (1791), in: F. M. Bernard (trad. e org.), *J. G. Herder on Social and Political Culture* (Cambridge: Cambridge University Press, 1969), p. 309; Charles Dickens, *Bleak House* (1853) (Oxford: Oxford University Press, 1987), cap. 4, p. 36. [Ed. bras.: *A casa soturna* (1853). Rio de Janeiro: Nova Fronteira, 1986.]

33. Tocqueville, *Democracy in America*, vol. 1, cap. 5, p. 68.

34. Thomas Jefferson para Samuel Kercheval, 12 de julho de 1816, em Merrill D. Peterson (org.), *Jefferson Writings* (Nova York: Library of America, 1984), p. 1.399-1.400.

O DESCONTENTAMENTO DA DEMOCRACIA

35. Ver Richard H. King, *Civil Rights and the Idea of Freedom* (Nova York: Oxford University Press, 1992).

36. Martin Luther King Jr., "Where Do We Go from Here: Chaos or Community?" (1967), in: James M. Washington (org.). *A Testament of Hope: The Essential Writings and Speeches of Martin Luther King Jr* (Nova York: HarperCollins, 1986), p. 566-567.

37. Ver Aldon D. Morris, *The Origins of the Civil Rights Movement* (Nova York: Free Press, 1984).

38. King, "Where Do We Go from Here?", p. 611.

39. As frases citadas são de Patrick J. Buchanan, "Speech to Republican National Convention", 12 de agosto de 1992, e de Buchanan, conforme citado em Richard L. Berke, "A Conservative Sure His Time Has Come", *The New York Times*, 30 de maio de 1995, p. Al.

Epílogo

O que deu errado: o capitalismo e a democracia desde os anos 1990

O capitalismo e a democracia há muito têm uma difícil coexistência. O capitalismo busca organizar a atividade produtiva com vistas ao lucro particular. A democracia busca empoderar os cidadãos para que compartilhem o governo. Desde sua concepção, a economia política da cidadania foi uma tentativa de conciliar os dois projetos. De formas diferentes em tempos diferentes, isso significou impedir que os capitalistas exercessem domínio político e resistir às tendências à exploração dos trabalhadores e à diminuição de suas capacidades enquanto cidadãos.

Os jeffersonianos temiam que a vida fabril em grande escala corrompesse a robusta ética cívica que associavam aos pequenos proprietários de terras. Os republicanos trabalhistas de meados do século XIX viam o trabalho assalariado como antitético em relação à liberdade; uma vida inteira trabalhando para um patrão não permitiria que se cultivasse a independência de julgamento e de raciocínio exigida pela cidadania democrática. Os abolicionistas investiram contra o primeiro grande negócio da América, o supremo pecado capitalista, uma indústria de algodão baseada na mercantilização brutal de afro-americanos escravizados nas plantações. No final do século XIX, os Knights of Labor clamaram pela propriedade pública de ferrovias, telégrafos e telefones, como alternativa ao poder monopolista, e buscaram instalar salas de leitura nas fábricas, para que os trabalhadores pudessem se informar sobre assuntos públicos. Na virada do século, o movimento antitruste procurou quebrar o poder econômico concentrado. Na década de 1930, o New Deal impôs regulamentações sobre os bancos e promulgou leis que permitiam que os trabalhadores fizessem negociações coletivas e que tivessem voz no local de trabalho.

O DESCONTENTAMENTO DA DEMOCRACIA

Nas décadas após a Segunda Guerra Mundial, a economia política da cidadania entrou em eclipse, deslocada por uma economia política de crescimento econômico e justiça distributiva. Liberais e conservadores debatiam que políticas alcançariam o crescimento econômico e como os frutos da prosperidade deveriam ser compartilhados. Mas poucos questionavam a suposição de que o único fim da atividade econômica é o consumo; a noção de que uma economia deve servir ao projeto de autogoverno desapareceu do debate político.

Ver a economia em termos consumistas e não cívicos refletia uma convicção além da economia. Expressava uma certa concepção de liberdade. De acordo com essa concepção, a liberdade consiste em perseguir meus próprios interesses e fins, quaisquer que sejam, em conformidade com uma liberdade semelhante para os outros. Essa concepção individualista está em desacordo com o ideal cívico republicano que crê que liberdade significa compartilhar o autogoverno e ter voz na formação das forças que comandam nossas vidas.

Na primeira edição deste livro, argumentei que desistir tanto da concepção cívica de liberdade quanto da economia política da cidadania representava uma perda, um esvaziamento dos ideais americanos. A concepção consumista de liberdade criava uma compreensão empobrecida do que é cidadania. A ideia promovida era de que a democracia é a economia por outro ângulo, uma forma de agregar as preferências dos indivíduos em vez de deliberar sobre justiça e bem comum. O descontentamento que assolou a democracia americana nas últimas décadas do século XX refletia essa aspiração diminuída; a noção consumista de liberdade alimentou um crescente sentimento de impotência e falhou em inspirar o sentimento de pertencimento e engajamento cívico que o autogoverno exige.

Muito mudou desde então. Duas décadas depois do início do século XXI, o descontentamento é mais agudo; a perda de coesão social, mais profunda; a sensação de desempoderamento, mais pronunciada. Os problemas cívicos dos anos 1980 e do início dos anos 1990 parecem pouco em comparação com os que enfrentamos agora. O rancor e

O QUE DEU ERRADO: O CAPITALISMO E A DEMOCRACIA DESDE OS ANOS 1990

o ressentimento que elegeram Donald Trump em 2016, e que continuam a lançar uma sombra sobre a democracia americana, estavam em formação havia tempos. Qualquer tentativa de reimaginar uma economia política de cidadania relevante para o nosso tempo depende de diagnosticar o que deu errado nas últimas décadas, à medida que os dois partidos políticos abraçaram e promulgaram uma nova versão do capitalismo, que trouxe desigualdades crescentes e políticas tóxicas.

Mais do que uma doutrina econômica, essa versão do capitalismo consiste em três conjuntos de práticas e crenças que se reforçam mutuamente: globalização, financeirização e meritocracia. O capitalismo definido por essas práticas estava muito distante da economia política da cidadania, mas também se afastava da economia política do crescimento e da justiça distributiva que predominou nas décadas após a Segunda Guerra Mundial. O capitalismo industrial centrado nas corporações das décadas de 1940 a 1970 operou principalmente dentro do Estado-nação. O novo capitalismo era global e conduzido pelas finanças.

GLOBALIZAÇÃO

A queda do Muro de Berlim em 1989 e a dissolução da União Soviética dois anos depois tiveram um forte impacto na imaginação política e econômica das democracias ocidentais. Os eventos foram saudados como uma demonstração do acerto do capitalismo liberal, aparentemente o único sistema a permanecer de pé. Também oferecia uma metáfora atraente para o capitalismo global dirigido pelas finanças que estava prestes a se desenrolar: um mundo sem muros.

A era da globalização foi uma época inebriante e triunfalista. Líderes políticos e comentaristas da década de 1990 celebraram o fluxo de bens, pessoas e capital através das fronteiras nacionais, não apenas por sua promessa de prosperidade, mas também como uma alternativa aberta, tolerante e cosmopolita à economia política paroquial e limitada do passado. "Um mundo sem muros" tornou-se um eufemismo

O DESCONTENTAMENTO DA DEMOCRACIA

familiar e nobre para uma economia em que as lealdades nacionais importavam menos e o fluxo irrestrito de bens e capital importava mais.

Para aqueles que argumentavam que a fluidez dos novos arranjos permitia que as empresas enviassem empregos no exterior para países de baixos salários com poucas proteções ambientais e trabalhistas ou que a movimentação de capital para dentro e para fora de países com um clique do mouse poderia provocar crises financeiras desestabilizadoras, os proponentes respondiam que a globalização era inevitável, um fato da natureza mais forte do que a política. Ao defender os rigores do capitalismo de livre mercado na década de 1980, a primeira-ministra britânica Margaret Thatcher declarava com frequência: "Não há alternativa." Os líderes políticos de centro-esquerda da década de 1990 reiteraram essa afirmação de inevitabilidade. "A globalização não é algo que possamos adiar ou desativar", explicou Bill Clinton. "É o equivalente econômico de uma força da natureza, como o vento ou a água." Para o colega de Clinton no Reino Unido, o primeiro-ministro trabalhista Tony Blair, a globalização era tão inalterável quanto as estações. "Eu ouço as pessoas dizerem que temos que parar e debater a globalização", declarou. "É a mesma coisa que debater se o outono deve seguir o verão."[1]

Embora retratada por seus proponentes como uma força além do controle humano, a globalização exigia que os governos colocassem em prática uma extensa lista de políticas econômicas contestáveis — políticas que apresentavam uma notável semelhança com a ideologia de livre mercado dos anos Reagan-Thatcher. Thomas L. Friedman, escritor e colunista do *New York Times*, explicou que essas políticas equivaliam a uma "camisa de força dourada" que todo país, quaisquer que fossem sua cultura e tradições, agora precisava vestir se quisesse prosperar na nova economia.[2] Ele enumerou as políticas necessárias da seguinte forma:

> Tornar o setor privado o principal motor do crescimento econômico, mantendo uma baixa taxa de inflação e estabilidade de

preços, encolhendo o tamanho da burocracia estatal, sustentando ao máximo um orçamento equilibrado, senão superavitário, eliminando e reduzindo as tarifas sobre bens importados, removendo as restrições ao investimento estrangeiro, com a eliminação de cotas e monopólios domésticos, aumentando as exportações, privatizando indústrias e serviços públicos, desregulamentando o mercado de capitais, tornando sua moeda conversível, abrindo suas indústrias, ações e mercados de títulos para direcionar a propriedade e o investimento estrangeiros, desregulamentando sua economia para promover o máximo possível de competição doméstica, eliminando ao máximo a corrupção governamental, subsídios e propinas, abrindo seus sistemas bancários e de telecomunicações à propriedade privada e à competição e permitindo que seus cidadãos façam suas escolhas entre uma série de opções de pensão concorrentes, fundos de pensão e fundos mútuos administrados no estrangeiro. Quando se costuram todas essas peças, o resultado é a Camisa de Força Dourada.[3]

Poucos seriam contra a eliminação da corrupção. Mas todas as outras prescrições políticas nesta lista são discutíveis, para dizer o mínimo. No entanto, como Friedman reconheceu, a camisa de força dourada deixou pouco espaço para o debate democrático sobre os arranjos econômicos. Era dourada porque prometia crescimento econômico; era uma camisa de força porque reduzia radicalmente o escopo da política democrática. As autoridades eleitas tinham pouca escolha a não ser cumprir seus imperativos. "É por isso que hoje em dia é cada vez mais difícil encontrar diferenças reais entre os partidos do governo e da oposição nos países que vestiram a Camisa de Força Dourada. Assim que o país a veste, suas opções políticas são reduzidas a Pepsi ou Coca-Cola."[4]

Quem impôs as restrições aparentemente apolíticas que presidentes e primeiros-ministros da década de 1990 se sentiram compelidos a obedecer? A resposta de Friedman: "o rebanho eletrônico", uma coleção de "corretores de ações, títulos e moedas e investidores multinacionais, conectados por telas e redes" em Nova York, Londres, Frankfurt e Tóquio, anônimos que botavam ou tiravam dinheiro de países e empresas num piscar de olhos. Aqueles países que não cumpriam os imperativos do novo capitalismo global perdiam a confiança dos investidores, levando o capital a fugir para lugares mais submissos. Mesmo os mais poderosos passavam a ter que seduzir e apaziguar os mercados financeiros caso esperassem ganhar e reter o investimento estrangeiro necessário para erguer suas economias.[5]

O governo Clinton mostrou como essa visão da globalização se desenrolava na prática. Durante a campanha de 1992, Clinton havia prometido estimular a economia e implementar um ambicioso programa de investimento público — em treinamento profissional, educação e infraestrutura — junto com a reforma do sistema de saúde e um corte de impostos para a classe média. Mas os propósitos de governo progressista rapidamente deram lugar à necessidade progressivamente aparente de prestar reverência às forças do mercado.

Ao assumir o cargo, Clinton soube que o déficit orçamentário federal acumulado durante os anos Reagan-Bush era maior do que o esperado. Embora seus assessores políticos pressionassem por estímulos e investimentos públicos para dinamizar a economia e ajudar a classe média, seus principais assessores econômicos, oriundos principalmente de Wall Street e do establishment de Washington, defendiam, em seu lugar, a redução do déficit. Isso significava controle de gastos e aumento de impostos. Para eles, ganhar a confiança dos mercados financeiros levaria a uma redução nas taxas de juros, o que por sua vez levaria as empresas a investir, impulsionando a economia de forma mais eficaz do que os investimentos públicos do slogan "Colocar as pessoas em primeiro lugar" que Clinton adotara durante a campanha.[6]

Prevaleceu o pensamento da equipe econômica, liderada por Robert Rubin, ex-executivo do Goldman Sachs. James Carville, um conselheiro político consternado com a opção de Clinton pela redução do déficit em detrimento do estímulo econômico, espantou-se com a forma como

O QUE DEU ERRADO: O CAPITALISMO E A DEMOCRACIA DESDE OS ANOS 1990

a sombra dos mercados financeiros agora pairava sobre a política democrática: "Eu costumava pensar que, se houvesse reencarnação, meu desejo seria voltar como presidente ou o papa ou um craque do beisebol", disse ele. "Mas agora quero voltar no mercado de títulos. Você consegue intimidar todo mundo."[7]

Anos depois, um historiador descreveria a decisão orçamentária de Clinton em 1993 como um momento decisivo para sua administração, a consolidação da fé no mercado dos anos Reagan. "Assim como o membro do Partido Republicano Dwight Eisenhower legitimou o New Deal ao aceitar muitas de suas realizações", escreveu Nelson Lichtenstein, Clinton "normalizou aspectos-chave da visão econômica de mundo de Reagan (...). No início de seu governo, Clinton optou por confiar mais nos mercados do que no governo ativista. Este curso daria o tom para decisões posteriores que definiriam Clinton como um neoliberal em vez de um herdeiro de FDR [Roosevelt] e LBJ [Johnson]."[8]

Clinton estava perfeitamente ciente de que se curvar ao mercado de títulos era uma traição à política econômica ativista e enérgica que repercutira entre os eleitores da classe média e da classe trabalhadora durante sua campanha. Em um momento de ressentimento, ele explodiu com seus assessores: "Onde estão todos os democratas? Espero que todos saibam que somos todos republicanos de Eisenhower. Somos republicanos de Eisenhower aqui e estamos lutando contra os republicanos de Reagan. Defendemos déficits mais baixos, livre comércio e mercado de títulos. Não é uma maravilha?"[9]

Mas quando a irritação diminuiu, Clinton aderiu à agenda neoliberal, não apenas em gastos e déficits, mas também em relação à desregulamentação comercial e financeira. Durante seu primeiro ano no cargo, ele pressionou arduamente o Congresso para a aprovação do Tratado de Livre Comércio da América do Norte (Nafta). Concebido por Reagan e negociado por George H. W. Bush, o Nafta não apenas reduzia as barreiras comerciais com o México e o Canadá, mas também estabelecia regras que permitiam às corporações dos Estados Unidos repatriar lucros e impor proteções de patentes além das fronteiras do

O DESCONTENTAMENTO DA DEMOCRACIA

país. O Nafta era impopular e opunha-se ao movimento trabalhista americano, que temia a perda de empregos que provavelmente resultaria quando as empresas dos Estados Unidos transferissem as fábricas para o México, onde os operários recebiam apenas uma fração do que ganhavam os colegas americanos.[10]

Clinton argumentou que, ao estimular o comércio, o Nafta criaria centenas de milhares de novos empregos americanos. Ele também viu isso como um precedente para a integração global mais ampla que o espírito da época e os imperativos do capitalismo global pareciam exigir. Após um intenso lobby da administração Clinton, o Congresso ratificou o Nafta, embora mais republicanos do que democratas tenham votado a favor dele. Seguiram-se acordos comerciais adicionais, assim como a criação da Organização Mundial do Comércio (OMC) e a normalização das relações comerciais com a China, que aderiu à OMC em 2001.

No final das contas, os acordos comerciais da era da globalização contribuíram apenas modestamente para o crescimento econômico americano. Segundo uma estimativa, eles promoveram um acréscimo inferior a 0,1% ao PIB,[11] mas reconfiguraram a economia, beneficiando sobretudo corporações e categorias profissionais. Os americanos de classe média e trabalhadora se beneficiaram enquanto consumidores, mas não como produtores. Graças a uma enxurrada de importações da China e de outros países com baixos salários, os consumidores puderam comprar televisores e roupas mais baratos no Walmart. Mas diante da concorrência estrangeira, os salários estagnaram para a maioria e milhões de empregos nas indústrias americanas desapareceram. Entre 2000 e 2017, 5,5 milhões de empregos na indústria foram perdidos.[12] O comércio global não foi o único responsável. A automação respondeu também por grande parte desse declínio. Mas de 1999 a 2011, a concorrência com os importados chineses foi responsável pela perda de cerca de 2,4 milhões de empregos americanos.[13]

Além do impacto econômico, a perda de empregos do operariado para a concorrência estrangeira repercutiria politicamente na década de 2010. As alas dominantes dos dois partidos continuaram a pro-

356

O QUE DEU ERRADO: O CAPITALISMO E A DEMOCRACIA DESDE OS ANOS 1990

mover a política comercial da era Clinton. George W. Bush negociou acordos comerciais inspirados no modelo do Nafta com a América Central (Cafta) e vários outros países. Barack Obama propôs a Parceria Transpacífico (TPP), um acordo comercial entre doze nações da orla do Pacífico, com a intenção de servir de contrapeso ao crescente poder da China. Mas o pacto era impopular entre democratas, sindicatos e grupos progressistas, que o viam como um benefício para as corporações multinacionais cujos lobistas haviam ajudado a redigi-lo. Durante a campanha pelas primárias de 2016, Bernie Sanders e Donald Trump se opuseram à sua instauração, e o acordo nunca foi ratificado.

Na eleição presidencial de 2016, Hillary Clinton enfrentou duas décadas de política comercial do Partido Democrata. Trump, que protestava contra o Nafta e o TPP, foi mais forte do que candidatos do Partido Republicano anteriores em condados onde houve perda de empregos para a China e o México.[14] Economistas que analisaram os padrões de votação nesses lugares duramente atingidos estimaram que, se a penetração de importações da China tivesse sido 50% menor, quatro estados-chave — Michigan, Wisconsin, Pensilvânia e Carolina do Norte — teriam se tornado democratas, entregando a presidência a Clinton.[15]

A expectativa entre os entusiastas da globalização da década de 1990 de que a admissão da China na OMC a levaria inexoravelmente à democracia acabou sendo mais uma leitura errônea de conjuntura. A China alcançou seu notável crescimento econômico sem liberalizar sua política nem seguir os preceitos da camisa de força dourada. Dani Rodrik, economista cético em relação à fé na globalização neoliberal, aponta que "o milagre econômico chinês foi construído sobre políticas industriais e financeiras que violaram os princípios-chave do novo regime hiperglobalista: subsídios para indústrias preferenciais, exigências de transferência de tecnologia para empresas domésticas por parte das empresas estrangeiras que desejassem operar na China, propriedade estatal generalizada e controles de moeda".[16]

O caráter político da globalização foi obscurecido por sua descrição como um fato inalterável da natureza. Em 2016, muitos eleitores americanos sentiam com razão que a versão da globalização adotada pelos Partidos Democrata e Republicano de maior destaque nas décadas de 1990 e 2000 era menos inevitável do que alegavam seus defensores. Dependia de escolhas políticas contestáveis que expunham à competição global certas atividades econômicas, mas não outras. Essas políticas criaram vencedores e perdedores. Não surpreende que os vencedores tendessem a ser aqueles com poder e acesso para dobrar as regras da integração global a seu favor.[17]

A maior parte do debate político sobre acordos de livre comércio se relacionava com padrões trabalhistas e ambientais: as empresas deveriam poder burlar as regulamentações de proteção dos trabalhadores americanos ao estabelecerem a migração dos empregos para países de baixos salários com poucos direitos de negociação coletiva, além de frouxas regulamentações ambientais e de segurança? A doutrina econômica da vantagem comparativa ensina que o livre comércio traz ganhos mútuos ao permitir que cada parceiro comercial se especialize no que faz de melhor. Mas e se a "vantagem comparativa" que um país tem a oferecer for sua disposição a permitir que seus trabalhadores atuem em condições perigosas ou que sejam explorados? Esta não é uma questão que possa ser resolvida por especialistas econômicos. É uma questão moral e política que os cidadãos democráticos devem debater e resolver.

Outra opção política menos visível também foi incorporada aos acordos comerciais da era da globalização. Muitas vezes perdido no debate público estava o fato de que os acordos de livre comércio não tratavam apenas do comércio. Seu efeito mais contundente não foi a redução de tarifas, que na década de 1990 já eram relativamente baixas, mas sim a implementação de regras destinadas a "harmonizar" as políticas regulatórias dos países envolvidos — com a imposição de leis restritivas sobre patentes e direitos de propriedade intelectual, por exemplo, ou com a insistência para que os países em desenvolvimento abrissem suas economias aos serviços financeiros dos Estados Unidos, ou ainda ao

O QUE DEU ERRADO: O CAPITALISMO E A DEMOCRACIA DESDE OS ANOS 1990

permitir que investidores estrangeiros processassem governos anfitriões em tribunais extrajudiciais para buscar compensações monetárias por causa de novas regulamentações domésticas que reduziam seus lucros.[18]

Essas disposições, negociadas em sigilo sob a influência de lobistas corporativos, produziram rendas de monopólio para as grandes corporações. A indústria farmacêutica recebeu patentes de medicamentos com tempo estendido. A Disney ganhou mais proteção de direitos autorais para o Mickey Mouse. Os bancos e as firmas de investimento de Wall Street conquistaram o direito de movimentar capital para dentro e para fora dos países em desenvolvimento sem as restrições das leis bancárias locais. As empresas de combustíveis fósseis receberam o direito de buscar compensação se um país adotasse novos padrões ambientais que prejudicassem seus resultados financeiros.[19]

Embora essas medidas de interesse especial não produzissem os amplos ganhos econômicos associados à redução de tarifas, elas eram promovidas sob a bandeira do livre comércio. "Restringir o comércio ou ceder ao protecionismo nesta economia do século XXI não funcionará", proclamou Barack Obama. "Não podemos nos isolar do resto do mundo."[20] Mas poucos oponentes do Nafta ou do TPP se mostravam contrários ao comércio. Eles se opunham ao modo como os acordos de comércio da era da globalização transferiam o poder dos trabalhadores para os investidores, e das nações para as corporações.

Central para essa mudança foi o impulso para a globalização das finanças. Como observa Rodrik, os "líderes de torcida da hiperglobalização (...) esquivavam-se casualmente, mudando o assunto do comércio de bens para a liberalização das finanças, onde o debate era sempre diferente e mais duvidoso." Negociar tarifas mais baixas e cotas de importação era uma coisa. Pressionar países em desenvolvimento a abrirem mão do controle de capital, permitindo o investimento estrangeiro ilimitado, era outra. Insistir em fluxos de capital irrestritos prejudicava a capacidade dos países de controlar suas economias e os tornou vulneráveis aos caprichos dos mercados financeiros globais.[21]

O "rebanho eletrônico" de vendedores de títulos e investidores que movimentavam capital para dentro e para fora dos países não era uma espécie criada à solta; tratava-se de uma criação da formulação de políticas do Consenso de Washington. Talvez o "erro mais flagrante" dos hiperglobalizadores, escreve Rodrik, tenha sido "promover a globalização financeira". Ela produziu "uma série de crises extremamente caras, incluindo a do Leste Asiático em 1997. Na melhor das hipóteses, há uma correlação fraca entre a abertura às finanças estrangeiras e o crescimento econômico. Mas há uma forte associação empírica entre globalização financeira e crises financeiras (...)." Quando a crise do Leste Asiático se deu, "as economias que mantiveram mais controle do capital estrangeiro sobreviveram com menos danos".[22]

Fluxos irrestritos de capital não minavam apenas o controle econômico nacional, provocando crises financeiras. Eles também contribuíam para a diminuição da participação do trabalho na renda nacional. À medida que o capital se tornava mais móvel do que a mão de obra, para obter concessões as empresas podiam pressionar os trabalhadores americanos, ameaçando transferir a produção para o exterior.[23] "Agora o capital ganhou asas", explicou Robert A. Johnson, corretor de câmbio para o investidor George Soros nos anos 1990. "O capital pode lidar com vinte mercados de trabalho ao mesmo tempo e escolher entre eles. A mão de obra está fixa em apenas um lugar. Então o poder mudou."[24]

À medida que o capital se tornou mais móvel, também se tornou mais difícil cobrar tributos. Desde a década de 1980, as alíquotas de impostos corporativos caíram acentuadamente nos Estados Unidos e em outras economias avançadas, transferindo a carga tributária para trabalhadores e consumidores.[25]

FINANCEIRIZAÇÃO

Pressionar os países em desenvolvimento a abandonar as restrições aos fluxos de capitais foi a expressão global de uma mudança que, durante os anos 1980 e 1990, transformou o capitalismo americano. Uma economia antes dominada por corporações da era industrial dava lugar a uma economia dominada pelas finanças. A forma tradicional de fazer negócios, investindo os lucros corporativos na futura capacidade produtiva da empresa — na pesquisa e desenvolvimento, em novas fábricas, equipamentos e funcionários —, cedia espaço para uma economia em que o investimento importava menos e a engenharia financeira importava mais. Cada vez mais, empresas e investidores podiam colher grandes fortunas, sem fabricar nada, apenas especulando sobre o valor futuro dos ativos existentes.

Nas décadas de 1950 e 1960, quando trabalhar no setor bancário era uma profissão monótona e tranquila, o setor financeiro respondia por 10 a 15% dos lucros corporativos dos Estados Unidos. Em meados da década de 1980, ele respondia por 30% dos lucros corporativos e, em 2001, por impressionantes 40% — mais de quatro vezes os lucros obtidos por toda a indústria americana. A participação do setor financeiro despencou durante a crise de 2008, mas logo se recuperou para cerca de 30%.[26]

A parcela desmesurada dos lucros corporativos capturada por bancos e empresas de Wall Street apenas indica a dimensão da virada para as finanças. Nas empresas manufatureiras tradicionais, as transações financeiras tornaram-se mais importantes do que a produção e venda de mercadorias. Pensemos na Ford Motor Company, um ícone da manufatura americana no século XX. No início dos anos 2000, a Ford obtinha mais dinheiro com empréstimos para a aquisição de veículos do que com a venda de carros. A General Electric ganhava mais dinheiro com a venda de cartões de crédito e com o financiamento de *takeovers* do que com a venda de geladeiras.[27] Em 1978, as indústrias americanas tiravam 18% de seus lucros de atividades financeiras. Em 1990, esse percentual passara a 60%.[28] No início dos anos 1980, quando a U.S. Steel fechou usinas no Nordeste e no Meio-oeste, seu CEO explicou que a empresa "não estava mais no ramo do aço". Estava "no ramo do lucro".[29]

O DESCONTENTAMENTO DA DEMOCRACIA

A financeirização da economia americana foi animada pela mesma fé no mercado que instigou a abordagem neoliberal da globalização. Permitir que os mercados de capitais operassem sem restrições, cruzando fronteiras nacionais e no âmbito de economias nacionais, direcionaria o capital para usos mais eficientes e estimularia o crescimento econômico. Ou era assim que ensinava a ortodoxia econômica da época.

No âmbito da economia doméstica, a desregulamentação das finanças tinha um apelo adicional: parecia poupar os políticos das difíceis escolhas que teriam de enfrentar com relação à alocação de investimentos entre propósitos sociais concorrentes. O país deveria investir mais em habitação, educação ou transporte coletivo? E quanto à pesquisa e ao desenvolvimento de novos medicamentos, tecnologia da informação ou energia limpa? Devemos investir para salvar as indústrias automobilística e siderúrgica, ou devemos comprar carros e aço de outros países e investir em indústrias de alta tecnologia, como IA e robótica? Deveria se atribuir mais crédito às pequenas empresas ou aos consumidores? Como deveria ser o equilíbrio entre investimentos públicos e privados? Escolher entre tais prioridades envolve julgamentos discutíveis sobre o bem público que os políticos estavam muito dispostos a evitar, deixando que os mercados financeiros decidissem.[30]

É claro que deixar o mercado decidir já é uma decisão política. Ronald Reagan defendia que os mercados decidissem. O governo era o problema, proclamou ele, e "a magia do mercado" era a solução.[31] Mas a fé no mercado encontrou adeptos também entre os democratas, antes e depois de Reagan. Charles Schultze, presidente do Conselho de Assessores Econômicos no governo Jimmy Carter, defendeu os méritos dos mercados sobre a democracia como forma de decidir as políticas públicas. "A política democrática majoritária necessariamente implica alguma minoria que desaprova cada decisão específica", escreveu ele. Os mercados, por outro lado, "são uma forma de acordos feitos com consentimento unânime". Ao comprar e vender bens, "os indivíduos podem agir voluntariamente com base na vantagem mútua".[32]

O QUE DEU ERRADO: O CAPITALISMO E A DEMOCRACIA DESDE OS ANOS 1990

Carter começou a desmantelar as regulamentações de preços — para companhias aéreas, gás natural e outras indústrias — antes da chegada de Reagan. E, com uma lei que preparou o caminho para um mercado de crédito desregulado, instou com sucesso o Congresso a eliminar gradualmente os limites das taxas de juros que os bancos poderiam fixar para depósitos em contas de poupança. O teto das taxas de juros estava em vigor desde o New Deal para evitar que os bancos competissem para oferecer taxas mais altas sobre empreendimentos de alto rendimento, mas especulativos.[33]

Mas a virada mais decisiva para a financeirização da economia ocorreu, inadvertidamente, durante os anos Reagan. Durante sua campanha, Reagan prometeu cortar impostos, aumentar os gastos militares e reduzir o déficit federal. Mesmo com os cortes prometidos nos gastos domésticos, essa era uma perspectiva improvável. Um grande corte de impostos e o aumento de investimentos militares dificilmente pareciam compatíveis com a redução do déficit. Mas Reagan argumentou, baseando-se no "lado da oferta" da economia, que o corte de impostos daria um estímulo tão grande para novos investimentos e crescimento econômico que as receitas fiscais, na realidade, aumentariam. Os cortes fiscais se pagariam sozinhos. Essa foi a teoria que George H. W. Bush, durante a campanha para as primárias de 1980, havia ridicularizado como "economia vodu".[34]

Bush, que se tornaria vice-presidente de Reagan, tinha razão. Os cortes de impostos de Reagan não geraram muitos investimentos novos e o déficit federal disparou. Isso levou a temores de que os empréstimos do governo ultrapassassem os empréstimos privados, aumentassem as taxas de juros e privassem as empresas do crédito necessário para financiar novos investimentos. Para a surpresa dos formuladores de políticas, no entanto, essa crise de crédito não aconteceu. Uma nova fonte de capital entrou em cena de repente. Investidores estrangeiros — especialmente do Japão — despejaram dinheiro em títulos do Tesouro, financiando assim o déficit dos Estados Unidos.[35]

O DESCONTENTAMENTO DA DEMOCRACIA

Essa enxurrada de capital estrangeiro não foi resultado de nenhuma política deliberada. Foi a consequência inadvertida de uma política adotada alguns anos antes por Paul Volcker, nomeado presidente do banco central dos Estados Unidos, o Federal Reserve (Fed), por Carter em 1979. Para combater uma inflação persistente, Volcker contraíra a oferta de dinheiro, mandando as taxas de juros para o espaço e provocando uma recessão. Mas as taxas de juros astronômicas atraíram uma entrada maciça de capital estrangeiro, que financiou o déficit dos Estados Unidos.[36]

Durante a década de 1980, a economia dos Estados Unidos se recuperou, mas sem o renascimento da indústria americana prometido por Reagan. Mesmo com o crescimento da economia, a proporção do PIB em investimentos fixos diminuiu. As corporações multinacionais americanas transferiam mais investimentos para o exterior e dependiam cada vez mais dos lucros da especulação financeira. No final da década, finanças, seguros e imóveis ultrapassaram a indústria em sua proporção no PIB, uma tendência que continuaria até a década de 2000.[37] Enquanto isso, especuladores corporativos usavam dinheiro emprestado para comprar e desmantelar empresas americanas, vendendo divisões, espremendo custos e demitindo trabalhadores — tudo em nome da maximização do "valor para o acionista".

O espírito do novo capitalismo encontrou expressão vívida em Gordon Gecko, o tubarão corporativo interpretado por Michael Douglas no filme *Wall Street*, de 1987. "Não sou um destruidor de empresas", proclamava ele em discurso aos acionistas de uma empresa em dificuldades. "Sou um libertador! A questão é, senhoras e senhores, que a ganância — na falta de uma palavra melhor — é boa."[38]

Jonathan Levy, autor de uma sinóptica história do capitalismo americano, resume a virada para as finanças gerada na era Reagan: "O boom especulativo dos anos 1980 não levou a uma grande onda de investimentos na atividade produtiva. Em vez disso, usando o novo acesso ao capital e ao crédito por meio de 'compras alavancadas', os investidores detonaram a corporação industrial do pós-guerra e des-

O QUE DEU ERRADO: O CAPITALISMO E A DEMOCRACIA DESDE OS ANOS 1990

tronaram a classe gerencial. Houve um expurgo do estoque de capital fixo, especialmente no histórico cinturão manufatureiro do Nordeste e do Meio-oeste. O emprego de homens nas indústrias e os sindicatos sofreram golpes devastadores dos desinvestimentos corporativos."[39]

Assim como se passou com a globalização, com a financeirização a virada do mercado nos anos Reagan foi consolidada e adotada por dois presidentes democratas, Clinton e Obama. O governo Clinton implementou várias medidas que desregulamentaram ainda mais o setor financeiro e contribuíram para aumentar a desigualdade. Durante sua campanha de 1992, Clinton havia prometido "eliminar as deduções fiscais corporativas para pagamentos ultrajantes de executivos". As empresas não seriam mais capazes de abater como despesas de negócios o pagamento de executivos acima de um milhão de dólares por ano. Quando o governo Clinton promulgou a reforma, no entanto, ela incluía uma grande brecha: o teto de um milhão de dólares se aplicava apenas aos salários-base; os chamados pagamentos baseados em desempenho, como opções de ações, estavam isentos do limite e eram integralmente dedutíveis.[40]

A brecha zombava da suposta tentativa de controlar os pagamentos. Também criava um poderoso incentivo para que os executivos manipulassem o preço das ações de sua empresa usando os lucros corporativos para a recompra, aumentando-o artificialmente (junto do valor de suas opções de ações). Desde o New Deal, as recompras de ações tinham se tornado ilegais, consideradas uma forma de manipulação de mercado. Mas em 1982, o governo Reagan legalizou a prática. Depois que Clinton introduziu a brecha do pagamento por desempenho, as recompras de ações explodiram, assim como o pagamento para os CEOs.[41]

Em 1980, quando Reagan foi eleito presidente, os CEOs das grandes empresas recebiam 35 vezes o salário do trabalhador médio. Em 1992, quando Clinton prometia limitar a remuneração, os CEOs ganhavam 109 vezes o salário de um trabalhador típico. Em 2000, no último ano de Clinton no governo, a proporção havia mais do que triplicado (para 366:1). Os CEOs ganhavam por dia o mesmo que um trabalhador médio ganhava em um ano.[42]

O DESCONTENTAMENTO DA DEMOCRACIA

Além de inflar os salários dos executivos, as recompras de ações, como outras formas de engenharia financeira, geravam ganhos de curto prazo para os acionistas, mas desviavam capital dos investimentos de longo prazo em pesquisa e desenvolvimento, fábricas, equipamentos e treinamento de trabalhadores. A tendência de recompra continuou nas administrações dos Partidos Democrata e Republicano. De 2010 a 2019, as empresas americanas gastaram 6,3 trilhões de dólares em recompras, capital que poderia ter sido usado para criar empregos e ampliar capacidade produtiva.[43]

Uma parte desse capital também poderia ter sido retida para amortecer emergências imprevistas. Nos cinco anos anteriores à pandemia de covid-19, as principais companhias aéreas dos Estados Unidos pagaram 45 bilhões de dólares aos acionistas, principalmente em recompras. Desprovidas de reservas em dinheiro quando a pandemia acabou com as viagens aéreas, elas pressionaram e receberam 50 bilhões de dólares dos contribuintes para reabastecer seus cofres corporativos.[44]

O governo Clinton também reescreveu regras favorecendo Wall Street em duas outras notáveis escolhas regulatórias. Uma delas foi a decisão de não regular os derivativos, instrumentos nebulosos e altamente lucrativos da especulação financeira, chamados por Warren Buffet de "armas financeiras de destruição em massa".[45] Os derivativos altamente alavancados que garantiam títulos baseados em hipotecas foram detonados quando a bolha imobiliária explodiu e deixaram o sistema financeiro à beira do colapso em 2008.

Uma década antes, Brooksley Born, presidente da Commodity Futures Trading Commission [Comissão de Negociação de Futuros de Commodities], defendeu que sua comissão, projetada para regular os futuros de soja e toucinho de porco, precisava de novas regras para monitorar arriscados contratos financeiros de futuros sem vínculos com bens ou commodities. Sua proposta de regular derivativos encontrou forte oposição de Wall Street e da equipe econômica de Clinton. Robert Rubin, atual secretário do Tesouro, Lawrence Summers, vice-secretário, e Alan Greenspan, presidente do Fed, disseram a Born, em

O QUE DEU ERRADO: O CAPITALISMO E A DEMOCRACIA DESDE OS ANOS 1990

termos inequívocos, que ela [Brooksley] não conseguia entender que essas inovações financeiras sofisticadas gerenciariam os riscos com segurança e eficiência por conta própria, sem supervisão governamental. Summers advertiu-a bruscamente de que sua proposta de regular derivativos "causaria a pior crise financeira desde o fim da Segunda Guerra Mundial".[46]

Quando Born se manteve firme, Rubin e Greenspan persuadiram o Congresso a impedir que sua agência regulasse os derivativos. No final de seu governo, Clinton sancionou a Lei de Modernização dos Futuros de Commodities, que isentava da regulamentação governamental a maioria dos derivativos financeiros.[47] Isso criou uma grande prosperidade no mercado de swaps de inadimplência de crédito, uma espécie de seguro que os investidores compravam para se proteger dos riscos de perdas nos títulos. Em 2007, o mercado para esses derivativos não regulamentados nos Estados Unidos valia 62 trilhões de dólares, quase o dobro do tamanho do mercado de ações, do mercado hipotecário e do mercado de títulos do governo combinados.[48] No rescaldo da crise financeira de 2008, Clinton admitiu que Rubin e Summers se enganaram e que ele havia errado ao seguir seus conselhos em relação aos derivativos.[49]

Outro benefício que Clinton deu a Wall Street foi a revogação do Glass-Steagall, um regulamento da era da Depressão que separava bancos comerciais e bancos de investimento. A lei fora promulgada durante o New Deal para proteger os depósitos bancários comuns dos riscos associados às atividades financeiras especulativas. Também impedia a concentração de poder nos grandes bancos. Paul Volcker, o presidente do Federal Reserve, Fed, que havia liquidado a inflação no início dos anos 1980, queria manter a lei. Mas Alan Greenspan, entusiasta do livre mercado nomeado por Reagan para suceder Volcker, era um apóstolo da desregulamentação. Sob Greenspan, o Fed aprovou várias medidas para enfraquecer o muro de separação entre bancos comerciais e de investimento. E em 1999, o governo Clinton, liderado pelo Tesouro de Rubin, apoiou os esforços dos partidários republicanos no Congresso para revogar o Glass-Steagall e permitir a criação de megabancos.[50]

Mesmo antes de a lei ser derrubada, o Travelers Group, uma grande seguradora e corretora, e o Citibank, o maior banco de Nova York, anunciaram que pretendiam fazer uma fusão. O acordo, a maior fusão corporativa da história, criou o Citigroup, Inc., a maior empresa de serviços financeiros do mundo, e antecipou a revogação do Glass-Steagall, que ocorreu em 1999. Dias depois que o governo Clinton e o Congresso concordaram com os detalhes do projeto, Rubin, que havia deixado recentemente o cargo de secretário do Tesouro, aceitou um cargo de alto escalão no Citigroup.[51]

WALL STREET *VERSUS* MAIN STREET

Durante os anos 1990 e o início dos anos 2000, a sabedoria convencional entre os formuladores de políticas era que inovações financeiras cada vez mais sofisticadas ajudavam a economia, tornando-a mais eficiente e menos arriscada. Foi esse raciocínio que levou o governo Clinton a desregulamentar o setor financeiro. A crise de 2008 destroçou esse pensamento. Longe de reduzir o risco, deixar Wall Street com rédeas soltas "levou a um dos maiores colapsos da história do capitalismo".[52]

Alan Greenspan, presidente do Fed de 1987 a 2006, chamou-a de "um tsunami de crédito como acontece apenas uma vez na vida". A metáfora meteorológica era adequada. Quem comanda os bancos centrais não é responsável por desastres naturais. Mas eles são responsáveis por desastres financeiros — especialmente quando passaram anos desregulamentando o setor. Pressionado pelos críticos, Greenspan, um apóstolo da escritora libertária Ayn Rand, reconheceu que a crise o obrigara a repensar sua ideologia de livre mercado. "Encontrei uma falha", disse ele a um comitê do Congresso. "Eu cometi um erro ao presumir que os interesses próprios das organizações, especificamente dos bancos e outros, eram tais que elas eram mais capazes de proteger os próprios acionistas e o patrimônio nas empresas. (...) Fiquei chocado."[53]

O QUE DEU ERRADO: O CAPITALISMO E A DEMOCRACIA DESDE OS ANOS 1990

Mas o risco calamitoso significava apenas parte do problema com a economia financeirizada. Mesmo reivindicando uma parcela crescente do PIB e dos lucros corporativos, o setor financeiro pouco fez para melhorar a capacidade da economia de produzir bens e serviços valiosos, e criar empregos. Na verdade, tornou-se um empecilho para o crescimento econômico. Como seria possível?

Embora o setor financeiro seja essencial para uma economia próspera, em si, ele não é produtivo. Seu papel é facilitar a atividade econômica alocando capital para fins socialmente úteis — novos negócios, fábricas, estradas, aeroportos, escolas, hospitais, residências. Mas à medida que as finanças passaram a dominar a economia dos Estados Unidos nas décadas de 1990 e 2000, menos investimentos foram realizados na economia real. Desenvolvia-se, cada vez mais, uma engenharia financeira complexa, que gerava grandes lucros para os envolvidos, mas pouco se fazia para tornar a economia mais produtiva.

Desviar capital de investimentos de longo prazo para recompras de ações é um exemplo. Fazer apostas paralelas complicadas sobre se os mutuários subprime sem dinheiro perderão suas casas é outra. Em seu livro *Flash boys: revolta em Wall Street*, Michael Lewis descreve outra inovação financeira improdutiva, mas altamente lucrativa. Ele fala de uma empresa que instalou um cabo de fibra óptica ligando os operadores de futuros de Chicago aos mercados de ações de Nova York. O cabo aumentava a velocidade das negociações em futuros de toucinho de porco e outras apostas especulativas em alguns milissegundos. Essa minúscula vantagem valia centenas de milhões de dólares para os operadores de alta velocidade.[54] Mas é difícil afirmar que acelerar transações feitas em um piscar de olhos para uma negociação ainda mais rápida contribui com algo de valor para a economia.

Adair Turner, presidente da Autoridade de Serviços Financeiros do Reino Unido nos anos que se seguiram à crise, explicou que, a partir de certo ponto, a financeirização faz mais mal do que bem: "Não existe uma evidência clara de que o crescimento do sistema financeiro em escala e complexidade no mundo rico e desenvolvido, nos últimos vinte

O DESCONTENTAMENTO DA DEMOCRACIA

a trinta anos, tenha impulsionado o crescimento ou a estabilidade e é possível que a atividade financeira extraia rendas [ganhos inesperados injustificados] da economia real em vez de fornecer valor econômico."[55] Um estudo de 2015 do Bank for International Settlements [Banco para Acordos Internacionais] vai mais longe, concluindo que "o crescimento do setor financeiro prejudica o crescimento real". Ao desviar o capital da pesquisa e desenvolvimento e ao contratar e afastar da economia produtiva muitos trabalhadores qualificados, a financeirização "se torna um empecilho para o crescimento real".[56]

É difícil saber exatamente qual parcela da atividade financeira melhora a capacidade produtiva da economia real e qual parcela gera lucros improdutivos para o próprio setor financeiro. Mas Turner estima que em economias avançadas como nos Estados Unidos e no Reino Unido, apenas 15% dos fluxos financeiros se dirigem para novos empreendimentos produtivos e não para a especulação sobre ativos existentes ou derivativos sofisticados.[57] Mesmo que subestime metade do aspecto produtivo das finanças, é um número preocupante. Suas implicações não são apenas econômicas, mas também políticas.

A nova economia financeirizada surgida no final do século XX não se limitou a desviar recursos da atividade produtiva e a expor a economia a riscos devastadores. Também aumentou a tensão entre capitalismo e democracia. No capitalismo das décadas após a Segunda Guerra Mundial, as empresas ganhavam dinheiro fabricando coisas, vendendo-as com lucro e investindo os lucros em nova capacidade produtiva. Isso criou empregos e crescimento econômico amplamente compartilhado entre os diferentes grupos de renda. No capitalismo dominado pelas finanças da era pós-Reagan, as empresas ganharam dinheiro sem investir, mas sim especulando sobre o valor futuro dos ativos existentes. Levy, o historiador econômico, chama isso de "capitalismo da valorização dos preços dos ativos".[58]

Não é de surpreender que esse capitalismo tenha concedido as maiores recompensas àqueles que já possuíam ações, títulos e outras formas de riqueza. A participação do trabalho na renda nacional di-

O QUE DEU ERRADO: O CAPITALISMO E A DEMOCRACIA DESDE OS ANOS 1990

minuiu, o crescimento do emprego estacionou, os salários estagnaram e a desigualdade cresceu. Durante o início dos anos 2000, pareceu por um tempo que a classe média americana poderia compensar os ganhos estagnados do trabalho participando do capitalismo da valorização dos preços dos ativos.[59] Para os americanos sem carteiras de ações, isso queria dizer obter renda do valor crescente de suas casas. Baixas taxas de juros, alimentadas pelo investimento das enormes receitas de exportação da China no mercado de capitais americanos, fizeram disparar os preços das moradias. As baixas taxas de juros, juntamente com os frouxos requisitos de renda, permitiram que muitos americanos se qualificassem para hipotecas residenciais que, de outra forma, não poderiam arcar. O mercado imobiliário em ascensão permitiu que os proprietários de imóveis existentes refinanciassem suas hipotecas ou tomassem empréstimos hipotecários, na verdade assumindo empréstimos com base no valor de suas casas para sustentar níveis de consumo que seus rendimentos por si só não poderiam sustentar.

Mesmo enquanto os salários estagnavam e a desigualdade se aprofundava, os americanos mantiveram o padrão de consumo alavancando-se com o valor de suas casas. Em 2003, proprietários de imóveis extraíram mais de 850 bilhões de dólares em refinanciamentos ou contraindo empréstimos imobiliários.[60] Essa versão democratizada do capitalismo de valorização do preço dos ativos parecia oferecer uma alternativa à redistribuição de renda. George W. Bush chamou essa nova maneira de bancar o sonho americano de "sociedade da propriedade".[61]

O economista Raghuram Rajan tinha uma visão mais cética: o fácil acesso ao crédito não substituía bons empregos e renda crescente. Uma prosperidade alimentada por dívidas estava fadada a ser efêmera. Mas para o establishment político, repetir o mantra "deixe-os comer crédito" era mais fácil do que aumentar a participação dos trabalhadores na renda nacional. Rajan via o crédito fácil do início dos anos 2000 como uma espécie de opiáceo que amenizava a dor e adiava um acerto de contas com a desigualdade que a economia financeirizada havia produzido.[62]

O DESCONTENTAMENTO DA DEMOCRACIA

Enquanto isso, Wall Street ficava feliz em financiar o frenesi especulativo. "Se os proprietários de imóveis estavam desesperados para obter empréstimos que compensariam salários minguados", escreve Levy, "os bancos de investimento não estavam menos ansiosos para financiar e comprar esses mesmos empréstimos". Bancos de poupança originavam as hipotecas, mas em vez de retê-las, transferiam-nas para bancos de investimento, que as agrupavam em títulos lastreados em hipotecas com diferentes níveis de risco. Por meio de complexas proezas de engenharia financeira, eles vendiam esses e outros títulos relacionados a hipotecas para investidores que essencialmente apostavam se os mutuários deixariam de pagar. Para o caso desses ativos afundarem, Wall Street criou os "swaps de inadimplência de crédito", contratos semelhantes a seguros que cobriam os casos de calote. Esses derivativos exóticos não eram negociados em bolsas de valores públicas e eram amplamente isentos de regulamentação.[63]

Quando a bolha imobiliária estourou, esse complicado esquema de apostas sobre apostas entrou em colapso. O preço das casas caiu e, em 2007, a inadimplência das hipotecas subprime estava aumentando. A administração Bush lutou para proteger os bancos de investimento altamente expostos ao mercado imobiliário. O secretário do Tesouro Hank Paulson, ex-CEO do Goldman Sachs, e o presidente do Fed de Nova York, Timothy Geithner, organizaram um resgate da firma de investimentos Bear Stearns, mas, em setembro de 2008, permitiram que o Lehman Brothers afundasse. A bolsa de valores caiu. A AIG, uma gigante de seguros que havia vendido em Wall Street centenas de bilhões de swaps de inadimplência de crédito, enfrentou o colapso. O mesmo aconteceu com o Citigroup, banco de Robert Rubin, que apostara pesadamente em ativos arriscados relacionados a hipotecas. Paulson pediu ao Congresso setecentos bilhões de dólares para resgatar o setor financeiro. Ele e o presidente do Fed, Ben Bernanke, imploraram aos legisladores, insistindo que um resgate de Wall Street com dinheiro dos contribuintes seria a única maneira de evitar outra Grande Depressão.[64]

A ESCOLHA DE OBAMA

O que aconteceu a seguir seria decisivo não apenas para a economia, mas também para o curso futuro da política americana. Depois de uma campanha empolgante que convocava os americanos a aderirem ao apelo de "mudanças em que podemos acreditar", Barack Obama elegeu-se presidente. Em seu discurso de vitória na noite da eleição, ele declarou que "a mudança chegou à América".

Mas mesmo antes de assumir o cargo, Obama endossava o resgate de Wall Street criado pelo governo Bush e logo o chamou de seu. E na decisão econômica mais importante de sua jovem administração, Obama nomeou uma equipe de assessores econômicos da era Clinton que, trabalhando junto de Rubin na década de 1990, haviam preparado o caminho para a crise financeira quando desregulamentaram Wall Street. Na questão mais urgente que o país enfrentava, a promessa de mudança de Obama rapidamente se dissolveu numa continuidade perfeita — com o resgate do governo Bush e com assessores amigos de Wall Street dos anos Clinton, liderados por Timothy Geithner, o novo secretário do Tesouro, e Lawrence Summers, agora diretor do Conselho Econômico Nacional. Geithner, como presidente do Fed de Nova York, foi o responsável por supervisionar Wall Street nos anos que antecederam a crise e trabalhou com Paulson para conceber a operação de salvamento de Bush.

Agora que o capitalismo extrativista movido pelas finanças da era Reagan-Clinton-Bush havia entrado em colapso, Obama enfrentava a escolha de substituí-lo ou de reavivá-lo. Enquanto se preparava para assumir o cargo, e talvez sem perceber totalmente, ele escolheu reavivá-lo. "Ao selecionar sua equipe", observou Reed Hundt, que serviu nas equipes de transição de Clinton e Obama, "Obama abraçou o neoliberalismo" e deixou de lado "sua própria agenda de um progressismo um tanto hesitante". "Ao nomear essencialmente a equipe econômica de Clinton", destacou outro comentarista, "Obama já entrava em desacordo com a campanha que ele havia realizado."[65]

O DESCONTENTAMENTO DA DEMOCRACIA

Sheila Bair era a chefe da Federal Deposit Insurance Corporation [FDIC, Corporação Federal para Depósitos de Poupança], uma agência criada durante o New Deal para regular os bancos comerciais e garantir contas de depósitos de poupança. Membro do Partido Republicano do Kansas que havia trabalhado para Bob Dole, ela votara no oponente de Obama, John McCain. Mas acreditava que "o relacionamento entre Washington e Wall Street havia se tornado confortável demais" e tinha grandes esperanças de que o novo governo "trouxesse maior separação em relação à comunidade financeira e mais independência de julgamento". Ela se chocou quando Obama escolheu Geithner. "Eu não compreendia como uma pessoa que havia feito campanha em torno de uma agenda de 'mudança' poderia nomear alguém que contribuiu tanto para a bagunça financeira que levou à eleição de Obama." Suas preocupações foram reforçadas quando as nomeações subsequentes de Obama para a economia "foram uma verdadeira parada de sucessos com indivíduos que serviram no Tesouro de Bob Rubin".[66]

Durante os anos Clinton, essa equipe econômica havia promovido a globalização impulsionada pelas finanças e desregulamentado o setor financeiro. Em 2008, suas políticas levaram ao colapso financeiro. Mas Obama seguia seu conselho para restaurar a lucratividade dos bancos de Wall Street em vez de reduzir o poder das finanças ou ajudar os milhões de americanos que perderam suas casas.

No final, o governo Obama conseguiu resgatar Wall Street. Com um custo enorme para os contribuintes e para a economia, foi reconstruída a versão do capitalismo dominada pelas finanças. As estimativas do verdadeiro custo do socorro variam, indo de meio trilhão de dólares a vários trilhões. Além dos fundos apropriados pelo Congresso e das garantias de empréstimos pelo governo federal, o Fed forneceu amplos subsídios aos grandes bancos na forma de empréstimos praticamente gratuitos.[67]

Mas, por mais doloroso que seja o custo econômico, o custo político de longo prazo da abordagem de Obama à crise foi mais prejudicial. Tendo sido eleito para a presidência oferecendo esperança de um tipo

O QUE DEU ERRADO: O CAPITALISMO E A DEMOCRACIA DESDE OS ANOS 1990

melhor de política, menos apegada a interesses poderosos e menos dilacerada pela animosidade partidária, Obama lidou com o resgate de um modo que traiu o idealismo cívico de sua campanha, lançou uma sombra sobre sua administração, preparando o caminho para a política rancorosa e polarizada que encontraria expressão sinistra em seu sucessor, Donald Trump.

Ao proteger os banqueiros de Wall Street de seus calamitosos equívocos, Obama transferiu os custos de sua farra especulativa para os americanos comuns, aprofundando a desconfiança em um sistema político cada vez mais visto como manipulado em favor dos ricos e poderosos. Três aspectos do socorro reforçaram essa desconfiança: pouco ajudou aqueles que perderam suas casas, permitiu que Wall Street distribuísse belos bônus, e entregou dinheiro aos bancos sem responsabilizá-los ou sem reestruturar o setor financeiro.

Execuções hipotecárias

Enquanto o governo Obama gastava centenas de bilhões para socorrer os bancos, ele permitia que dez milhões de proprietários perdessem suas casas para a execução hipotecária. Esse não foi um resultado inevitável da crise financeira. Foi uma escolha política. A crise surgiu quando, após um período de empréstimos excessivos, a bolha imobiliária estourou, deixando credores (os bancos) e devedores (detentores de hipotecas) com ativos cujo valor desabou — títulos conhecidos como subprimes, lastreados em hipotecas no caso dos bancos, e casas no caso de donos de casa. Os formuladores de políticas tiveram que decidir quem deveria arcar com o prejuízo.[68]

Eles poderiam ter exigido que os bancos reduzissem o valor das hipotecas das pessoas, com o governo subsidiando parte do prejuízo. Observadores experientes de todo o espectro político — do investidor liberal George Soros a Martin Feldstein, economista conservador e ex-consultor econômico de Reagan — favoreciam alguma versão dessa abordagem.[69] Em vez disso, a administração Obama decidiu salvar diretamente os grandes bancos e deixar que os proprietários de casas arcassem sozinhos com o prejuízo total. De 2006 a 2011, a riqueza dos proprietários americanos despencou em nove trilhões de dólares.[70]

Cedendo à pressão pública, Obama anunciou um programa de modificação de empréstimos que, contudo, evitou poucas execuções hipotecárias. Quando perguntado por que o programa não estava funcionando, Geithner respondeu que o objetivo não era manter as pessoas em suas casas, mas "limpar a pista", dispersando o ritmo das execuções para que os bancos pudessem lidar com dez milhões delas. [71]

Bônus de Wall Street

A pura complexidade das finanças nas últimas décadas ajudou a isolá-la do escrutínio público. Isso também se aplicou ao socorro. Simon Johnson, ex-economista-chefe do Fundo Monetário Internacional, observou que, à medida que o Tesouro e o Federal Reserve procuravam direcionar grandes somas para resgatar Wall Street, eles se tornavam "cada vez mais criativos em descobrir maneiras de fornecer aos bancos subsídios muito complexos, muito além do entendimento do público em geral".[72] Mas um episódio foi flagrante demais para escapar da atenção do público.

A AIG, gigante dos seguros, estava em apuros com bilhões de dólares em swaps de inadimplência de crédito, contratos de seguro sobre títulos baseados em hipotecas que haviam afundado. Pouco depois de receber um resgate de mais de 170 bilhões de dólares, vindos dos contribuintes, a AIG anunciou planos de pagar 165 milhões de dólares em bônus aos executivos que haviam levado a empresa e o sistema financeiro à beira da ruína.[73] Outros beneficiários da ajuda dos contribuintes também distribuíram bônus. À medida que a indignação pública aumentava, o Congresso esboçou uma legislação para tributar os bônus e limitar a remuneração dos executivos.

O QUE DEU ERRADO: O CAPITALISMO E A DEMOCRACIA DESDE OS ANOS 1990

Obama convocou os CEOs das maiores instituições financeiras do país à Casa Branca. Eles se prepararam para uma conversa dura sobre os salários dos executivos, mas ficaram aliviados ao descobrir que o presidente queria ajudar. "Meu governo é a única coisa entre vocês e a forca", disse Obama aos banqueiros. "Vocês têm um problema gravíssimo de relações públicas que está se transformando em um problema político. E eu quero ajudar. Mas precisam mostrar que entendem que esta é uma crise e que todos devem fazer alguns sacrifícios."[74]

Assim que perceberam que Obama estava sugerindo apenas que estabelecessem limites voluntários de compensação até que a ira do público diminuísse, eles soltaram um suspiro coletivo de alívio, embarcaram em seus jatos particulares e voltaram a fazer negócios como de costume. De acordo com Ron Suskind, o jornalista que noticiou essa reunião, os banqueiros concluíram que o presidente compartilhava de seu objetivo: "não mudar a relação que evoluíra entre o governo dos Estados Unidos e o setor financeiro durante trinta anos".[75]

Ao ficar entre os banqueiros e "a forca", Obama procurou aplacar a indignação pública, em vez de dar voz a ela. Apesar de sua eloquência — durante a campanha e às vezes durante a presidência — sobre o arco moral do universo que se inclina para a justiça, Obama tratou a crise financeira como um problema técnico a ser resolvido por especialistas, e não como uma questão cívica sobre o papel das finanças na vida democrática. Essa postura alimentou o descontentamento com os principais partidos e preparou o terreno para a reação populista. A ira pública sobre o socorro encontraria outra expressão política: à esquerda, no movimento Occupy e na candidatura de Bernie Sanders; à direita, no movimento Tea Party e na eleição de Trump.

Sem responsabilização

Menos visível que os bônus, mas não menos revoltante, foi a ideia de socorrer as firmas de Wall Street sem responsabilizá-las pelos danos que

O DESCONTENTAMENTO DA DEMOCRACIA

causaram. Ninguém defendia o resgate em nome da justiça. Ninguém argumentava que os banqueiros de Wall Street, depois de enriquecer apostando em hipotecas subprime, mereciam ajuda dos contribuintes quando tudo deu errado. A justificativa sempre foi a necessidade. Defendia-se que os contribuintes pagassem a conta da loucura de Wall Street como um imperativo pragmático. Socorrer os banqueiros, embora moralmente intragável, era visto como uma necessidade para salvar o sistema.

Para muitos americanos, esse argumento da necessidade não era convincente por dois motivos. Primeiro, seria realmente necessário esbanjar todo aquele dinheiro nos bancos pedindo pouco em troca, ou a generosidade do socorro tinha algo a ver com a influência política dos ricos e bem relacionados? Em segundo lugar, mesmo que o governo tivesse que intervir para fortalecer o sistema financeiro, por que fazê-lo sem a reestruturação dura que acompanha a maioria dos processos de falência e aquisições de empresas?

As dúvidas sobre a necessidade do socorro não se limitaram aos extremos ideológicos da política americana. Sheila Bair, presidente do FDIC na época, reconheceu em retrospecto que a raiva pública sobre o socorro era justificável. "Participar desses programas", escreveu ela, "foi a coisa mais desagradável que já fiz na vida pública (...). Até hoje, me pergunto se exageramos. Como o resto do país, fiquei chocada com o fato de todas essas instituições pagarem grandes bônus a seus executivos poucos meses depois de receberem assistência tão generosa do governo (...). Estávamos estabilizando o sistema ou nos certificando de que os executivos dos bancos não tivessem que passar um ano sem bônus?"[76]

"Olhando para trás, a assistência gigantesca a essas grandes instituições parecia um exagero", concluía Bair. Entre os bancos comerciais, apenas o Citi, um banco lamentavelmente mal administrado, "provavelmente precisaria desse tipo de assistência governamental maciça". Mas Bair se perguntava "o quanto da tomada de decisão estava sendo conduzido pelo prisma das necessidades especiais daquela instituição politicamente conectada? Estaríamos jogando trilhões de dólares em

O QUE DEU ERRADO: O CAPITALISMO E A DEMOCRACIA DESDE OS ANOS 1990

todos os bancos para camuflar seus problemas? Os outros estariam realmente correndo perigo de afundar? Ou estávamos apenas suavizando os danos de seus resultados financeiros por meio de capital barato e garantias de dívida?"[77]

Bair reconhecia que os formuladores de políticas estavam lidando com uma emergência e precisavam agir depressa. "Mas a injustiça disso e a falta de análise fria mostrando a sua necessidade me incomoda até hoje. O simples fato de que um monte de grandes instituições financeiras vai perder dinheiro não cria um evento sistêmico." Quanto ao argumento de que o socorro permitiria que os grandes bancos voltassem a fornecer empréstimos, estimulando a recuperação econômica, Bair ressalta que eles não usaram os ganhos inesperados do governo para aumentar essa oferta. "Durante a crise e suas consequências, os bancos menores — que não se beneficiaram de toda a generosidade do governo — fizeram um trabalho muito melhor no fornecimento de empréstimos do que as grandes instituições."[78]

Dúvidas sobre a necessidade do resgate acentuaram a indignação com sua injustiça. O socorro à indústria automobilística oferecia um contraste revelador. Quando o governo Obama socorreu a General Motors e a Chrysler, foram demitidos os CEOs e grande parte da administração, impuseram-se grandes cortes salariais aos trabalhadores sindicalizados da indústria automobilística e as empresas foram reestruturadas. Ao socorrer os bancos de Wall Street, nenhum CEO foi demitido, não houve interferência sobre os pagamentos abusivos de executivos, não se impediram as recompras de ações e os pagamentos de dividendos, nem foram impostas perdas a acionistas e credores. Tampouco exigiu-se que as instituições financeiras que recebessem fundos públicos aumentassem os empréstimos ou desistissem de obstruir a legislação para reformar o setor financeiro. Tais medidas teriam feito o socorro parecer uma nacionalização dos bancos, algo que tanto a administração Bush quanto a Obama queriam evitar. Como resultado, deixaram de exercer, em nome do público, o poder de decisão que o seu investimento de capital lhe conferia. Distribuíram dinheiro sem consertar o sistema e sem responsabilizar ninguém.

O DESCONTENTAMENTO DA DEMOCRACIA

Como explica Simon Johnson, a tentativa de resgatar os bancos sem nacionalizá-los levou o Tesouro a "negociar o socorro banco por banco (...) contorcendo os termos de cada acordo para minimizar a responsabilidade do governo e ao mesmo tempo renunciar à influência do governo sobre a estratégia ou as operações do banco". Teria sido melhor, argumenta ele, simplesmente nacionalizar os bancos problemáticos, "eliminar os acionistas, substituir a gestão falida, limpar os balanços e depois vendê-los de volta ao setor privado".[79] Bair concordava. Obama teria ficado melhor — assim como o país — se seu governo tivesse tratado Wall Street da mesma forma que tratou a indústria automobilística. "Se eles tivessem colocado todas as instituições mal administradas em liquidação judicial e imposto a responsabilidade, demitido os conselhos, eliminado a administração", observou Bair, "acho que Obama teria sido um herói. Pelo menos as pessoas teriam visto algum esforço, alguma responsabilização."[80]

Obama reconhecia a injustiça de salvar o pescoço dos banqueiros de Wall Street, mas considerava ser um preço que valia a pena pagar para restaurar a estabilidade financeira e evitar a calamidade econômica. Ele "odiava" socorrer os bancos que haviam causado a crise, declarou em seu discurso sobre o Estado da União em 2010, mas havia prometido, como presidente, "fazer o que fosse necessário", não o que fosse popular.[81]

Em suas memórias, tanto Obama quanto Geithner alegaram que satisfazer o desejo do público pela "justiça do Antigo Testamento" — um termo depreciativo que apresenta a justiça como um impulso atávico — teria alienado o setor financeiro e complicado a tarefa de reorganizar o sistema.[82] Esse é o cerne do argumento da necessidade. Não é, em si, uma posição moralmente implausível. Em tempos de grande perigo, pode ser necessário ignorar as considerações de justiça em prol do bem maior. Considere uma analogia: embora os sequestradores mereçam ser punidos e não recompensados, às vezes pode ser necessário negociar e pagar o resgate que eles exigem.

O QUE DEU ERRADO: O CAPITALISMO E A DEMOCRACIA DESDE OS ANOS 1990

Mas a analogia destaca o significado cívico mais amplo da opção de Obama: mesmo que ele e seus assessores estivessem certos sobre a necessidade de um resgate favorável a Wall Street, a necessidade só surgiu porque as grandes instituições financeiras tinham passado a exercer um domínio imenso sobre a economia, e um poder político desproporcional, a ponto de serem grandes demais para quebrar. O argumento da necessidade pressupunha que a economia americana se tornara refém de Wall Street, deixando o governo sem outra escolha senão pagar o resgate. Outra maneira de descrever essa condição é dizer que, após quatro décadas de financeirização e desregulamentação, a democracia americana se transformara em uma espécie de oligarquia.

Mas Obama não pôs em prática a lógica moral de sua posição: pagar o resgate, mas evitar futuros episódios de tomada de reféns, libertando a economia das garras das grandes finanças. Na prática, isso significaria desmontar os bancos, revigorar a lei antitruste, decretar um imposto sobre transações financeiras, limitar as recompras de ações, reduzir isenções fiscais para empréstimos e outras medidas para controlar o poder de Wall Street.

Obama resistiu a essa conclusão. As reformas financeiras implementadas após a crise protegeram os consumidores de credores predatórios e adicionaram salvaguardas para tornar Wall Street menos propensa ao "risco sistêmico". Mas não reduziram a concentração de poder nos grandes bancos nem alteraram a relação entre as finanças e a economia. O objetivo era garantir a estabilidade do sistema financeiro, não diminuir a ameaça que ele representava para o autogoverno.

Um século antes, quando as corporações da era industrial acumulavam um tamanho e um poder que ameaçavam o projeto de autogoverno, a política americana fervilhava com debates sobre como salvar a democracia do que Louis D. Brandeis chamou de "a maldição da grandeza". Theodore Roosevelt declarou que "a suprema tarefa política de nossos dias é expulsar os interesses especiais de nossa vida pública" e argumentou pela necessidade do aumento do poder do governo nacional para fazer frente ao poder das grandes empresas.[83] Woodrow

O DESCONTENTAMENTO DA DEMOCRACIA

Wilson falava abertamente sobre o setor financeiro como um poder rival ao governo: "O tempo todo temíamos que o poder combinado das altas finanças fosse maior do que o poder do governo. Chegamos a um momento em que o presidente dos Estados Unidos ou qualquer homem que deseje ser presidente deve tirar o boné na presença dessas altas finanças e dizer: 'Sois o nosso mestre inevitável, mas veremos como podemos tirar o melhor da situação'?"[84]

Franklin D. Roosevelt viu o crash de 1929 não apenas como uma crise financeira, mas como uma ocasião para renegociar a relação entre capitalismo e democracia. Aceitando a renomeação em 1936, ele falou da necessidade de redimir a democracia americana do despotismo do poder econômico concentrado. "Através de novos usos de corporações, bancos e títulos", uma "ditadura industrial" naquele momento "buscava o controle sobre o próprio governo".[85]

> A igualdade política que outrora conquistamos não tinha importância diante da desigualdade econômica. Um pequeno grupo havia concentrado em suas próprias mãos um controle quase completo sobre a propriedade de outras pessoas, o dinheiro de outras pessoas, o trabalho de outras pessoas — a vida de outras pessoas (...). Contra uma tirania econômica como essa, o cidadão americano só podia apelar para o poder organizado do governo. O colapso de 1929 mostrou o despotismo como ele era. A eleição de 1932 foi o mandato do povo para acabar com ele.[86]

Theodore Roosevelt, Woodrow Wilson e Franklin Roosevelt não eram radicais. Foram os principais políticos progressistas de suas épocas. No entanto, a maneira como falavam sobre capitalismo e democracia parece muito distante do discurso público de nosso tempo. Isso porque eles mantinham contato com a economia política da cidadania. Viam a economia não apenas do ponto de vista do PIB, mas também do ponto de vista do autogoverno. Isso lhes permitiu articular a raiva populista contra os efeitos de perda do empoderamento de uma forma que es-

O QUE DEU ERRADO: O CAPITALISMO E A DEMOCRACIA DESDE OS ANOS 1990

capou até mesmo de políticos liberais talentosos como Bill Clinton e Barack Obama.[87]

O sucesso do populismo nativista de direita é geralmente um sintoma do fracasso da política progressista. Quando os liberais fracassam em defender o povo em relação aos poderosos, mantendo o poder econômico sob escrutínio democrático, o povo procura outro lugar. Foi o que aconteceu em 2016. Quando os americanos foram às urnas depois de oito anos do governo Obama, 75% disseram que estavam à procura de um líder que "recobrasse o país das mãos dos ricos e poderosos".[88]

REAÇÃO POPULISTA

Donald Trump, rico magnata do setor imobiliário e celebridade de um reality show de televisão, era um avatar improvável para o protesto populista. A tradição populista havia muito continha duas vertentes: uma política que mobilizava o povo contra as elites, a desigualdade e o poder econômico irresponsável, e outra política que trafegava pelo nativismo, o racismo e o antissemitismo. Bernie Sanders se inspirava na primeira vertente. Trump se baseou em ambas. Sua hostilidade para com os imigrantes, como representado por sua promessa de construir um muro na fronteira mexicana, repercutia a tendência nativista da tradição populista. E sua retórica carregada de racismo lembrava o populismo de George Wallace, o governador segregacionista do Alabama que organizou uma forte candidatura independente à presidência em 1968.[89]

Mas Trump também expressava temas econômicos populistas, pelo menos durante a campanha de 2016. Como Sanders, ele pedia o restabelecimento da Lei Glass-Steagall, a lei do New Deal que separava bancos comerciais e bancos de investimento, revogada durante os anos do governo Clinton,[90] e prometia abolir a brecha fiscal que permitia que ricos gerentes de fundos de hedge pagassem impostos mais baixos do que a maioria dos trabalhadores: "Os caras dos fundos de hedge não construíram este país. São caras que remexem em papéis e têm sorte", disse Trump. "Ganham uma fortuna. Eles não pagam imposto. (...) Esses

O DESCONTENTAMENTO DA DEMOCRACIA

caras conseguem fazer qualquer coisa sem arcar com as consequências. Quero diminuir as alíquotas para a classe média."[91]

Afastando-se da ortodoxia do Partido Republicano, ele criticava acordos de livre comércio como o Nafta e o TPP, em projeto, por levarem à perda de empregos americanos. Ele prometia investir um trilhão de dólares para reparar a infraestrutura em ruínas do país e criar empregos para o operariado.[92] Ao canalizar a ira pública contra Wall Street e o establishment de Washington, ele atacava "uma estrutura de poder global responsável pelas decisões econômicas que roubaram nossa classe trabalhadora, despojaram nosso país de sua riqueza e colocaram dinheiro nos bolsos de um punhado de grandes empresas e instituições políticas".[93]

Uma vez eleito, no entanto, Trump não fez nada para conter Wall Street e pouco realizou para ajudar a classe trabalhadora. O plano de infraestrutura nunca se concretizou. Exceto no caso da política comercial — retirando-se do TPP e impondo tarifas sobre as importações chinesas —, suas políticas eram aquelas favorecidas pelo establishment republicano e pelos muito ricos: a erosão das reformas promulgadas após a crise financeira; o enfraquecimento dos sindicatos; evisceração da proteção ambiental; a tentativa de abolir a Lei de Acesso à Saúde, que teria deixado sem seguro de saúde milhões de seus apoiadores da classe trabalhadora, e o corte de impostos, principalmente para as corporações e para os ricos.

Embora Trump tenha prometido promover benefícios fiscais focados nos contribuintes da classe trabalhadora e da classe média, "e não para os ricos e bem relacionados", dois terços de seu corte de impostos de 1,5 trilhão de dólares foram para as corporações, levando a recordes nas recompras de ações, mas a pouquíssimos investimentos que resultassem na criação de empregos.[94] Apenas uma pequena fração da redução de impostos foi para aqueles que lutavam para sobreviver. Os contribuintes de classe média tiveram um corte de impostos de 900 dólares; o 1% mais rico recebeu 61 mil dólares, e aqueles no topo (o décimo superior daquele 1%) receberam 252 mil dólares.[95]

O populismo plutocrático de Trump refletia sua base de apoio bifurcada — eleitores do Partido Republicano de classe alta que queriam uma regulamentação menor e impostos mais baixos, e eleitores brancos da classe trabalhadora, especialmente homens sem diploma universitário, atraídos por sua política de ressentimento. Comentaristas e políticos tradicionais lutavam para entender os ressentimentos que levaram Trump à presidência. Eles se agarraram à política inflamável do fanatismo: muitos homens brancos (62% dos quais votaram em Trump) se ressentiam da crescente diversidade racial, étnica e de gênero do país e temiam perder seu status privilegiado. Trump certamente explorava e inflamava o racismo, o sexismo e a xenofobia. Mas o discurso sobre a "cesta dos deploráveis", para usar a expressão memorável de Hillary Clinton, era preconceituoso e egoísta. Ignorava as queixas legítimas que alimentavam a ira populista. E poupava as elites, especialmente aquelas no Partido Democrata, de questionarem como seu modo de governar havia contribuído para a raiva que abriu o caminho para Trump.

Quatro décadas de globalização impulsionada pelas finanças haviam gerado desigualdades de renda e de riqueza não vistas desde a década de 1920. A maior parte dos ganhos de renda do país desde o final da década de 1970 foi para os 10% mais ricos; a metade mais pobre da população não ganhou praticamente nada. Em termos reais, a renda média dos homens em idade ativa era menor em 2016 do que quatro décadas antes. Desde 1980, o 1% mais rico dos americanos dobrou sua participação na renda nacional; essa parcela passou a ganhar mais do que toda a metade mais pobre combinada.[96]

A estagnação dos salários e a perda do emprego eram desmoralizantes em si mesmas. Mas a crescente desigualdade também corroía a democracia de duas maneiras. Primeiro, levou a um aparelhamento do sistema, pois os que estavam no topo usaram sua riqueza para capturar as instituições do governo representativo. Em segundo lugar, promoveu uma maneira de pensar sobre o sucesso que tornava a desigualdade econômica algo ofensivo.

O DESCONTENTAMENTO DA DEMOCRACIA

DESIGUALDADE E OLIGARQUIA: O APARELHAMENTO DO SISTEMA

Há muito que o dinheiro desempenha um papel de destaque na política americana, mas a bonança vivida pelos ricos nas últimas décadas praticamente extinguiu a voz da maioria dos cidadãos sobre o modo como são governados. Desde meados da década de 1980, o custo de ganhar um assento no Senado americano e na Câmara dos Deputados mais do que dobrou, em termos reais. Os novos membros do Congresso são agora aconselhados pelos líderes partidários a gastar cerca de três a quatro horas por dia no trabalho legislativo — participando de audiências de comitês, votando, reunindo-se com eleitores — e cinco horas por dia em campanhas de arrecadação de fundos e em telefonemas para pedir dinheiro a potenciais doadores.[97]

Grande parte do dinheiro flui por meio de comitês de ação política [PAC, do inglês *political action committees*] dirigidos por corporações, sindicatos e associações comerciais. De 1978 a 2018, as despesas nas eleições do Congresso feitas por PACs corporativos mais do que quadruplicaram, mesmo levando em conta a inflação do período. Igualmente significativa é a mudança de equilíbrio nas contribuições de campanha. Em 1978, os PACs sindicais contribuíam quase tanto quanto os PACs corporativos. Em 2018, essas organizações vinculadas a corporações superavam os gastos das entidades de trabalhadores em uma proporção três vezes maior.[98]

Muito dinheiro também fluiu copiosamente para as campanhas presidenciais, incentivadas por uma decisão de 2010 da Suprema Corte americana que eliminou os limites para as contribuições de campanha. Em 2012, mais de 40% de todo o dinheiro gasto nas eleições federais veio dos mais ricos dos ricos — não do 1% superior, nem mesmo do décimo superior do 1%, mas do 1% que estava no topo do 1% mais rico. Dada a longa temporada de primárias presidenciais, o dinheiro antecipado é especialmente importante. Com o início do ciclo eleitoral de 2016, quase metade de todo o dinheiro doado para candidatos presidenciais, tanto o republicano quanto o democrata, veio de apenas

O QUE DEU ERRADO: O CAPITALISMO E A DEMOCRACIA DESDE OS ANOS 1990

158 famílias ricas. A maioria tinha feito fortuna no setor de finanças ou de energia.[99]

O dinheiro não compra apenas eleições. Compra também acesso às agências que fazem as regras que governam a economia. De 2000 a 2010, empresas americanas, encabeçadas pelas de finanças, de defesa e de tecnologia, triplicaram os gastos com lobby e relações públicas.[100] Do ponto de vista do ideal republicano, a dominação da política pelo dinheiro, por mais legalizada que seja, é um tipo de corrupção. A captura oligárquica do governo representativo é corrupta porque desvia a administração do bem público e priva os cidadãos de uma participação significativa sobre o modo como são governados.

Alguns cientistas políticos defendem que, apesar do papel do dinheiro na política, as pessoas acabam conseguindo o que querem; interesses poderosos podem se anular, e o povo, por meio de eleições, fica com a última palavra. Mas não é o caso. Os interesses do público e dos ricos divergem profundamente. Por exemplo, a maioria dos americanos (87%) é a favor de gastar "o que for necessário para garantir escolas públicas realmente boas". Entre os multimilionários, apenas 35% concordam. Dois terços do público acreditam que "o governo deve garantir que todos possam encontrar um emprego", mas apenas um em cada cinco multimilionários pensa assim. O público quer mais regulamentação governamental sobre as grandes corporações; os ricos, não.[101]

Quando o público e os ricos discordam, os ricos prevalecem. Dois cientistas políticos, Benjamin Page e Martin Gilens, criaram uma maneira de medir quem realmente influencia as políticas públicas nos Estados Unidos — grupos de interesse, americanos ricos ou o cidadão médio. Eles examinaram quase duas mil mudanças políticas propostas entre 1981 e 2002 — em empregos, salários, educação, saúde, direitos civis, regulação econômica, questões culturais, política externa — e analisaram qual dos três grupos influenciou o resultado. Chegaram a uma conclusão inquietante: "Os cidadãos médios exercem pouca ou nenhuma influência na política do governo federal." Eles conseguem o que querem em cerca de um terço das ocasiões, mas apenas quando seus pontos de vista coincidem com o que desejam os grupos de interesse ou os ricos. Praticamente não faz diferença no desenrolar dos acontecimentos se uma maioria esmagadora de cidadãos ou apenas uma pequena minoria é a favor de uma transformação política — escolas melhores, aumento do salário mínimo, ação contra as mudanças climáticas. "Os cidadãos comuns simplesmente não têm uma voz significativa na formulação de políticas. Eles são abafados pelos ricos e por grupos de interesse organizados — especialmente por grupos empresariais e corporativos."[102]

O estudo confirma o que a maioria dos americanos sente — que sua voz não importa, que o cidadão médio não tem uma participação significativa sobre o modo como é governado. Esse sentimento de impotência, que se aprofundou nas últimas décadas, está no centro do descontentamento com democracia. É uma das consequências cívicas corrosivas das vastas desigualdades de renda e riqueza produzidas por décadas de globalização impulsionada pelas finanças.

DESIGUALDADE E MERITOCRACIA: VENCEDORES E PERDEDORES

Uma segunda consequência do aumento da desigualdade é mais sutil, mas tem um efeito não menos corrosivo sobre a vida cívica. Não se trata de quem decide quais políticas prevalecerão, mas de como vivemos juntos e enxergamos uns aos outros enquanto cidadãos democráticos. Essa política tóxica e polarizada reflete uma profunda divisão entre vencedores e perdedores. Essa divisão decorre em parte da desigualdade econômica, mas também reflete as mudanças de atitude em relação ao sucesso que a acompanharam. Nas últimas décadas, aqueles que chegaram ao topo passaram a acreditar que seu sucesso é obra própria, a medida de seu mérito, e que, portanto, são merecedores das recompensas que o mercado lhes confere — o que implica que aqueles que ficaram para trás também mereceram seu destino.[103] Essa maneira de pensar no sucesso surge de um princípio aparentemente atraente, o

O QUE DEU ERRADO: O CAPITALISMO E A DEMOCRACIA DESDE OS ANOS 1990

ideal da meritocracia: se as chances são iguais, os vencedores merecem o que ganham.

Na prática, é claro, ficamos longe desse ideal. As chances não são verdadeiramente iguais. As crianças nascidas em famílias de baixa renda tendem a permanecer pobres depois de crescidas. As disparidades raciais na renda, riqueza e pobreza persistem. Em princípio, todos podem concorrer ao ingresso no ensino superior. Na prática, o acesso reflete os antecedentes familiares. A maioria dos alunos matriculados nas cerca de cem faculdades e universidades mais seletivas dos Estados Unidos vem de famílias abastadas (72%). Apenas 3% vêm de famílias de baixa renda.[104]

É tentador pensar que a solução para a desigualdade é simplesmente insistir numa meritocracia mais perfeita, para que o jogo aconteça num campo nivelado onde todos têm a mesma chance de vencer. Esta é a resposta à desigualdade oferecida pelos principais partidos, em graus variados, durante a era da globalização. Mas buscar uma meritocracia mais perfeita não foi suficiente para resolver as desigualdades que a globalização impulsionada pelas finanças produziu, por três motivos. Primeiro, por desviar a atenção das fontes estruturais de desigualdade. Dar às pessoas uma chance mais igualitária de escalar a escada do sucesso pouco faz para aliviar a desigualdade quando os degraus estão se afastando cada vez mais.

Em segundo lugar, porque buscar uma meritocracia mais perfeita não cura as desigualdades de estima que as meritocracias produzem. No mínimo, isso piora as coisas. Incentivar as pessoas a acreditar que seu sucesso (ou fracasso) é obra própria gera arrogância entre os vencedores e humilhação entre os que ficaram para trás. Reforça a imagem da vida social como uma corrida competitiva em que os vencedores são dignos das recompensas conferidas pelo mercado e os que ficam aquém também merecem o seu destino.

Terceiro, as atitudes meritocráticas em relação ao sucesso dificultam que se corrijam as desigualdades de renda e riqueza por meio da redistribuição. Pois quanto mais confiantes estivermos de que os resultados do mercado refletem o que as pessoas merecem, mais poderosa será a suposição de que a renda e a riqueza devem estar onde se encontram.

Nas últimas décadas, a forma meritocrática de pensar no sucesso ganhou destaque no discurso público, mesmo quando a globalização neoliberal trazia crescente desigualdade. Essas duas tendências estão conectadas. É como se os vencedores da globalização quisessem mais do que os próprios ganhos; eles queriam acreditar que mereciam a enorme parcela de renda e riqueza que quatro décadas de desregulamentação, financeirização e políticas econômicas neoliberais lhes trouxeram.

Max Weber observou que "o homem afortunado raramente se satisfaz com o fato de ser afortunado. Mais do que isso, ele precisa saber que tem *direito* à sua boa sorte. Ele quer ser convencido de que a 'merece' e, sobretudo, de que a merece em comparação com os outros. Ele deseja que seja permitida a crença de que os menos afortunados também experimentam apenas o que lhes é devido".[105]

Weber refletia sobre a convicção religiosa de que o sucesso é um sinal da graça de Deus e que o sofrimento seria uma punição pelo pecado. Um século depois, os defensores da globalização neoliberal viam o sucesso no mercado como uma prova de mérito. Durante os anos do governo Obama, Lawrence Summers fez uma declaração clara: "Um dos desafios em nossa sociedade é que a verdade é um tanto desigual. Uma das razões pelas quais a desigualdade provavelmente aumentou em nossa sociedade é que as pessoas estão sendo tratadas de maneira mais próxima da maneira como deveriam ser tratadas."[106]

A meritocracia como projeto político encontrou expressão no conhecido slogan de que todos devem ser capazes de ascender "até onde seus esforços e talentos os levarem". Nos últimos anos, políticos de ambos os partidos reiteraram esse slogan como se ele fosse um encantamento. Ronald Reagan, George W. Bush e Marco Rubio, entre os partidários republicanos, e Bill Clinton, Barack Obama e Hillary Clinton, entre os democratas, todos o invocaram.[107]

Essa retórica de ascensão tem um certo tom igualitário, pois enfatiza a importância de remover as barreiras para a realização: qualquer que

O QUE DEU ERRADO: O CAPITALISMO E A DEMOCRACIA DESDE OS ANOS 1990

seja sua origem familiar, classe, raça, religião, etnia, gênero ou orientação sexual, você deve ser capaz de ir tão longe quanto seus talentos o levarem. Poucos discordariam.

Apesar dessa inclinação aparentemente igualitária, a retórica de ascensão arraigou-se em vez de desafiar as desigualdades de renda e riqueza. Não se propôs a aliviá-las, reconsiderando as políticas econômicas que as produziram. Em vez disso, ofereceu uma solução alternativa: a mobilidade individual ascendente por meio do ensino superior. Para os trabalhadores frustrados com os salários estagnados e a terceirização de empregos para países de baixos salários, as elites das décadas de 1990 e 2000 deram alguns conselhos estimulantes: se você quer competir e vencer na economia global, vá para a faculdade. "O que você ganha depende do que você aprende." "Você pode conseguir se tentar."[108]

As elites que transmitiram essa mensagem não percebiam o insulto implícito que ela propagava: se você não fez faculdade e não está prosperando na nova economia, o fracasso é culpa sua. "O problema não está nos arranjos econômicos que criamos", diziam, com efeito. "O problema é que você não conseguiu adquirir as credenciais necessárias para o sucesso em um mundo tecnologicamente avançado e globalizado."

Aqui novamente, sob outra forma, encontrava-se o argumento da necessidade. Salários estagnados, empregos perdidos e o declínio da participação do trabalho na renda nacional eram considerados fatos inalteráveis da vida em uma era tecnológica, não relacionados a políticas que aumentavam a mobilidade do capital e reduziam o poder de barganha dos trabalhadores.

Não é à toa que muitos trabalhadores tenham se voltado contra as elites meritocráticas, que pareciam esquecer um fato simples: a maioria das pessoas não tem um diploma universitário obtido depois de quatro anos de estudos. Quase dois terços dos americanos não têm.[109] Era uma loucura, então, criar uma economia que tornasse o diploma universitário uma condição necessária para um trabalho digno e uma vida decente.

O DESCONTENTAMENTO DA DEMOCRACIA

As elites valorizavam um diploma universitário de tal modo — tanto como via de ascensão quanto como base para a estima social — que tinham dificuldade em entender a arrogância que uma meritocracia pode gerar e o julgamento severo que ela impõe àqueles que não frequentaram a faculdade. Tais atitudes alimentaram o ressentimento contra as elites que Donald Trump foi capaz de explorar.[110]

Uma das divisões políticas mais profundas na política americana hoje encontra-se entre aqueles com e aqueles sem diploma universitário. Em 2016, quando Hillary Clinton perdeu para Trump, o Partido Democrata havia se tornado mais sintonizado com os interesses e as perspectivas da classe profissional com formação universitária do que com os eleitores operários que antes constituíam sua base. Trump ganhou dois terços dos eleitores brancos sem diploma universitário, enquanto Clinton venceu decididamente entre os eleitores com diplomas avançados. Uma divisão semelhante apareceu no referendo britânico do Brexit. Os eleitores sem formação universitária votaram esmagadoramente pela saída da União Europeia, enquanto a grande maioria daqueles com pós-graduação votou pela permanência.[111]

Durante boa parte do século XX, os partidos de esquerda atraíam aqueles com menos educação, enquanto os partidos de direita atraíam os de maior escolaridade. Na era da meritocracia, o padrão se inverteu. Hoje em dia, as pessoas com mais educação votam em partidos de centro-esquerda, e as de menor escolaridade votam em partidos de direita. O economista Thomas Piketty mostrou que essa reversão se desenrolou, em surpreendente paralelo, nos Estados Unidos, no Reino Unido e na França. Ele especula que a transformação dos partidos de esquerda, que deixaram de ser partidos operários e se tornaram partidos de elites intelectuais e profissionais desde a década de 1990, pode explicar por que eles não reagiram à crescente desigualdade das últimas décadas.[112]

Ao refletir sobre sua campanha presidencial um ano e meio depois, Hillary Clinton exibiu a arrogância meritocrática que contribuiu para sua derrota. "Ganhei os lugares que representam dois terços do produto

O QUE DEU ERRADO: O CAPITALISMO E A DEMOCRACIA DESDE OS ANOS 1990

interno bruto dos Estados Unidos", disse ela em uma conferência em Mumbai, na Índia, em 2018. "Então ganhei nos lugares que são otimistas, diversificados, dinâmicos, que vivem avanços." Ela havia conquistado os votos dos vencedores da globalização, enquanto Trump conquistou os perdedores.[113] O Partido Democrata já havia defendido agricultores e trabalhadores contra os privilegiados. Agora, numa era meritocrática, seu grande nome derrotado se gabava de que as partes prósperas e esclarecidas do país haviam votado nela.

Em 2020, Joe Biden se tornou, depois de 36 anos, o primeiro candidato democrata à presidência sem um diploma de uma universidade da chamada Ivy League. Considerar como grande novidade que um candidato presidencial democrata tivesse estudado numa universidade estadual demonstrava como o preconceito credencialista se difundira.

Na década de 2010, o preconceito credencialista encontrou expressão em grandes disparidades nos gastos educacionais e na representação política. Lamentavelmente, o país investe pouco nas formas de aprendizado pelas quais a maioria dos americanos confia que irá se preparar para o mundo do trabalho — faculdades estaduais, faculdades comunitárias com cursos de dois anos de duração e treinamento técnico e vocacional. Isabel Sawhill, economista da Brookings Institution, calculou que, em 2014, o governo federal gastava 162 bilhões de dólares por ano ajudando as pessoas a irem para a faculdade, mas apenas cerca de 1,1 bilhão em carreiras e treinamento técnicos.[114]

Essa disparidade gritante não apenas restringe as oportunidades econômicas para aqueles que não podem bancar ou não aspiram a um diploma de quatro anos. Ela reflete também as prioridades meritocráticas de quem governa. Embora a maioria dos americanos não tenha um diploma de bacharel, pouquíssimos deles chegaram ao Congresso dos Estados Unidos. Noventa e cinco por cento dos representantes da Câmara e todos os senadores têm diplomas de cursos com quatro anos de duração. Mais da metade dos senadores e mais de um terço dos membros da Câmara são advogados, e muitos outros têm diplomas avançados. Mais da metade dos parlamentares são milionários.[115] Nem

O DESCONTENTAMENTO DA DEMOCRACIA

sempre foi assim. Aqueles com mais anos de estudo sempre tiveram uma representação desproporcional no Congresso, mas até meados da década de 1980, 15% dos integrantes da Câmara e 12% dos senadores não tinham diploma universitário.[116]

Uma consequência da maré credencialista é que a classe trabalhadora está praticamente ausente do governo representativo. Nos Estados Unidos, cerca de metade da mão de obra está empregada em atribuições da classe trabalhadora, definidas como trabalho manual, indústria de serviços e empregos administrativos. Mas menos de 2% dos membros do Congresso exerceu tais funções antes de serem eleitos. Nas legislaturas estaduais, apenas 3% têm antecedentes nas classes trabalhadoras.[117]

Os eleitores brancos da classe trabalhadora que apoiaram Trump não foram os únicos americanos mal servidos pelo foco meritocrático no ensino superior como solução para seus problemas. Os trabalhadores das comunidades racializadas também foram negligenciados por um projeto político que oferece pouco apoio e estima social àqueles que aspiram a empregos que não exigem curso superior. O deputado James Clyburn, da Carolina do Sul, o afro-americano mais importante no Congresso, fez uma crítica devastadora à virada meritocrática de seu partido. Clyburn, que nas primárias da Carolina do Sul em 2020 ofereceu a Biden um apoio capaz de resgatar sua candidatura e encaminhar sua indicação, via nele uma alternativa ao credencialismo implacável que afastou os trabalhadores do Partido Democrata.

"Nosso problema", disse Clyburn, "é que muitos candidatos gastam seu tempo tentando mostrar como são inteligentes, em vez de buscar uma conexão com as pessoas." Ele achava que os democratas haviam colocado ênfase demais na educação universitária. O que significa ouvir "um candidato dizer que você precisa ter condições de mandar seus filhos para a faculdade? Quantas vezes você já ouviu isso? Eu odeio ouvir isso (...) Não preciso ouvir isso. Porque temos pessoas que querem ser eletricistas, que querem ser encanadores, que querem ser barbeiros".[118] Embora não colocasse exatamente nestes termos, Clyburn estava combatendo o projeto político meritocrático que inadvertida-

O QUE DEU ERRADO: O CAPITALISMO E A DEMOCRACIA DESDE OS ANOS 1990

mente depreciava os eleitores das classes trabalhadoras e que abriu caminho para Trump.

Em 2020, o racha promovido pelos diplomas estava se fazendo sentir além da classe trabalhadora branca. Embora Biden tenha mantido a maioria tradicional dos democratas entre eleitores negros e latinos, Trump foi o vencedor entre os eleitores negros sem diplomas. Talvez pela primeira vez o candidato democrata tenha se saído melhor entre os eleitores não brancos com diploma universitário do que entre aqueles sem diploma universitário.[119]

Encarar os modos meritocráticos de pensar no sucesso como um companheiro moral da globalização conduzida pelas finanças ajuda a compreender a reação política contra as elites credencializadas. Por quatro décadas, a fé do mercado e a fé meritocrática, juntas, formaram o projeto definidor da política americana dominante. O capitalismo neoliberal tornou algumas pessoas ricas e outras pobres, mas a meritocracia criou a divisão entre vencedores e perdedores. E é essa divisão, não apenas a desigualdade de renda, o que deu origem à humilhação que Trump e outros populistas autoritários foram capazes de explorar.

UMA CELEBRAÇÃO DO FUNDADOR DO SETOR FINANCEIRO

O primeiro sistema partidário americano surgiu de um desacordo sobre o papel das finanças no governo republicano. Alexander Hamilton, o primeiro secretário do Tesouro, não acreditava que o novo governo nacional pudesse inspirar a fidelidade dos ricos e poderosos apenas pelo patriotismo. Investidores ricos só ofereceriam apoio se tivessem participação financeira em seu sucesso. Hamilton, portanto, propôs um sistema de finanças públicas que vincularia os ricos ao projeto nacional de uma forma que o patriotismo e a virtude cívica não conseguiriam.

O governo federal assumiria as dívidas contraídas pelos estados durante a Guerra de Independência e as combinaria com as dívidas federais. Consolidada, a dívida seria financiada por meio da venda de

O DESCONTENTAMENTO DA DEMOCRACIA

títulos a investidores, a quem o governo pagaria juros periódicos. Por meio desses pagamentos aos credores, o governo nacional "se entrelaçaria aos interesses endinheirados de todos os estados" e "se insinuaria em todos os setores", ganhando assim o apoio das elites financeiras. Hamilton via a dívida nacional como um instrumento de construção da nação, ligando os cidadãos ao governo que, "por seus números, riqueza e influência talvez contribua mais para sua preservação do que um corpo de soldados".[120]

Jefferson e Madison consideraram como uma forma de corrupção esse emaranhado entre interesses financeiros e governo representativo. Eles temiam que isso aprofundasse a desigualdade na sociedade americana, dando influência indevida aos ricos e subvertendo o bem público. Eles se opuseram ao plano de Hamilton e procuraram abolir o banco nacional e excluir do Congresso os credores de dívida pública. Sua oposição à visão de grandeza nacional favorável às finanças de Hamilton levou à formação do que se tornaria o Partido Democrata.

Dois séculos depois, o Partido Democrata fez as pazes com o capitalismo orientado pelas finanças e com o poder econômico concentrado. A maneira pela qual Hamilton pensava a economia e o governo prevaleceu tão completamente que seria difícil lembrar o tema do debate. Ao contrário de Jefferson, cujo memorial de mármore em Washington, D.C. resplandece na beira do rio Potomac, Hamilton não tem nenhum monumento na capital do país. É possível dizer que seu monumento consiste no país que ele ajudou a criar — uma superpotência econômica sob o domínio do comércio e das finanças.

Em 2015, Hamilton finalmente ganhou seu monumento, não em Washington, mas na Broadway, no sucesso estrondoso do musical de hip-hop *Hamilton*, de Lin-Manuel Miranda. A representação multicultural dos fundadores da pátria, com atores de cor nos papéis principais, deslumbrou o público. Estudiosos apontaram que o musical exagerava as credenciais abolicionistas de Hamilton e negligenciava seu papel na compra e venda de escravos para seus sogros.[121] O show também dava pouca atenção à principal conquista de Hamilton, como o fundador do

O QUE DEU ERRADO: O CAPITALISMO E A DEMOCRACIA DESDE OS ANOS 1990

sistema financeiro americano.[122] Em vez disso, oferecia uma celebração exuberante da ascensão meritocrática de Hamilton, desde suas origens humildes como um imigrante do Caribe:

> Como é que um bastardo, órfão, filho de uma rameira e de um
> Escocês, largado no meio de um lugar do Caribe
> Esquecido pela Providência, empobrecido,
> Na miséria,
> Pode crescer e se tornar um herói e um erudito?*[123]

A resposta: ele "chegou bem mais longe por trabalhar muito mais, por ser muito mais inteligente, por ser proativo".[124]

Hamilton era uma versão da Broadway da retórica da ascensão. O jovem Hamilton tornou-se um herói nacional porque, por meio de brilhantismo e do trabalho árduo, estava determinado a ascender até onde seus talentos o levassem. Ele não desperdiçaria sua chance de realizar o que seria o sonho americano:

> Não vou desperdiçar minha chance
> Não vou desperdiçar minha chance
> Sou assim como meu país
> Jovem, aguerrido e faminto
> E não vou desperdiçar minha chance**[125]

Um hino para a era Obama, o musical fundia brilhantemente três vertentes do liberalismo da década de 2010 — multiculturalismo, meritocracia e, fora do palco, capitalismo impulsionado pelas finanças. Obama

---

* Tradução livre de: "How does a bastard, orphan, son of a whore and a/ Scotsman, dropped in the middle of a forgotten/ Spot in the Caribbean by Providence, impoverished, In squalor/ Grow up to be a hero and a scholar?" [*N. da T.*]

** Tradução livre de "I am not throwing away my shot/ I am not throwing away my shot/ Hey yo, I'm just like my country/ I'm young, scrappy, and hungry/ And I'm not throwing away my shot." [*N. da T.*]

O DESCONTENTAMENTO DA DEMOCRACIA

viu a produção várias vezes, convidou o elenco para se apresentar na Casa Branca e brincou sobre seu apelo bipartidário: "*Hamilton*, tenho certeza, é a única coisa com a qual Dick Cheney e eu concordamos."[126]

No centro do apelo bipartidário estava a retórica da ascensão. Obama chamou o musical de "história essencialmente americana", sobre "um imigrante esforçado que escapou da pobreza" e "chegou ao topo por pura força de vontade, coragem e determinação". Ao apresentar *Hamilton* nos prêmios Tony de 2016, Michelle Obama o descreveu como "um musical sobre o milagre que é a América, (...) um lugar de oportunidades onde, por mais humildes que sejam nossas origens, podemos ter sucesso se tentarmos".[127]

Ao mesmo tempo que o sucesso retumbante do musical levava a fé meritocrática a um momento de florescimento deslumbrante, a filosofia pública que ele representava estava perdendo sua capacidade de inspirar. Após quatro décadas de salários estagnados para o trabalhador médio, a mobilidade ascendente não era uma resposta à desigualdade. Aqueles que tinham originado a economia hiperglobalizada e financeirizada aconselhavam os que ficavam para trás a se aprimorarem, para que também pudessem "competir e vencer na economia global". Mas as elites não percebiam o clima de descontentamento. Para aqueles que lutavam para sobreviver entre um salário e outro, o mantra "você pode conseguir se tentar" era menos uma promessa e mais uma provocação.

Menos de duas semanas depois de *Hamilton* conquistar os prêmios Tony, o Reino Unido votou pela saída da União Europeia. Alguns meses depois, Trump foi eleito presidente, apoiado por muitos eleitores na zona rural dos Estados Unidos e em comunidades industriais esvaziadas pela globalização.[128] Embora ele tenha feito pouco para ajudá-los enquanto esteve no posto, esses eleitores permaneceram com ele. Quatro anos depois, Trump foi derrotado, mas não repudiado. Mesmo depois de vê-lo lidar mal com a pandemia, inflamar as tensões raciais e desrespeitar normas constitucionais, 74 milhões de americanos votaram por sua reeleição. Um ano depois da eleição, a maioria dos correligionários republicanos (68%) continuava a acreditar na alegação de Trump, de que ele havia na verdade ganho a eleição, mas que o resultado tinha sido roubado.[129]

A POLÍTICA PÓS-PANDEMIA: ALÉM DO NEOLIBERALISMO?

Quando Joe Biden assumiu a presidência em 2021, o projeto político neoliberal e meritocrático vivia um recuo. Biden, figura carimbada do establishment de Washington desde a década de 1970, não era um radical nem um renegado. No entanto, por temperamento e experiência de vida, ele era menos enamorado pelas credenciais meritocráticas do que seus predecessores, menos cativo da ortodoxia neoliberal.

Durante a campanha, ele falou menos sobre a retórica da ascensão do que sobre a dignidade do trabalho e a necessidade de fortalecer os sindicatos. No cargo, ele se mostrava menos crédulo em relação aos economistas do que seus antecessores. "A frustração constante de Obama era que os políticos não entendiam de economia", escreveu o comentarista Ezra Klein. "A frustração constante de Biden é que os economistas não entendem de política." Isso ocorria não apenas porque Biden era "menos acadêmico" do que Clinton e Obama, mas também porque ele, como o país, havia testemunhado "os fracassos da geração passada de assessoria econômica". Décadas de "crises financeiras, desigualdade escancarada e repetidos episódios de pânico relativos a dívidas" haviam "tirado o brilho dos especialistas em economia". O mesmo aconteceu com o fracasso em decretar um programa de estímulo adequado depois da crise financeira de 2008 e a falta de investimento público para enfrentar as mudanças climáticas.[130]

Rejeitando a política de austeridade que inibiu os gastos do governo após a última recessão, Biden promulgou um pacote de ajuda de 1,9 trilhão de dólares para a covid-19 e, em seguida, obteve a aprovação de uma lei de um trilhão de dólares para reconstruir a infraestrutura decadente do país. Ele buscou mais trilhões para fortalecer a rede de segurança e combater as mudanças climáticas, mas encontrou resistên-

O DESCONTENTAMENTO DA DEMOCRACIA

cia num Senado muito dividido. Além dos gastos, a agenda de Biden baseou-se no vigor renovado da ala progressista de seu partido, que oferecia propostas para reviver a lei antitruste, controlar as big techs, limitar recompras de ações, taxar a riqueza dos bilionários, restaurar a participação do trabalho no produto nacional, transformar o Federal Reserve em um banco público aberto ao cidadão comum e fazer a transição para uma economia verde.[131]

Poucas dessas ambições poderiam realmente ser concretizadas nos anos Biden. Seu domínio sobre o Congresso era tênue, na melhor das hipóteses; a máquina legislativa foi construída para obstruir a mudança e não para implementá-la; lobistas corporativos e a classe de doadores mantiveram seu domínio. Diante desses obstáculos, propostas de políticas não bastariam. Um projeto político transformador precisaria esperar um movimento social galvanizador que pressionasse por uma economia mais sintonizada com as necessidades dos trabalhadores e mais hospitaleira ao projeto de autogoverno.[132] Fora de tal movimento, os descontentamentos poderiam se acumular, possivelmente levando o país a tempos sombrios.

Ainda assim, na efervescência do protesto populista, à esquerda e à direita, os termos da relação entre capitalismo e democracia foram postos em renegociação. Diante da desigualdade desenfreada e de uma pandemia descontrolada, a magia do mercado havia perdido seu encanto, e a fé de que uma economia global sem atritos proporcionaria eficiência, prosperidade e compreensão mútua finalmente afundou. Em tempos de dificuldade, as nações ainda importavam. E a política também.

A pandemia de covid-19 ceifou mais de seis milhões de vidas em todo o mundo, expôs as duras desigualdades da era global, provocou *lockdowns* e fechamentos de fábricas e interrompeu a cadeia de suprimentos. Os enormes navios porta-contêineres que cruzam os mares transportando os bens do comércio global se viram enroscados em um engarrafamento transoceânico que levaria meses, talvez anos, para se desembaraçar.[133] Com o passar do tempo, os bloqueios terminariam, as fábricas reabririam, os navios chegariam ao porto. Mas a pandemia também trouxe uma mudança mais profunda e sutil. Ela pôs em dúvida a afirmação central do projeto neoliberal: que os mecanismos de mercado podem definir e alcançar o bem público.

O que colocou a fé no mercado fundamentalmente em conflito com o projeto de autogoverno foi a sua evasão da esfera política. Com isso eu me refiro à tentativa persistente de retratar como fatos da natureza fora do controle humano os arranjos econômicos criados pelos proponentes da globalização impulsionada pelas finanças. Segundo essa lógica, os acordos de livre comércio, o fluxo desenfreado de capital através das fronteiras nacionais, a financeirização da vida econômica, a internacionalização dos empregos, a desregulamentação, as crises financeiras recorrentes, o declínio da participação do trabalho no PIB e o advento de tecnologias que favorecem trabalhadores altamente capacitados eram características necessárias de uma economia global, e não desdobramentos discutíveis, abertos ao debate político.[134] Esse modo de pensar a economia deixava pouco espaço para a discussão sobre o modo de distribuir bens, alocar investimentos ou determinar o valor social deste ou daquele emprego. Isso esvaziou o discurso público e alimentou uma crescente sensação de desempoderamento.

Se os termos básicos da vida econômica são fatos inalteráveis da natureza, então o escopo do autogoverno é radicalmente limitado. A política é reduzida à tarefa de se curvar à necessidade — a necessidade de um resgate moralmente indefensável a Wall Street, por exemplo, ou de apaziguar o mercado de títulos reduzindo o déficit em vez de investir em educação, infraestrutura e outros propósitos públicos importantes. Se a política trata principalmente das adaptações aos imperativos fixos da vida econômica, ela é uma atividade mais adequada a especialistas e tecnocratas do que aos cidadãos democráticos.

Essa concepção limitada de política definiu a era da globalização. Coincidiu com um papel inflado para economistas doutrinários que afirmavam oferecer uma ciência da necessidade. Mas era uma ciência espúria, e os formuladores de políticas que a absorveram administraram mal a economia, exacerbaram a desigualdade e criaram as condições para a reação raivosa e as políticas tóxicas que se seguiram.

Em um ensaio esclarecedor, o teórico político Pratap Bhanu Mehta aponta que alegações exageradas de necessidade durante as décadas neoliberais "imobilizaram questões mais amplas de justiça e valor". A revolta populista contra o liberalismo dominante foi "não tanto uma crítica racional dos mercados ou da globalização", mas "uma revolta contra a apresentação dessas questões como uma espécie de fatalidade, um destino necessário ao qual toda política e o Estado devem se ajustar. O desejo de reivindicar a soberania era muitas vezes menos sobre a justiça [do que] sobre a aspiração humana de que nossos destinos econômicos deveriam estar sob nosso controle coletivo."[135]

A política é uma negociação contínua entre o necessário e o possível. Como revelou a pandemia, os eventos podem modificar a linha que separa os dois. Em 2009, o governo Obama considerou além dos limites da possibilidade um pacote de estímulo de trilhões de dólares. No primeiro ano da pandemia, os governos Trump e Biden, juntamente com o Congresso, autorizaram mais de cinco trilhões de dólares em gastos. Os bancos centrais, nos Estados Unidos e no exterior, injetaram ainda mais dinheiro no sistema. "Governos de todo o mundo emitiram dívidas como não se via desde a Segunda Guerra Mundial, e no entanto as taxas de juros desabaram", escreve o historiador econômico Adam Tooze. "Os limites rígidos da sustentabilidade financeira, policiados, como costumávamos pensar, por mercados de títulos ferozes, foram borrados pela crise financeira de 2008. Em 2020, eles foram eliminados."[136]

"O mundo descobriu que John Maynard Keynes tinha razão ao declarar, durante a Segunda Guerra Mundial, que 'qualquer coisa que possamos realmente fazer, conseguimos pagar'", observa Tooze. "O verdadeiro desafio, a questão verdadeiramente política, era entrar em acordo sobre o que queríamos fazer e entender como fazê-lo."[137]

A visão de Keynes é ao mesmo tempo libertadora e preocupante. É libertadora porque afirma a primazia do aspecto político. O que

O QUE DEU ERRADO: O CAPITALISMO E A DEMOCRACIA DESDE OS ANOS 1990

podemos pagar depende daquilo que, em última análise, nos importa. Ao reagir à devastação econômica da pandemia, as nações do mundo liberaram recursos financeiros em uma escala inimaginável em tempos comuns. Como escreve Mehta, "a aura de necessidade que cercava tanto pensamento econômico se desfez no ar". Para os proponentes do Green New Deal, dissipar essa aura de necessidade foi animador, até mesmo empolgante. Se pudéssemos resgatar a economia em meio aos efeitos de uma pandemia, talvez pudéssemos resgatar a biosfera.[138]

Mas é aqui que o argumento de Keynes se torna preocupante. Não será fácil concordar sobre o que queremos fazer, sobre o que nos interessa. Nossa política é rancorosa e polarizada. Não estamos acostumados a deliberar sobre questões com consequências tão sérias quanto repensar nossa forma de conviver com a natureza. Temos bastante dificuldade em concordar se, durante uma pandemia, os passageiros dos aviões devem usar máscaras de proteção.

Na era do Antropoceno, o desafio para o autogoverno não é apenas fiscal, mas também filosófico. Governar a economia requer mais do que descobrir como maximizar o PIB e como distribuir os frutos do crescimento econômico. Requer que reconsideremos a maneira como vivemos uns com os outros e com o mundo natural em que habitamos.

Aristóteles ensinou que a política não serve apenas para facilitar o comércio e a troca, mas também para que se tenha uma boa vida. Ser cidadão é deliberar sobre a melhor forma de viver, sobre as virtudes que nos tornam plenamente humanos. O liberalismo contemporâneo considera ambiciosa demais essa maneira de pensar a política. Em sociedades pluralistas, as pessoas discordam sobre a boa vida. Devemos, portanto, deixar de lado nossas convicções morais e espirituais ao entrar na praça pública. Devemos governar de acordo com princípios que sejam neutros em relação a concepções concorrentes do bem.

Essa propensão à neutralidade inclina o liberalismo na direção da fé do mercado. O apelo mais profundo dos mercados não é que eles ofereçam eficiência e prosperidade, mas que eles parecem nos poupar da necessidade de realizar debates confusos e contenciosos sobre como

O DESCONTENTAMENTO DA DEMOCRACIA

avaliar tais questões. Esta é, no final, uma falsa promessa. Banir questões moralmente discutíveis do debate público não as deixa em aberto. Significa simplesmente que os mercados, supervisionados pelos ricos e poderosos, decidirão essas questões por nós.[139]

Quando a fé neoliberal estava em alta, Tony Blair zombou daqueles que queriam debater a globalização. "Talvez queiram debater se o outono deve seguir o verão", disse ele.[140] Soou presunçoso na época, mas agora parece pitoresco. As mudanças climáticas reconfiguraram as estações. O calor do verão está chegando mais cedo e tem durado mais tempo. Alguns cientistas preveem que, na ausência de mudanças em nosso modo de vida, até o final do século, o verão pode durar metade do ano.[141]

O que antes parecia um fato inalterável da natureza tornou-se um assunto para o autogoverno. A fronteira do necessário e do possível se desloca sob nossos pés. A aspiração cívica de moldar as forças que governam nossas vidas agora nos convida a debater e decidir se o outono deve seguir o verão.

Notas

1. Margaret Thatcher, Speech to Conservative Women's Conference, 21 de maio de 1980: www.margaretthatcher.org/document/104368; Bill Clinton, Remarks at Vietnam National University, in: Hanoi, Vietnã, 17 de novembro de 2000, *The American Presidency Project*: www.presidency.ucsb.edu/node/228474; Tony Blair, discurso da conferência do Partido Trabalhista, Brighton, 2005, *The Guardian*, 27 de setembro de 2005: www.theguardian.com/uk/2005/sep/27/labourconference.speeches.
2. Thomas L Friedman, *The Lexus and the Olivre Tree* (Nova York: Farrar, Straus e Giroux, 1999), p. 104-105. [Ed. bras.: *O lexus e a oliveira*. Rio de Janeiro: Objetiva, 1999.]
3. Ibid, p. 105.
4. Ibid, p. 106.

O QUE DEU ERRADO: O CAPITALISMO E A DEMOCRACIA DESDE OS ANOS 1990

5. Ibid, p. 109-117, 139.
6. Bob Woodward, *The Agenda: Inside the Clinton White House* (Nova York: Simon & Schuster, 1994) [Ed. bras.: *A agenda: por dentro da Casa Branca de Clinton*. São Paulo: J. Louzada, 1994]; Nelson Lichtenstein, "A Fabulous Failures: Clinton's 1990s and the Origins of Our Times", *The American Prospect*, 29 de janeiro de 2018: www.prospect.org/health/fabulous-failure-clinton-s-1990s-origins-times/.
7. Woodward, *The Agenda*, p. 145.
8. Lichtenstein, "Fabulous Failures".
9. Clinton citado em Woodward, *The Agenda*, p. 165.
10. Jeff Faux, "U.S. Trade Policy — Time to Start Over", Economic Policy Institute, 30 de novembro de 2016: www.epi.org/publication/u-s-trade-policy-time-to-start-over/; Lichtenstein, "Fabulous Failures".
11. Dani Rodrik, "The Great Globalization Lie", *Prospect*, 12 de dezembro de 2017: www.prospectmagazine.co.uk/magazine/the-great-globalisation-lie-economics-finance-trump-brexit; Rodrik, "What Do Trade Agreements Really Do?" *Journal of Economics Perspectives*, 32, n° 2 (Primavera de 2018), 74: www.j.mp/2EsEOPk; Lorenzo Caliendo e Fernando Parro, "Estimates of the Trade ad Welfare Effects of NAFTA", *Review of Economic Studies*, 82, n° 1 (janeiro de 2015), p. 1-44: www.doi.org/10.1093/restud/rdu035.
12. Richard Hernandez, "The Fall of Employment in the Manufacturing Sector", Monthly Labor Review, Bureau of Labor Statistics, agosto de 2018: www.bls.gov/opub/mlr/2018/beyond-bls/the-the-fall-of-employment-in-the-manufacturing-sector; Kerwin Kofi Charles, Erik Hurst e Mariel Schwartz, "The Transformation of Manufacturing and the Decline in U.S. Employment", National Bureau of Economic Research, março de 2018: www.nber.org/papers/w24468.
13. Daron Acemoglu, David Autor, David Dorn, Gordon H. Hanson e Brendon Price, "Import Competition and the Great U.S. Employment Sag of the 2000s", *Journal of Labor Economics*, 34, n°. 1 (janeiro de 2016), S141-S198: www.journals.uchicago.edu/doi/abs/10.1086/682384; David Autor, David Dorn, Gordon H. Hanson, "The China Syndrome: Local Labor Market Effects of Import Competition in the United States", *American Economic Review*, 103, n° 6 (outubro de 2013), p. 2.121-2.168: www.pubs.aeaweb.org/doi/pdfplus/10.1257/aer.103.6.2121. Outro estudo estima que o déficit comercial dos Estados Unidos com a China custou 3,7 milhões de empregos entre 2001 e 2018. Ver Robert E. Scott e Zane Mokhiber, "Growing China Trade Deficit Cost 3,7 Million American Jobs between 2001 and 2018", Economic Policy

Institute, 30 de janeiro, 2020: www.epi.org/publication/growing-china-trade-deficits-costs-us-jobs/.

14. Andrea Cerrato, Francesco Ruggieri e Federico Maria Ferrara, "Trump Won in Counties that Lost Jobs to China and Mexico", *Washington Post*, 2 de dezembro de 2016: www.washingtonpost.com/news/monkey-cage/wp/2016/12/02/trump-won-where-import-shocks-from-china-and-mexico-were-strongest/; Bob Davis e Jon Hilsenrath, "How the China Shock, Deep and Swift, Spurred the Rise of Trump", *Wall Street Journal*, 11 de agosto de 2016: www.wsj.com/articles/how-the-china-shock-deep-and-swift-spurred-the-rise-of-trump-1470929543.

15. David Autor, David Dorn, Gordon H. Hanson e Kaveh Majlesi. "A Note on the Effect of Rising Trade Exposure on the 2016 Presidential Election: Appendix to 'Importing Political Polarization? The Electoral Consequences of Rising Trade Exposure'", janeiro de 2017: www.chinashock.info/wp-content/uploads/2016/06/2016_election_appendix.pdf; ver também Ana Swanson, "How China May Have Cost Clinton the Election", *Washington Post*, 1º de dezembro de 2016: www.washingtonpost.com/news/wonk/wp/2016/12/01/how-china-may-have-cost-clinton-the-election/.

16. Dani Rodrik, "Globalization's Wrong Turn and How It Hurt America", *Foreign Affairs*, 98, nº 4 (julho/agosto de 2019), p. 26-33: www.foreignaffairs.com/articles/united-states/2019-06-11/globalizations-wrong-turn.

17. Dean Baker, *Rigged: How Globalization and the Rules of the Modern Economy Were Structured to Make the Rich Richer* (Washington, DC: Center for Economic Policy and Research, 2016).

18. Rodrik, "Great Globalisation Lie"; Rodrik, "What Do Trade Agreements Really Do?"

19. "TPP and Access to Medicines", 9 de outubro de 2015, Public Citizen: www.citizen.org/article/tpp-and-access-to-medicines/; Joe Mullen, "Disney CEO Asks Employees to Chip in to Pay Copyright Lobbyists", ars technica, 25 de fevereiro de 2016: www.arstechnica.com/tech-policy/2016/02/disney-ceo-asks-employees-to-chip-in-to-pay-copyright-lobists/; Ted Johnson, "There Will Be Serious Risks for Hollywood if Trans-Pacific Partnership Doesn't Pass, U.S. Trade Rep Says", *Variety*, 3 de maio de 2016: www.variety.com/2016/biz/news/trans-pacific-partnership-michael-froman-hollywood-1201764968/; "Case Studies: Investor-State Attacks on Public Interest Policies", Public Citizen: www.citizen.org/wp-con tent/uploads/egregious-investor-state-attacks-case-studies_4.pdf.

20. Barack Obama, Remarks to the Parliament in Ottawa, Canadá, 29 de junho de 2016, The American Presidency Project: www.presidency.ucsb.edu/node/318096.

O QUE DEU ERRADO: O CAPITALISMO E A DEMOCRACIA DESDE OS ANOS 1990

21. Rodrik, "Great Globalisation Lie".
22. Ibid.
23. Ibid.
24. Robert A. Johnson citado em William Greider, *One World, Ready or Not: The Manic Logico f Global Capitalism* (Nova York: Simon & Schuster, 1997), p. 24. [Ed. bras.: *O mundo na corda bamba: como entender o crash global.* São Paulo: Geração, 1998.]
25. Rodrik, "Great Globalisation Lie". Sobre o declínio das alíquotas de imposto corporativo de 1980 a 2020, ver Leigh Thomas, "The Four-Decade Decline in Global Corporate Tax Rates", Reuters, 29 de abril de 2021: www.reuters.com/business/sustainable-business/four-decade-decline-global-corporate-tax-rates-2021-04-29/.
26. Greta Krippner, *Capitalizing on Crisis: The Political Origins of the Rise of Finance* (Cambridge, Mass.: Harvard University Press, 2011), p. 28, 33, Figura 3; "The Cost of the Crisis", Better Markets, Inc., julho de 2015, p. 5-6. Ver o gráfico "The Financial Industry's Share of Total Domestic Corporate Profits: 1948-2013, usando dados do U.S. Bureau of Economic Analysis, p. 6: www.bettermarkets.com/sites/default/files/Better%20Markets%20-%20Cost%20of%20the%20Crisis.pdf; ver também Robin Greenwood e David Scharfstein, "The Growth of Finance", *Journal of Economic Perspectives*, 27, n° 2 (Primavera de 2013), p. 3-28: www.pubs.aeaweb.org/doi/pdf/10.1257/jep.27.2.3.
27. Krippner, *Capitalizing on Crisis*, p. 3-4, 28-29.
28. Jonathan Levy, *Ages of American Capitalism: A History of the United States* (Nova York: Random House, 2021), p. 621, citando Krippner, *Capitalizing on Crisis*, p. 36, Figura 5.
29. Levy, *Ages of American Capitalism*, p. 604, citando o CEO David Roderick.
30. Krippner, *Capitalizing on Crisis*, p. 58-73, 138-150.
31. Levy, *Ages of American Capitalism*, p. 595.
32. Charles L. Schultze, *The Public Use of Private Interest* (Washington, D.C.: Brookings Institution Press, 1977), p. 16, citado em Levy, *Ages of American Capitalism*, p. 575.
33. Krippner, *Capitalizing on Crisis*, p. 58-85; Levy, *Ages of American Capitalism*, p. 579, 406.
34. Krippner, *Capitalizing on Crisis*, p. 86-87, 92-97; Levy, *Ages of American Capitalism*, p. 608-611.
35. Levy, *Ages of American Capitalism*, p. 612; Krippner, *Capitalizing on Crisis*, p. 93-96.
36. Levy, *Ages of American Capitalism*, p. 597-602; Krippner, *Capitalizing on Crisis*, p. 102-103.

37. Krippner, *Capitalizing on Crisis*, p. 32; Levy, *Ages of American Capitalism*, p. 621.
38. *Wall Street*, dirigido por Oliver Stone (1987; 20th Century Fox). Discurso de Gordon Gecko em www.americanrhetoric.com/MovieSpeeches/moviespeechwallstreet.html.
39. Levy, *Ages of American Capitalism*, p. 589.
40. Bill Clinton, "Putting People First: A National Economic Strategy for America", Comitê Bill Clinton for President, [sem data]: www.digi talcommons.unf.edu/cgi/viewcontent.cgi?article=1330&context=saffy_text; Sarah Anderson, "The Failure of Bill Clinton's CEO Pay Reform", *Politico*, 31 de agosto de 2016: www.politico.com/agenda/story/2016/08/bill-clinton-ceo-pay-reform-000195/; Sara Anderson e Sam Pizzigati, "The Wall Street CEO Bonus Loophole", Institute for Policy Studies, 31 de agosto de 2016: www.ips-dc.org/wp-content/uploads/2016/08/IPS-report-on-CEO-bonus-loophole-embargoed-until-Aug-31-2016.pdf.
41. Ibid.
42. Lawrence Mishel e Jori Kandra, "CEO pay has skyrocketed 1132% since 1978", Economic Policy Institute, 10 de agosto de 2021: www.files.epi.org/uploads/232540.pdf.
43. Lenore Palladino e Willian Lazonick, "Regulating Stock Buy-backs: The $ 6,3 Trillion Question", Roosevelt Institute Working Paper, 2021: www.rooseveltinstitute.org/wp-content/uploads/2021/04/RI_Stock-Buybacks_Working-Paper_202105.pdf; William Lazonick, Mustafa Erdem Sakinç e Matt Hopkins, "Why Stock Buybacks Are Dangerous for the Economy", *Harvard Business Review*, 7 de janeiro de 2020: www.hbr.org/2020/01/why-stock-buybacks-are-dangerous-for the-economy; Julius Krein, "Share Buybacks and the Contradictions of 'Shareholder Capitalism'", *American Affairs*, 13 de dezembro de 2018: www.americanaffairsjournal.org/2018/12/share-buybacks-and-the-contradictions-of-shareholder-capitalism/.
44. William Turvill, "US Airlines Pushing for Massive Bailout Gave $ 45 billion to Shareholders in Five Years", *The Guardian*, 18 de março de 2020: www.theguardian.com/business/2020/mar/18/america-airlines-bailout-shareholders-coronavirus; Allan Sloan, "U.S. Airlines Want a $50 Billion Bailout. They Spent $45 Billion Buying Back Their Stock", *The Washington Post*, 6 de abril de 2020: www.washingtonpost.com/business/2020/04/06/bailout-coronavirus-airlines/; Philip van Doorn, "Airlines and Boeing Want a Bailout — But Look They've Spent on Stock Buybacks", *Marketwatch*, 22 de março de 2020: www.marketwatch.com/story/airlines-and-boeing- want-a-bailout-but-look-how-much-they've-spent-on-stock-buybacks-2020-03-18?mod=article_inline.

O QUE DEU ERRADO: O CAPITALISMO E A DEMOCRACIA DESDE OS ANOS 1990

45. Warren Buffett citado em Jay Elwes, "Financial Weapons of Mass Destruction: Brexit and the Looming Derivatives Threat", *Prospect*, 28 de agosto de 2018: www.prospectmagazine.co.uk/economics-and-finance/financial-weapons-of-mass-destruction-brexit-and-the-looming-derivatives-threat.

46. Ron Suskind, *Confidence Men: Wall Street, Washington, and the Education of a President* (Nova York: Harper, 2011), p. 171-172.

47. Ibid. Ver também Lichtenstein, "Fabulous Failure".

48. Sheila Blair, *Bull by the Horns: Fighting to Save Main Street from Wall Street e Wall Street from Itself* (Nova York: Free Press, 2012), p. 333.

49. "'ThisWeek' Transcript: Former President Bill Clinton," ABC News, 22 de janeiro de 2010: www.abcnews.go.com/ThisWeek/week-transcript-president-bill-clinton/story?id=10405692.

50. Lichtenstein, "Fabulous Failure"; Levy, *Ages of American Capitalism*, p. 660.

51. "The Long Demise of Glass-Steagall", *Frontline*, PBS, 8 de maio de 2003: www. pbs.org/wgbh/pages/frontline/shows/wallstreet/weill/demise.html; Joseph Kahn, "Former Treasury Secretary Joins Leadership Triangle at Citigroup", *The New York Times*, 27 de outubro de 1999: www.nytimes.com/1999/10/27/business/former-treasury-secretary-joins-leadership-triângulo-em-citigroup.html.

52. Levy, *Ages of American Capitalism*, p. 704.

53. Kara Scannell e Sudeep Reddy, "Greenspan Admits Errors to Hostile House Panel", *Wall Street Journal*, 24 de outubro de 2008: www.wsj.com/articles/SB122476545437862295.

54. Michael Lewis, *Flash boys: A Wall Street Revolt* (Nova York: W. W. Norton, 2015), p. 7-22. [Ed. bras.: *Revolta em Wall Street*. Rio de Janeiro: Intrínseca, 2014.]

55. Adair Turner, "What Do Banks Do? Why do Credit Booms and Busts Occur and What Can Public Policy Do about It?", in: *The Future of Finance: The LSE Report*, London School of Economics (2010), www.harr123et.wordpress.com/download-version/.

56. Stephen G. Cecchetti, e Enisse Kharroubi, "Why Does Financial Sector Growth Crowd Out Real Economic Growth?", *Bank for International Settlements, BIS Working Paper*, nº 490, fevereiro de 2015: www.bis.org/publ/work490.pdf.

57. Rana Foroohar, *Makers and Takers: How Wall Street Destroyed Main Street* (Nova York: Crown Business, 2017), p. 7.

58. Levy, *Ages of American Capitalism*, p. 596, 637, 675.

59. Ibid., p. 672-676, 690-695.

60. Ibid., p. 692.

61. Ibid., p. 675-676, 690-699.

O DESCONTENTAMENTO DA DEMOCRACIA

62. Raghuram G. Rajan, "Let Them Eat Credit", *The New Republic*, 27 de agosto de 2010: www.newrepublic.com/article/77242/inequality-recession-credit-crunch-let-them-eat-credit; idem, *Fault Lines: How Hidden Fractures Still Threaten the World Economy* (Princeton: Princeton University Press, 2010), p. 21.

63. Levy, *Ages of American Capitalism*, p. 694-698.

64. Ibid, p. 702-714.

65. Reed Hundt, *A Crisis Wasted: Barack Obama's Defining Decisions* (Nova York: RosettaBooks, 2019), p. 100-101, 3. Comentarista David Warsh citado na p. 101. Ver também Levy, *Ages of American Capitalism*, p. 716-719.

66. Bair, *Bull by the Horns*, p. 129, 140-141.

67. Levy, Ages of American Capitalism, p. 593, 704-705; Deborah Lucas, "Measuring the Cost of Bailouts", Annual Review of Financial Economics, 11 (dezembro de 2019), p. 85-108; Tam Harbert, "Here's How Much the 2008 Bailouts Really Cost", MIT Management Sloan School, 21 de fevereiro de 2019: www.mitsloan.mit.edu/ideas-made-to-matter/heres-how-much-2008-bailouts-really-cost; Gautam Mukunda, "The Social and Political Costs of the Financial Crisis, 10 Years Later," Harvard Business Review, 25 de setembro de 2018: www.hbr.org/2018/09/the-social-and-political-costs-of-the-financial-crisis-10-years-later.

68. Ver Amir Sufi, "Why You Should Blame the Financial Crisis for Political Polarization and the Rise of Trump", *Evonomics*, 14 de junho de 2016: www.evonomics.com/blame-financial-crisis-politics-rise-of-trump/; Matt Stoller, "Democrats Can't Win Until They Recognize How Bad Obama's Finacial Policies Were", *The Washington Post*, 12 de janeiro de 2017: www.washingtonpost.com/posteverything/wp/2017/01/12/democrats-cant-win-until-they-recognize-how-bad-obamas-financial-policies-were/.

69. Rob Johnson e George Soros, "A Better Bailout Was Possible during the Financil Crisis", *The Guardian*, 18 de setembro de 2018: www.theguardian.com/business/2018/sep/18/bailout-financial-crisis-donald-trump-barack-obama-george-soros; Martin Feldstein, "How to Stop the Drop in Home Values", *The New York Times*, 12 de outubro de 2011: www.nytimes.com/2011/10/13/opinion/how-to-stop-the-drop-in-home-values.html?_r=0. Ver também Blair, *Bull by the Horns*, p. 151-153.

70. Feldstein, "How to Stop the Drop in Home Values".

71. Geithner citado em Neil Barofsky, *Bailout: An Inside Account of How Washington Abandoned Main Street While Rescuing Wall Street* (Nova York: Free Press, 2012).

72. Simon Johnson, "The Quiet Coup", *The Atlantic*, maio de 2009: www.theatlantic.com/magazine/archive/2009/05/the-quiet-coup/307364/.

O QUE DEU ERRADO: O CAPITALISMO E A DEMOCRACIA DESDE OS ANOS 1990

73. Edmund L. Andrews e Peter Baker, "Bonus Money at Troubled A.I.G. Draws Heavy Criticism", *The New York Times*, 15 de março de 2009: www.nytimes. com/2009/03/16/business/16aig.html.

74. Suskind, *Confidence Men*, p. 231-241. Obama citado nas p. 234-235.

75. Ibid., p. 237.

76. Blair, *Bull by the Horns*, p. 118-119.

77. Ibid., p. 6.

78. Ibid., p. 120.

79. Johnson, "Quiet Coup".

80. Bair citado em Hundt, *A Crisis Wasted*, p. 78.

81. Declarações do presidente no Discurso sobre o Estado da União, Casa Branca, 27 de janeiro de 2010: www.obamawhitehouse.archives.gov/the-press-office/ remarks-president-state-union-address.

82. Barack Obama, *A Promised Land* (Nova York: Crown, 2020), p. 280, 292, 529; Timothy F. Geithner, *Stress Test: Reflections on Financial Crisis* (Nova York: Crown Publishers, 2014). As memórias de Geithner fazem dezoito referências à justiça, desejos e impulsos do "Antigo Testamento". Ver Suzy Khimm, "Timothy Geithner vs. Elizabeth Warren in New Book 'Stress Test'", MSNBC, 14 de maio de 2014: www.msnbc.com/msnbc/timothy-geithner-new-book-stress-test- elizabeth-warren-msna328021.

83. Theodore Roosevelt, "Speech at St. Paul", 6 de setembro de 1910, em Willian E. Leuchtenburg (org.), *The New Nationalism* (Englewood Cliffs, N.J.: Prentice- Hall, 1961), p. 85.

84. Woodrow Wilson, *The New Freedom* (Willian E. Leuchtenburg (org.) Englewood Cliffs, N.J.: Prentice-Hall, 1961), p. 121.

85. Franklin D. Roosevelt, Discurso de Aceitação da Renomeação para a Presidência, Filadélfia, Pa., 27 de junho de 1936, The American Presidency Project: www. presidency.ucsb.edu/node/208917.

86. Ibid.

87. Ver Michael, Sandel, "Obama and Civic Idealism", *Democracy Journal*, nº 16 (Primavera de 2010): www.democracyjournal.org/magazine/16/obama-and- civic-idealism/.

88. Chris Kahn, "U.S. Voters Want Leader to End Advantage of Rich and Powerful: Reuters/Ipsos Poll", Reuters, 8 de novembro de 2016: www.reuters.com/article/ us-usa-election-poll-mood-idUSKBN1332NC?il=0.

89. Eugene Scott, "Trump's Most Insulting — and Violent — Language Is Many Reserved for Immigrants". *The Washington Post*, 2 de outubro de 2019: www. washingtonpost.com/politics/2019/10/02/trumps-most-insultanting-violent-

language-is-often-reserver-immigrants/; Michael Kazin, "Trump and American Populism: Old Whine, New Bottles", *Foreign Affairs*, 95, n° 6 (novembro/dezembro de 2016), p. 17-24.

90. Heather Long, "GOP de Trump quer quebrar grandes bancos", CNN, 19 de julho de 2016: www.money.cnn.com/2016/07/19/investing/donald-trump-glass-steagall/? iid=EL; Plataforma do Partido Republicano 2016, p. 28: www.prod-static-ngop-pbl.s3.amazonaws.com/media/documents/DRAFT_12_FINAL%5B1%5D-bem_1468872234.pdf.

91. Sarah N. Lynch, "Trump Says Tax Code Is Letting Hedge Funds 'Get Away with Murder'". Reuters, 23 de agosto de 2015: www.reuters.com/article/us-election-trump-hedgefunds-idUSKCN0QS0P120150823.

92. Jeff Stein, "Trump's 2016 Campaign Pledges on Infrastructure Have Fallen Short, Creating Opening for Biden". *Washington Post*, 18 de outubro de 2020: www.washingtonpost.com/us-policy/2020/10/18/trump-biden-infrastructure-2020/.

93. Chris Cillizza, "Donald Trump Says There's a Global Conspiracy against Him", *Washington Post*, 13 de outubro de 2016: www.washingtonpost.com/news/the-fix/wp/2016/10/13/donald-trump-leans-in-hard-to-the-conspiracy-theory-of-the-2016-election/.

94. Damian Paletta, "As Tax Plan Gained Steam, GOP Lost Focus on the Middle Class", *The Washington Post*, 9 de dezembro de 2017: www.washingtonpost.com/business/economy/as-tax-plan-gained-steam-gop-lost -focus-on-the-middle-class/2017/12/09/27ed2d76-db69-11e7-b1a8--62589434a581_story.html?itid=lk_inline_manual_5; Conselho Editorial, "You Know Who the Tax Cuts Helped? Rich People", *The New York Times*, 8 de agosto de 2018: www.nytimes.com/interactive/2018/08/12/opinion/editorials/trump-tax-cuts.html; "Trump's Corporate Tax Cuts Fail to Boost Investment, IMF Analysis Finds", *Los Angeles Times*, 8 de agosto de 2019: www.latimes.com/business/story/2019-08-08/trump-corporate-tax-cuts-fail-to-boost-investment-imf-finds; Emanuel Kopp, Daniel Leigh, e Suchanan Tambunlertchai, "US Business Investment: Rising Market Power Mutes Tax Cut Impact", Blog do FMI, 8 de agosto de 2019: www.blogs.imf.org/2019/08/08/us-business-investment-rising-market-power-mutes-tax-cut-impact/.

95. Tax Policy Center, Distribution Analysis of the Conference Agreement for the Tax Cuts and Jobs Act, 18 de dezembro de 2017, p. 4 (Tabela 2): www.taxpolicycenter.org/publications/distributional-analysis-conference-agreement-tax-cuts-and-jobs-act/full.

96. Nos Estados Unidos, a maior parte do crescimento econômico desde 1980 foi para os 10% mais ricos, cuja renda cresceu 121%; quase nada foi para os 50%

O QUE DEU ERRADO: O CAPITALISMO E A DEMOCRACIA DESDE OS ANOS 1990

mais pobres da população, cuja renda média (cerca de 16.000 dólares) em 2014 era aproximadamente a mesma que era em termos reais em 1980. Para homens em idade ativa, a renda média era "a mesma em 2014 e em 1964, cerca de 35.000 dólares. Há mais de meio século não há crescimento para a média dos trabalhadores do sexo masculino". Thomas Piketty, Emmauel Saez, Gabriel Zucman, "Distributional National Accounts: Methods and Estimates for the United States". *Quarterly Journal of Economics*, 133, nº 2 (maio de 2018), p. 557, 578, 592-593, www.eml.berkeley.edu/~saez/PSZ2018QJE.pdf; Facundo Alvaredo, Lucas Chancel, Thomas Piketty, Emmanuel Saez e Gabriel Zucman, *Relatório da desigualdade mundial 2018* (Rio de Janeiro: Intrínseca, 2020). Os dados de distribuição de renda para os Estados Unidos e outros países também estão disponíveis no World Inequality Database online, www.wid.world. Ver também Thomas Piketty, *World Inequality Report 2018* (Cambridge, Mass: Harvard University Press, 2018), p. 3, 83-84 [ed. bras.: *O capital no século XXI*. Rio de Janeiro: Intrínseca, 2014]. Piketty afirma que, de 1977 a 2007, os 10% mais ricos absorveram três quartos de todo o crescimento econômico dos Estados Unidos.

Nos Estados Unidos, o 1% mais rico recebe 20,2% da renda nacional, enquanto a metade inferior recebe 12,5%. Nos Estados Unidos, os 10% mais ricos recebem quase metade (47%) da renda nacional, em comparação com 37% na Europa Ocidental, 41% na China e 55% no Brasil e na Índia. Ver Piketty, Saez e Zucman, "Distributional National Accounts", p. 575; Alvaredo et al. *World Inequality Report 2018*, p. 3, 83-84.

97. Brookings Institution, Vital Statistics on Congress, 8 de fevereiro de 2021, capítulo 3, Tabela 3-1: www.brookings.edu/multi-chapter-report/vital-statistics-on-congress/; Ryan Grim e Sabrina Siddiqui, "Call Time for Congress Shows How Fundraising Dominates Bleak Work Life". *Huff-Post*, 8 de janeiro de 2013, atualizado em 6 de dezembro de 2017: www.huffpost.com/entry/call-time-congressional-fundraising_n_2427291.

98. Brookings Institution, Vital Statistics on Congress, Tabela 3-10.

99. Adam Bonica, Nolan McCarty, Keith T Poole e Howard Rosenthal, "Why Hasn't Democracy Slowed Rising Inequality?", *Journal of Economic Perspectives*, 27, nº 3 (verão de 2013), p. 111-112; Nicholas Confessore, Sarah Cohen e Karen Yourish, "Just 158 Families Have Provided Nearly Half of the Early Money for Efforts to Capture the White House", *The New York Times*, 10 de outubro de 2015: www.nytimes.com/interactive/2015/10/11/us/politics/2016-presidential-election-super-pac-donors.html.

O DESCONTENTAMENTO DA DEMOCRACIA

100. Evan Osnos, *Wildland: The Making of America's Fury* (Nova York: Farrar, Straus and Giroux, 2021), p. 36.

101. Benjamin I. Page e Martin Gilens, *Democracy in America? What Has Gone Wrong and What We Can Do About It* (Chicago: University of Chicago Press, 2017), p. 114-118. Ver a Tabela 4.1, mostrando dados de Benjamin I. Page, Larry M. Bartels e Jason Seawright, "Democracy and the Policy Preferences of Wealthy Americans", *Perspectives on Politics*, 11, nº 1 (março de 2013), p. 51-73.

102. Page e Gilens, *Democracy in America?*, p. 66-69.

103. Nesta seção, baseio-me em Michael J. Sandel, "How Meritocracy Fuels Inequality". *American Journal of Law and Equality*, 1 (setembro de 2021), p. 4-14: www.doi.org/10.1162/ajle_a_00024, que apresenta uma visão geral do meu livro *A tirania do mérito: o que aconteceu com o bem comum?* (Rio de Janeiro, Civilização Brasileira, 2020).

104. Um estudo das 146 faculdades e universidades altamente seletivas descobriu que 74% dos alunos vinham do quarto superior da escala de status socioeconômico. Anthony P Carnevale, e Stephen J. Rose, "Socioeconomic Status, Race/Ethnicity, and Selective College Admissions". The Century Foundation, 31 de março de 2003, p. 106, Tabela 3.1: www.tcf.org/content/commentary/socioeconomic-status-raceethnicity-and-selective-college-admissions/?agreed=1. Um estudo semelhante das 91 faculdades e universidades mais competitivas descobriu que 72% dos alunos vinham do quarto superior. Jennifer Giancola e Richard D. Kahlenberg, "True Merit: Ensuring Our Brightest Students Have Acess to Our Best Colleges and Universities". Jack Kent Cooke Foundation, janeiro de 2016, Figura 1: jkcf.org/research/true-merit-ensuring-our-brightest-students-have-access-to-our-best-colleges-and-universities/.

105. Max Weber, "The Social Psychology of the World Religions", in: H. H. Gerth e C. Wright Mills (orgs.), *From Max Weber: Essays in Sociology* (Nova York: Oxford University Press, 1946), p. 271; ênfase no original. Ver também Sandel, *The Tiranny of Merit: What's Become of the Common Good?* (Nova York: Farrar, Straus & Giroux, 2020), p. 39-42. [Ed. bras.: *A tirania do mérito: o que aconteceu com o bem comum?*. Rio de Janeiro: Civilização Brasileira, 2020].

106. Summers citado em Suskind, *Confidence Men*, p. 197.

107. Sandel, *Tiranny of Merit*, p. 23, 67-71.

108. "O que você ganha depende do que você aprende" foi frequentemente usado por Bill Clinton. "Você consegue, se tentar" era uma frase favorita de Barak Obama, que a usou em discursos e declarações públicas mais de 140 vezes. Ver Sandel, *Tiranny of Merit*, p. 23, 67-79, 86-87.

O QUE DEU ERRADO: O CAPITALISMO E A DEMOCRACIA DESDE OS ANOS 1990

109. Sandel, *Tiranny of Merit*, p. 109. Em 2018, 35% dos americanos com 25 anos ou mais tinham completado quatro anos de faculdade, acima dos 25% registrados em 1999 e dos 20% em 1988. United States Census Bureau, CPS Historical Time Series Tables, 2018, Table A- 2: census.gov/data/tables/time-series/demo/educational-attainment/cps-historical-time-series.html.

110. Sandel, *Tiranny of Merit*, p. 26.

111. www.fivethirtyeight.com/features/even-among-the-wealthy-education-predicts-trump-support/; www.jrf.org.uk/report/brexit-vote-explained-poverty-low-skills-and-lack-opportunities.

112. Thomas Piketty, "Brahmin Left vs Merchant Right: Rising Inequality & the Changing Structure of Political Conflict". World Inequality Lab, 22 de março de 2018, p. 2, 61: www.piketty.pse.ens.fr/arquivos/Piketty2018.pdf.

113. Aaron Blake, "Hillary Clinton takes her 'Deplorables' Argument for Another Spin". *Washington Post*, 13 de março de 2018, www.washingtonpost.com/news/the-fix/wp/2018/03/12/hillary-clinton-takes-her-deplorables-argument-for-another-spin/. Trump venceu Clinton por uma pequena margem entre os eleitores de alta renda, mas teve uma vitória decisiva entre os eleitores de áreas rurais e cidades pequenas (62 a 34%), entre os eleitores brancos sem diploma universitário (67 a 28%) e entre os eleitores que acreditam que o comércio com outros países tira mais empregos do que cria (65 a 31%). Ver "Election 2016: Exit Polls", *The New York Times*, 8 de novembro de 2016: www.nytimes.com/interactive/2016/11/08/us/politics/election-exit-polls.html.

114. Sandel, *Tiranny of Merit*. Isabel Sawhill, *The Forgotten Americans: An Economic Agenda for a Divided Nation* (New Haven: Yale University Press, 2018), p. 114.

115. Sandel, *Tiranny of Merit*, p. 97. "Congressional Research Service, Membership of the 116th. Congress: A Profile", atualizado, em 17 de dezembro de 2020: www.fas.org/sgp/crs/misc/R45583.pdf; Jennifer Senior, "95% of Members of Congress Have a Degree. Look Where That's Got Us". *The New York Times*, 21 de dezembro de 2020: www.nytimes.com/2020/12/21/opinion/politicians-college-degrees.html?action=click&module=Opinion&pgtype=Homepage; Russ Choma, "Millionaires' Club: For First Time, Most Lawmakers Are Worth $1 Million-Plus", Open Secrets, 9 de janeiro de 2014: www.opensecrets.org/news/2014/01/millionaires-club-for-first-time-most-lawmakers-are-worth-1-million-plus.html. Ver também Karl Evers-Hillstrom, "Majority of Lawmakers in 116th Congress Are Millionaires", Open Secrets, 23 de abril de 2020: www.opensecrets.org/news/2020/04/majority-of-lawmakers-millionaires/.

O DESCONTENTAMENTO DA DEMOCRACIA

116. Sandel, *Tiranny of Merit*; Congressional Research Service, Membership of the 116th Congress, p. 5: www.fas.org/sgp/crs/misc/R45583.pdf.

117. Sandel, *Tiranny of Merit*; Nicholas Carnes, *The Cash Ceiling: Why Only the Rich Run for Office — and What We Can Do About It* (Princeton: Princeton University Press, 2018), p. 5-6.

118. James Clyburn, Entrevista para FiveThirtyEight, 26 de fevereiro de 2020: www. abcnews.go.com/fivethirtyeight/video/rep-james-clyburn-settled-endorsing-joe-biden-president-69231417. Encontrei pela primeira vez a citação de Clyburn em Elizabeth Anderson, "The Broken System". *The Nation*, 23 de fevereiro de 2021: www.thenation.com/article/society/sandel-tyranny-merit/.

119. Amy Walter, "Democrats Lost Ground with Non-College Voters of Color in 2020", Cook Political Report, 17 de junho de 2021: www.cookpolitic.com/analysis/national/national-politics/democrats-lost-ground-non-college-voters-color-2020; Nate Cohn, "How Educational Differences Are Widening America's Political Rift", *The New York Times*, 8 de setembro de 2021: www.nytimes.com/2021/09/08/us/politics/how-college-graduates-vote.html.

120. Alexander Hamilton, "Notes on the Advantages of a National Bank", citado em Lance Banning, *The Jeffersonian Persuasion* (Ithaca: Cornell University Press, 1978), p. 136-137; "The Tablet", *Gazette of the United States*, 24 de abril de 1790, citado em Banning, *Jeffersonian Persuasion*, p. 137. Ver de modo geral no Capítulo 2 acima.

121. Ver Liz Mineo, "Correcting 'Hamilton'", *Harvard Gazette*, 7 de outubro de 2016, citando a historiadora Annette Gordon-Reed: www.news.harvard.edu/gazette/story/2016/10/correcting-hamilton/; Lyra D. Montiero, "Race-Conscious Casting and the Erasure of the Black Past in Lin-Manuel Miranda's Hamilton", *The Public Historian*, 38, n° 1 (fevereiro de 2016), p. 89-98: www.doi.org/10.1525/tph.2016.38.1.89; Annette Gordon-Reed, "Hamilton: The Musical: Blacks and the Founding Fathers", National Council on Public History, 6 de abril de 2016: www.ncph.org/history-at-work/hamilton-the-musical-blacks-and-the-founding-fathers/.

122. Uma exceção é um momento em um debate ministerial, quando Jefferson diz a Hamilton: "Na Virgínia, plantamos sementes no solo/Nós criamos. Você só quer movimentar nosso dinheiro." Cabinet Battle #1: www.themusicallyrics.com/h/351-hamilton-the-musical-lyrics/3682-cabinet-battle-1-lyrics.html.

123. "Alexander Hamilton", do musical da Broadway *Hamilton* (2015); libreto, música e letra de Lin-Manuel Miranda: www.themusicallyrics.com/h/351-hamilton-the-musical-lyrics/3706-alexander-hamilton-lyrics.html.

124. Ibid.

O QUE DEU ERRADO: O CAPITALISMO E A DEMOCRACIA DESDE OS ANOS 1990

125. Ibid., www.themusicallyrics.com/h/351-hamilton-the-musical-lyrics/3704-my-shot-lyrics-hamilton.html.

126. Barack Obama, Remarks Prior to a Musical Performance by Member of the Cast of "Hamilton", 14 de março de 2016, The American Presidency Project: www.presidency.ucsb.edu/node/315810. Ver em termos gerais Donatella Gallela, "Being in 'The Room Where It Happens': *Hamilton*, Obama, and Nationalist Neoliberal Multicultural Inclusion". *Theatre Survey*, 59, nº 3 (setembro de 2018): www.cambridge.org/core/journals/theatre-survey/article/being-in-the-room-where-it-happens-hamilton-obama-and-nationalist-neoliberal-multicultural-in clusion/203F76B1800B7398A7E761B103441DB9; Jeffrey Lawrence, "The Miranda-Obama Connection (From Hamilton to Puerto Rico)", Tropics of Meta, 8 de agosto de 2016: www.tropicsofmeta.com/2016/08/08/the-miranda-obama-collaboration-from-hamilton-to-puerto-rico/.

127. Barack Obama, Remarks Prior to a Musical Performance by Members of the Cast of "Hamilton", 14 de março de 2016, The American Presidency Project: www.presidency.ucsb.edu/node/315810; Michelle Obama, vídeo apresentando *Hamilton* no Tony Awards, junho de 2016: www.youtube.com/watch?v=b5VqyCQV1Tg; www.finance.yahoo.com/video/tonys-barack-michelle-obama-announce-022231579.html. Ver também Kahlila Chaar-Pérez, Lin-Manuel Miranda: Latino Public Intellectual (Parte 1), U.S. Intellectual History Blog, 15 de setembro de 2016: www.s-usih.org/2016/09/lin-manuel-miranda-latino-public-intellectual-part-I/.

128. Trump obteve 58% dos votos nos condados mais pobres dos Estados Unidos e apenas 31% nos mais ricos. Ver Eduardo Porter, "How the G.O.P. Became the Party of the Left Behind", *The New York Times*, 28 de janeiro de 2020: www.nytimes.com/interactive/2020/01/27/business/economy/republican-party-voters-income. html. Ver também Nicholas Lemann, "The After-Party", *New Yorker*, 2 de novembro de 2020.

129. David Byler, "Why Do Some Still Deny Biden's 2020 Victory? Here's What the Data Says", *Washington Post*, 10 de novembro de 2021: www.washingtonpost.com/opinions/2021/11/10/why-do-some-still-deny-bidens-2020-victory-heres-what-data-says/.

130. Ezra Klein, "Four Ways of Looking at the Radicalism of Joe Biden", *The New York Times*, 8 de abril de 2021: www.nytimes.com/2021/04/08/opinion/biden-jobs-infrastructure-economy.html.

131. Jim Tankersley, "Biden, Calling for Big Government, Bets on a Nation Tested by Crisis", *The New York Times*, 28 de abril de 2021, atualizado em 9 de julho de 2021: www.nytimes.com/2021/04/28/business/economy/biden-spending-big-

O DESCONTENTAMENTO DA DEMOCRACIA

government.html; Jim Tankersley e Cecilia Kang, "Biden's Antitrust Team Signals a Big Swing at Corporate Titans", *The New York Times*, 24 de julho de 2021, atualizado em 28 de outubro de 2021: www.nytimes.com/2021/07/24/ business/ biden-antitrust-amazon-google.html; Greg Ip, "Antitrust's New Mission: Preserving Democracy, Not Efficiency". *Wall Street Journal*, 7 de julho de 2021: www.wsj.com/articles/antitrusts-new-mission-preserving-democracy-not-efficiency-11625670424; Nelson Lichtenstein, "America's 40-Year Experiment with Big Business Is Over", *The New York Times*, 13 de julho de 2021: www.nytimes.com/2021/07/13/opinion/biden-executive-order-antitrust.html; Peter Eavis, "Companies Love to Buy Back Their Stock. A Tax Could Deter Them", *New York Times*, 19 de novembro de 2021: www.nytimes.com/2021/11/19/ business/biden-tax-buyback-stock.html; Brian Faler, "Wyden Fills in Details for 'Billionaires Income Tax'", *Politico*, 27 de outubro de 2021: www.politico.com/news/2021/10/27/billionaires-income-tax-details-wyden-517318; Morgan Ricks, John Crawford e Lev Menand, "Central Banking for All: A Public Option for Bank Accounts", Roosevelt Institute, junho de 2018: www.rooseveltinstitute.org/wp-content/uploads/2021/08/GDI_Central-Banking-For-All_201806.pdf; Saule T. Omarova, "The People's Ledger: How to Democratize Money and Finance the Economy", *Vanderbilt Law Review*, 74 (2021): www.papers.ssrn.com/sol3/papers.cfm?abstract_id=3715735 #; Tory Newmyer, "Biden Taps Wall Street Critic Saule Omarova for Key Banking Regulation Post", *The Washington Post*, 23 de setembro de 2021: www.washingtonpost.com/business/2021/09/23/ omarova-occ-wall-rua/.

132. Ver Michael Kazin, "What the Democrats Need to Do", *The New York Times*, 27 de fevereiro de 2022.

133. Peter S. Goodman, e Niraj Chokshi, "How the World Ran Out of Everything", *The New York Times*, 1º de junho de 2021, atualizado em 22 de outubro de 2021: www.nytimes.com/2021/06/01/business/coronavirus-global-shortages.html; Peter S Goodman, "'It's Not Sustainable': What America's Port Crisis Looks Like Up Close", *The New York Times*, 10 de outubro de 2021, atualizado em 14 de outubro de 2021: www.nytimes.com/2021/10/11/business/supply-chain-crisis-savannah-port.html; Peter S. Goodman, "How the Supply Chain Broke and Why It Won't Be Fixed Anytime Soon", *The New York Times*, 22 de outubro de 2021: www.nytimes.com/2021/10/22/business/shortages-supply-chain.html.

134. Para uma crítica da noção de que a mudança tecnológica tende à capacitação por natureza, devido a avanços exógenos na ciência, ver Daniel Markovits, *The Meritocracy Trap* (Nova York: Penguin Press, 2019), p. 233-257, e Daron

Acemoglu, "Technical Change, Inequality, and the Labor Market", *Journal of Economic Literature*, 40 (março de 2002), p. 7-22: www.aeaweb.org/articles?id=10.1257/0022051026976.

135. Pratap Bhanu Mehta, "History after Covid-19", *Open Magazine*, 10 de abril de 2020: www.openthemagazine.com/cover-story/histor-after-covid-19-the-making-of-a- new-global-order/.

136. Neil Irwin, "Move Over, Nerds. It's the Politicians' Economy Now", *The New York Times*, 9 de março de 2021: www.nytimes.com/2021/03/09/upshot/politicians-not-central-bankers-economy-policy.html; Adam Tooze, "What if the Coronavirus Crisis is Just a Trial Run?", *The New York Times*, 1º de setembro de 2021: www.nytimes.com/2021/09/01/opinion/covid-pandemic-global-economy-politics.html; Adam Tooze, "Has Covid Ended the Neoliberal Era" *The Guardian*, 2 de setembro de 2021: www.theguardian.com/news/2021/sep/02/covid-and-the-crisis -of-neoliberalism.

137. Tooze, "Has Covid Ended the Neoliberal Era?". A citação vem de uma palestra dada por Keynes na BBC em 2 de abril de 1942, "How Much Does Finance Matter?": www.adamtooze.substack.com/p/chartbook-on-shutdown-keynes-and.

138. Mehta, "History after Covid-19"; Tooze, "Has Covid Ended the Neoliberal Era?"; Tooze, "What if the Coronavirus Crisis is Just a Trial Run?"

139. Ver Michael J Sandel, *What Money Can't Buy: The Moral Limits of Markets* (Nova York: Farrar, Straus and Giroux, 2012), p. 14, 202. [Ed. bras.: *O que o dinheiro não compra: os limites morais do mercado*. Rio de Janeiro: Civilização Brasileira, 2018.]

140. Tony Blair, discurso da conferência do Partido Trabalhista, Brighton, 2005. *The Guardian*, 27 de setembro de 2005: www.theguardian.com/uk/2005/set/27/labourconference.speeches.

141. Denise Chow, "Summers Could Last Half the Year by the Ende of This Century". NBC News, 21 de março de 2021: www.nbcnews.com/science/environment/summers-last-half-year-end-century-rcna436, citando Jaimin Wang, et al., "Changing Lengths of the Four Seasons by Global Warming", Geological Research Letters, 19 de fevereiro de 2021: www.doi.org/10.1029/2020GL091753; Kasha Patel, "Every Season Except Summer Is Getting Shorter, a Sign of Trouble for People and the Environment", *The Washington Post*, 22 de setembro de 2021: www.washingtonpost.com/weather/2021/09/22/longer-northern-hemisphere-summer-climate/.

Índice remissivo

abolicionistas, 100-106, 114, 120, 349; concepção cívica de liberdade e, 100, 106-107; Douglass, 111; surgimento dos, 100; as credenciais de Hamilton como, 396; concepção voluntarista de liberdade, 112. *Ver também* escravidão

aborto, 257, 289, 290

acesso à terra e, 53-54 ; cidadania e, 96 ; governo nacional e, 54 ; economia política e, 54, 56; governo republicano e, afastar-se do, 62 ; expansão para o oeste e, 67. *Ver também* independência; economia política da cidadania

acordos comerciais, 356-357, 358-359; Nafta, 337, 355, 356-357, 359, 384; TPP, 357, 359; Trump sobre, 384

acumulação de capital, 120. *Ver também* riqueza, concentrações de

Adair v. Estados Unidos, 130

Adams, John, 43, 51

Addams, Jane, 151, 329

administração centralizada, 242. *Ver também* governo, federal

administração Reagan, 201, 202-203, 364, 365, 311

afro-americanos, 17, 275, 296, 339-340. *Ver também* escravidão

agitação social, 272-273, 276, 279-281. *Ver também* desempoderamento

agricultores. *Ver* ideal agrário

agricultores. *Ver também* ideal agrário; era Jackson

agricultura, autoridade federal de planejamento sobre, 217-218

Agricultural Adjustment Administration [AAA, Agência de Ajuste Agrícola], 217

AIG, 372, 376

Alabama, 275. *Ver também* Wallace, George

Alcoa, 196

Alinsky, Saul, 320

ambição, 47, 51

ambientalistas, 235

American Federation of Labor [AFL, Federação Americana do Trabalho], 132-134

amizade, 323

antissemitismo, 383

antitruste/antimonopólio e, 199, 200, 236; concepções concorrentes de, 200, 201

antitruste/antimonopólio, 24, 176-177, 182-203, 216-217, 349, 381, 400; argumentos cívicos para, 194-195, 197-199; Lei Clayton, 191; bem-estar do consumidor e, 194, 199-200; debate sobre, 200-203; decisão sobre *Dr. Miles*, 189, 202; execução, 192-195; New Deal e, 191, 216, 220-221; debate sobre fixação de preços, 202-203; propósito do, 193-194; Lei Sherman, 182-183, 186, 189, 193, 196; suspensão de leis, 218. *Ver também* concorrência

O DESCONTENTAMENTO DA DEMOCRACIA

Antropoceno, 402
aparelho de barbear Gillette, 189
Aristóteles, 311, 313, 323, 340-341, 403
Arnold, Thurman, 192-195, 200, 224, 236; *The Folklore of Capitalism*, 192
arranjos econômicos, 95. *Ver também* trabalho assalariado
artesãos, 60, 97-98, 113, 124, 134, 184-185, 311
Artigos da Confederação, 46
associações, 295. *Ver também* comunidade
atividade econômica, propósito da, 350. *Ver também* consumo
atividade política, treinamento para, 320-321
Ato de Kansas-Nebraska, 108
autoajuda coletiva, 118-119
autodomínio, 268
autogoverno, 41; no Antropoceno, 403; ansiedades sobre, 19; aspiração para, 35; capacidade para, 81; personagem e, 251-252; política econômica e, 25, 67; erosão de, 319; medo de perder o, 29 (*ver também* desempoderamento); manufaturas e, 62-63, 67; condições modernas e, 146; lugar e, 340-341; república procedimental e, 340; escopo para, 401; partilha do, 32 (*ver também* participação política); sustentando o, 34; virtude e, 117; trabalhadores e, 73. *Ver também* democracia; tradição republicana/do republicanismo
autoimagem liberal, 265-270
autoimagem voluntarista, 147, 149

Bair, Sheila, 374, 378-379, 380
bairros hispânicos, 320
Banco dos Estados Unidos, 73, 75, 76, 108
banco nacional, 49, 53, 69, 73-74, 75, 76, 79, 108, 396

bancos, 18, 361, 367, 368; central, 402; Citi, 378; Citigroup, 372; execuções hipotecárias e, 376; na era Jackson, 68-69, 76; poder dos, 23-24. *Ver também* Banco dos Estados Unidos; financeirização; Wall Street
Bank for International Settlements [Banco para Acordo Internacionais], 370
Barone, Michael, 253
Baxter, William, 201
Beer, Samuel H., 258
bem comum, 32, 43-44, 82-84, 314. *Ver também* virtude cívica; autogoverno
bem público, 43, 44, 46, 47-48, 51, 55, 78, 81, 82-84, 108, 156, 362, 387, 396, 401. *Ver também* bem comum
bem, prioridade do direito sobre o, 258, 266, 270
bem-estar do consumidor, 33, 176, 177, 180, 182, 186, 187, 190, 191, 193, 194, 195, 198, 215
bem-estar social, 70-71, 236, 259, 279, 281-282, 293, 324
Bernanke Ben, 372
Biden, Joe, 393-395, 399-400, 402
big government, 336; sobre, 336; reação contra, 277; Brandeis sobre, 158; reclamações conservadoras sobre, 336; maldição da grandeza, 293; desamparo e, 292; Reagan e, 292, 293
big techs, 22, 24, 337
Black, Hugo L., 179
Blair, Tony, 352, 404
boa vida, 75, 135, 256, 403. *Ver também* caráter; escolha; fins; escolher
bolha imobiliária, 366, 372, 375. *Ver também* crise financeira (2008)
bônus, 378
Boorstin, Daniel, 171
Borah, William, 192
Bork, Robert H., 186, 199-200
Born, Brooksley, 366-367
Boyer, Paulo, 155

ÍNDICE REMISSIVO

Brandeis, Louis D., 169, 202, 203, 215-216, 221, 237, 239, 292; antitruste/antimonopólio e, 186-191, 193, 195; apelo à democracia industrial, 173; ideais cívicos de, 199; poder concentrado e, 163-164, 198; sobre a maldição da grandeza, 23, 279, 312, 381; visão descentralizadora de, 157-160; sobre propósito formativo, 173-176, 239; sobre trabalho livre, 158-159; herdeiros de, 216; democracia industrial e, 162, 170; *Liggett Company v. Lee*, 179; em monopólio/trustes, 158; oposição à grandeza, 165; sobre manutenção de preços, 202; Wilson e, 160-161

Brexit, 21, 392, 398

Brinkley, Alan, 225, 232

Brisbane, Albert, 102

Brookings Institution, 393

Brooks, Jack, 203

Brownson, Orestes, 69, 74, 100

Buffet, Warren, 366

Burnham, Daniel H., 156

Bush, George H.W., 294, 355, 363

Bush, George W., 357, 371-373, 379, 390

Cafta (Acordo de Livre Comércio da América Central), 357

Calhoun, John C., 104

campanha "Compartilhe a riqueza", 222

candidatos do protesto, 283. *Ver também* Kennedy, Robert F.; Wallace, George

capitalismo de valorização do preço dos ativos, 370-371

capitalismo dirigido pelas finanças, 396. *Ver também* financeirização

capitalismo global. *Ver* globalização

capitalismo industrial, 116; tentativas de reformar a estrutura do, 231 (*ver também* New Deal); Guerra Civil e, 113-114; competição e, 103, 132, 158, 160, 179, 182-183; condições do, 117, 121-122; defesa do, 98-99, 121-122;

efeitos do, 158; consequências formativas do, 158; liberdade de contrato e, 115; trabalho livre industrial e, 99, 104-105, 113-114 (*ver também* trabalho livre); *laissez-faire* e, 121; projeto de nacionalização e, 336; Estado-nação e, 351; poder político e, 24, 113, 157, 183, 224; reforma do, 229-231; ameaça representada por, 114, 116; sistema salarial do, 113-117, 119-122, 242. *Ver também* sociedades; mão de obra gratuita; filosofia do *laissez-faire*; potência, concentrações do

capitalismo monopolista, 172-173. *Ver também* antitruste/antimonopólio; monopólio/trustes

capitalismo, 351; relação da democracia com, 349-350, 400; monopólio de terras e, 105; da era pós-Segunda Guerra Mundial, 370. *Ver também* financeirização; globalização; meritocracia

capitalismo, monopólio e, 172. *Ver também* antitruste/antimonopólio; monopólio/trustes

Capitólio, Estados Unidos, 17

caráter moral, 43; movimento urbanístico e, 156; efeitos das corporações sobre, 162; governo grande culpado pela decadência do, 293; desempoderamento e, 292; jornada de trabalho de oito horas e, 123-125; Falwell sobre, 289-290; capitalismo industrial e, 158; instituições e, 78; melhorias internas e, 79; filosofia *laissez-faire* e, 75-76; neutralidade em relação a, 43-44; reformadores progressistas e, 154-157; escolas públicas e, 81; escravidão e, 109-110; ameaças ao, 72-73, 73-74; trustes e, 183. *Ver também* caráter; virtude cívica; projeto formativo; independência; meritocracia

caráter, 43-44; *big government* e, 293; mão de obra gratuita e, 96; capitalismo industrial e, 116; identidades do produtor e, 173; instituições públicas e, 80; autogoverno e, 251-252; danos do trabalho assalariado ao, 117. *Ver também* cidadãos; virtude cívica; projeto formativo; caráter moral; economia política da cidadania

Carter, Jimmy, 275, 283-288, 292, 362-364

Carville, James, 354

casa própria, 253. *Ver também* crise financeira (2008)

Casos dos Matadouros, 126-127

CEOs, 365, 377

China, 356, 357, 371, 384

choque de petróleo da OPEP, 274, 287-288

choque do petróleo, 274, 287-288

cidadania, cosmopolita/global, 330-335, 351-352. *Ver também* globalização

cidadania, economia política da. *Ver* economia política da cidadania

cidadania, suposições sobre, 30; capacidade para, 312-313; independência econômica e, 96; mão de obra gratuita e, 96; concepção liberal da, 316-317; nacionalização, 334; desfiles e, 156; locais de proliferação, 341-342

cidadãos, 23, 41-42. *Ver também* caráter; virtude cívica; projeto formativo; caráter moral

cidades, 150, 279-280

Citi, 378

Citibank, 368

Citigroup, Inc., 368, 372

classe trabalhadora, 394-395

Clay, Henry, 66, 69, 77, 79

Clinton, Bill, 352, 354-357, 365-368, 373-374, 383, 390, 399

Clinton, Hillary, 18, 357, 385, 390, 392

Clyburn, James, 394

códigos de preço, 218

coerção, 129, 311-316, 337

comércio e virtude e, 78

comércio livre, 56, 58, 66. *Ver também* acordos de comércio

Comissão de Governança Global, 330

Commodity Futures Trading Commission [Comissão de Negociação de Futuros de Commodities], 366

Communities Organized for Public Service [COPS, Comunidades Organizadas para o Serviço Público], 320-321

competição, 22, 23, 103, 131, 158, 160, 183, 188, 189, 190, 197, 198, 220, 353; estrangeiro, 79, 356; globais, 323; preservando, 221; regulamento de, 158, 161; injusta, 191-192. *Ver também* antitruste/antimonopólio; monopólio/trustes

compra de Louisiana, 56-57

comunicação, 79, 169. *Ver também* melhorias internas/infraestrutura

comunidade cooperativa, 118-120

comunidade, 333; vínculo com a, 48; redes de lojas e, 178-181; movimento pelos direitos civis e, 296; consumo, 171-172; cooperação e, 152-153, 156; erosão da, 20, 29, 149-150, 154, 271, 279-281, 291-292, 295, 319, 327 ; projeto formativo e, 296; amizade e, 323; globais, 336; ideal de, 280; identificação com, 146; desigualdade e, 326; interdependência e, 151-153; intermediário, 295; nacional, 72, 259-263, 280, 294-296, 324, 330, 336; obrigações e, 258-260; um mundo, 331; desfiles e, 156; política, 32, 146, 151, 167, 251, 256, 316, 330, 331, 337, 341; subnacional, 336; moral universal, 331; Estado de bem-estar social e, 258-259, 296, 324

comunidades de consumo, 171-173

concentrações de poder, 18; medo das, 158; debate sobre o banco nacional e, 73-74; preocupação republicana com, 293-294; ameaça da, 72, 108, 157-158, 160, 216. *Ver também* ca-

ÍNDICE REMISSIVO

pitalismo industrial; redes de lojas; corporações; governo federal; monopólio/trustes

concepção cívica de liberdade, 241-243, 319-320; abolicionistas e, 100, 106-107; movimento pelos direitos civis e, 338; após a Guerra Civil, 115; condições para, 311; declínio da, 349; economia e, 114; política liberal e, 279; objeções à revitalização, 311-316; revivendo, 319-327; afastar-se da, 132, 134-135, 251

concepção liberal de liberdade, 32, 33, 34, 240

concepção republicana de liberdade, 33-35. *Ver também* projeto formativo

concepção voluntarista de liberdade, 122, 145, 175, 256-265, 289, 316; abolicionistas e, 101-103, 112; desempoderamento e, 318; justiça distributiva e, 322; livre-arbítrio e, 115; liberdade de contrato e, 115; na Era Dourada, 120; economia keynesiana e, 240-241; trabalho e, 99; filosofia *laissez-faire* e, 122; reformadores liberais e, 120; prioridade de direito e, 266; república procedimental e, 146, 243-244; vida pública informada pela, 145-146; direitos e, 256-257; mudança para, 131, 135, 240-244; sindicatos e, 134; trabalho assalariado e, 95-96, 127-128; bem-estar social e, 265-266, 281. *Ver também* neutralidade; república procedimental

concepção voluntarista do trabalho livre, 127-128, 131; jornada de oito horas e, 121-122; capitalismo industrial e, 106; economia política da cidadania e, 134-135; mudança para a, 121-122

condições de trabalho, 185

confiança, 29, 272-274

congregações religiosas, 320, 339

Congresso, Estados Unidos: antitruste/antimonopólio e, 182-183, 189-192, 197, 201-202, 221; Biden e, 400; Commodity Futures Trading Commission e, 366; credencialismo e, 393-394; jornada de oito horas e, 125; crise financeira e, 373, 377; tetos de taxas de juros e, 363; Nafta e, 355-356; Lei de Recuperação da Indústria Nacional, 218; pandemia e, 400-401; revogação da Lei Glass-Steagall, 367; Lei da Receita (1935), 222; Lei Robinson-Patman, 181; gastos e, 402; acionistas e, 50-51, 52-53, 396; estrutura do, 47; eleição de 2020 e, 17; direitos de voto e, 339. *Ver também* governo, federal

Consenso de Washington, 21, 360

consentimento, 130, 175. *Ver também* contratos

conservadorismo *laissez-faire*, 289, 290, 291

conservadorismo libertário, 288, 290

conservadorismo, 368; comunitário, 288-293; bem-estar do consumidor e, 202; contemporâneo, 336; culturais, 288-291; gastos deficitários e, 231; federalismo e, 337; meta de pleno emprego, 232-233; *laissez-faire*, 289, 290, 291; *versus* liberalismo, 31; libertário, 289, 291; neutralidade e, 291; de Reagan, 288-293; Estado de bem-estar social e, 263, 264, 291

Constituição inglesa, 44

Constituição, Estados Unidos: emendas a, 126, 127; garantia de liberdade e, 260; redes de lojas e, 179; virtude cívica e, 45-48, 54, 338; concepção de liberdade e, 99, 257-258; divisão de poder e, 336; preservação da, 117. *Ver também* neutralidade

construção da nação, finanças públicas e, 50

consumidores, 23, 33, 172, 201; antitruste/antimonopólio e, 198-200, 236; grandeza e, 23-24; redes de lojas e,

O DESCONTENTAMENTO DA DEMOCRACIA

176; cidadãos como, 170-176; conservadores e, 202; globalização e, 356; monopólio e, 172. *Ver também* antitruste/antimonopólio; corporações; economia política do crescimento e justiça distributiva

consumismo, 169-176, 350

consumo, 32-33, 63, 124, 169, 171, 190, 199, 232, 236-238, 241, 243, 270, 350. *Ver também* Keynes, John Maynard; luxo; economia política de crescimento e justiça distributiva

contracepção, 258

contratos, 131, 175. *Ver também* liberdade de contrato

contribuições de campanha, 386

controle, perda de, 278-279. *Ver também* desempoderamento; impotência

Cooley, Charles, 152

cooperação, 118-120, 123, 132-133, 152, 156, 218, 221, 259

Coppage v. Kansas, 128, 129, 130

corporações de desenvolvimento comunitário, 282-284

corporações, 116-117; caráter e, 161-162; corrupção e, 163-164; segurança do emprego e, 185; erosão da comunidade e, 149; poder governamental sobre, 164; condições de trabalho e, 185; rendas de monopólio para, 359; potência de, 23-24, 116-117; impostos e, 282-283, 360, 384; ameaça ao autogoverno, 149-150; Wilson sobre, 161. *Ver também* antitruste/antimonopólio; grandeza; negócio, grande; capitalismo industrial; rede de lojas; consumidores; monopólio/trustes

corrupção, 43, 44, 315; captura do governo e, 387; governo municipal e, 154; da virtude cívica, 341; comércio e, 77-78; poder econômico e, 163-164; vida de fábrica e, 62; sob o plano de Hamilton, 51, 53; luxo e, 73; fábricas e, 54, 61; trabalhadores e, 60, 61

Coxe, Tench, 63

credencialismo, 391, 393-395, 399. *Ver também* meritocracia

crédito fácil, 371. *Ver também* crise financeira (2008)

crescimento econômico, 41; política e, 41; *versus* justiça, 55; indústria financeira e, 368-371; foco em, 147; intervenção do governo e, 71, 232; neutralidade e, 234-235; na década de 1980, 297; na era pós-Segunda Guerra Mundial, 252-253; desaceleração do, 147; acordos comerciais e, 356; distribuição de riqueza e, 69-70. *Ver também* economia política do crescimento e justiça distributiva

crescimento econômico. *Ver* econômico, crescimento; economia política do crescimento e justiça distributiva

criação da alma, 166, 290, 314, 316, 321. *Ver também* projeto formativo,

crime, 280, 293, 325

crise de energia, 287

crise dos reféns do Irã, 274, 288

crise financeira (2008), 18, 366, 367, 368, 373-381; bônus durante a, 376-377; derivativos e, 367; execuções hipotecárias durante a, 375-376; bolha imobiliária, 366, 372; falta de responsabilização e, 377-383; reação populista, 383-385; resposta à, 399. *Ver também* Wall Street

crises financeiras, 360, 401. *Ver também* Depressão; New Deal

Croly, Herbert, 167-169, 172, 174-175, 215, 216, 239, 252, 261, 329, 330; *The promise of American Life*

Cronkite, Walter, 272, 288

Cuomo, Mario, 280, 294-295, 324

Darrow, Clarence, 220

Day, William R., 130

debate econômico, 25; vertente cívica do, 41-45; contemporâneo, 41; nos

ÍNDICE REMISSIVO

primeiros tempos da América, 49-58; mudança em termos de, 215-216. *Ver também* economia keynesiana; economia política da cidadania; economia política do crescimento e da justiça distributiva

Décima Quarta Emenda, 126, 127

Décima Terceira Emenda, 126

Declaração de Independência, 42, 111, 314

déficit, 226, 227, 231, 354-355, 363. *Ver também* dívida nacional; gastos, governo

demanda agregada, 237, 241

demanda agregada, 238-241

demanda do consumidor, teoria da, 238

democracia industrial, 159-160, 162, 170, 173, 261

democracia: a relação do capitalismo com, 349-350; administração Carter e, 363; China e, 356-357; vida cívica/comunidade e, 159, 282, 294-295, 327, 342; poder concentrado e, 157-158, 160, 161-162, 188, 190, 216, 222-223, 224, 329, 382; devolução em oligarquia, 381; direto, 170; Facebook e, 24; cidadania global e, 334; bases, 239-240; ideais e, 11, 12; independência e, 106, 190-191, 197, 203; industrial, 159-160, 162, 170, 173, 261; desigualdade e, 385; teorias baseadas no interesse, 83; liberal, 147; nacionalização e, 167, 330, 334; república procedimental e, 239; progressistas e, 169, 170; objetivo da, 168, 170, 174; revitalização, 23; Trump e, 17, 21, 351; virtude e, 168; desperdícios, 189; Weyl sobre, 174-176. *Ver também* autogoverno.

democratas Barnburner [grupo], 110

Democratic Review, 71

dependência, 62, 67, 102, 135

Depressão, 177, 191, 216, 219, 225-229. *Ver também* New Deal; Roosevelt, Franklin D.

derivativos, 366-367

descentralização, 168, 197, 224, 225, 278-283

descontentamento, 19, 146, 252, 327, 350, 377. *Ver também* desempoderamento; frustração; domínio; polarização; impotência

desempoderamento, 20, 34, 146, 149, 150, 252, 256, 329, 350, 401; lidar com, 34; *big government* culpado pelo, 293; a presidência de Carter e, 286; concentração do poder econômico e, 162, 196, 198, 293, 382; descontentamento e, 388; distância do governo e, 284; erosão das práticas cívicas e, 283 (*ver também* Kennedy, Robert F.); erosão da comunidade e, 280, 291-292; crescente senso de, 270-274; perda de capacidade narrativa e, 341-342; moralidade e, 292; do Estado-nação, 328; nos anos Reagan, 296; fontes de, 147; concepção voluntarista de liberdade e, 318; apelação de Wallace e, 275-277. *Ver também* descontentamento

desemprego, 280-281

desemprego, 280-281

desenvolvimento econômico, 56, 68, 71, 72, 78-79, 282, 335

desenvolvimento industrial, 64. *Ver também* manufaturas

desenvolvimento interno/de infraestrutura, 34, 75, 79, 399, 401

desfiles históricos, 156

desigualdades, 18, 321-322; defesa contra, 321-326; coerção e, 129; comunidade e, 325; pandemia de Covid-19 e, 400-401; desregulação e, 365; descontentamento e, 388; de estima, 389; globalização conduzida pelas finanças e, 20, 371, 386-388; sob o plano de Hamilton, 52; aumento de, 370; meritocracia e, 388-395; *versus* opressão, 101; raça e, 388; como

O DESCONTENTAMENTO DA DEMOCRACIA

ameaça ao autogoverno, 72-73. *Ver também* justiça distributiva; financeirização; globalização; meritocracia; vencedores e perdedores

deslocamento, 150, 255, 280

desregulamentação, 18, 296-297, 353, 355, 362, 363, 365-367, 373, 374, 381, 390, 401

dessegregação, 275, 278, 339

Dewey, John, 148, 153

Dewey, Thomas, 229

Dickens, Charles, 333

direito de propriedade intelectual, 358

direito religioso individual, 289, 317-318

direitos de voto: para os afro-americanos, 339; sufrágio em massa, 149; qualificações de propriedade, 313; sufrágio universal, 83; sufrágio feminino, 170

direitos econômicos, 259, 260

direitos individuais, 31, 127, 260, 296, 336, 338-339; noções concorrentes dos, 277; expansão dos, 145, 259, 278, 318; liberdade de expressão, 145, 256, 258, 266; interferência do governo e, 74; aumento do poder federal e, 278; privacidade, 145, 258; proteção dos, 258; defesa de Rawls dos, 265-268; liberdade religiosa, 145, 256, 258, 266; respeito por, 31; Suprema Corte e, 258. *Ver também* liberalismo

direitos sociais, 259, 260

direitos, 128, 145, 146; desacordo sobre o significado dos, 326; iguais, 75, 83; moldura de, 30, 256, 322; da mão de obra gratuita, 127-128; naturais, 71, 111; neutralidade e, 258; república procedimental e, 317, 318; de escravos, 105; interpretação social dos; 175 Suprema Corte e, 126-127; liberdade voluntarista e, 256-257

disparidades raciais de renda, 389

distribuição de riqueza, 17-18, 52, 55-56, 69, 174-175, 321-322. *Ver também* justiça distributiva; justiça; desigualdades

dívida nacional, 50-51, 56, 57, 395-396

Divisão Antitruste do Departamento de Justiça, 201, 224

domínio do espaço, 254, 255

domínio, 147, 257, 270-274, 291-292, 318, 327; liberalismo e, 256; na era pós-Segunda Guerra Mundial, 252-255; de espaço, 254, 255

Douglas, Stephen, 111

Douglas, William O. 198

Douglass, Frederick, 111

Dr. Miles Medical Company v. John D. Park & Sons Co., 189, 202

Dred Scott, decisão do caso, 108

Dukakis, Michael, 294

Dyer, Wayne, 268-270

Eccles, Marriner, 226, 227

economia de mercado, 75, 97-98, 176, 267, 291; produção artesanal e, 97-98; intervenção do governo na, 240; Estado de bem-estar social e, 258, 277. *Ver também* filosofia *laissez-faire*

economia do "lado da oferta", 363

economia keynesiana, 230-244, 253; consumo e, 236-238; liberalismo contemporâneo ligado a, 235-243; surgimento da, 230; influência da, 228; neutralidade e, 230-236; apelo político da, 217; rejeição do projeto formativo, 238-243; Theodore Roosevelt e, 225-227; concepção voluntarista de liberdade e, 240-241. *Ver também* política econômica; política fiscal; gastos públicos

economia política da cidadania, 25, 42, 43, 61, 65, 67, 72, 243, 251, 252, 297, 351, 382; ameaça de capital para, 120; alternativas para, 182; antitruste/antimonopólio e, 182, 187, 193, 195, 198-199; tentativa de reconciliar

ÍNDICE REMISSIVO

capitalismo e democracia, 296-297; visões concorrentes de, 72-73; declínio de, 182, 255, 350; desigualdade e, 321-326; jacksoniana, 73; jeffersoniana, 41-42, 61, 65, 67; métodos, 314; oposição à grandeza, 165; *versus* economia política do crescimento e justiça distributiva, 192; progressistas e, 168-169; revivendo a, 147, 319-327; a tentativa de Robert F. Kennedy de restaurar,282; afastamento da, 35, 99, 173-174, 175-176, 195, 215, 229, 252; ameaça da escravidão para, 110; criação voluntária do trabalho livre e, 134-135; guerra contra a pobreza e, 262; *whigs* e, 76. *Ver também* ideal agrário; caráter; virtude cívica; projeto formativo; caráter moral

economia política do crescimento e justiça distributiva, 34-35, 99, 135, 147, 169, 176, 182, 195, 271; afastamento da, 230; *versus* economia política da cidadania, 237-238; mudança para, 35, 173-174, 215, 229 (*ver também* política fiscal; New Deal)

economia política republicana/do republicanismo, 57-58. *Ver também* projeto formativo

economia política: ideal agrário e, 53-54, 56; bem-estar do consumidor e, 176, 195 (*ver também* economia política do crescimento e justiça distributiva); a visão de Hamilton, 49-50, 52-53; jacksoniana, 71-76; keynesiana, 234-244; a visão de Madison de, 54-55; limitado ao local, 351-352; república procedimental e, 230; progressistas e, 169; republicana, 53-58, 61, 67, 160, 162, 166, 173, 195, 293-294 (*ver também* projeto formativo); ocupações que sustentam a virtude e, 53; expansão para oeste e, 56; *whig*, 76-82

economia, "lado da oferta", 363

economia, 23-25, 32-34, 49-53, 67, 115; agrícola, 57, 59, 67; centralizada (*ver também* planejamento econômico; New Deal); descentralizada, 198-199, 216, 220-225 (*ver também* antitruste/antimonopólio); global (*ver também* globalização); intervenção do governo na, 71, 201, 232, 240, 241, 258. *Ver também* crescimento, economia

economia, propósito da, 32-34, 55, 234-237

educação cívica, 296

educação universitária, 389, 391-395

educação, 45, 49, 323, 325; cívica, 296; faculdade/universidade, 389, 391-395; projeto formativo e, 45; falta de investimento em, 401; político, 238; escolas públicas, 81-82, 324-325, 326, 387; segregação da, 275; gastos em, 387. *Ver também* projeto formativo; instituições

eficiência, 182, 183, 188, 193, 194, 198, 199, 200, 201-202, 203, 284, 285, 286

Eisenhower, Dwight, 355

eleições federais, 386

eleições para o Congresso, 395

elites, 17, 18, 20, 21, 391. *Ver também* globalização; potência

Ellison, Ralph, 281

Ely, Ricardo, 131

Embargo (1807-1809), 56-58, 66, 67

embargos, 56-58, 66

emendas de Reconstrução, 126, 127

emprego pleno, 228-229, 232-233, 236, 241; segurança no, 185; gastos em, 387

engajamento cívico, falha em cultivar, 21

equilíbrio de poderes, 47, 54, 77, 337-338

era Dourada: liberdade de contrato na, 123; legislação trabalhista na, 125 (*ver também* jornada de oito horas); organizações trabalhistas na, 116-121; concepção voluntarista de liberdade na, 120. *Ver também* reforma progressiva

era Jackson, 34, 68-84; Banco dos Estados Unidos, 73, 75, 76, 108; filosofia *laissez-faire* na, 75; bem público na, 82-84; visões de autogoverno na, 72; economia política *whig* durante a, 76-82

erosão de autoridade, 149

escala humana, 292

escassez de gasolina, 287-288

escolas públicas, 81, 82, 324, 325, 326, 387. *Ver também* Educação

escolha dos fins, 30-31, 145, 322, 35. *Ver também* escolha; liberdade; boa vida; independência; neutralidade

escolha, 243, 257-258, 268-269; desacordo sobre o significado de, 326; economia keynesiana e, 240-241; condições necessárias para a, 115. *Ver também* escolher; liberdade de contrato; independência; concepção voluntarista de liberdade

"escravidão assalariada", 100-106

escravidão industrial, 185

escravidão industrial, 185

escravidão, 35, 42, 109-110, 349; contenção versus emancipação, 107-112; controle do governo federal e, 108; defesa da, 104-106, 110-111, 313; manufatura doméstica e, 62; Jefferson e, 42, 57-58, 61; status moral da, 34; política antiescravidão, 107-116; dependência de produtos manufaturados britânicos como, 60; luta, 100-106; transição para trabalho livre da, 101-102; trabalho assalariado comparado com, 100-106. *Ver também* abolicionistas

esfera pública, retirada da afluente da, 324-325

espaços públicos, 338-339

especulação, 73, 74, 364-365, 366, 369

espírito público. *Ver* virtude cívica

Estado de bem-estar social, 29, 30-31, 147, 258-259, 260, 276, 279, 295, 296, 318-319, 324, 326, 336; valores conservadores e, 290-291; crítica do, 264-265, 267-268, 278; defesa do, 145, 267-268; justificativas para, 145; necessidade de identidade compartilhada, 336; Reagan e, 291-292; autogoverno e, 279; concepção voluntarista de liberdade e, 265

Estado-nação, 334; alternativa a, 335; globalização e, 327-328, 334-335; capitalismo industrial e, 351

estados, vínculo com o governo federal, 79-80

estagnação salarial, 17, 370-371, 385

estima, desigualdade de, 389

estímulo fiscal, 228, 231-232, 233, 354, 399, 402. *Ver também* gastos, governo

estruturas transnacionais, 327-328, 328, 330, 335. *Ver também* União Europeia

ética cívica global, 331

Europa, distanciando-se da América, 57-58

Evans, George Henry, 102-103

Everett, Edward, 70

exclusão, 312-313

execuções hipotecárias, 375-376. *Ver também* crise financeira (2008)

expansão para o oeste, 54, 57-58;na proposta do Sistema Americano, 79; laços de união e, 80; escravidão e, 108-112

Facebook, poder do, 24

Fair Deal [Acordo Justo], 260

Falk, Richard, 331

Falwell, Jerry, 289-290

família, nação como, 261, 295

fé no mercado, 401, 403

Federal Deposit Insurance Corporation [FDIC, Corporação Federal para Depósitos de Poupança], 374, 378

ÍNDICE REMISSIVO

Federal Reserve (Fed), 364, 367
Federal Trade Commission [Comissão Federal de Comércio], 191
federalismo americano, 337-338. *Ver também* governo federal
Federalist Papers, 47, 48
federalistas, 56-58, 67-68; *versus* jeffersonianos, 26-36. *Ver também* Hamilton, Alexander; Madison, James
Feldstein, Martin, 375
ferrovias, 79
Field, Stephen, 126-127
filosofia *laissez-faire*, 71, 79, 175, 263; defesa da, 290-291; defesa do capitalismo industrial, 121; jornada de oito horas e, 123; na era Jackson, 75; leis trabalhistas e, 125-129; caráter moral e, 75-76; oposição à, 129-131; no século XX, 75; concepção voluntarista de liberdade e, 120; concepção voluntarista do trabalho livre e, 121. *Ver também* intervenção governamental; economia de mercado
filosofia política, 11. *Ver também* filosofia pública
filosofia pública, 31, 35, 203, 252, 257, 340, 398; durante os anos Carter, 284, 285-286; do liberalismo contemporâneo, 256, 271, 318, 319, 322; ideal cosmopolita como, 331-332; economia keynesiana e, 235-236; liberais, 291, 312; significado de, 30; da república procedimental, 235, 255, 285, 318-319; dos democratas da era Reagan, 294-295; republicano *versus* liberal, 98-99, 134-135, 195. *Ver também* concepção cívica de liberdade; projeto formativo; liberalismo; república procedimental; concepção voluntária de liberdade
filosofia, 11. *Ver também* filosofia pública
finanças do governo, 50-52. *Ver também* Hamilton, Alexander

finanças, 50, 361, 376, 395, 396. *Ver também* Hamilton, Alexander
financeirização, 351, 360-368, 371, 386-388, 398, 401. *Ver também* crise financeira (2008); globalização; mercados
Fitzhugh, George, 104-105, 111
fixação de preços, 186, 188, 202-203, 175
Flash boys: revolta em Wall Street (Lewis), 369
Flowers, Montaville, 178
fluxos de capital irrestrito, 359-360, 401. *Ver também* financeirização; globalização
Foner, Eric, 110
Força-Tarefa para Iniciativas do Setor Privado, 293
Ford Motor Company, 361
Ford, Gerald, 284, 291
Frankfurter, Felix, 221, 257
Franklin, Benjamin, 43
franquia. *Ver* direito ao voto
Free Soil Party (Partido do Solo Livre), 107, 110, 120
Friedman, Milton, 71, 263-265, 267, 289
Friedman, Thomas L., 352-353
fronteiras nacionais, 20, 311
frustração, 35. *Ver também* descontentamento; desempoderamento; Kennedy, John F.; impotência
funcionários, 97-98, 147-148, 161-163. *Ver também* trabalho; trabalho assalariado; trabalhadores
fundamentalismo, 318, 341, 342
Fundo Monetário Internacional, 376
fusões, 196, 368. *Ver também* antitruste/antimonopólio; corporações; monopólio/trustes

Galbraith, John Kenneth, 238
Garrison, William Lloyd, 101, 103
gastos do governo, 217, 225-229, 231, 387, 402. *Ver também* dívida nacional; déficit; economia keynesiana

O DESCONTENTAMENTO DA DEMOCRACIA

gastos governamentais, 216-217, 225-229, 231, 387, 402. *Ver também* dívida nacional; déficit

Geithner, Timothy, 372, 373, 374, 376, 380

General Electric, 361

General Trades' Union [Sindicato Geral dos Mercadores], 98

gerencialismo, 284-286

Gilens, Martin, 387

globalização, 18, 311, 351-360; considerada inevitável, 352, 358; consumidores e, 356; desigualdades produzidas por, 386-388, 389 (*ver também* desigualdades; vencedores e perdedores); mercados e, 354-355 (*ver também* financeirização); meritocracia e, 390, 398; Estado-nação e, 328, 334; oposição à, 18, 20; prescrições políticas da, 353; caráter político da, 358; autogoverno e, 328-329; concepção encolhida de política e, 401; impostos e, 360; trabalhadores e, 20-21. *Ver também* ideal cosmopolita; desigualdades; neoliberalismo; acordos comerciais; vencedores e perdedores

Godcharles v. Wigeman, 128, 130

Godkin, E.L., 119-123

Goldwater, Barry, 226, 263-264, 267, 278, 289, 291; *A consciência de um conservador*, 264

Gompers, Samuel, 133, 134

governança global/transnacional, 327, 328, 330

governança global/transnacional, 327, 328, 330. *Ver também* União Europeia

governo federal: interesses financeiros e, 386-387; direitos individuais e, 278; influência sobre, 387; como instrumento de liberdade, 278; New Federalism, 293; proposta de redução do, 276; escravidão e, 107-108; relação dos estados com, 79; Wall Street e,

374-388. *Ver também* Congresso, Estados Unidos

governo municipal, 154

governo republicano, 43, 62-63

governo republicano, 43-44, 62

governo: captura de, 22, 23, 387; centralizado, 242; maldição da grandeza e, 293; descentralizado, 168; desilusão com, 285, 287-288 (*ver também* desempoderamento; impotência); distância entre as pessoas e, 284; papel formativo do, 48, 240 (*ver também* projeto formativo); ineficiência do, 285; a visão de Jackson sobre, 71-72; neutralidade do (*ver* neutralidade); confiança no, 29

Grã-Bretanha, 44, 45; boicote americano da, 59; Autoridade de Serviços Financeiros, 369; finanças do governo em, 51-52; voto para deixar a União Europeia, 21, 398; Estado de bem-estar social na, 258-259; *whigs* na, 77

grande grandeza, maldição da, 23, 256, 279, 293, 312, 381

Grande Sociedade, 153, 260-263, 267, 277, 296, 336

grandeza, 23, 158, 188. *Ver também* antitruste/antimonopólio; grandes negócios; corporações; governo,

Green New Deal, 403

Green, Mark, 200

Greenspan, Alan, 366, 367, 368

greves, 123, 134

Guerra Civil, 42, 99, 106, 113, 127, 166

guerra contra a pobreza, 262, 263-264

Guerra de, 1812, 58, 66, 67

Guerra do México, 80, 111

Guerra do Vietnã, 272-274

Guerra Fria, 19, 254-255

guerra: livre comércio e, 57-58; republicanos e, 57-58

guerras culturais, 22. *Ver também* polarização

ÍNDICE REMISSIVO

gueto urbano, 280, 282
Gunton, George, 185

Hamilton (musical), 333-335
Hamilton, Alexander, 34, 46, 48-57, 64-65, 395-398
Hammond, James Henry, 105
Hand, Learned, 196
Hansen, Alvin, 236, 237
Harlan, John Marshall, 130
Harrison, William Henry, 77
Havel, Vaclav, 328
Hawley, Ellis, 231
Herder, J.G., 332-333
Hildreth, Richard, 70
hipotecas. Ver crise financeira (2008)
Hirsch, Fred, 241
Hofstadter, Richard, 183
Holmes, Oliver Wendell, 130
Hoover, Herbert, 226
Hopkins, Harry, 227
horas: jornada de trabalho de oito horas, 121-125, 131; padrões da NRA em, 218-219, 220
humanidade, 331-333
Humphrey, Hubert, 196-197, 202-203, 273
Hundt, Reed, 373

Ickes, Harold, 236
ideais republicanos: Constituição e, 47; conveniência de, 312; Hamilton e, 55-56
ideais, 42, 240
ideal agrário, 42, 53-54, 78, 311, 349;
ideal cosmopolita, 331-335. Ver também globalização
identidade coletiva, 152. Ver também comunidade
identidade étnica, 331
identidade europeia, 328
identidade nacional, 20, 78, 167-168, 331-332, 336

identidade: política global e, 327-340; autogoverno e, 334
identidades étnicas, 331
identidades particulares, 331-335, 340
identidades universais, 331-335
ideologia de livre mercado, 352
igrejas, 320-321, 339
igualdade, 31, 57, 63, 72, 122-123, 130-131, 382; lei e, 339; jurídico, 131, 175; de oportunidade, 179; político, 222-223; propriedade privada e, 105; de representação, 51; Rousseau sobre, 323. Ver também justiça distributiva; desigualdades
Iluminismo, 313, 332
imigrantes, 18, 35, 150, 155, 313, 383, 398
impostos, 56; para corporações, 282, 360, 384; Franklin D. Roosevelt e, 222; globalização e, 360-361; John F. Kennedy e, 233-234; Reagan e, 322, 363; Trump e, 384; ricos e, 384
impotência, 275-277, 283, 286. Ver também Carter, Jimmy; desempoderamento; Reagan, Ronald
independência, 60, 96; cidadania e, 96; liberdade e, 105-106; trabalho livre e, 111-112; acesso à terra e, 66; fábrica e, 59-60, 62, 66; trabalho assalariado e, 100, 242. Ver também ideal agrário; escolha; virtude cívica; escolha de fins; caráter moral
individualismo, 76, 241. Ver também escolha; fins
indivíduo "engolido", 148
indivíduo desimpedido, 147, 262, 266, 269, 270, 316-317, 340
indivíduo independente, 147
indústria automobilística, 361, 379, 380
indústria farmacêutica, 23-24
Industrial Areas Foundation [IAF, Fundação das Áreas Industriais], 320-321
inflação, 229, 253, 274, 286-287, 352, 364, 367

O DESCONTENTAMENTO DA DEMOCRACIA

Inglaterra. *Ver* Grã-Bretanha
injustiça racial, 19
injustiça, 376, 380
inovação financeira, 369
insegurança dos trabalhadores assalariados, 104
instituições, 320, 338, 339; mistura de classes, 326; organização comunitária e, 320-321; Constituição, 45-48; liberdade e, 47; internacional, 330 (*ver também* União Europeia; governança global/transnacional); mediação das, 284, 293, 321, 327; públicas 78, 80-82 (*ver também* educação; governo)
integração nacional, 79-81
interdependência industrial, 151-153
interdependência tecnológica, 151-153
interdependência, 146, 147, 151-153, 329, 330. *Ver também* globalização
interesse próprio, 46, 47, 83-84
intermediários das instituições, 284, 293, 320, 327
intervenção do governo, 71, 74. *Ver também* a filosofia do *laissez-faire*; poder centralizado

Jackson, Andrew, 69, 72, 73, 75, 76, 83, 119, 158
Jackson, Jesse, 283
Jay, John, 61
Jay, William, 101-102
Jefferson, Thomas, 52, 75, 119, 134, 165, 167, 168, 169; ideal agrário de, 41-42, 59, 63, 73, 78, 96, 173, 311; virtude cívica e, 168, 169, 187, 237, 238, 252, 283, 338, 349; poder concentrado e, 158; poder disperso e, 167; embargo e, 56, 57-58, 66, 67; o sistema financeiro de Hamilton e, 34, 51-53, 56, 108, 396; manufaturas e, 41, 42, 54-55, 59, 60-61, 65-66, 67, 349; *Notes on the State of Virginia*, 41, 61; liberdade política e, 106; presidência de,

56; economia política republicana/do republicanismo e, 56-57; escravidão e, 42, 58, 62; sistema distrital, 283, 284, 338; expansão para o oeste e, 56-57
jeffersonianos, 167, 349; *versus* federalistas, 49-58
Johnson, Hugh S., 218, 219, 220
Johnson, Lyndon, 260-263, 272-273, 280, 295
Johnson, Robert A., 360
Johnson, Simon, 376, 380
jornada de trabalho de oito horas, 121-125, 131
justiça distributiva, 24, 49, 52, 59, 69-70, 72, 147, 159, 160, 169, 192, 222, 229, 268, 294, 322, 326, 350-351. *Ver também* justiça; distribuição de renda; desigualdades; economia política do crescimento e justiça distributiva; riqueza
justiça, 30, 18, 41, 71-72, 95, 120, 133, 135, 176, 201, 215, 294, 322, 379-380. *Ver também* justiça distributiva; desigualdades; distribuição de riqueza
justiça, 72, 155, 265, 317, 322, 350, 377, 380, 402; Departamento de Justiça, 192-195, 201, 202, 224

Kansas, 128-129
Kant, Emanuel, 31, 316, 332
Kaus, Mickey, 326
Kefauver, Estes, 196, 197
Kemler, Edgar, 238, 239
Kennedy, John F., 233-234, 253-255, 274
Kennedy, Robert F., 272, 273, 275, 277-283, 284
Key, Philip Barton, 68
Keynes, John Maynard, 32-33, 227, 236, 402-403; *A teoria geral do emprego, do juro e da moeda*, 236; *Ver também* consumo
King, Martin Luther, Jr., 273, 339-340

ÍNDICE REMISSIVO

Klein, Ezra, 399
Knights of Labor [Cavaleiros do Trabalho], 116-119, 123, 131-134, 187, 312, 349

laços de união, 78-80
Lasch, Christopher, 294
lazer, 124, 242-243, 311
lealdade nacional, 20. *Ver também* identidade nacional
Lee, Joseph, 155
Leggett, William, 71
Lehman Brothers, 372
Lei Clayton, 191
Lei da Seguridade Social, 259-260
Lei das Concessionárias de Serviço Público em Regime de Holding, 221
Lei de Acesso à Saúde, 384
Lei de Modernização dos Futuros de Commodities, 367
Lei de Receita (1935), 222
Lei de Recuperação da Indústria Nacional, 218
Lei do Comércio Justo (1952), 202
Lei do Direito ao Voto (1965), 340
Lei do Emprego (1946), 229
Lei do Selo (Stamp Act), 44
Lei Glass-Steagall, 367-368, 383
Lei Miller-Tydings de Comércio Justo (1937), 191, 202
Lei Robinson-Patman (1936), 181
Lei Sherman Antitruste (1890), 182-183, 186, 189, 193, 196
lei: constitucional, 230, 257, 258, 270; comércio justo, 196; trabalho, 125, 127, 130; poder de veto e, 77
leis de patentes, 358-359
leis trabalhistas e filosofia *laissez-faire*, 125-129
Levy, Jonathan, 364, 370, 372
Lewis, Michael, 369
liberais do *laissez-faire*, 240-241, 264, 267

liberais: ênfase na equidade e na justiça distributiva, 322; objeção ao projeto formativo, 315-316; objeção à teoria política republicana/do republicanismo, 315-316
liberalismo procedimental, 317-318
liberalismo, 30-32, 258, 311-312, 317; de espírito cívico, 326; movimento pelos direitos civis e, 338-339; clássico ou *laissez-faire*, 240-241, 264-265, 267-268; contemporâneo, 9, 230, 235-244, 262, 403 (*ver também* economia keynesiana; neutralidade); poder federal e, 278; economia keynesiana e, 235, 238, 240-241; significados de, 30-31; neutralidade e, 230, 268-269, 317, 403; na era Obama, 397; revolta populista contra, 402; pós-guerra, 232-233; prioridade do direito sobre o bem e, 258-259, 261, 294; da república procedimental, 99, 135, 154-155, 168, 195, 230, 232, 238, 240, 261, 262, 266, 266, 317, 336, 338-339; promessa de domínio e, 256; como filosofia pública, 270, 318, 319, 322; rejeição do projeto formativo e, 240, 317; Robert F. Kennedy e, 277-278; mudar para, 34; Estado de bem-estar social e, 258. *Ver também* direitos individuais; concepção voluntarista de liberdade
Liberator, The, 100-101
liberdade de contrato, 115, 120, 121, 122, 123, 127, 128, 130-131, 134
liberdade de escolha, 243, 258. *Ver também* escolha; fins, escolhendo; independência; concepção voluntarista da liberdade
liberdade de expressão, 145, 256, 258, 266-267. *Ver também* direitos individuais
liberdade de trabalho. *Ver* trabalho livre
liberdade industrial, 159

O DESCONTENTAMENTO DA DEMOCRACIA

liberdade religiosa, 145, 256, 258, 266. *Ver também* direitos individuais,

liberdade, 31-32, 43; suposições sobre, 30; escolher valores e fins, 31-32, 145, 322, 350 (*ver também* república procedimental); debates sobre, 34, 35; destacando-se do projeto formativo, 317; governo federal e, 278; independência e, 106; concepção do movimento trabalhista de, 105; concepção liberal de, 32, 33, 34, 240-241; política *versus* escravidão industrial, 159; propriedade e, 105; concepção republicana de, 32, 34, 35 (*ver também* projeto formativo; tradição republicana/do republicanismo); concepção dos sindicatos, 134; virtude e, 43; trabalho assalariado e, 95-99, 100, 106, 349. *Ver também* concepção cívica de liberdade; fins, escolha; concepção liberal de liberdade; concepção voluntarista da liberdade

liberdade, 43; Brownson sobre, 74; indivíduo independente, 147; indivíduo, 263; industrial, 159; república procedimental e, 319; autogoverno e, 319. *Ver também* liberdade

libertários, 74, 368

Lichtenstein, Nelson, 355

Liggett Company v. Lee, 179

Lilienthal, David, 242-243

Lincoln, Abraham, 111-114, 118, 120, 134, 173, 252, 311

Lippmann, Walter, 150, 151, 170-172, 180

local, autogoverno e, 340-341

Lochner v. Nova York, 99, 128-129, 130, 175

Locke, John, 31

Logan, George, 65

lojas de departamentos, 170, 189, 190, 202, 270

lojas independentes, 178

Long, Huey, 222

Louisiana, 126-127

luxo, 62-63, 78, 166, 173

Madison, James, 47, 48, 53-54, 55, 56, 75, 82, 396; fábrica e, 64, 65, 67

Mann, Horace, 81-82, 83

manufaturas nacionais. *Ver* manufaturas

manufaturas, 34, 41-43, 49, 53, 54, 76, 78, 79, 95, 96, 114, 311, 349; na proposta do Sistema Americano, 79; corrupção e, 54; debate, 59-68; subsídios governamentais para a indústria, 64; Hamilton e, 55-56, 64; domésticas, 62; Jefferson e, 41, 42, 61-62, 65-66; autogoverno e, 62, 67; apoio para, 63, 64; virtude e, 62, 65. *Ver também* economia política da cidadania

manutenção de preços, 189, 191, 196, 201, 202-203

manutenção do preço de revenda, 189-191, 196, 202

Marx, Karl, 332

McCarthy, Eugene, 272

McNeill, George, 117, 118, 123, 124

mecânicos. *Ver* trabalhadores

Mehta, Pratap Bhanu, 402, 403

melhorias internas/de infraestrutura, 34, 75, 79, 399, 401

mercados, 354-355, 359-360, 362, 363, 403-404. *Ver também* financeirização; Wall Street

meritocracia, 351, 388-395, 397-398, 399. *Ver também* desigualdades; retórica da ascensão

método científico, 154

Metzenbaum, Howard, 203

México, 19, 21, 80, 355, 356, 357, 20

Meyers, Marvin, 75

mídia social, 19, 22-23, 24

Mill, John Stuart, 31

Miranda, Lin-Manuel, 396

Mitchell, John, 133

ÍNDICE REMISSIVO

mobilidade individual, 118

mobilidade social, 109, 390, 398

Mondale, Walter, 280, 294, 295

monopólio/trustes, 105, 116-117, 126-127, 158, 182, 187, 188-189, 190, 191-192, 196, 198, 220, 223, 224-225, 359; alternativas para, 349; Banco dos Estados Unidos como, 73-74; Brandeis sobre, 158; virtude cívica e, 183; consumidor e, 172-173; defesa de, 185; TNEC, 225; custo de transferência de, 202; Wilson e, 160-162. *Ver também* antitruste/antimonopólio; concorrência; corporações; concentrações de poder

Montesquieu, Charles Louis de Secondat, barão de, 332

Moral Majority, 289, 318

moralismo, 284-287

Morgenthau, Henry, Jr., 227

movimento ambientalista internacional, 331, 335. *Ver também* mudança climática

movimento contra rede de lojas, 176, 177-182, 195, 202

movimento de não importação, 59-60

movimento de planejamento da cidade, 156

movimento pelos direitos civis, 296, 338-339

movimento trabalhista: abolicionistas e, 101-104; American Federation of Labor, 132-135; mudanças em, 131-132; concepção cívica do trabalho livre e, 99; concepção de liberdade e, 105; jornada de trabalho de oito horas e, 121-125; surgimento do, 100; busca de melhoria moral e cívica, 118-119; Sylvis, 117-119; trabalho assalariado e, 100, 101, 132-135. *Ver também* contratos; liberdade de contrato; Knights of Labor; sindicatos

movimentos internacionais de direitos humanos, 331, 335

movimentos internacionais de mulheres, 331

mudança climática, 399, 404

mudanças sociais, 81. *Ver também* caráter moral; virtude

mulheres, 312; como consumidoras, 170; COPS e, 320; excluídas da esfera pública, 35; em Knights of Labor, 132; trabalho de, 62

Muro de Berlim, 351

muro de fronteira, 18-19, 21, 383

nação, anexo a, 48

Nader, Ralph, 187, 200

narrativa, perda de capacidade para, 341-342. *Ver também* desempoderamento

National Chain Store Association [Associação Nacional de Redes de Lojas], 180

National Labor Union [NLU, Sindicato Trabalhista Nacional], 116, 117

National Recovery Administration [NRA, Agência de Recuperação Nacional], 191, 218-220

nativismo, 383

natureza, 404. *Ver também* mudança climática; padrões ambientais

necessidade, 402-403, 404

negócios pelo correio, 170, 171

negócios, grandes, 24, 34, 161, 164, 165, 169, 222, 381; a visão de Brandeis de, 157-158; cidadãos e, 185-186; defesa de, 242; eficiência de, 188; medo de, 220; Franklin D. Roosevelt e, 220-223; poder governamental sobre, 164; Reagan e, 293; poder antidemocrático de, 172. *Ver também* antitruste/antitruste; rede de lojas; corporações; monopólio/trustes

negócios, pequenos, 178, 184, 195, 197, 199, 203, 221, 320

neoliberalismo, 17-18, 355, 373, 399, 404. *Ver também* globalização neutralidade, 33, 34, 75, 135, 145, 230, 256, 258, 266-267, 270, 317, 322, 403; aspiração à, 230-235; conservadores e, 290-291; desacordo sobre o significado de, 326; economia e, 33; da política fiscal, 233-234; direitos individuais e, 258; economia keynesiana e, 230-236, 237-238; sobre questões morais, 43-44, 289-290, 290-291; reformadores progressistas e, 154-155; em direção à religião, 257; criação voluntária de liberdade e, 258. *Ver também* liberalismo; república procedimental; concepção voluntária de liberdade

New Deal, 34, 71, 236, 238, 243, 267, 277, 269, 329, 336, 349, 355, 367; antitruste/antimonopólio e, 192-196, 221; tentativas de reformar a estrutura do capitalismo industrial, 231; comparado com os movimentos de reforma anteriores, 239-240; visões concorrentes de, 216-225, 231; vertente descentralizadora de, 220-225; FDIC, 374; Lei Glass-Steagall, 368, 383; taxas de juros e, 363; economia keynesiana e, 228; efeitos duradouros, 278; NRA, 191, 218-220; planejamento, 217-221; liberalismo procedimental no, 232; reforma da indústria de valores mobiliários, 220; solução de gastos, 225-229; TVA, 220, 242; Estado de bem-estar social e, 260. *Ver também* economia política do crescimento e justiça distributiva; Roosevelt, Franklin D.

New Democracy [Nova Democracia], 172

New Federalism [Novo Federalismo], 293

New Freedom [Nova Liberdade], 190, 216

New Frontier [Nova Fronteira], 255

New Nationalism [Novo Nacionalismo], 163-166, 216

New Republic, 172

New York Evening Post, 69

Nixon, Richard, 233, 273, 274, 284

normas trabalhistas e acordos de livre comércio, 357-358. *Ver também* sindicatos

North American Free Trade Agreement [Nafta, Tratado de Livre Comércio da América do Norte], 337, 355-356, 357, 359, 384

Northington, lorde, 131

Nozick, Robert, 267, 268

Nussbaum, Martha, 331

Obama, Barack, 9, 357, 359, 365, 373-383, 390, 397-398, 399, 402

Obama, Michelle, 398

obras públicas, 225-226. *Ver também* infraestrutura/melhorias internas

obrigações, 11, 20, 264, 317, 331, 336, 341; comunitárias, 259, 260

Occupy, movimento, 18, 377

ocupações: no censo de 1870, 114-115; virtude e, 53, 75, 78. *Ver também* ideal agrário; produtores; trabalho assalariado; trabalhadores

oligarquia, 381, 386, 387

Olmsted, Frederick Law, 155

orçamentos equilibrados, 226-227, 233, 353

organização comunitária, 320-321

Organização Mundial do Comércio (OMC), 356, 357

organização, era da, 148

organizações trabalhistas: negociação por intermédio de, 123; desejo de abolir o trabalho assalariado, 116; na Era Dourada, 116-121. *Ver também* Knights of Labor; sindicatos

orgulho nacional, manufaturas e, 66

padrões ambientais, 358, 359, 384

Page, Benjamim, 387

pandemia de Covid-19, 9, 17, 19, 22, 24, 366, 398, 399-403

ÍNDICE REMISSIVO

pandemia, 17, 19, 24, 366, 398, 399, 400, 401, 402, 403

papel moeda, 73, 74

Parceria Transpacífico (TPP), 357, 359, 384

parques, 155, 325, 326

participação nos lucros, 159

participação política, 32. *Ver também* autogoverno

partidarismo, 19. *Ver também* polarização

Partido Democrata, 362, 365, 366, 385, 390; antitruste/antimonopólio e, 201; apelo à comunidade nacional, 280; democratas Barnburners [grupo], 71; desregulamentação e, 18; liberdade e, 30-32; pleno emprego e, 228; na era Jackson, 69, 71, 72, 73, 82-84, 96, 108; meritocracia e, 392-395; convenção de 1936, 222; convenção de 1968, 200-201; origens do, 396; fixação de preços e, 202; na era Reagan, 293-296; partidários do, 391-395; política comercial, 353-357. *Ver também* Clinton, Bill; Obama, Barak; Wallace, George

Patman, Wright, 182

patriotismo, 19, 20

patrocínio, 51

Paulson, Hank, 372, 373

Peckham, Rufus Wheeler, 186

perda de emprego, 17-18, 352, 356, 357, 358, 365, 384, 385

perda de empregos/terceirização, 18, 352, 356, 358, 365, 401. *Ver também* globalização

períodos de atenção, 24

Perkins, Frances, 227

Phillips, Wendell, 103

Piketty, Thomas, 392

Pingree, Hazen S., 184-185

planejamento econômico, 216-220, 223, 231-232. *Ver também* New Deal

planejamento, econômico, 216, 217-220, 231-232. *Ver também* New Deal.

playground, 232, 294-296

pluralismo, 315-316, 337

pluralistas, sociedades, 33, 35, 146, 147-148, 403

pobreza: democracia e, 323; disparidades raciais na, 389; virtude e, 63; dos trabalhadores assalariados, 104; guerra contra a pobreza, 262, 263

poder centralizado, 76. *Ver também* intervenção governamental

poder de veto, 76-77

poder disperso, 167

poder econômico, 23-25, 157-160. *Ver também* grandes negócios; corporações; monopólio/trustes

poder econômico, 24, 25, 157-160, 293-294, 329-330. *Ver também* grandes negócios; corporações; monopólio/trustes

poder, executivo, 76, 77

poderes, separação de, 47

polarização, 17, 22, 24, 375, 388

política antiescravidão, 106-116. *Ver também* abolicionistas

política de austeridade, 399

política econômica, 65; Sistema Americano, 79; consequências cívicas da, 25, 41, 95 (*ver também* economia política da cidadania); Clinton e, 355-356; consumo e, 236, 251; justiça e, 55, 95, 135, 176, 201, 215, 222, 294-295, 322, 379; justificando, 41; produto nacional e, 251; riqueza nacional e, 215, 229; abrir mercados e, 54; prosperidade e, 41, 50, 55, 59, 60, 63, 64, 67, 70, 95, 135, 200-201, 215, 222, 229, 350; Reagan, 293-294; autogoverno e, 25, 67; transformação da, 215; expansão para o oeste e, 54, 56-57, 79. *Ver também* política fiscal; economia keynesiana política fiscal, 228-229, 233; neutralidade da, 233-234. *Ver também* política econômica; economia keynesiana

política global, 327-340

política, 19; global, 327-340; boa vida e, 403; interessada, 83; dinheiro em, 386-388; nacionalização da, 167, 329-330; necessário *versus* possível na política; de protesto, 275-277; objetivo da, 261; concepção estreita de, 401-402; de unidade, 262

política, evasão, 401

política: consequências cívicas da (*ver* economia política da cidadania); influência da, 387

political action committees, [PACs comitês de ação política], 386

populismo, 19, 377, 383-385, 400. *Ver também* Trump, Donald J.

Pound, Roscoe, 130-131

Powderly, Terence, 118, 119

preços, 24, 172-173, 176, 181, 182, 183, 185, 187-191, 217-218. *Ver também* consumo

Previdência Social, 260, 264-265, 276, 322

previdência social/seguridade social, 237, 259, 263-265

princípios, 11. *Ver também* ideais

prioridade do direito, 256, 266, 270

privacidade, 145, 258. *Ver também* direitos individuais

produção. *Ver* manufaturas

produto nacional bruto, 253

produtores, 73, 131, 172, 173, 187, 356. *Ver também* ideal agrário; trabalhadores

progressistas de Wisconsin, 170

projeto de lei das holdings, 221

projeto formativo, 32, 43, 73, 319; na pólis de Aristóteles, 313; tentativa de evitar, 291, 136-139 (*ver também* neutralidade); do movimento pelos direitos civis, 339-340; conservadores comunais, 288-293; comunidade e, 296-297; Constituição e, 54; Croly sobre, 167-168; na república democrática, 313-316; destacando a liberdade do, 317; educação e, 45; jornada de trabalho de oito horas e, 123-125; Hamilton e, 48-49; rejeição dos keynesianos do, 238-243; debate sobre manufaturas e, 65; necessidade do, 319; New Nationalism, 165-166; progressistas e, 135, 154-157; bem público e, 82-84; rejeição do, 236; recursos para, 325; revivendo, 290; riscos em, 316; Rousseau e o, 313-315; afastar-se do, 174, 230, 238-243, 251-252, 261-262; *whigs* e, 78-79; Wilson e, 161-162. *Ver também* caráter; cidadãos; virtude cívica; educação; caráter moral; religião; concepção republicana de liberdade; governo republicano; tradição republicana/do republicanismo; criação da alma

projetos transnacionais, sustentação de, 20-21

proliferação de sítios de engajamento político, 336

propriedade, 53-54, 65-66, 105, 312-313

prosperidade, 41, 59, 63, 64, 229, 237. *Ver também* crescimento econômico,

protestantismo, 81, 82

Provisão de Wilmot, 111

Public Works Administration [PWA, Agência de Obras Públicas], 218

qualidades de caráter. *Ver* caráter; virtude cívica; projeto formativo; caráter moral; economia política da cidadania

racismo, 111, 383, 385, 398

Rajan, Raghuram, 371

ÍNDICE REMISSIVO

Rawls, John, 31, 265-266, 266; *Uma teoria da justiça*, 265

Reagan, Ronald, 71, 199, 201, 275, 283-284, 288-295, 352, 354, 355, 362-365, 367, 373, 390; apelo de, 289, 294; vertente comunitária da política, 293; conservadorismo de, 291; crítica de, 294-295; gastos do governo e, 226; Departamento de Justiça sob, 202; New Federalism, 293; plataforma do Partido Republicano de 1980, 292; retórica de, 297

recessão (1937), 223-224

recompras de ações, 365, 384

redes de lojas, 158, 170, 171, 202-203; movimento contra redes de lojas, 176-182, 195, 202-203

reforma agrária, 102-105

reforma da indústria de valores mobiliários, 325-326

reforma progressista, 154-157, 329-330; movimento antitruste/antimonopólio e, 187-190; movimento de planejamento urbano, 156-157; visão consumista da, 169-176; visão descentralizadora da, 157-160, 164, 168-169; projeto formativo e, 135, 154-157; visão nacionalista da, 163-168, 334-335; playgrounds, 155, 324-325. *Ver também* Era Dourada

reforma: jornada de trabalho de oito horas e, 121-125; ideal formativo rejeitado na, 238-240; liberdade de contrato e, 115; concepção voluntarista de liberdade e, 121, 131; trabalho assalariado e, 120. *Ver também* New Deal; reforma progressista; gastos de governo

reformadores educacionais, 154

reformadores municipais, 154

regra da maioria, 149, 167-168

regulamentação, 258-359, 367. *Ver também* desregulamentação

Reich, Robert B., 323-324

religião, 49, 81; neutralidade em relação à, 258; escolas públicas e, 82. *Ver também* projeto formativo

remuneração executiva, 365, 376-378

renda garantida, 281-282. *Ver também* bem-estar social

renda, distribuição de, 41, 228. *Ver também* justiça distributiva; desigualdades; rendimento do trabalho assalariado,

república procedimental, 30, 35, 175, 230, 239, 265-270, 291, 317, 319, 322; vida cívica e, 340; conservadorismo e, 288; defesa da, 312; desempoderamento e, 146; mudança para a, 146, 262; formação da, 252; política jacksoniana e, 74; liberalismo da, 99, 134, 154, 168, 195, 238, 240, 261, 263, 266, 269, 336, 339; autoimagem liberal e, 265-270; conservadorismo libertário/*laissez-faire*, 289; liberdade e, 319; limites da, 146-147; moralidade e, 318; neutralidade e, 230, 235; reformadores progressistas e, 154; filosofia pública da, 235, 255, 285, 318, 319; direitos e, 317; autogoverno e, 340-341; mudança para, 35; estratégia de evasão na, 232; ideal voluntarista e, 243. *Ver também* Carter, Jimmy; neutralidade; economia política do crescimento e justiça distributiva; concepção voluntarista da liberdade

republicanismo, 44, 46, 57, 82, 337, 338; agrário, 172 (*ver também* ideal agrário); artesão, 98 (*ver também* artesãos); trabalho, 116-121; afastamento do, 34

republicanos, Eisenhower, 355

republicanos, radicais, 119

republicanos/Partido Republicano: debates com federalistas, 56-57; liberdade e, 31-32; trabalho livre e, 109-116;

O DESCONTENTAMENTO DA DEMOCRACIA

livre comércio e, 57-58; o sistema de Hamilton e, 51-52; compra da Louisiana e, 56-57; origens, 52; escravidão e, 107, 111-114; Trump e, 383-385; guerra e, 57-58. *Ver também* Trump, Donald J.

repúblicas, 43; tamanho da 80,

resgate: das companhias aéreas, 366; de Wall Street, 18, 372, 374-383, 401. *Ver também* crise financeira (2008); Wall Street

responsabilidade mútua, 323

resposta procedimental, 46

Reston, James, 273

retórica da ascensão, 390-391, 397-398, 399. *Ver também* meritocracia

revisão judicial: trabalho livre e, 125-131. *Ver também* Suprema Corte, Estados Unidos

Revolução Americana, 44-45, 50, 51-52, 57, 77 e independência econômica, 60

revolução do mercado, 78

ricos: impostos para, 384-385; retirada da esfera pública, 324-325

riqueza: acumulada, 69-70; concentrações de, 72, 133, 223; democracia e, 323-324; manufaturas e, 63; redistribuição de, 70, 228, 389-390

Rodgers, Daniel, 106

Rodrik, Dani, 357, 359, 360

Roosevelt, Franklin D., 192, 216-217, 259-260, 382; orçamentos equilibrados e, 226-227; conta da holding, 221; campanha de 1932, 226; campanha de 1936, 222-223; recessão de 1937 e, 224; NRA e, 219-220. *Ver também* Depressão; New Deal

Roosevelt, Theodore, 160, 161-162, 164-167, 169-170, 172, 192, 215, 329, 381-319

Rousseau, Jean-Jacques, 313-315, 323, 337

Royce, Josias, 152

Rubin, Robert, 354, 366, 367, 368, 372, 373, 374

Rubio, Marco, 390

Rule, Charles, 201

Rush, Benjamin, 45, 60, 314

salário mínimo, 95, 218, 265, 276, 388

salário. *Ver* trabalho assalariado

salários: virtude cívica e, 117-118; remuneração executiva, 365-366, 376-377, 378; globalização e, 356; condições de trabalho e, 185-186; salário mínimo, 95-96, 218, 265, 276, 388; padrões NRA sobre, 218-219; trustes e, 185;

Sanders, Bernie, 18, 357, 377, 383

saudação à bandeira, 257

Sawhill, Isabel, 393

Schechter Poultry Corp. v. Estados Unidos, 220, 221

Schlesinger, Arthur, Jr., 219

Schultze, Charles, 362

seção Bedford-Stuyvesant do Brooklyn, N.Y., 282

Securities and Exchange Commission [Comissão de Valores Mobiliários], 220

Sedgwick, Theodore, 110, 138

segregação, 147

Segunda Guerra Mundial, 217, 228-229, 231-232. *Ver também* gastos governamentais

segurança econômica, 263, 281. *Ver também* bem-estar social

segurança no emprego, 185

segurança privada, 325

sem história, 341-342

separação de poderes, 47

serviços municipais, 324

setor financeiro: captura do governo representativo pelo, 387; desregulamentação do, 365-367 (*ver também* desregulamentação); crescimento

ÍNDICE REMISSIVO

econômico e, 369-371; ameaça ao autogoverno, 381-382. *Ver também* bancos; Wall Street
Seward, William, 110
sexismo, 385
Sherman, John, 183
sindicatos, 122-123, 130, 132, 134, 384, 386, 399; aceitação da concentração de riqueza, 133; concepção de liberdade, 134; *Coppage v. Kansas*, 128-129; declínio dos, 18; crise financeira e, 375; sobre a liberdade contratual, 115; General Trades' Union, 98; propósitos dos, 133-134; reconhecimento dos, 159. *Ver também* movimento trabalhista; organizações trabalhistas
sindicatos, acordos de. *Ver também* sindicatos
Sistema Americano, 78-79
sistema de crédito, apoio a, 69-70
sistema de tesouro, 49-53
sistema distrital, 283, 284, 338
sistema mercantil, 53-54
Smith, Adam, 127-128; *A riqueza das nações*, 32
soberania, 19, 21, 341, 402; dispersão, 335, 337; erosão da, 334 (*ver também* globalização); reafirmação da, 18-19
sociedades beneficentes, 80
Society for the Encouragement of Manufactures and the Useful Arts [Sociedade da Pensilvânia para o Incentivo à Manufatura e às Artes Úteis], 63
solidariedade, 157, 258, 333. *Ver também* comunidade; identidade
Soros, George, 375
Sputnik, 254
Stein, Herbert, 233
Steward, Ira, 124
Stimson, Henry A., 184
Strasser, Adolph, 134
sucesso, 388, 389. *Ver também* desigualdades; meritocracia; vencedores e perdedores

sufrágio feminino, 170
sufrágio. *Ver* direitos de voto
Summers, Lawrence, 366, 367, 373, 390
Suprema Corte dos Estados Unidos: AAA e, 217-218; antitruste/antimonopólio e, 197; contribuições de campanha e, 386; imposto da rede de lojas e, 177; concepção de liberdade e, 99; *Coppage v. Kansas*, 128-129, 130; dissidência, 129-130, 179; decisão de *Dred Scott*, 108; decisão de *Dr. Miles*, 189, 202-203; saudação à bandeira e, 257; liberdade de expressão e, 258; direitos individuais e, 257-258; constitucionalismo *laissez-faire* da, 125-130; *Liggett Company v. Lee*, 179; era Lochner, 99, 175; *Lochner v. Nova York*, 128-129, 130, 175; decisão *Schechter*, 220, 221; Lei Sherman Antitruste, 186; *Casos dos Matadouros*, 126-127. *Ver também* revisão judicial
Suskind, Rony, 377
swaps de inadimplência de crédito, 367, 372, 376
Sylvis, William H., 117-118

tarifas, 68-69, 79, 172, 384
taxas de juros, 215, 354, 363-364, 371, 402
Taylor, John, 53, 57
Tea Party, 18, 377
tecnologia, comunidade e, 153, 220-221
Temporary National Economic Committee [TNEC, Comissão Econômica Nacional Temporária], 225
Tennessee Valley Authority [TVA, Autoridade do Vale do Tennesse], 220, 242
teorias da democracia baseadas no interesse, 83-84
terra, 54, 66, 103
terras públicas, 79
Texas, 80, 177, 321
Thatcher, Margaret, 352

O DESCONTENTAMENTO DA DEMOCRACIA

Tocqueville, Alexis de, 295, 314, 315, 337-338
tolerância, 12, 312, 316, 351. *Ver também* liberalismo
Tooze, Adam, 402, 402
trabalhadores. *Ver* artesãos; empregados; operários
trabalhadores: corrupção e, 61, 62; como empregados, 148; globalização e, 20; independência de, 65-66 (*ver também* ideal agrário); proteções para, 358; autogoverno e, 72-73. *Ver também* artesãos; empregados; era Jackson; trabalho; produtores
trabalho assalariado, 34, 99, 122, 398; avanço do pós-Guerra Civil, 114-115; comparado com a escravidão, 100-106, 158; consentimento e, 129-131; tribunais e, 125-131; danos ao caráter pelo, 117, 120; surgimento do, 97-98; defesa dos empregadores do, 98; liberdade e, 95-99, 100, 106-107, 349; como trabalho livre, 96, 102, 120, 134-135 (*ver também* concepção voluntária de liberdade); independência e, 100, 242-243; visão do movimento trabalhista, 102; a visão de Lincoln sobre, 111-112; oponentes do, 134-135; permanência do, 132-134; reconciliando-se com a liberdade, 115; reformadores e, 120; resistência ao, 116; como condição temporária, 113; ameaça representada por, 114, 117-118; concepção voluntária de liberdade e, 96, 128. *Ver também* capitalismo industrial; funcionários; trabalho fabril
trabalho fabril, 60, 61, 68, 95, 349. *Ver também* manufaturas; trabalho assalariado
trabalho livre, 311; antitruste/antimonopólio e, 184; artesãos, 60, 96-98, 113, 126, 134, 184, 311; a visão de Brandeis sobre, 158-159; personagem

e, 96; cidadania e, 96; compreensão cívica de, 99, 106-107, 121-123; debate sobre o significado de, 98; declínio de, 114; independência e, 111-112; Lincoln e, 111-113; mobilidade e, 118; emendas da Reconstrução e, 126-127; republicanos e, 108-116; entendimento republicano sobre, 126-127; escravidão como ameaça, 108; transição da escravidão para, 101-102; concepção voluntarista de, 99, 106, 127; trabalho assalariado como, 96, 101-102, 120, 135. *Ver também* capitalismo industrial; liberdade de contrato; independência
trabalho. *Ver* trabalho livre; trabalho; trabalho assalariado
trabalho: como mercadoria, 102 (*ver também* trabalho assalariado); dignidade do, 20, 109, 110; divisão de, 151; dia de oito horas, 121-125, 131; economia de mercado e, 97; organização do, 33, 97-98. *Ver também* capitalismo industrial; empregados; trabalho livre; escravidão; trabalho assalariado; trabalhadores
tradição republicana/do republicanismo: antitruste/antimonopólio e, 187; virtude cívica e, 43; aspectos coercitivos, 312-316; morte da, 230; distância entre povo e governo em, 284; na finalidade da atividade econômica, 237; como exclusiva, 312-316; sobre a liberdade, 240; desigualdade e, 322-323; ruptura com o New Nationalism, 165; identidades de produtores na, 173; visão de autogoverno, 281. *Ver também* projeto formativo; autogoverno
transparência, falta de, 21-22, 377-383
transporte, 79, 151. *Ver também* melhorias internas/infraestrutura
Travelers Group, 368
treinamento profissional, 323, 393

ÍNDICE REMISSIVO

tribunais, trabalho assalariado e, 125-131. *Ver também* Suprema Corte, Estados Unidos; *casos individuais*
tribunal do júri, 256
Tribunal Mundial, 330
Truman, Harry, 253, 260
Trump, Donald J., 351, 357, 375, 383-385, 392, 393, 402; políticas econômicas de, 18-19; eleição de, 18, 19, 21, 377; republicanos e, 384-387; partidários de, 18, 394, 395; impostos e, 384; eleição de 2020 e, 17, 398-399. *Ver também* populismo
Tugwell, Rexford G. 216, 220, 239
Turner, Adair, 369, 370

U.S. Steel, 361
União Europeia, 21, 328, 335, 398
União Soviética, 333
unidade de propósito, 151
United Company of Philadelphia for Promoting American Manufactures [Companhias Unidas da Filadélfia para a Promoção de Manufaturas Americanas], 60
United Mine Workers [Sindicato dos Trabalhadores de Minas], 132
United States Steel Corporation, 189
utilitarismo, 174-175, 180-181, 265, 267-268

valores: escolha, 31 (*ver também* liberdade); neutralidade e, 145 (*ver também* neutralidade); Reagan sobre, 292-293
valorização do preço do ativo, 369-370
vantagem comparativa, 358
vencedores e perdedores, 17-18, 358, 388-395. *Ver também* desigualdades; polarização
vida econômica, escala da, 20
vida pública, 30, 48-49. *Ver também* projeto formativo; instituições; república procedimental; religião

virtude cívica imaginada por, 54-56; política fiscal, 108; *Report on Manufacutres*, 64; *Report on Public Credit*, 50; ideais republicanos e, 55-56; na expansão para o oeste, 57
virtude cívica, 32, 43, 44, 58, 63, 67, 135, 166, 176, 316, 326, 395; ideal agrário e, 41-42, 67-68, 78; ansiedade sobre a perda de, 44; capacidade para, 312-313; movimento urbanístico e, 155-156; Constituição e, 45-49, 54, 338; contemporâneo, 341; efeitos das corporações sobre, 161-162; corrupção da, 341; dia de oito horas e, 123-125; erosão da, 43, 173, 283, 324; independência e, 52; capitalismo industrial e, 158; falta de, 46; monumento a, 157; regenerando, 283; tradição republicana/do republicanismo e, 42-43, 240; direitos e, 265-266; *versus* interesse próprio, 45; trustes e, 183-184; ameaça do trabalho assalariado para, 116-117; sistema distrital e, 283; Will sobre, 290-291. *Ver também* caráter; bem comum; projeto formativo; independência; caráter moral
virtude, 41-42, 43, 46; arranjo de trabalho e, 98-99; comércio e, 78; trabalho fabril e, 61; manufaturas e, 59, 62-63, 66; ocupações e, 75, 78; pobreza e, 63; autogoverno e, 117; Theodore Roosevelt sobre, 165-166. *Ver também* caráter; virtude cívica; projeto formativo
Volcker, Paul, 364-367

Wall Street (filme), 364
Wall Street, 220, 359, 361, 368-372, 375; raiva contra, 384; resgate de, 18, 372, 373-383, 401; bônus e, 376-377, 378; governo federal e, 374-388; falta de responsabilização, 377-383; escolhas

regulatórias e, 18, 366, 367. *Ver também* bancos; crise financeira (2008); financeirização

Wallace, George, 275-277, 278, 283, 384

Walpole, Robert, 51

Warren, Earl, 197

Washington, George, 45, 48, 52

Watergate, 274, 284

Weber, Max, 390

Webster, Daniel, 67, 69, 80

Webster, Noah, 47, 62

West, William, 103

Weyl, Walter, 172-176, 200

whigs, 68-69, 70, 71, 72-73, 76-84, 95, 96

White, Theodore, 271-272

White, William Allen, 151

Wiebe, Robert, 150

Wilentz, Sean, 97

Will, George F., 290-291

Williams, Shirley, 328

Wilmot, David, 111

Wilson, Woodrow, 148, 160-164, 168-169, 215, 221, 381-382

zonas empresariais, 282

Este livro foi composto na tipografia Sabon LT Std,
em corpo 11/15, e impresso em papel off-white
no Sistema Cameron da Divisão Gráfica
da Distribuidora Record.